JN246959

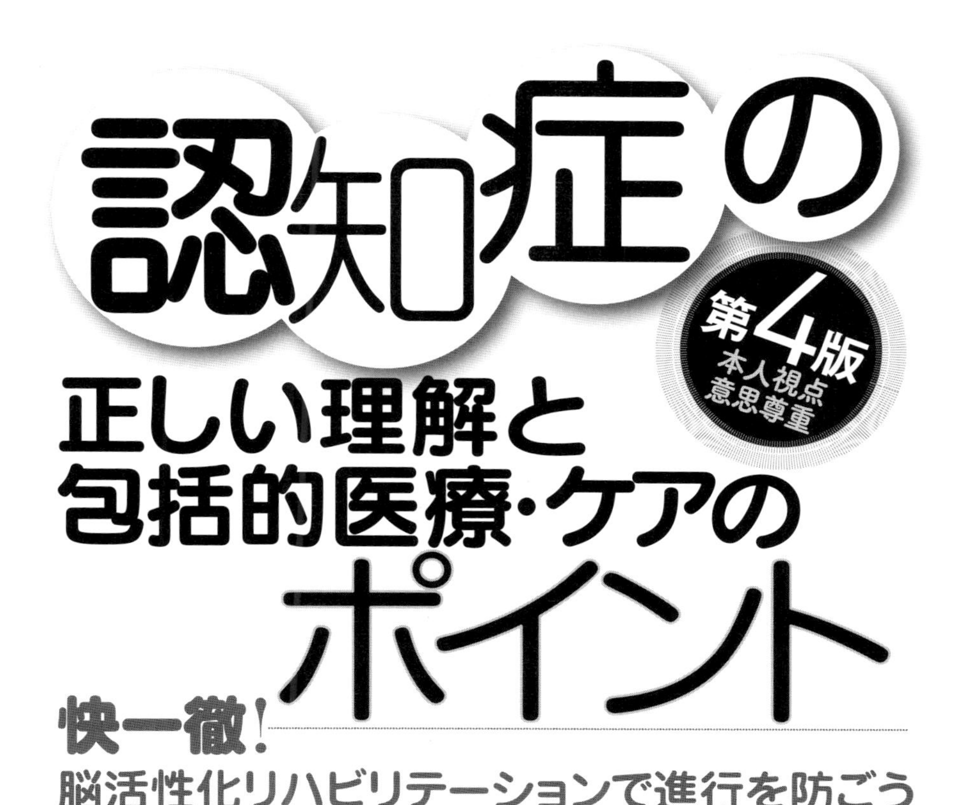

山口晴保 編著
佐土根朗＋松沼記代＋山上徹也 著

協同医書出版社

装幀　岡　孝治

はじめに

これまで医療関係者は「認知症があると医療にならない」、「認知症があるとリハビリテーション（リハ）の対象ではない」などと認知症を避ける傾向がありました。医療機関ではアルツハイマー型認知症の人が夜中に大声を出したり、他人のベッドに潜り込んだりすると退院を迫られることがあるのが現状です。こうした医療側が問題とする行動の多くは、医療側の不適切な対応や設備の不備により生じています。本質は、医療側の問題行動なのです。長寿社会を迎え認知症が急増している中、これからの医療・福祉に関わるスタッフは、認知症をよく理解し、適切な対応技術を身につけて初めて一人前といえる時代が来ます。

本書では、全体を通して以下の点を強く訴えています。①高齢になると誰もが認知症になる可能性があること、②主要な原因となるアルツハイマー型認知症は、老人斑や神経原線維変化など加齢に伴って出現する脳病変が、正常範囲を超えて多量に出現した「脳老化の究極の姿」ですが、老化だからと放置してよいのではなく、医療やケアが必要なこと、③このような理解が、認知症の人を異質な人と差別するのではなく、受容的に接する態度につながること、④認知症になっても人格があり、感情があり、感情に訴えると心が通じること、⑤心が通じ合うと、認知症でも能力が引き出されること、⑥脳の活性化で廃用による認知症の進行を防ぎ、軽度の認知症なら回復する可能性すらあること、⑦笑顔の絶えないケアから前向きに生きる活力が生まれること、⑧このようにして、認知症があっても前向きに楽しく生活できること、などです。

本書を読破することで、認知症の病態をよく理解し、高齢者の抱える心の問題を共有し、適切な対応がとれるようになると信じています。そして、「認知症とは？」、「認知症の医療は？」、「認知症のリハは？」、「認知症のケアは？」といった質問に、適切な答えを出せるようになっているでしょう。脳梗塞後の運動麻痺がリハで回復するように、認知症の原因疾患によって脳組織が壊れても「脳活性化リハ＋笑顔を生むケア＋正しい医療」の包括的な取り組みによって、認知症の進行を緩め、残存機能を高めて生活能力を回復させることが可能です。

本書は、認知症に関わるスタッフができれば知っておきたい知識をわかりやすく解説することをめざし、四部構成になっています。第１部は総論で、認知症の概念や原因、脳老化などについて書いてあります。第２部は認知症の症状とケアです。第３部は脳活性化リハです。第４部は認知症の理解を深めるセクションで、すべて項目ごとに読み切りのスタイルにしています。構成は、総論を極力短くし、実践的な知識にすっと入れるよう配慮しました。また、各項目を、必ず読んでほしい基本知識の部分と、興味がなければとばして読んでも構わない、基本知識の背景にある科学的根拠や一歩進んだ知識（  ）に分けています。後者をとばすと読みやすいのですが、他のスタッフより一歩前に進むには、是非後者も読んでもらいたいと思います。本書が他の書籍と異なるところは、むしろ後者の部分をしっかりと解説した点にあるからです。

読み終えたときに、読者がこの本を読んでよかったと思える本をめざしました。これは是非とも理解してほしい、役立ててほしいと思える事柄を書きました。また、この症状にはこのような対応というようなマニュアル本に終わることなく、その背景にある科学的根拠や理論を読み取ってもらえるよう配慮しました。ケアを単なる技術論に終わらせず、なるべく神経科学の考えを取り入れて説明するよう心がけました。認知症の方に生きる喜びを与えるようなケアをめざすには、問題点の本質を見極める能力が必要です。そのためには、基礎知識を理解しておくことが役に立つはずです。科学は日進月歩するので、科学的な説明は古くなっていくでしょう。しかし、認知症ケアの真髄は変わるものではありません。本書の哲学を胸に、認知症に前向きに取り組む仲間が一人でも増えることを願っています。

2005 年 4 月

筆者を代表して　山口晴保

第4版によせて

初版から17年、本書は約4万人の読者に愛され、成長を続けてきました。改訂・増刷の折には新しい情報を極力盛り込み、ついに第4版に至りました。

第3版を刊行した2016年から6年が経過する中で、本人視点を重視する国の認知症施策「認知症施策推進大綱」が2019年に策定され、認知症の当事者が発信する時代になっています。そして、認知症は病気として治療するという医学的な考え方から、認知症になっても一人の人間として尊重される人間中心の考え方となり、地域共生社会をめざす方向に社会が変化してきました。この流れを受けて、認知症になってもその人が主体性をもって幸せ(well-being)に生きられる医療・支援をめざして、本書を改訂しました。また、認知症をポジティブに捉えて、認知症になっても安心して過ごせる居場所があり、能力を発揮していろいろなことができるように支援するポジティブケアを推進したいと考えました。

第1部では、病態の解説を主体に再編するとともに、脳老化に関連して注目されるグリア細胞の機能や生活障害について加筆しました。第2部は症状・サインとケアの一体化を進め、認知症の行動・心理症状(BPSD)の正しい理解を伝えるとともに、本人視点に立ったポジティブケアを提唱しました。第3部の脳活性化リハビリテーションは提唱から17年経ちますが古さを感じません。第2部と第3部は人間中心モデルの視点で、ケアに関する部分では「症状」という医学用語を「サイン」という用語に書き換えました。“外から見える症状は、本人の発するサインでもある”という視点です。第1部と第4部の概念・診断・治療では、ICD-11に準拠するなど6年間の進歩を取り込みアップデートしました。

地域包括ケアの時代における認知症の包括的医療・リハ・ケアのテキストとして皆様に愛され続けることを目標としました。ご愛読、よろしくお願いいたします。

2023年2月

筆者を代表して　山口晴保

目次

第３部　脳活性化リハビリテーション

第４部 認知症の評価・診断と治療

囲み記事

イラストレーション＝生野　唯

第1部 認知症の基礎知識

認知症のケア（第２部）や脳活性化リハビリテーション（第３部）をよく理解するには、認知症の病態理解が不可欠です。このセクションでは、アルツハイマー型認知症などの病態を通して、認知症とはどのような病気なのかを理解してもらえるよう、医学的な見地からなるべくわかりやすく解説しました。

1900年頃から、アルツハイマー型認知症を引き起こす脳の病変が顕微鏡を使って明らかにされるようになりました（下図）。1980年代以降、この脳病変に蓄積している物質としてβタンパクやタウタンパクなどが発見されました。1990年以降、これらのタンパクが蓄積するメカニズムの解明と、そのメカニズムに基づいた治療法の開発競争が始まりました。こうして、2021年には脳に蓄積するβタンパクの低減をめざす薬剤（アデュカヌマブ）が薬事承認申請に至りましたが、残念ながら有効性のエビデンスが足りず承認保留となりました。2022年には同様な薬剤（レカネマブ）の進行遅延効果が報告され、このような疾患修飾薬（病気の原因物質を標的に開発され、病態を修飾して進行を緩める薬剤）の実現が近づいています。

このように、認知症の人の脳ではどのような変化（脳病変）がどのようなメカニズムで生じているのかという理解が、脳病変の病態に基づく治療（疾患修飾薬）に結びついてきたわけです。一方、こうした基礎知識を正しく理解することは、認知症の人が示す、健常者にとっては不可解な言動の理解にもつながります。そして、その理解こそが、認知症の人への適切なケアやリハビリテーションの基盤となるのです。

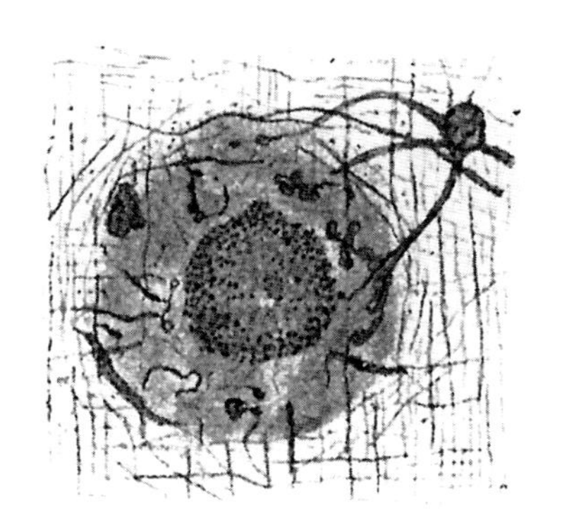

アルツハイマーによる手書きの老人斑

アルツハイマーが1911年に発表した論文の図です。当時は、顕微鏡で観察しながら所見をペンで描いて記録していました。この老人斑は典型的老人斑という型で、中心部に芯（核）と呼ばれる円形のアミロイド線維塊があります。その周囲のドーナツ状エリアは冠と呼ばれ、腫大した神経突起やグリア細胞があり、これらの間にはアミロイド線維束が散在しています。図の右上にある細胞は星形グリアで、老人斑の中に突起を伸ばしています。

1 認知症とは

1-1 「認知症とは？」の問いに答えよう

皆さん、「認知症ってなあに？」と尋ねられたら、どう答えますか？――ハーイ、同じことを何度も尋ねる人、財布が見つからないと盗られたと言う人、ブツブツ言いながら歩き回っている人――。こうした答えは認知症の人が示す症状の一面を示しているだけで、論理的な答えではありませんね。「認知症とは？」と聞かれたら、「脳の病変によって、記憶や遂行（実行）機能、視覚認知など複数の認知機能が後天的に低下し（以前よりも低下し）、社会・家庭生活に支障をきたすようになった（独居には手助けが必要なレベルになった）状態」と、全体像を答えるのが模範解答です。法的には介護保険法第五条の二に「**アルツハイマー病その他の神経変性疾患、脳血管疾患その他の疾患により日常生活に支障が生じる程度にまで認知機能が低下した状態として政令で定める状態をいう**」と規定されています。端的に表現すると、「脳病変で認知機能が低下して生活管理に手助けが必要になったら認知症」となります。自分の経験した認知症の事例を頭に浮かべて具体的な症状を並べるだけでは、一側面を捉えているにすぎません。では、認知症の本質は何でしょうか？

どう作るんだっけ？

認知症の代表であるアルツハイマー型認知症を例にとって、全体像を捉えてみましょう。アルツハイマー型認知症の代表的な症状は、エピソード（出来事）記憶の障害です。発症前の昔のこと（遠隔記憶）は比較的よく覚えていますが、ほんの少し前（数分から数時間前）のエピソードを覚えていられなくなります。これを**近時（近接）記憶の障害**といいます（数分～数時間前の記憶は短期記憶ではなく、長期記憶であり、近時記憶です）。エピソード全体（例え

表 1-1　加齢に伴う健忘と認知症の健忘

分類	加齢に伴う健忘（良性健忘）	認知症の健忘（悪性健忘）
エピソード（出来事）	部分を忘れる（おかずの種類を忘れる）	全体を忘れる（食べたこと自体を忘れる）
	大切でないことを忘れる	大切なことを忘れる
	その日のエピソードを振り返ることができる	数分でエピソードを忘れる
ニュース（報道）	概要を覚えている	他人事なので、すぐに忘れる
再　認※	できる（伝言の伝え忘れを指摘された途端に思い出す）	できない（伝言の伝え忘れを指摘されると、「そんな話は聞いていない」と怒る）
再　生（思い出すこと）	とっさに思い出せなくても、記憶には残っており、あとで思い出せる	記憶に残っていないので、ずっと思い出せない
健忘の自覚	自覚している	自覚が乏しい

※…買ったものを見た途端に、買ったことを思い出すなど、直接の手がかりによって思い出す。認知症では、自分で買ったものなのに、「誰が買ったの」と言い出す。

（山口 2021[1]）

ば、30分前に食べた朝食のおかずではなく、食べたという出来事全体）を忘れるのが認知症による記憶障害の特徴です。しかも、その事実を指摘されても「あっ、そうだった」と思い出せず、**再認が困難**になります。アルツハイマー型認知症では記憶障害が必ずあります（**表 1-1**）。また、**遂行（実行）機能障害**があり、生活に必要な行為を上手な手だてで目的にあわせて進めることが困難になります。これは**思考と判断力の障害**と捉えられます。例えば、夕食の用意を題材にすると、まずは冷蔵庫や炊飯器、鍋の中を確認して残り物や食材をチェックし、その日の家族の食欲を考え、同じものが続かないように昨日までのメニューを思い出し、栄養バランスを加味してメニューを考え、不足の食材を買い揃え、料理の手順を考え、出来具合を見ながら手順を調節して、設定した食事時間にすべての作業が仕上がるよう調理を進める、などなど、とても複雑な工程なのです。しかも同時進行で作業が進むので、注意力が要求されます。また、作業開始前に考えたメニューを作業が終わるまで記憶している必要があります。認知症になると、初めの計画を忘れて、目に入った食材で調理してしまいます。さらに、支度する品数が少なくなって毎日同じメニューが続いたり、食べる人数と不相応な量を作ったり、冷蔵庫に同一の食材を多量にため込んだりというような状況が出てきます。また、キャベツを切り始めたら山ほど切り続けるなど、仕事の切り替えや同時進行がうまくできなくなります。調理には遂行（実行）機能・記憶・注意・視覚認知などの総動員が必要で、このため**認知症になると生活に支援が**

必要となります。これが本質です。

アルツハイマー型認知症を例にとりましたが、認知症になると「状況判断」に支障が出て、「段取り」、「手順」といった高等な作業（遂行機能）に困難を生じ、同時に**注意の集中・分散**がうまくできなくなります。思考と判断、注意といった高等な作業を司っている部位は、主に大脳皮質連合野の中でも前頭前野（**図 1-4**、**図 1-5** を参照）の働きです。大脳皮質の各部位は他の部位と連携しながらそれぞれの役割を果たしていますが、これらの高次脳機能を統合する機能も障害されるのが認知症です。詳細は、本項の を参照してください。このような様々な高次脳機能の障害（認知障害）の結果、「社会生活に支障をきたす」状態（例えば、一人暮らしに手助けが必要な状態）になること、つまり生活（管理）障害をきたすことが認知症です。認知機能が少し低下しても、手助けなしに独居ができる程度に社会・家庭生活能力が保たれていれば認知症とはいえないわけです。

具体的には、一人で旅行ができない、銀行預金などの金銭管理ができない、買い物で必要なものを必要なだけ買えないなどの、社会と関わりをもつ生活能力の障害が認知症の早期から出現してきます。また、服薬管理もできなくなっていることが、医療提供での大きな課題となります。これらの生活能力は手段的 ADL（instrumental ADL：I-ADL）です。地域で生活する人の生活状況から認知症をアセスメントする Dementia Assessment Sheet for Community-based Integrated Care System-21 items（DASC-21）[2]では、家庭外の I-ADL として、①一人で買い物はできますか、②バスや電車、自家用車などを使って一人で外出できますか、③貯金の出し入れや、家賃や公共料金の支払いは一人でできますか、また、家庭内の I-ADL として、④電話をかけることができますか、⑤自分で食事の準備はできますか、⑥自分で、薬を決まった時間に決まった分量を飲むことはできますか、の 6 項目を質問します。これら 6 項目がすべてできなければ認知症でしょうし、すべてできれば認知症ではないでしょう。なお、DASC-21 は I-ADL 6 項目のほかに、認知機能 9 項目、ADL（基本的 ADL）6 項目からなり、各項目を 1～4 点で評価して合計点が 31 点以上だと認知症が疑われます。暮らしに密着したわかりやすい項目でチェックしていくので、地域の活動では有用で信頼できる評価尺度です。

認知症かどうかの判断には生活障害を捉えることが必須なので、筆者は**認知症初期症状 11 項目質問票**（symptoms of early dementia-11 questionnaire：SED-11Q）[3]を開発し、山口晴保研究室ホームページで公表しています（287 ページの**表 4-4**）。SED-11Q は家族介護者がチェックして、11 項目中の 3 項目以上にチェックがつけば認知症が疑われます。4 項目以上だと強く疑われます。**表 1-2** に示すように、典型的な軽度アルツハイマー型認知症では、介護者が 7 項目チェックするのに、本人は 2 項目しかチェックしません（アルツハイマー型認知症では病識が低下していて、障害に対する本人の自覚が乏しいことが多い）。このように、本人によるチェックでは認知症の人を見つけ出すことができま

表 1-2　認知症初期症状 11 項目質問票（SED-11Q）における家族と本人のチェックの比較

軽度 ADD		うつ		項　目
本人	家族	本人	家族	
	○	○		同じことを何回も話したり、尋ねたりする
		○		出来事の前後関係がわからなくなった
	○			服装など身の回りに無頓着になった
	○			水道栓やドアを閉め忘れたり、後片づけがきちんとできなくなった
○	○	○		同時に二つの作業を行うと、一つを忘れる
	○			薬を管理してきちんと内服することができなくなった
	○	○		以前はてきぱきできた家事や作業に手間取るようになった
		○		計画を立てられなくなった
○	○	○		複雑な話を理解できない
				興味が薄れ、意欲がなくなり、趣味活動などをやめてしまった
		○		前よりも怒りっぽくなったり、疑い深くなった

SED-11Q は家族が 3 項目以上チェックすれば認知症が強く疑われる。
軽度アルツハイマー型認知症（ADD）では本人のチェックが家族よりも少なく、病識低下を示している。うつでは本人のチェックが多いのが特徴。認知症でも本人のチェックが多いとうつ傾向にある。
SED-11Q の評価用紙は山口晴保研究室のホームページからダウンロード可能。

せんが、介護者がチェックすれば、生活状況から認知症を見つけられるのです。

生活状況を詳細に聞き取ると改訂長谷川式簡易知能評価スケール（Hasegawa dementia scale-revised：HDS-R）で 25 点くらいでも「買い物のミス」「服薬管理ができない」といった生活の困難が出てきます。教育歴の高い人ではこのような傾向があります。アルツハイマー型認知症を例にとると、脳の病変は発症の 20～30 年前から始まり、徐々に進行しています（**図 1-22** を参照）。そして感度のよい画像診断法（306 ページの「1）画像診断」を参照）や脳脊髄液の検査（310 ページの「2）脳脊髄液検査による脳病変の検討（バイオマーカー診断）」を参照）では、認知症の定義を満たす前に、すなわち社会・家庭生活の困難が出現する前の段階でアルツハイマー病と診断できます（認知症発症前はアルツハイマー病とする。詳しくは 28 ページを参照）。このように、どの時点で疾患を発症したかを判断するのは、告知の問題を含めてとても難しくなってきています。認知症の捉え方が医療の進歩とともに、少しずつ変化しています。認知症の発症早期の段階や認知症には至っていない軽度認知障害（mild cognitive impairment：MCI／52 ページを参照）の段階で早めに診断・告知し、本人自身の対応と医療・リハ・ケアの包括的対策を早くから講じる流れです。

ただし、運転免許の問題が早めの認知症診断に関わってきます。20 年前は、認知症と診断された人の多くはHDS-Rで20点以下で、10点くらいも稀ではありませんでした。今は、早期診断・治療でHDS-Rが24点くらいの人もいます。そして、それらの人が、道路交通法上は運転できなくなるかもしれないという問題です(道路交通法では、介護保険法・第五条の二の認知症の定義を用いています)。

1-2　認知症の本質は病識低下

アルツハイマー型認知症では、「**病識低下**」や「**内省能力の減退**」、「**病態失認的態度**」といわれる症状が中核にあります[4]。記憶障害があるだけでなく、「自分の記憶が悪くなっていることの自覚に乏しい」症状、つまり「自分がもの忘れすることを問題視しない態度」です。このために生活に種々のトラブルが生じるようになります。記憶障害があってもそれを自覚できれば、メモなどの方法である程度カバーできます。しかし、自覚が乏しいので、記憶障害が原因で自分が引き起こした問題を問題だと理解できず、家族は困っているのに本人は平然としています。このように病識低下が認知症の介護困難を引き起こす要因です(**表1-3**)[5,6]。このことを理解することが、認知症ケアの出発点です。

一方、少数派ですが、病識が低下していない認知症もあります。病型が血管性やレビー小体型の場合です。病識がしっかりしていて、自分の失敗に気づいています。このため、うつになる傾向がありますが、介護拒否や介護者への攻撃は少ない傾向があります(**表1-3**)。

記憶障害の自覚のなさは「メタ記憶の障害」として捉えられます。メタ記憶とは、「自分が何をわかっていて何がわからないか」という漠然とした潜在記憶を示す認知心理学の

表1-3　病識保持と病識低下の対比

項目	病識保持事例	病識低下事例
障害の自覚	自覚あり	自覚に乏しく、自信過剰
代償・ケア	可能・受け入れる	不可能・拒否(服薬支援を拒否、など)
適切な判断	可能	困難(財産管理、受診、運転免許返納、など)
危険	少ない	高い(運転、外出して戻れない、など)
認知症の行動・心理症状(BPSD)	少ない	妄想や暴言・暴力などの増加
情動	うつ傾向	多幸傾向、失敗の指摘に対する怒り
本人のQOL	低くなる	むしろ高い
介護者	影響が少ない	介護負担増大、介護者のQOL低下
認知症の病型	レビー小体型、血管性	アルツハイマー型、行動障害型前頭側頭型

(山口 2020[6])

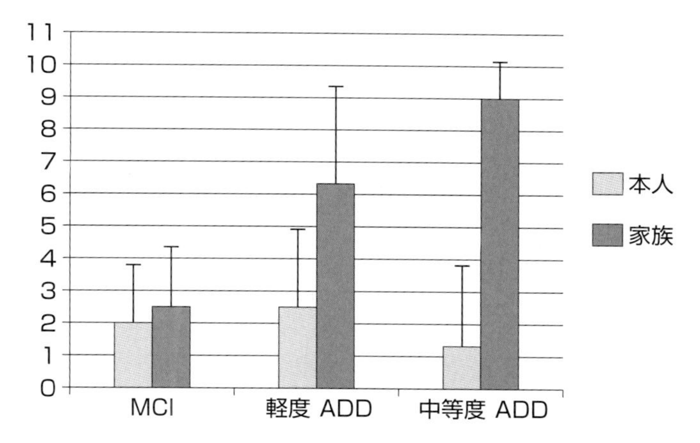

図 1-1　認知症初期症状 11 項目質問票（SED-11Q）で病識がわかる
本人評価と家族・介護者評価を比較すると、MCI では変わらないが、軽度アルツハイマー型認知症（ADD）では、本人の点数が低い。中等度に進行すると、自覚は減り、乖離はさらに大きくなる（病識がさらに低下する）。（Maki et al 2013[7]）

用語です。例えば、記憶が悪くなっていることの自覚に乏しい（メタ記憶障害）場合、ものが見つからないと、「しまった場所を思い出せない」とは思わず、「誰かが盗った」と思ってしまいます。

日本の認知症医療・ケアの先駆者である室伏君士や小澤勲らは、認知症の本質は、MMSE や HDS-R でわかるような要素的な認知機能低下ではなく、病識の低下（内省能力の減退・病態失認的態度）だと述べています[4]。しかし、この大切な考え方を取り入れている認知症の教科書は、残念ながらほとんどありません。

表 1-2 に示した軽度アルツハイマー型認知症のケースでは、SED-11Q を家族介護者が 7 項目チェックしているのに、本人は 2 項目しかチェックしていません。これが、本人の自覚が低いこと＝病識低下を示しています。病識の程度は、本人と家族の両者に同じ質問紙に答えてもらうことで明らかになります。ですから、本人用の回答用紙も備えた SED-11Q は、認知症のスクリーニングに加えて病識評価にも使える有用な質問票なのです。

筆者はアルツハイマー型認知症の病期と病識の程度を SED-11Q で検討し、論文にしています（**図 1-1**）[7]。MCI の時期には両者の乖離はわずかで病識が保たれていますが、軽度のアルツハイマー型認知症では明らかに本人評価の点数（チェックした項目の数）が低くなります。さらに中等度になると、できないことが増えて家族のチェック項目は増えますが、本人評価の点数はむしろ低くなり（自覚がより低下）、乖離が軽度よりも大きくなります。本人は自覚が低いほどうつになりにくいので、進行とともに失敗を自覚しなくなる（ハッピーになる）のですが、家族介護者は介護が大変になっていきます。

介護者は、「できるようになってほしい」という思いから、失敗を指摘します。しかし、本人は失敗の自覚がないので喧嘩になるか、失敗を自覚してうつになります。ですから、病識低下という認知症の本質を介護者が理解して介護することが、穏やかな生活を継続するうえで、きわめて大切なのです。このことは第2部の「13. 家族介護者への教育と支援」(172ページ)で詳しく述べます。

認知症の当事者の気持ちを大切にするという立場から、本人に病識があることを強調する考え方があります。確かに本人には「何か変だ」などの自覚(病感)はありますが、介護者の捉えた障害程度とは乖離があります。病識は有無の問題ではなく、病識はあるが正確に捉えていないことが問題です。そして、多くの場合は、本人が自分の能力を過大評価している(生活障害を過小評価している)、つまり病識が低下しています。だからといって、介護者の評価が正しく、認知症の人の評価が誤っていると筆者が主張しているわけではありません。本人が感じている世界と介護者が感じている世界は異なります。それぞれが異なる世界観をもっていて、それでいい。そして、認知症の人は健常者の感じている世界を推し量ることが難しい。ゆえに、健常者である介護者が、認知症の人の感じている世界を理解し、受け入れることが、認知症の人との関わりで大切になります。これが**パーソンセンタードケア**だと筆者は考えています。

ただし、認知症の人の感じている世界(主観)は、介護する側が推測するしかなく(認知的共感)、その推測は間違っている可能性があることを介護者は頭に入れておく必要があります。詳しくは、山口晴保＋北村世都＋水野裕・著『認知症の人の主観に迫る―真のパーソン・センタード・ケアを目指して―』(協同医書出版社、2020年)をお読みください。

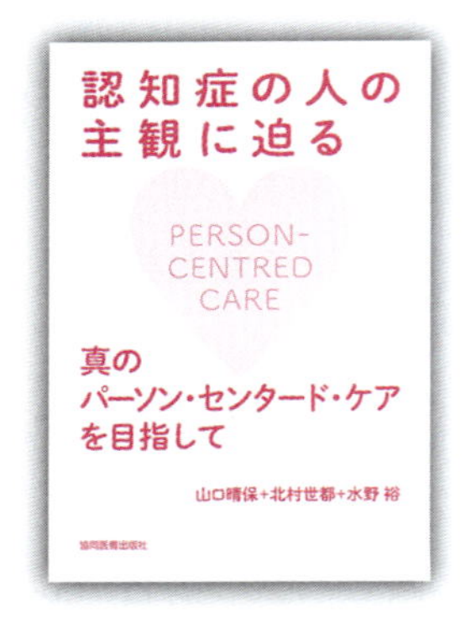

認知症の人の気持ちを正しく理解する！

1-3　認知症の診断基準

世界保健機関(WHO)による国際疾病分類第11版(ICD-11)が2018年に公表され、2022年に発効しました。厚生労働省の日本語訳は未発表なので、ICD-11(英語版)の認知症の定義を**表 1-4**に示します。認知機能の低下については、二つ以上の認知領域(次段落のDSM-5の認知6領域を参照)で、年齢相応あるいは発症前の認知機能レベルに比べて明らかな低下(通常の加齢の程度を超えた認知機能の低下)があることが必須です。この認知機能低下により、日常生活の自立にかなりの支障をきたしています。そして、認知

表 1-4　ICD-11 の認知症に関する説明（要約）

1. 二つ以上の認知領域で、年齢相応あるいは発症前の認知機能レベルに比べて明らかな低下がある。
2. 記憶障害は大部分の病型で認められるが、認知機能低下は記憶領域に限定されるものではない。
3. 認知機能低下は通常の加齢によるものではない。
4. 認知機能低下は日常生活の自立にかなりの支障をきたすほど重度である。
5. 背景に認知機能低下をもたらす疾患や病因がある。
6. 機能低下が急性の薬物中毒や薬物離脱によるものではない。

（WHO[8]より、筆者訳）

表 1-5　DSM-5 の認知症の定義（要約）

名称	major neurocognitive disorders
A. 認知障害	6 領域（注意、学習と記憶、言語、実行機能、運動 - 知覚、**社会的認知**）のうちの 1 領域以上で明確な障害（以前よりも低下）
B. 認知障害に基づく生活障害	**自立（独立）した生活の困難**（独居を維持するのに必要な金銭管理や服薬管理などの複雑な I-ADL に対して支援が必要）
C. 意識障害	せん妄ではない
D. 精神疾患	認知障害は、精神疾患（うつ病や統合失調症）に起因しない

DSM-5 では、neurocognitive disorders に、① delirium（せん妄）、② major neurocognitive disorder（認知症に相当）、③ mild neurocognitive disorder（軽度認知障害（MCI）に相当）の 3 症候群を含む。

機能低下をもたらす疾患や病因が背景にありますが、急性の薬物中毒や薬物離脱による認知機能低下ではありません。記憶障害は大部分の病型で認められますが、必須ではありません。先述の介護保険法でも 2021 年 4 月施行の改正版からは「記憶障害」が必須ではなくなりました。

2013 年 5 月発表の米国精神医学会診断・統計マニュアル第 5 版（**DSM-5**）では、①注意、②学習と記憶、③言語、④遂行（実行）機能、⑤運動-知覚（従来の失行・失認に相当）、⑥社会的認知の 6 領域のうちの 1 領域以上で明確な障害（以前よりも低下）があり、独立した生活が困難（独居に支援が必要なレベル）であれば認知症となっています（**表 1-5**）。DSM-5 では、日本に見習って差別的用語を変更する流れで、dementia から major neurocognitive disorders へと用語変更しましたが、学術論文では dementia が使われ続けています。DSM-5 では、認知領域として社会的認知（social brain：社会脳）が新たに加わったことが特記されます。この社会的認知障害を加えたゆえに、他者を顧みない傍若無人な行動や社会のルールを守れないことが特徴の行動障害型前頭側頭型認知症が認知症の定義を満たすようになりました。また、ICD-11 と DSM-5 ともに記憶障害を必須にしていないので、記憶障害を欠く行動障害型前頭側頭型認知症でも認知症の定義を満たします。それまで元気だった高齢者が肺炎で入院すると、急に見当識障害（状況をつかめなくなる）や幻覚妄想といった認知症様の症状が出現することがありますが、多くは**せん妄**（意識障害の一種なので適切な治療で回復）であり、認知症とは区別されるものです（350ページの**表 4-19** を参照）。ICD-11・DSM-5 のいずれも、意識障害（急性の薬物中毒や薬物離脱などを含む）でないことを認知症の定義に示しています。認知症の大部分は脳にじわじわとダメージを与える病変によって生じるので、基本的には急激な発症や劇的な回復はありません。しかし、発症早期であれば、脳活性化リハビリテーション（リハ）によって認知機能が少し回復する例もあります。また、家族を犯人にするもの盗られ妄想や暴言・暴力などの家族が困る症状は、適切な医療とケアでよくなることが多いので、認知障害を治そうとするのではなく、困る症状や生活障害を軽減して認知症とうまくつき合っていけばよいのです。それが本書のめざす認知症の包括的医療・リハ・ケアです。

一言で認知症といっても、その原因疾患、発症年齢、病期、生活・ケア環境などで、その症状は大きく異なります。一括りに認知症と捉えるだけでなく、これらの要因を踏まえて、認知症の定義にある「生活障害」に対応する医療・ケアが必要です。

1-4 認知症の疫学

認知症の発症頻度（年齢階級別有病率）は、40 歳以降は 5 歳長生きするごとに約 2 倍に増えます。**図 1-2** に認知症の有病率が 75 歳以降で急速に高まることを示しました[9)]。65 歳未満で発症する若年性認知症者は全体の 1～2% 程度で、残りの 98% は高齢者であり、75 歳以上が 9 割を占めます。今後、心筋梗塞やがん、脳卒中などの予防・治療が進歩してこれらの疾患で亡くなる人の割合が減ると、ますます高齢化が進み、残された道として認知症で最期を迎えることになるでしょう。実際に米国では他の死因の死者数は減っていますが、アルツハイマー型認知症による死亡は過去 10 年間で 1.7 倍に増えました（米国ではアルツハイマー型認知症が死因になるという理解が浸透していて死因の 6 位といわれる）[10)]。皆が長生きをめざすと、認知症は予測以上に増えます。そして、2025 年には全国で約 700 万人が、2040 年には約 800～950

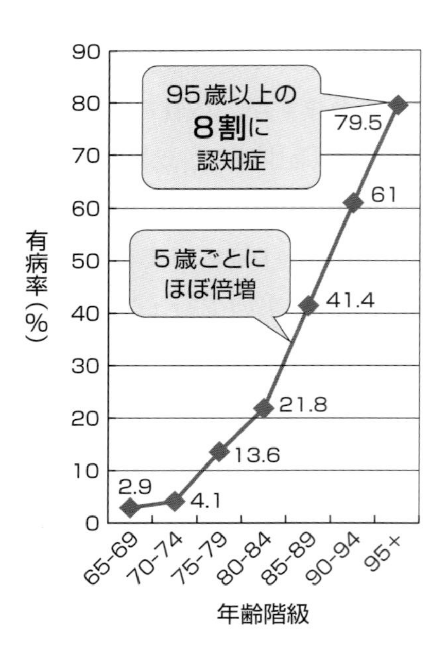

図 1-2 全国実態調査に基づく認知症の有病率（2013.6 公表）

万人が、2060 年には約 850～1,150 万人が認知症になると、厚生労働省は推測しています。

アルツハイマー型認知症では、生まれた子どもがその発達の過程で順次身につけた社会的知能を、金銭管理能力などから始まって獲得と逆の順番に失っていきます。そして最後は赤ちゃんに戻り、死を迎えるわけです（14 ページの［ 脳の階層性と機能局在］で解説／82 ページの［ 行動観察による進行度評価：FAST］を参照）。これは最後には何らかの死因が必要な人間のナチュラルコースだと思います。認知症になることを恐れるのではなく、「認知症になるまで長生きできてよかったね」とポジティブに捉えられる社会、「認知症になってもその人らしく生きられる」共生社会をめざしましょう。

1-5　認知症の本態

1）認知症は疾患名ではない

医療の現場では、病名、疾患名、症状名が飛び交っています。ここでチョット整理をしましょう。認知症は、多様な原因で一定範囲の症状（記憶・思考・判断・注意などの障害）が引き起こされる症候群（疾患群）と位置づけられ、アルツハイマー病や脳血管疾患など様々な原因疾患によって引き起こされます（20 ページの**表 1-8** を参照）。「認知症」は単一の疾患名ではなく、多様な原因疾患で生じる症候群であるという理解が必要です。

ここで、アルツハイマー病とアルツハイマー型認知症の使い分けについて触れておきます。脳に β タンパクが溜まり始めたらアルツハイマー病が始まったと捉えるのですが、その時期には無症状です。しかし、20 年以上にわたって溜まり続けると、もの忘れが始まり、いよいよ認知症になったらアルツハイマー型認知症といいます。つまり、脳病変を引き起こしているのがアルツハイマー病という原因疾患で、アルツハイマー病には無症状の時期（約 20 年間）、もの忘れがあるが認知症ではない時期（軽度認知障害／約 5 年

表 1-6　ICD-11 での認知症の考え方（太字はコード）

一般名称	ICD-11	
	6 精神・行動・神経発達の疾患〈認知症疾患〉	8 神経系の疾患〈原因疾患〉
アルツハイマー型認知症	**6D80** アルツハイマー病の認知症	**8A20** アルツハイマー病
血管性認知症	**6D81** 脳血管疾患の認知症	**8BXX** 脳血管疾患
レビー小体型認知症	**6D82** レビー小体病の認知症	**8A22** レビー小体病
前頭側頭型認知症	**6D83** 前頭側頭型認知症	**8A23** 前頭側頭葉変性症

（WHO[8]より、筆者訳）

間)、そしてアルツハイマー型認知症の時期(10～20年間)があるという考え方です。ですから、ICD-11ではアルツハイマー病の認知症(Dementia due to Alzheimer disease)と表現されます。同様に、脳血管疾患があっても無症状～認知症まで様々で、それが原因で認知症があれば血管性認知症(脳血管疾患の認知症(Dementia due to cerebrovascular disease))ということです。レビー小体型認知症の場合も原因疾患をレビー小体病とし、無症状の時期→便秘などの自律神経症状だけの時期→レビー小体型認知症(レビー小体病の認知症(Dementia due to Lewy body disease))の時期と進展すると考えられています。そして、前頭側頭葉変性症が原因疾患の認知症は前頭側頭型認知症になります(**表1-6**)。

原因疾患レベルで正しい診断をつけることは医師の責務です。そして、その診断に基づいて適切な医療やリハ・ケアを提供することが専門職に求められています。特にケアにおいては、認知症と十把ひとからげでのケアから、原因疾患、発症年齢、病期に即した適切なケアへと転換が必要です。

2）器質性疾患としての認知症と脳の回復力

認知症には原因となる疾患があり、何らかのかたちで脳組織が壊れる、神経細胞が消失するなど、肉眼や顕微鏡で見つかる病変を有しています。このように脳組織のダメージが形態学的に検出される疾患を**器質性疾患**といいます。神経細胞はごく一部を除き再生されないので、器質性疾患は症状が持続して治りにくい性質をもっています。一方、神経症やうつ病、統合失調症では機能に問題がありますが、顕微鏡で脳を調べても形態変化が見つかりません。このため、機能を正常に戻す治療により症状は軽快します。このような疾患は、**機能性疾患**といいます(**表1-7**)。

病変によって失われた神経細胞自体は元に戻りません。しかし、だからといって、認知症が不治の病であるという固定概念はもたないでください。脳には回復力(可塑性／新しい神経回路を作って機能回復する能力)があり、適切なリハやケアにより進行遅延～一時的な回復が見込めます。また、逆に誤ったケア(否定など)や廃用によって残存機能までもが失われてしまうと、認知症が急速に進行します。本人が安心できる環境の中で、生活意欲を高め、残存機能を引き出すことが重要であり、そのアプローチはポジティブケアと

表1-7　器質性疾患と機能性疾患

	器質性疾患	機能性疾患
代表疾患	アルツハイマー病	うつ病、廃用
神経細胞数	減少	正常(海馬では減少)
神経細胞機能	残存神経細胞は代償性亢進	低下、休止または誤った機能を発揮
治療への反応	原則的に不良	原則的に良好

して第 2 部で、脳活性化リハとして第 3 部で詳述しています。

認知症は器質性疾患に分類されますが、機能性疾患の側面も同時にもち合わせています。認知症を発症して、強い不安感から妄想などを引き起こし、自己を見失っていく中で認知症が進行していきます。**尊厳に配慮した温かいケア**や、**脳活性化リハ**で能力を引き出す取り組みによって、認知症をもつ高齢者が安心して過ごし、よい状態をより長く保てるようにすることが大切なのです。

3）人間中心モデルとしての認知症

ここまでは認知症を脳の病気と捉えて治療する立場で解説しました。しかし、認知症の当事者は「病人として扱われたくない」という気持ちをもっています。認知機能が低下したために今までできていたことができなくなったりして生活の不自由を抱えていますが、一人の人間として周囲から大切にされ、医療者や介護職などと対等な立場で良好な人間関係をもちたいという思いを本人はもっています。共生社会をめざすには、このように本人視点から認知症を捉えることも大切です。

医学では「症状」という用語を使います。本書では、第 1 部と第 4 部では病気の解説として「症状」という医学用語を用いますが、第 2 部のケアや第 3 部のリハのところでは、人間中心の観点から、症状に代えて「サイン」という用語をなるべく用います。患者が示す症状という医学モデルから、認知症の人が示すサインという人間中心モデルにしたいと思います（**図 1-3**）。

医学モデル	人間中心モデル
症状（医学用語）	サイン（ケア用語）
異常な状態	内面の表出
BPSD 困った言動と捉える 症状という医学用語	wants sign unmet needs sign SOS と捉える
治療（異常をなくす）	ケア（安心・居場所）
ニュートラルケア 障害・症状を減らす ネガティブケア 失敗の指摘、代行	ポジティブケア ほめる・感謝する 日課・役割 レジリエンス強化
短所をなくす 失われた機能に着目 〈不幸の回避〉	長所を伸ばす 残存・潜在機能に着目 〈幸福への近接〉

表情　しぐさ　言葉
動作　姿勢

山口晴保©

図 1-3　症状とサイン―医学モデルから人間中心モデルへ―

4）まとめ

このように認知症は、医学的には、①うつ病などの機能性（可逆性）疾患ではなく、器質性（不可逆性）の病変により、②一度獲得した認知機能（記憶・思考・判断・注意など）が独居生活に支援を要する程度にまで低下した状態で、③せん妄（意識障害の一種）など一過性の病態とは区別される、とまとめられます。そして、脳病変による損傷そのものは不可逆性でも、脳には残存能力（認知予備能／245 ページ）と**回復力**（195 ページの「1-2 回復力：脳の可塑性」を参照）という「治る力」があるので、認知症は、適切なリハ・ケア・医療を含む包括的対応により改善する可能性もあることを忘れないようにしてください。認知症の本人視点では「認知症という不自由を抱えていても幸せに生きたいと思う一人の人間」だということを心に留め、本人が安心できる環境の中で能力を発揮して生きがいを感じられるような自立・自律支援をめざしましょう。

脳の階層性と機能局在

[1] 大脳皮質の機能分担：一次領野と連合野

大脳皮質は、人間の活動を生み出す大切な場所です。厚さ 2～5 mm 程度の大脳皮質には総数 100 億にもなる神経細胞が層状にびっしりと並び、多数の襞を作りながら外套（がいとう）（マント）のように大脳全体を覆っています。この襞を伸ばすと大脳皮質の総面積は新聞紙 1 ページ相当になります。大脳皮質は前頭葉、頭頂葉、後頭葉、側頭葉と 4 分割されます（**図 1-4**）。それぞれに、身体各部と直接情報をやり取りする一次領野と、一次領野間を埋める連合野があります。身体の運動指令を出す運動野や、視覚情報が入力される視覚野などが一次領野です。アルツハイマー型認知症を例にとると、この一次領野は病変ができにくい部位です。そのため、脳血管疾患でよく見られる運動麻痺や感覚障害といった一次領野関連の症状が重度期までは出現せず、手足がよく動きます。

連合野は場所ごとに機能を分担しているので、局所的な障害を受けると、その部位に対応した症状として種々の**失行**や**失認**、**失語**などの高次脳機能の障害を示します。このようにそれぞれの部位が役割を分担しつつ、大脳全体として一つのシステムを構築して人間の行動をうまくコントロールして社会生活を行っています。そして、アルツハイマー型認知症ではこの連合野を中心に病変ができて、手足は普通に動くなど見た目は健常者と変わらないにも

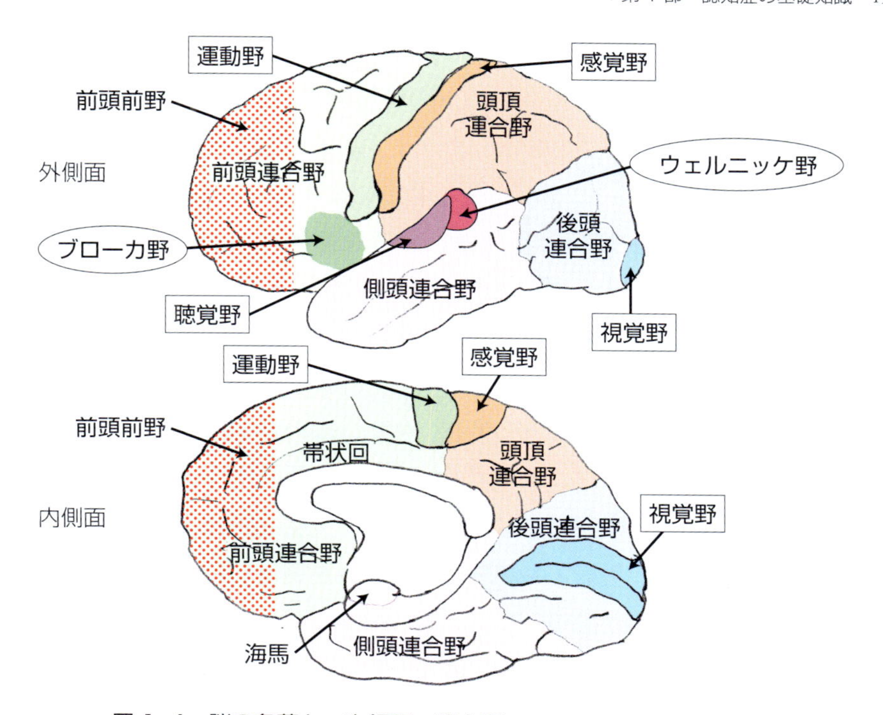

図 1-4　脳の各葉と一次領野・連合野
四角で囲んだ部位が一次領野、丸で囲んだ部位が言語中枢を指す。

かかわらず、一般の人には理解しにくい症状（一般の人から見ると違和感を抱いたり、不思議に思ったりする行動）が出現します。

認知症に関連した用語を理解できるよう、いくつか例を示します。身体各部からの感覚情報は、脊髄を通り、視床で中継されて頭頂葉感覚野という一次領野に入ります。そして、その周囲の頭頂連合野において解析され、**認知**（狭義）されます。例えば、手が 500 円硬貨に触れたとき、その円盤状の形と 100 円硬貨よりやや大きなサイズ、重さ、堅い材質、ひんやり感などから、手に触れているのが 500 円硬貨であろうと判断するのです。この頭頂連合野に損傷を生じると、手に物体が触れていることはわかりますが、その物体がどのようなものか判定できなくなる触覚失認が現れます。このほか、身体に触れたものが自分の手なのか他人の手なのかという自他の判断も頭頂連合野の働きです。また、右頭頂葉と右後頭葉の境界部付近の連合野が壊れると、地誌的失見当や着衣失行が現れます。**地誌的失見当**では頭の中に地図を作れず、トイレから自室に戻れなくなる、外出すると迷子になるといった症状が現れます。**着衣失行**も同様に空間的な位置関係の識別障害で、自分の身体部位（例えば腕の位置）と洋服の部位（袖）との空間的関連づけができなくなり、服を上手に着られなくなります。これらはアルツハイマー型認知症でも出現します。筆者は、早期から頭頂葉機能が低下するアルツハイマー型認知症では、影絵のハトの模倣動作（両手でハトの形を作る）が早い段階で困難になることを示しています。山口キツネ・ハト模倣テストとして認知症のスクリーニングに使われています（279ページを参照）。また、右利きの人の左前頭葉には発語に必要な運動性言語中枢のブローカ（Broca）野（**図1-4**）があり、この領域が壊れると、言葉をつなげて会話や文章を作る作業ができなくなり、話す（発語）障害が主症状の失語症（運動性失語）になります。

このように失行や失認、失語は脳の特定部位の損傷に応じて特有の症状が出現するので、単独で出現すれば病変部位を示唆する症状となり、**巣症状**といわれます。しかし、認知症では大脳皮質の広範囲にびまん性の病変ができるので、失行・失認・失語といった巣症状とは違うかたちで多彩な高次脳機能の障害が出現します。本書では、これを認知障害とします。

右脳や左脳という言葉が使われるように、大脳皮質は左右で異なった機能を分担しています。

[2] 認知症で障害される統合機能

感覚連合野で認知された情報や、視覚連合野（後頭葉）、聴覚連合野（側頭葉）など他の連合野を経て認知（狭義）された情報は、すべて**前頭前野**（前頭連合野の前半分）において統合され、過去の体験（記憶情報）と照らし合わせ、扁桃核・帯状回などが担当する情動も加味して対応策（とるべき行動）が判断されます。行動が決まると、前頭連合野から運動の一次領野（運動野）に命令が送られ、さらに運動野から全身の筋に命令が伝達され、随意的な筋活動が行われます。この**階層性**を図示すると**図1-5**のようになります。アルツハイマー型認知症では、各連合野の担当する高次脳機能（認知機能）が障害されるだけでなく、それらを全体的に統括しているより高次の**統合機能**（思考・判断・遂行・企画など）が失われることが特徴です。さらに高次な**メタ認知**（認知機能のモニタリング・調整機能）も障害されます。

では、なぜアルツハイマー型認知症では統合機能（人間らしい整合性のある高度な行動）が障害され、一次領野の機能である単純な運動や感覚が障害されないのでしょうか？ この問いに答えるには、脳の発達過程を知る必要があります。赤ちゃんが生まれたときの脳重量は350 g程度です。これより頭のサイズが大きいと産道から出られなくなってしまいます。その後、時

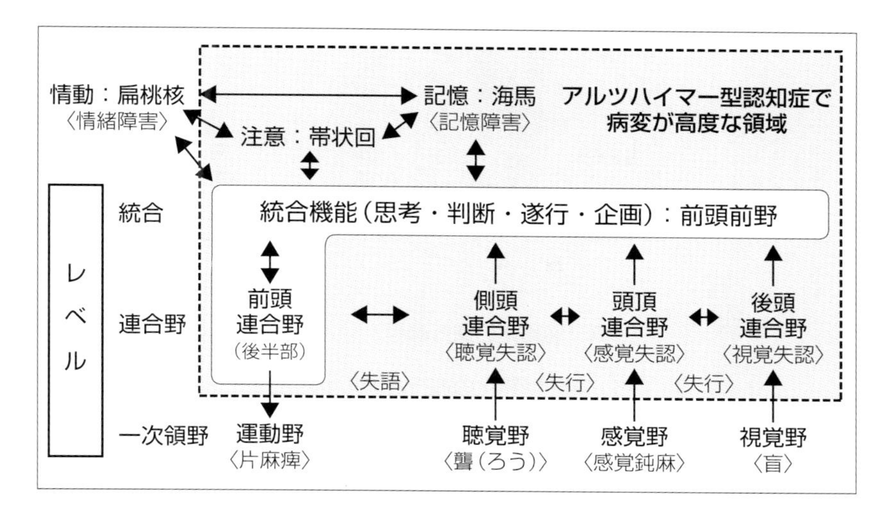

図 1-5　脳の階層性から見た障害

アルツハイマー型認知症では点線で囲った障害が中心となる。〈　〉内は障害を示す。

間をかけて 1,300 g 程度の成人脳に発達していきます。この過程で重要なのが神経細胞の軸索の髄鞘化です。神経細胞が情報を電気信号として次の神経細胞に伝える経路である軸索に髄鞘が巻きつくことで、伝わる速度（神経伝導速度）が秒速 1 m 程度から秒速 60 m にアップします。その代わり、髄鞘の体積によって神経線維の体積が増します。生まれる前は髄鞘なしで脳を小さくしておき、生まれてから髄鞘化が進行して脳を大きく育てるのです。そして、この髄鞘化の順番が大切です。髄鞘化は一次領野が先です（**図 1-6A**）。生まれてから、手足を動かしたり、皮膚で感じたり、見たり聞いたりといった単純な低次の認知機能から髄鞘化（高速化）が図られます。一方、統合機能を担う連合野はあとからゆっくりと髄鞘化が起こります。

ここまで発達過程を理解してもらったうえで、アルツハイマー型認知症の説明に移ります。不思議なことに、アルツハイマー型認知症では初期から連合野に病変ができやすく、一次領野には病変ができにくいのです（**図 1-6B**）。その不思議が少し解明されました。大脳皮質で好気性解糖の強弱を見ると、前頭・頭頂・側頭連合野が活発に酸素を使って糖を分解しています[12)]。連合野は活動が活発なので、酸素を多量に消費して活性酸素を産生し、老化が促進されます（24 ページの「[1] 脳老化の原因：活性酸素とグリア細胞の老化」を参照）。人間らしさの源である連合野は、糖代謝が活発なゆえに酸化ダメージによる老化が促進され、アルツハイマー病の病変ができてきます。これで理解できましたね。アルツハイマー型認知症では発達過程を逆行

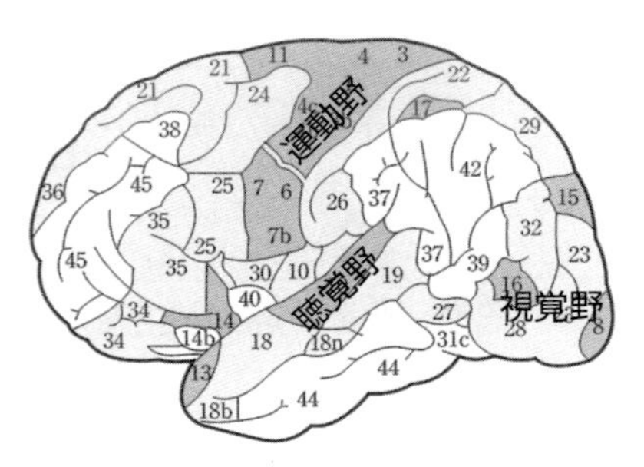

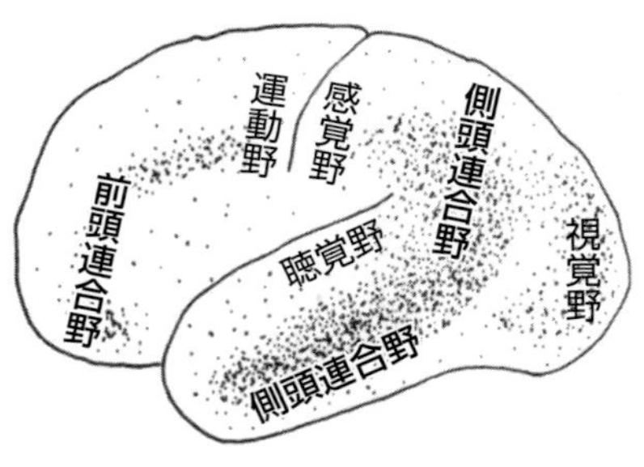

A　髄鞘化の進行過程　　　B　アルツハイマー型認知症の病変分布

図 1-6　脳の髄鞘化の進行とアルツハイマー型認知症の病変分布
A：髄鞘化の早い部分を濃い灰色で、髄鞘化の遅い部分を白く表示して、髄鞘化の進行過程を示す。連合野は髄鞘化（発達）が遅いことがわかる。
B：アルツハイマー型認知症の病変分布を示す。髄鞘化（発達）が遅い連合野に病変が強い。ゆえに、高次脳機能から障害され、発達を逆行して進行する。
（A：永江 2008[11]）

して連合野から病変ができるので、手足が動くし、目や耳に問題がないのに理解や判断がおかしくなることを。アルツハイマー型認知症の進行度を示すFAST と発達の関係は後述します（82 ページの［ 行動観察による進行度評価：FAST］を参照）。

木の上で生活していた人類のもとになるサルが地上で暮らすようになって手を使い始め、さらに集団で複雑な社会生活をする中で脳が 3 倍ほどに大きくなり、大脳皮質連合野が発達してきました。ホモサピエンスとはラテン語で「賢い人」の意味です。この賢さの源は大脳皮質連合野、特に人類で大きな発達をとげた**前頭前野**の働きによるものです。社会脳でもある前頭前野の機能が人として社会で生活していくのに不可欠なのですが、社会脳の障害が記憶障害などとともに現れた状態が認知症と捉えられます。

2 認知症の原因疾患

2-1　認知症の原因疾患

認知症や認知症様症状をきたす原因疾患で、比較的頻度の高いものを**表 1-8** に挙げました。**変性型認知症**は、神経細胞が萎縮・消失するような「変性」を示す疾患で、その原因が少しずつ解明され、脳病理組織所見や蓄積するタンパク、病因遺伝子に基づいて分類されています。多くは根治療法がなく、緩徐進行性で死に至る疾患です。また、認知症を、病変首座（主たる障害部位）によって皮質性と皮質下性などに分ける分類があります。病変の中心がどちらにあるかという意味であって、どちらのタイプでも皮質と皮質下の両方に病変が出ます。

皮質性認知症の代表はアルツハイマー型認知症ですが、病期の進行に伴って皮質下にも病変が広がります。**皮質下性認知症**には、大脳基底核（被殻や淡蒼球など）〜脳幹（中脳、橋、延髄）の神経核に病変首座があるレビー小体型認知症や進行性核上性麻痺などがあり

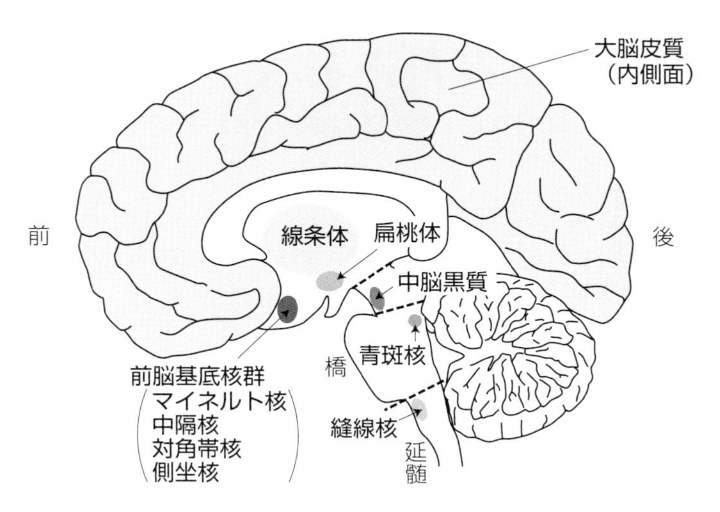

図 1-7　皮質下諸核の位置
重要な皮質下諸核（灰白質）の概ねの位置を示す。これらが変性して認知症を生じると皮質下性認知症となる。線条体には尾状核と被殻が含まれる。

表 1-8　認知症または認知症様症状を示す疾患一覧（代表的な疾患のみ）※1

Ⅰ．変性型認知症
　1）皮質性認知症：アルツハイマー型認知症、レビー小体型認知症、
　　前頭側頭型認知症（ピック病や FTDP-17 を含む）※2、嗜銀顆粒性認知症※2
　2）皮質下性認知症：進行性核上性麻痺※2、パーキンソン病の認知症、
　　大脳皮質基底核変性症※2
　3）辺縁型認知症：神経原線維変化優位型老年期認知症※2

Ⅱ．血管性認知症
　1）大脳皮質病変型
　2）皮質下病変型
　3）重要部位病変型
　4）血管炎：SLE、結節性多発動脈炎

Ⅲ．脳内病変によるもの
　1．脳を圧迫する疾患※3
　　1）正常圧水頭症
　　2）慢性硬膜下血腫
　　3）脳腫瘍、脳膿瘍
　2．感染症
　　単純ヘルペス脳炎（後遺症）、AIDS 脳症、進行麻痺（神経梅毒）、
　　プリオン病（クロイツフェルト・ヤコブ病）
　3．自己免疫疾患※3
　　多発性硬化症、神経ベーチェット病、辺縁系脳炎
　4．頭部外傷後遺症※4

Ⅳ．全身性疾患に伴うもの※3
　1．内分泌・代謝性疾患
　　1）カルシウムなどの電解質：副甲状腺機能低下症、腎不全
　　2）糖代謝：低血糖、高血糖
　　3）甲状腺機能：甲状腺機能低下症
　2．欠乏症：ビタミン B_{12}、B_1（ウェルニッケ脳症）
　3．中毒：アルコール、有機水銀、鉛、シンナー
　4．低酸素症：呼吸不全、心不全、貧血、CO 中毒

※1…うつ病による偽性認知症やせん妄は認知症と区別すべき病態であり、表から除いた。
※2…高齢者タウオパチー。
※3…treatable dementia（治療可能な認知症／343 ページ）のうち、認知症の症状を呈した時点での治療で改善の可能性があるもの。
※4…行政的な疾病区分としての高次脳機能障害。

ます（**図 1-7**、また**図 1-17B** を参照）。脳幹には大脳皮質に投射してその働きをコントロールする神経系があるので、脳幹に病変の首座があっても認知症を生じます。レビー小体型認知症は症状の変動が特徴的ですが、皮質下病変により覚醒レベルが変動することがその要因です。皮質下性認知症の多くは、中脳黒質、青斑核などの諸核に病変があり、パーキンソン症状（パーキンソニズム／筋が硬くなり、動きが鈍くなり、動作が小さくな

る）や不随意運動（手足が勝手に動いてしまう）などの運動障害を伴います。皮質下性認知症の代表に進行性核上性麻痺（335ページ）を取り上げましたが、この疾患の認知症症状には前頭葉病変が関係しているという考えもあり、必ずしも皮質下の病変だけで症状が出るわけではなく、皮質病変と皮質下病変がともにあって特有の臨床症状を作り出しています。また、病変が海馬領域を中心とした大脳辺縁系に限局している神経原線維変化優位型老年期認知症（333ページ）もありますが、この場合は記憶障害が主症状です。

血管性認知症は一括りにしてありますが、その病変の生じ方は雑多で、しかも症状に個人差が大きいのが特徴です。例えば多発性脳梗塞が原因の場合、どの部位にどの程度の大きさの脳梗塞を生じるかは個人ごとに異なり、したがって症状も個人ごとに異なります。血管性認知症の多くは、種々の機能を分担している大脳皮質各領域や皮質下諸核を結ぶ線維連絡網である大脳白質に病変首座があります。神経細胞そのものよりも、その線維連絡網が壊れることが血管性認知症の特徴です。このため、「思考に時間がかかり反応が鈍くなる」という皮質下性認知症の特徴を示します。

αシヌクレインというタンパクが蓄積するレビー小体型認知症は、大脳皮質病変もありますが、皮質下病変の影響が強く、さらに末梢自律神経系にも病変があって、覚醒レベルの変動や便秘・失神などの自律神経症状も伴うという特徴をもっています。

2-2　認知症病型の頻度

臨床診断をもとにすると、認知症病型の頻度は**図1-8**のようになります。アルツハイマー型認知症は最も頻度が高く、約6割を占めています（あくまでも臨床的にアルツハイマー型認知症と診断される症例の割合で、実際には臨床診断が難しい嗜銀顆粒性認知症や神経原線維変化優位型老年期認知症などが混ざっています。将来的には、アミロイドイメージングなどでこれらの混在疾患が分離されると、アルツハイマー型認知症は4割くらいになるだろうと筆者は推測しています）。アルツハイマー型認知症の半数以上に、程度の差こそあれ、何らかの脳血管病変（大脳白質虚血性変化）を伴っています。レビー小体型認知症（41ページ）と血管性認知症はともに10％程度です。40年前には血管性認知症のほうがアルツハイマー型認知症より多いといわれていましたが、血管性認知症は減少しています。この3者で約8割を占めますが、この中にはこれらの病変が混在して認知症を引き起こすものが多く含まれます（311ページの「4-3 アルツハイマー型認知症と血管性認知症との関係」を参照）。残りの2割の内訳は、前頭側頭型認知症と高齢者タウオパチー（脳にタウタンパクが異常蓄積する疾患群で、進行性核上性麻痺や大脳皮質基底核変性症、高齢化に伴って今後増加が見込まれる嗜銀顆粒性認知症や神経原線維変化優位型老年期認知症が含まれる（35ページの**表1-10**を参照））、そのほかの認知症疾患や特発性

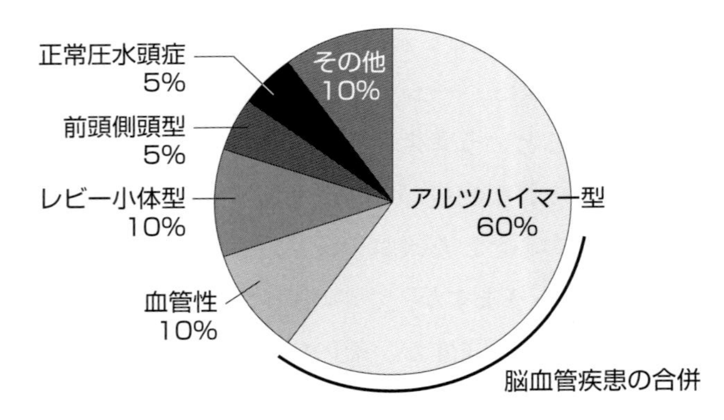

図 1-8　認知症病型の頻度（もの忘れ外来）
高齢者では病変が重複、脳血管疾患の合併も多い。

正常圧水頭症などの治療可能な認知症様疾患になります。繰り返しになりますが、高齢になればなるほど病変が混在しています。例えば、特発性正常圧水頭症が見つかってもアルツハイマー型認知症と合併していて、シャント術後も認知機能低下は進行する例があるなど、診断は単純ではありません。

アルツハイマー型認知症が高頻度なこともあり、認知症があって磁気共鳴画像法（magnetic resonance imaging：MRI）などの画像診断で血管性認知症を否定できると、残りはみなアルツハイマー型認知症だろうと過剰に診断される傾向があります。アルツハイマー型認知症と生前に診断されていた中に、死後の剖検脳病理検索でレビー小体型認知症や嗜銀顆粒性認知症など、他の型の変性型認知症が見つかることが多々あります。嗜銀顆粒性認知症や神経原線維変化優位型老年期認知症は、生前の臨床診断が困難なので、アルツハイマー型認知症などと臨床診断されます。ですから、死後脳の病理検索ではアルツハイマー型認知症の割合が減ります。

認知症病型分類質問票 43 項目版（DDQ43 ／291 ページ）を介護者に記入してもらえば、レビー小体型認知症などの見逃しを防ぐのに有効です。

医療機関ごとにいろいろな原因疾患割合が報告されますが、これはその医療機関の特徴を表すからです。例えば、地域の中で、暴力行為や幻覚・妄想などによる介護困難事例を診療できる医療機関（精神科など）では、レビー小体型認知症や前頭側頭型認知症といった介護に手のかかる疾患の割合が増えます。もの忘れ外来では、アルツハイマー型認知症の割合が増えます。

2-3　病型の重複や合併症

前項では認知症の病型をきれいに分けました。しかし高齢者、特に 85 歳以上の高齢者では、①大部分の人で脳にアルツハイマー型認知症の病変（βタンパクやタウタンパクの蓄積）が出現している、②半分くらいの人で脳に嗜銀顆粒性認知症の病変（タウタンパクの蓄積）が出現している、③2〜3 割の人ではレビー小体型認知症の病変（αシヌクレインの蓄積）が出現し始めている、④小さな脳梗塞や大脳白質の虚血性病変が半数以上で出現している、という背景があります。認知機能がまったく正常な高齢者に限ってみても、種々の脳病変がすでに出現していることを図に示しました（**図 1-9**）。認知症疾患はいずれも老化が最大の原因なので、高齢になればなるほど種々の原因病変が重複しています。ですから、医療機関でアルツハイマー型認知症と臨床診断されても、血管性病変や高齢者タウオパチーの病変を多少とも重複している可能性が高いわけです。高齢者では重複病変があって当たり前と考えましょう。

さらに加えて、高齢になるほど、糖尿病、腎不全、心筋梗塞など、各種全身性疾患の併発が増えていきます。そしてこれらの疾患が認知機能にも悪影響を与えます。糖尿病が認知機能低下を引き起こすことから、糖尿病性認知症という概念も提唱されています[14)]。

また、認知症をもつ高齢者がしばしば肺炎や心不全で急性期病院に入院したり、骨折や脳卒中などで回復期リハビリテーション病棟に入院する頻度が増えています。このような状況では、認知症にせん妄（意識障害）が加わって認知症の症状が急速に悪化したり、上記の老化に伴う脳病変を背景に、脳の病変に打ち勝つ力（余力：認知予備能／245 ページを参照）が減って認知症を発症してきます。せん妄の合併を見極める診断力が医療職に求められます。せん妄と認知症の鑑別は**表 4-19**（350 ページ）に示してあります。救急医療に携わる医療職にも認知症の知識が求められる時代となりました。

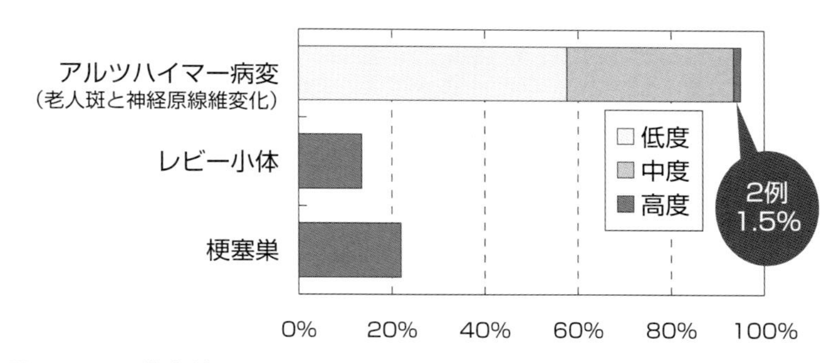

図 1-9　正常高齢者での脳病変有病率
認知症でも MCI でもなく、認知機能はまったく正常で死亡した 134 例、平均 84 歳、MMSE 平均 28.3 点で、軽度を含めるとアルツハイマー病変は 95% に出現していた。2 例（1.5%）は高度の病変に打ち勝って無症状だった。さらに、レビー小体は 13% に、脳梗塞は 22% に出現していた。（Bennett et al 2006[13)] より作成）

認知症と脳老化

[1] 脳老化の原因：活性酸素とグリア細胞の老化

細胞は活動するために酸素を使ってエネルギーを産生していますが、このとき**活性酸素**が発生します。この活性酸素はミトコンドリア DNA を傷つけるため、細胞のエネルギー産生能が低下します。さらには細胞内の DNA やタンパク、細胞膜の脂質を酸化したりと、種々のダメージを与えます。こうして脳内の神経細胞やグリア細胞の老化を促進します。

脳は神経細胞とグリア細胞によって構成され、グリア細胞が全体の８割を占めます。**グリア細胞**には、星形（アストロ）グリア、乏突起（オリゴ）グリア、ミクログリアの３種類があります（**表 1-9**）。大部分の神経細胞は生まれ変われないので、ずっと使い続けることで活性酸素のダメージが蓄積していきます。髄鞘形成という高速ネットワーク維持の役割を担う乏突起グリアは代謝が活発で活性酸素のダメージを受けやすく、乏突起グリアの変性がアルツハイマー型認知症の原因の一つになるという説も提唱されています。

ミクログリアは免疫系のお掃除役の細胞で、使わなくなったシナプスを刈り込むことで効率のよいネットワークを作る作業を担っています。また、異物や傷ついた細胞の除去処理を担当していますが、この細胞が働くときに周囲に炎症を引き起こします。この慢性炎症がアルツハイマー型認知症の原因

表 1-9　３種類のグリア細胞の旧知の機能と特徴

種類	旧知の機能	特徴（新知見を含む）
星形グリア アストロサイト 合胞体 多数が連結 スポンジ様	ニューロン支援 乳酸を補給 コレステロール産生 血液脳関門	シナプスで余剰神経伝達物質を回収 **合胞体・カルシウム振動**→エリア内神経細胞の活動を統合（**指揮者**）→覚醒度や気分・感情の調節 グルタミン酸や GABA を放出 グリンパティック・システム（夜間お掃除システム）
乏突起グリア オリゴデンドロサイト	髄鞘形成 軸索への栄養補給 （乳酸）	エネルギー高産生→活性酸素→最も脆弱な細胞 神経細胞の電気信号で増産→回路強化（学習） 細胞の遊走や軸索の伸長を抑制→回路が安定
ミクログリア	お掃除・炎症 M1：反応性（炎症） 　　高齢で増加 M2：静止、平常時	未使用シナプスの刈り取り→学習 M1：非常事態対応 　　傷ついた細胞や異物の除去→炎症 （高齢者では慢性炎症） M2：神経幹細胞の生存に必要なサイトカイン→保護

（岩立 2021[15]より作成）

の一つになるという説もあります。

星形グリアは神経細胞にエネルギー源となる乳酸などを提供しているだけでなく、シナプスを取り囲んで神経細胞の興奮を調節しています。しかも、周囲の星形グリア同士が突起をつなげて大きなネットワークを作っています。こうして局所（エリア）内の神経細胞グループの興奮を調節しているので、「オーケストラの指揮者の役割」を担っていると考えられています。認知機能は神経細胞だけが担っているのではなく、グリア細胞も重要な役割を担っていることが近年明らかにされています。また、星形グリアはグリンパティックシステム（脳内リンパ流）という、夜間に脳内の不要な物質を洗い流す役割にも関与しています。よって、睡眠時間を確保することが、認知症予防にも有効です。

［2］脳機能と老化

脳機能と老化の関係を見ると、結晶性知能（経験を積み重ねて形成された知識）は中・高年期まで増え続け、その後は穏やかに減少します。一方、多数の課題（マルチタスク）を同時に処理するような課題で評価できる流動性知能（適応力）は、20歳代をピークに年齢とともに低下します（**図1-10**）。記銘や前頭前野の情報統合・処理能力は後者に相当しますので、認知症では流動性知能の低下がまず現れ、結晶性知能である知識は認知症発症後も比較的保たれています。このため、認知テストでは情報処理のスピードを求めるような課題が認知症の早期発見に有用です（例えば278ページの山口漢字符号変換テスト）。また、記憶であれば、古い記憶（結晶性知能）を問うような課題ではなく、新しいことを覚える課題（例えば10単語を記銘してしばらくあとに再生する）が困難になります。

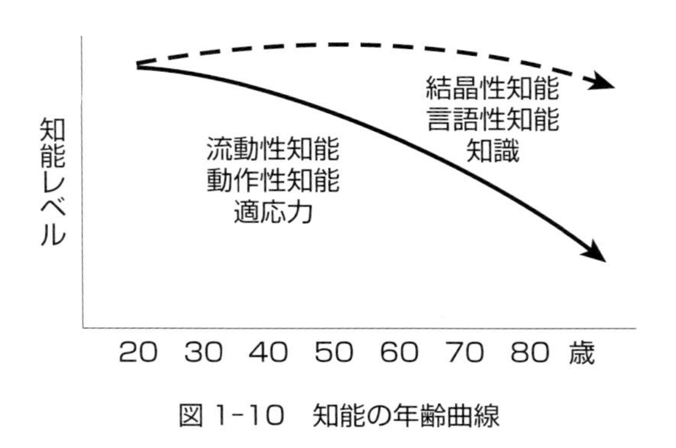

図1-10　知能の年齢曲線

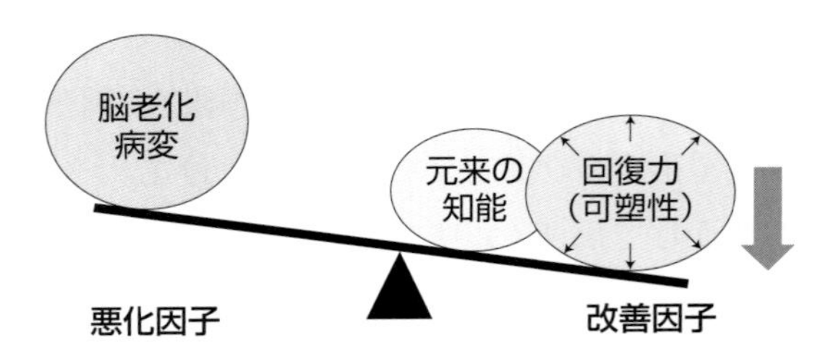

図 1-11　脳活性化リハの可能性
脳活性化リハで回復力を高めることで、加齢に伴う脳病変に打ち勝てば、認知症の進行防止や発症予防が期待できる。

加齢に伴い認知機能、特に流動性知能が徐々に低下していることが背景にあり、そこにアルツハイマー病などの疾患に特有な脳病変が加わって認知症を発症します。人間の脳の能力には相当の**ゆとり**があり、多少の病変を生じても認知症発症にまで至りませんが、疾患による病変が進行して、ゆとりの大きさよりも障害が大きくなると認知症を発症します。例えばアルツハイマー病では、認知症となる20〜30年も前から脳病変が出現し始めて、徐々にその量と出現範囲を増やし、ある程度まで病変が広がったところでアルツハイマー型認知症を発症するわけです（39ページの**図 1-22**を参照）。この20〜30年間に及ぶアルツハイマー病の無症状期をどのような生活スタイルで過ごすかが認知症の発症に影響するようです。そこに認知症の**発症予防**の鍵があると思われます[16)]。

病変が生じると認知症が発症するという単純な考えではなく、その人元来の知的能力の高さおよび回復力（可塑性）の強さの総合力と、認知症を引き起こす病変の程度との間のダイナミックバランスによって認知症が引き起こされるという考え方が必要です（**図 1-11**）。なぜなら、そこに認知症治療の可能性があるからです。

ナン・スタディー（Nun Study）――驚きの結果

米国の修道尼678名（調査開始時年齢：75〜102歳）を対象に、1991年から追跡調査を行った**ナン・スタディー**で、脳病変の有無と認知症発症が必ずしも一致しないことがわかりました[17)]。この調査の特徴は、毎年認知機能検査を行いながら、亡くなった人の脳を全例剖検して詳細に調べていることです。この集団では、若い頃から老後に至るまで健全な生活を続けているということもありますが、脳に高度のアルツハイマー病変（老人斑や神経原線維変化）が出現していても認知症を発症していない例が8%もありました。85歳まで数学教師を務め、その後も福祉活動に熱心だった修道女のシスター・メアリーは、101歳で死亡し、脳は870gに萎縮し（アルツハイマー型認知症でもなかなかこの重さまで萎縮しません）、大脳には老人斑がたくさん出ていましたが、認知機能は正常でした[18)]。ここに、介入のヒントがあります。認知症を引き起こす脳病変があっても、健全で前向きな生活や脳活性化リハなどで認知症の症状軽減や発症防止の可能性があるのです。

また、この調査から、血管性病変を伴っていると、それが誘因となってアルツハイマー型認知症を発症しやすくなることが示されました。アルツハイマー型認知症の発症はその疾患特有の脳病変（原因）だけで決まるのではなく、加齢に伴う他の脳病変が認知機能低下を相乗的に加速し、認知症の発症を促進するのです。さらに、葉酸欠乏が脳萎縮に関係していることも判明しました。栄養、運動、家族や住環境といった多様な因子も認知症の発症に影響を与えています。認知症の原因を示す**図1-8**では、各疾患の概ねの頻度を示すために単純明快な考え方を示しましたが、実際は高齢になればなるほど認知症の発症要因は単純ではなく、いくつかの要因が重なり合って認知症を発症するようになります。

ここで頭の体操です。次の英文を訳してください。

"The Nun Study allows me to keep teaching, even after I die.", one participant said.

（訳）ナン・スタディーのある参加者はこう言っています――「私はこの研究に参加したおかげで、私が死んだあとも（解剖で取り出された私の脳の検索結果が認知症を防ぐ見本になって）教え続けることができる」。

素晴らしいですね。このような信念をもって生きてこられた人々なので、認知症を引き起こす脳病変に打ち勝つことができたのでしょう。

3 アルツハイマー病とアルツハイマー型認知症

3-1　用語

ICD-11では精神の疾患であるアルツハイマー型認知症を、アルツハイマー病（神経系の疾患）の認知症（Dementia due to Alzheimer disease）と表記して原因疾患を表しています。神経系の疾患が原因となって精神の疾患である認知症が生じるという考え方です。本書ではこの考え方に則り、脳病変を示す疾患として**アルツハイマー病**を用い、アルツハイマー病には、脳病変があっても無症状の時期（無症状期）、病的な健忘があるが認知症には至っていない軽度認知障害（MCI）の時期（MCI期）、そして、認知症を発症したあとのアルツハイマー型認知症の時期があるという考え方で記述しています（**図1-22**を参照）。このように原因疾患と認知症の病名を別にする背景には、アルツハイマー型認知症の根治療法は無症状期〜MCI期に開始することで認知症の発症を防ぐという戦略があります。アルツハイマー型認知症の治療薬ではなく、アルツハイマー病の治療薬（脳病変を減らす・防止する薬）が必要とされているので、原因疾患と認知症を分けているのです。

3-2　概念と特徴

変性型認知症の代表で、認知症の最大の原因疾患であるアルツハイマー病は、中年期以降に大脳皮質連合野や海馬近傍領域を中心に多量の**βアミロイド沈着**（Step Up!を参照）を徐々にきたし、さらに神経ネットワークが崩壊して認知症を発症します（**図1-12**）。家族性アルツハイマー病の遺伝子変異が、βアミロイドのもとになるβタンパクという小さなペプチド（アミノ酸が40〜42個つながっている）の産生量を増加させることなどから、βタンパクが重合して細胞外にβアミロイドとなって沈着することが重要な病変であり、これが神経細胞死や神経原線維変化形成を誘発する過程でアルツハイマー型認知症を発症することが明らかにされています（Step Up!を参照）。

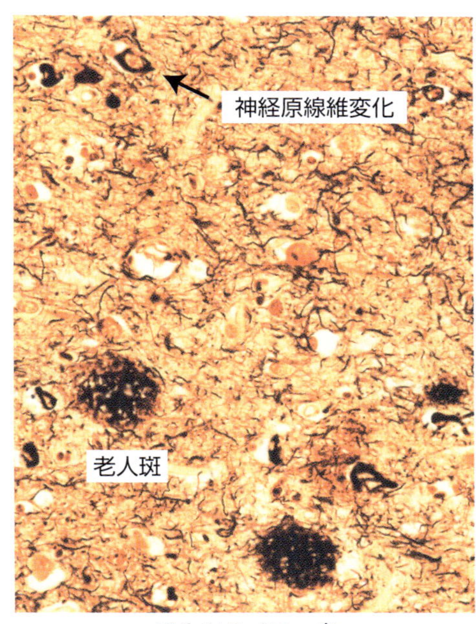

アルツハイマー病

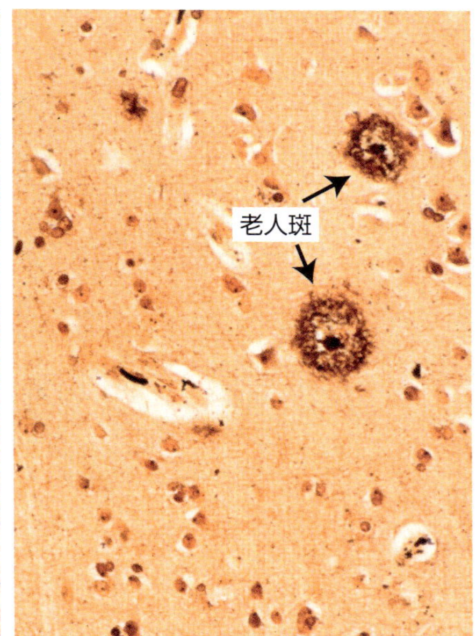

非認知症

図 1-12　左のアルツハイマー病では大脳皮質に糸くず状の異常な線維（neuropil threads）が多量に出現し、神経ネットワークが崩壊している。右の非認知症脳では、老人斑が散在しているが、このような糸くず状異常線維が見られない。ビールショウスキー（Bielschowsky）鍍銀染色では、異常線維とアミロイドに銀がついて黒染する。

アルツハイマー病の病態と脳病理

［1］病態

タンパクが切れて、その破片が重合してアミロイドに‥‥、と聞いただけで頭が痛くなりそうですね。なるべくわかりやすくβゴミ物語を説明してみましょう（**図 1-13**）。神経細胞を城に見立てると、アルツハイマー病では、はじめに城外（細胞外）にβタンパクが、次いで城内（細胞内）にタウタンパクが、ゴミとして長年かかって多量に蓄積し、城の機能（認知機能）がダウンすると発病に至ります。

βタンパクは、βタンパク前駆体というアミノ酸が 700 個程度つながった大きな膜タンパク（細胞膜を貫通するタンパク）から、膜貫通部付近の一部分（40〜42 アミノ酸／分子量約 4,000）が酵素によって切り出されたものです（**図 1-14**）。こうして生まれたβタンパクが、単体で存在すればモ

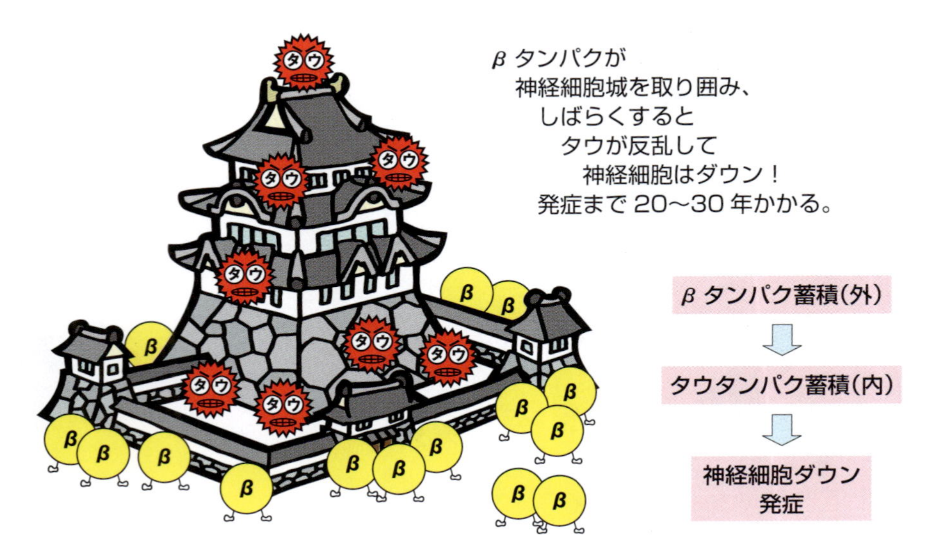

図 1-13　アルツハイマー病の病態

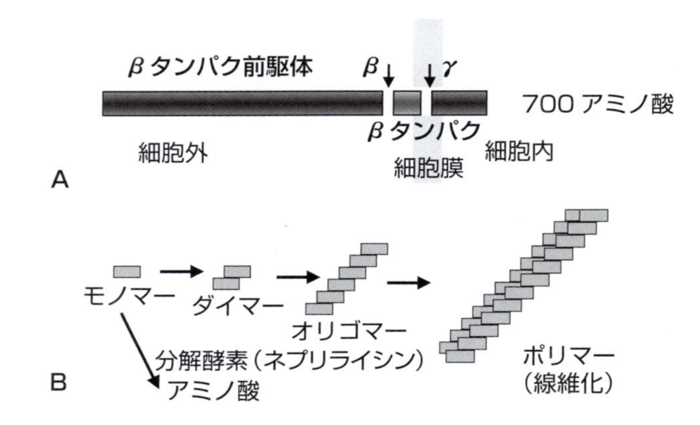

図 1-14　βタンパク産生からβアミロイド線維形成まで
A：細胞膜を貫通するβタンパク前駆体（APP：約 700 アミノ酸残基）から、βセクレターゼとγセクレターゼにより約 40 アミノ酸残基のβタンパクが切り出される。
B：切り出されたβタンパクモノマー（一量体）は次第に重合して、直径約 8 nm のアミロイド線維に成長する。

ノマーといい、これが数分子結合した状態を**オリゴマー**といいます。このオリゴマーは毒性が強いと考えられています。さらに何千何万分子も規則的に重合してβシート構造をとるアミロイド線維になると、**βアミロイド**といいます（**図 1-14**）。このβアミロイドが直径 0.1 mm 前後の球状範囲に沈着したものが**老人斑**です。老人斑は、余剰となったβタンパク（βゴミ）が線維塊を形成して細胞外に蓄積した老廃物の塊（ゴミ箱）と考えられます。

健常な状態では、産生されたβタンパクがネプリライシン（neprilysin）な

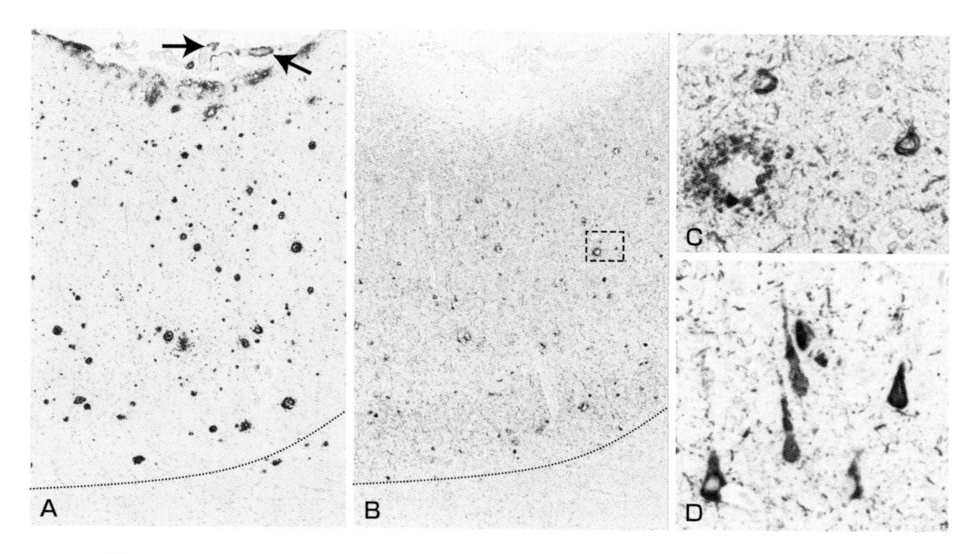

図 1-15　アルツハイマー病の免疫染色所見

A：側頭葉皮質のβタンパク免疫染色で多数の老人斑が染め出され、脳表面では血管アミロイドが陽性（矢印）となっている。下方の破線は皮質と白質の境界部で、白質（破線下部）には老人斑が少ない。

B：A の隣接切片をリン酸化タウ抗体（AT-8）で染めたもので、大脳皮質全層にわたってリン酸化タウの異常集積が見られる。正常例ではこのような反応はまったく出現しない（出現したとしても少量）。

C：B の破線枠で囲った部分を拡大したもので、円形の老人斑に集まる突起（右下）と 2 個の神経原線維変化、散在する neuropil threads が AT-8 で染まっている。

D：海馬をリン酸化タウ抗体で染めたもので、多数の神経細胞に神経原線維変化が形成されている。また、その周囲には神経突起が糸くず状に染まる neuropil threads が散在している。

どの切断酵素で切断・分解されたり、夜間の睡眠中にβタンパクなどのゴミを洗い流す作用（グリンパティックシステム）で掃除され、脳に蓄積しません。しかし、ある年齢から脳に老人斑などとして蓄積が始まります。その原因には、βタンパクの産生・分解のバランスとβタンパクの存在様式が深く関係しています。

アルツハイマー病の原因は以下のように解明されつつあります。

⑴ アルツハイマー病では、大脳皮質を中心にした多量の脳βアミロイド沈着が必ずあります。これを欠いては、アルツハイマー病とはいえません（**図 1-15**）。

⑵ βタンパク前駆体遺伝子の乗る 21 番染色体を 3 本もつ（トリソミーの）**ダウン症候群**では、βタンパクが健常者（2 本）の 1.5 倍量産生されます。この結果、10 歳代から老人斑が出現して 50 歳代でアルツハ

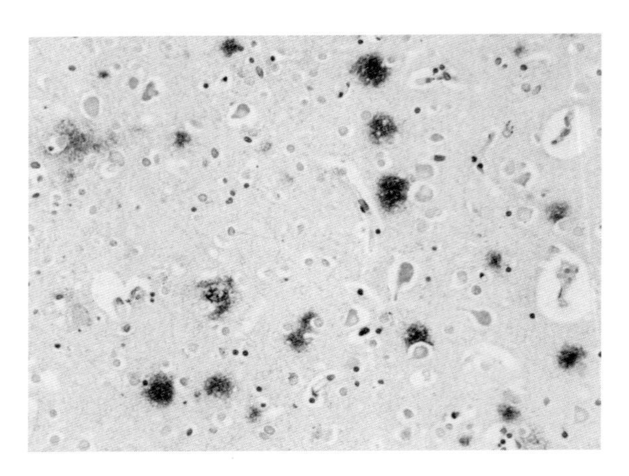

図 1-16　30 歳代のダウン症大脳皮質老人斑
メセナミン銀染色で見ると、びまん性老人斑（円形〜不整形の黒いシミ状のもの）が散在している。

イマー病と同様の脳病理像を示し、多くはアルツハイマー型認知症も併発します（**図 1-16**）。

(3) 家族性アルツハイマー病での遺伝子解析から、βタンパク前駆体遺伝子や、βタンパク産生に関わる酵素の遺伝子が変異していることが示され、これらの遺伝子変異がβタンパク産生・βアミロイド沈着を促進して、家族性アルツハイマー型認知症を引き起こすことが示されました。

(4) 血中でコレステロール運搬役の**アポリポタンパク E**（ApoE）の遺伝子には、稀な 2 型、多くの人がもつ 3 型、一部の人がもつ 4 型の遺伝子多型があります。そして、ApoE4 型をもつと、中年期から脳βアミロイド沈着が始まりやすく、アルツハイマー型認知症の発症リスクが高まります。

これらの事実から、βゴミ（オリゴマーやアミロイド）がアルツハイマー型認知症発症の鍵を握ることが明らかにされています。この、βゴミ蓄積のメカニズムは解明され尽くされていませんが、①βゴミ蓄積は 40 歳代以降に生じ、加齢とともにその頻度が上昇することから、加齢が大きな要因であること（39 ページの**図 1-21** を参照）、②βタンパクの産生と分解・除去にダイナミックバランスがあり、分解・除去系の低下により産生が分解・除去を上回る方向へバランスが崩れるとβアミロイドが蓄積することがわかっています。加齢は止められませんから、βタンパクの産生を減らすこと、βタンパクの分解・除去を高めること（運動や睡眠など）、さらにβタンパクが重合するのを防ぐことなどが、根治的な治療法として期待されています(366 ページの「12-5 アルツハイマー病の疾患修飾薬の開発」を参照)。

[2] 病理

アルツハイマー型認知症脳を肉眼で見ても、萎縮があるだけで、診断はできません(**図 1-17**)。顕微鏡で調べると、アルツハイマー病の代表的病理像である老人斑と神経原線維変化が大脳皮質などに見られます(**図 1-12、図 1-15** を参照)。また、症状出現に関与する病変としてシナプス減少と神経細胞の変性・消失があります。

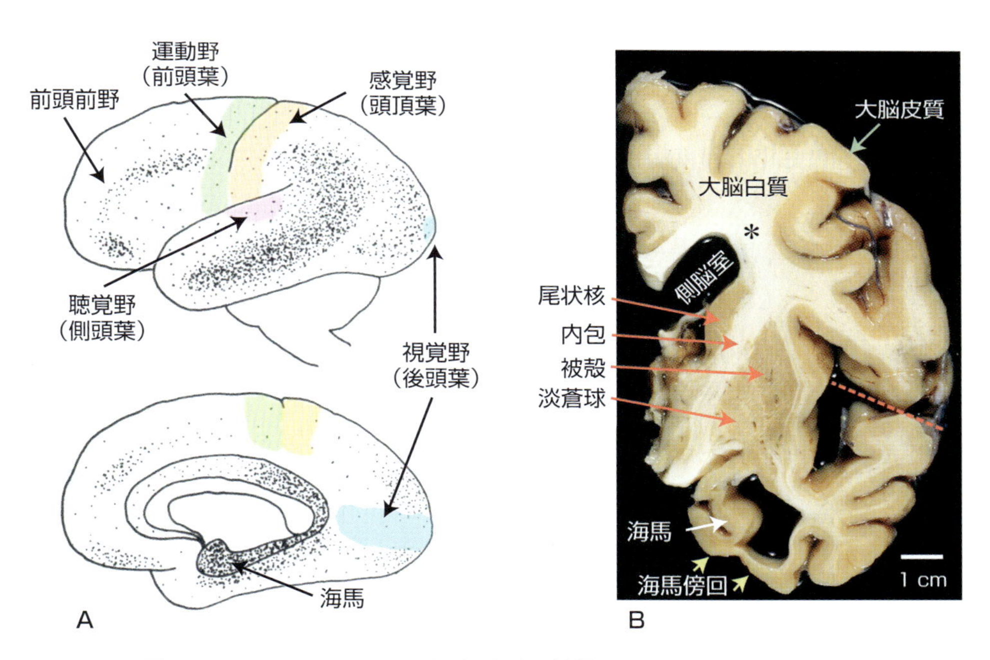

図 1-17　アルツハイマー型認知症脳の特徴
A：アルツハイマー型認知症では、点の密度が高いところほど病変が強い。運動野(緑)、感覚野(橙)、聴覚野(紫)、および視覚野(青)の一次領野では病変が弱く、前頭前野などの連合野と海馬を中心に病変が強いことがわかる。
B：アルツハイマー型認知症脳の前額断では、海馬(白矢印)から海馬傍回(黄矢印)にかけて強い萎縮がある。シルビウス裂(赤破線)の下方の側頭葉には軽度の萎縮が見られる。なお、大脳表面を覆う皮質(緑矢印)は薄茶色で、白質は、名の通りで色が白い。血管性認知症では、側脳室周囲の深部白質(＊)が広範囲に障害を受ける型が多い。

1）老人斑とアミロイド血管症

老人斑は、細胞外に沈着するβアミロイドと、その周囲を取り囲む腫大神経突起やグリア細胞から構成されています（**図 1-18A**、**図 1-20C**）。小さな細胞突起の細胞膜でβタンパクの蓄積が始まり（膜結合型βタンパク）、突起の間隙にアミロイド線維束として広がります。さらに、アミロイド線維塊となって二次的に腫大神経突起やグリア細胞の反応を引き起こします（**図 1-20**）。グリア細胞はこのアミロイドを取り除こうと働いています。これまで、老人斑は一度形成されると消えることはないと考えられてきましたが、ワクチン療法などによってグリア細胞が老人斑を除去することが示されました。しかし、このとき炎症を生じるので、認知症を発症してからでは手遅れのようです。

老人斑はアルツハイマー型認知症だけでなく、老化に伴い非認知症脳にも出現します。このため、高齢者では、他の認知症疾患でもしばしば老人斑が共存しますが、多量の脳βアミロイド沈着が見られる認知症疾患は、アルツハイマー病にほぼ限られ疾患特異性が高いのです（ただしαシヌクレインというゴミタンパクが蓄積するレビー小体型認知症では、βアミロイド沈着もある程度多量に見られる場合が多い）。

老人斑は、大脳皮質連合野から出現し始め、さらに皮質一次領野へと拡大し、アルツハイマー型認知症を発症する頃には小脳や脳幹へと出現部位が拡大していきます（**図 1-17**、**表 1-10**）。ただし、一次領野や小脳・脳幹の病変が運動障害などの症状を引き起こすのは重度になってからで、終末期には嚥下障害を引き起こし、死因に結びつきます。

βアミロイドが血管壁に沈着することを**アミロイド血管症**といい、血管壁が脆くなったり厚くなったりして脳出血や脳梗塞の原因になり、80 歳以降の高齢者では大脳皮質の大きな脳出血（葉性脳出血）を引き起こすことがあります（**図 4-23**）。また、アミロイド血管症が微小出血の原因となり、その出血跡を脳 MRI 検査（T2*撮影法）で見つけることができます（**図 4-11** を参照）。アルツハイマー病では血管壁へのβアミロイド沈着が様々な程度で見つかります（個人差大）。

脳βアミロイド沈着の画像化が実用化され、標識した PIB などを用いた陽電子放射断層撮影法（positron emission tomography：PET）が、保険適用にいずれなります（2022 年 10 月時点では申請中）。また、血液検査によりβタンパク関連の 3 種類の分子種を測定してその比率を算出する手法で脳βアミロイド沈着を推測する機器が開発途上です。いずれ（10 年後？）はクリ

表 1-10　脳に蓄積する異常タンパクの種類と疾患の関係

<table>
<tr><td>老人斑（β）+神経原線維変化（タウ）
＊アルツハイマー型認知症
＊Down 症候群
＊Dementia pugilistica
＊加齢（アルツハイマー型認知症予備軍）</td><td rowspan="3">神経原線維変化（タウ）のみ
＊前頭側頭型認知症（約半数：FTLD-tau）
＊大脳皮質基底核変性症
＊進行性核上性麻痺
＊神経原線維変化優位型老年期認知症
＊石灰沈着を伴うびまん性神経原線維変化病
＊Frontotemporal dementia with parkinsonism linked to chromosome 17 (FTDP-17)
＊脳炎後パーキンソニズム
＊Subacute sclerosing panencephalitis (SSPE)
＊成人型 Hallervorden-Spatz 病
＊結節性硬化症
＊Nieman-Pick 病 C 型
＊筋強直性ジストロフィー
＊加齢（海馬領域や青斑核などに限局）</td></tr>
<tr><td>老人斑（β）+レビー小体（αsyn）
＊レビー小体型認知症（大部分）</td></tr>
<tr><td>レビー小体（αsyn）のみ
＊レビー小体型認知症（一部）
＊パーキンソン病の認知症
＊パーキンソン病</td></tr>
<tr><td>TDP-43・FUS タンパクの蓄積
＊前頭側頭型認知症
（約半数：FTLD-TDP と FTLD-FUS）
＊筋萎縮性側索硬化症</td><td>神経原線維変化ではないタウ蓄積
＊前頭側頭型認知症（約半数：FTLD-tau：Pick 病）
＊嗜銀顆粒性認知症</td></tr>
</table>

β=β タンパク　αsyn=α シヌクレイン

ニックで、認知症発症前に脳βアミロイド沈着を血液検査で見つける時代が来るでしょう。

2）神経原線維変化

神経原線維変化は、神経細胞内で異常な線維が束状に形成されたものです。神経原線維変化を形成した神経細胞は、いずれ死に追いやられます。この形成から神経細胞死の過程をアルツハイマー自身が書き記しています（**図 1-18B〜D**）。樹状突起の中にもこの異常線維の束が出現し、**neuropil threads** といわれます。この異常線維を電子顕微鏡で観察すると捻れた花林糖（かりんとう）のように見え、**paired helical filaments（PHF）**と呼ばれます（**図 1-19**）。このPHFの主要な構成成分は**タウ**と呼ばれる微小管結合タンパクの一つで、異常にリン酸化されています。神経細胞には微小管というベルトコンベアのような輸送システムがあり長大な突起を維持しています。タウタンパクが過剰にリン酸化されると微小管からタウが外れて微小管が不安定になり壊れてしまいます。そうすると、輸送系が障害されて長い突起の末端にあるシナプスに必要物資が届かず、シナプスがダメージを受けます。神経細胞の中

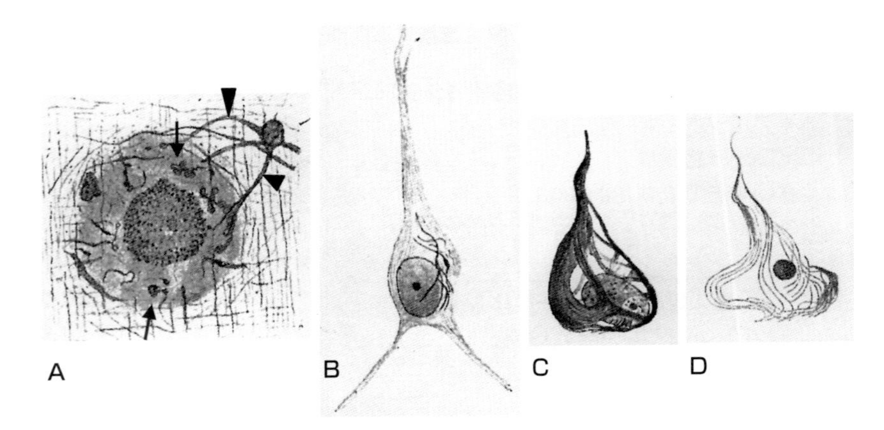

図 1-18　アルツハイマー（Alzheimer）が 1911 年に報告した手書きの老人斑（Druse）と神経原線維変化（eigentümliche Fibrillenveränderung der Ganglienzellen）

A：老人斑で、中央の球状物がアミロイド。周囲に腫大神経突起（矢印）やグリア細胞とその突起（矢頭）が見える。このような典型的な形の老人斑は、実際には一部のみ。

B：神経原線維変化の初期で、異常線維（黒い線維）が神経細胞の胞体に出始めている。

C：神経原線維変化の中期で、異常線維束が胞体を埋め尽くしているが、神経細胞は生きているので核がある。

D：神経原線維変化の末期で、神経細胞は死に、細胞外神経原線維変化となってグリア細胞が入り込んでいる。黒丸はグリアの核。

ビールショウスキー鍍銀染色。顕微鏡を覗きながら写生。

（Alzheimer 1911[19] より作成）

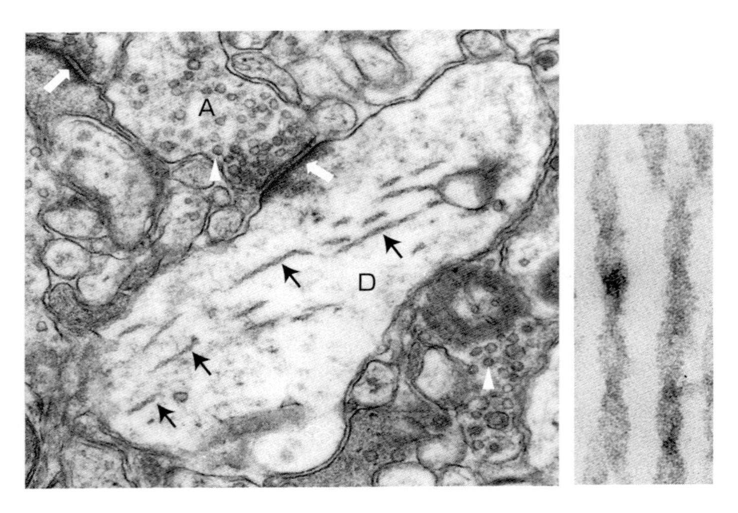

図 1-19　シナプスの電顕像と PHF

シナプス小胞（白△）を含んだ軸索末端（A）と樹状突起（D）との接点がシナプス（白大矢印）。情報は、ここで軸索末端から樹状突起に伝わる。このアルツハイマー病例では、樹状突起内に異常な線維である PHF（黒小矢印）が出現している。右に PHF の拡大像を示す。

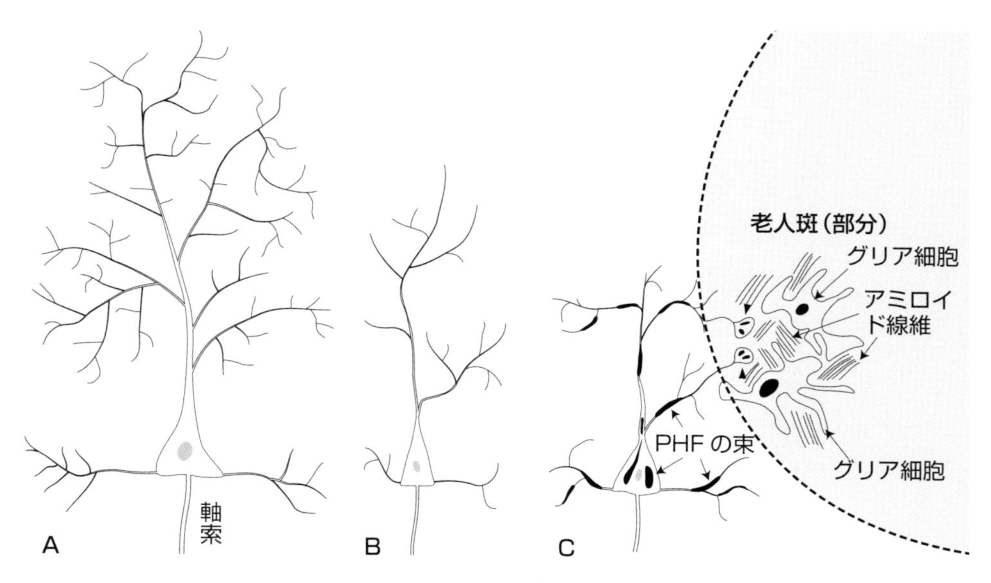

図 1-20　神経細胞変性
A：正常神経細胞で、樹状突起が若い樹木の枝のように四方八方に張り出している。
B：萎縮神経細胞で、樹状突起の枝分かれが少なくなっている。
C：アルツハイマー病に見られる変性神経細胞で、細胞の中には PHF の束がある。これが細胞体に現れると神経原線維変化といい、突起の中に現れると neuropil threads といわれる。老人斑（右の円形破線部分）では、アミロイドを囲んで神経突起が腫大している（矢頭）。

では、突起の先端にまでリン酸化されたタウが多量に蓄積し、神経ネットワークが損傷されることで機能障害を引き起こすのです（**図 1-13、図 1-19、図 1-20**）。

神経原線維変化は、加齢に伴い、30 歳代から海馬や青斑核などの特定部位の神経細胞内にアミロイド沈着とは無関係に出現します。しかし、大脳皮質ではβアミロイド沈着が神経原線維変化形成の引き金になると考えられます。ただし、神経原線維変化（タウ）はβアミロイド沈着を伴わない認知症疾患群（**表 1-10**／タウオパチー）でも出現し、アルツハイマー型認知症への疾患特異性は低く、βアミロイド沈着に続いて反応性に出現する部位が多いと考えられます。

脳脊髄液中のタウタンパク濃度がアルツハイマー型認知症を含めたこれらの疾患で上昇します（310 ページを参照）。測定機器の感度が高まり、血液中のタウタンパクを測定する技術も開発されました。

脳タウタンパク蓄積を画像化するタウイメージングも成功し、実用化に向けて臨床試験が進行しています（2022 年現在）。βアミロイドイメージングと併せて、今後はアルツハイマー型認知症の診断精度が格段に向上するでしょう。

3）シナプス減少と神経細胞変性・消失

シナプス密度の減少度は認知障害の程度と相関するといわれています。神経細胞数も減少します。神経細胞は加齢に伴ってその突起の分枝が減少していきます（**図 1-20**）。そして、アルツハイマー型認知症を発症する頃には、リン酸化タウ免疫染色で見ると、大脳皮質全層にわたって神経突起にリン酸化タウが異常蓄積しています（**図 1-15B**）。若年正常者の脳では、このような反応はまったく出現しません。このように、大脳皮質の神経ネットワークのダメージが認知症を引き起こしているのです（**図 1-12**、**図 1-13**、**図 1-19**）。

脳の変性に伴って血液中に出現するニューロフィラメント L 鎖を測定する技術が開発され、研究室レベルでは血液検査で脳の変性度合いを推し量ることが可能になっています。今後、精度の向上が必要ですが、βタンパク・タウタンパクとあわせて神経変性の度合いを評価することで、アルツハイマー病の血液診断が可能な時代が近づいています。

4）病変と老化との関係

中高齢者の脳を検索すると、脳βアミロイド沈着は 40 歳以前では出現しません。認知症のない健常者の大脳皮質連合野を病理検索すると、40 歳代では約 5% の人に、50 歳代では 15% ほどの人にと、高齢になるほど高頻度に老人斑としての脳βアミロイド沈着が見つかります。80 歳代になるとβアミロイド沈着は約 2/3 と大多数に見られ、高齢になればβアミロイド沈着はあって当たり前となります（**図 1-21**）。老人斑は、早い人では 40 歳代から大脳皮質連合野に出現し始めるのです。認知症発症との関係を調べた結果、アルツハイマー病では、老人斑が認知症発症の 20〜30 年前から出現し、出現範囲を拡大しながら神経ネットワークに徐々にダメージを与えることがわかりました（**図 1-22**）。また、高齢になって脳βアミロイド沈着が強くなると、認知症を引き起こさないまでも何らかの認知障害や意欲減退などの症状を引き起こします。不思議なことに、加齢に伴い 40 歳以降のある時点から脳βアミロイド沈着が始まります。ある時点から分解・除去能が低下したり沈着しやすい脳内環境が生じることが原因と考えられます。

大脳皮質連合野では老人斑形成に引き続いて二次的に神経原線維変化が出

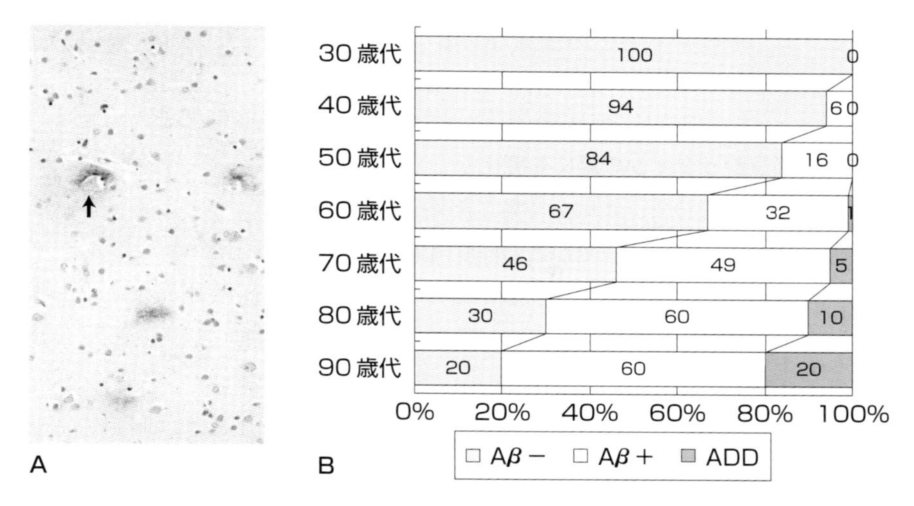

図 1-21　年齢と脳 β アミロイド沈着の関係
A：46 歳の非認知症例を示す。神経細胞（矢印）周囲に β アミロイドが沈着し始め、びまん性老人斑を形成している。β タンパク免疫染色。
B：30 歳代までは脳 β アミロイド沈着を欠き（Aβ －）、40 歳代から一部の人に脳 β アミロイド沈着（Aβ ＋）が見られ、有病率（沈着がある人の割合）が加齢とともに上昇する。そして、その一部が多量の β アミロイド沈着を伴ったアルツハイマー型認知症（ADD）に進行する。中の数字は % を示す。（B：Braak H et al 1997[20] を参考に、自験例を踏まえて作成）

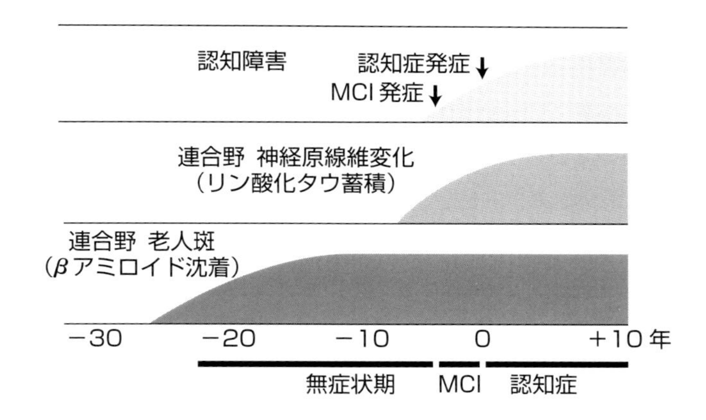

図 1-22　アルツハイマー病の進展過程と認知症発現との関係
アルツハイマー型認知症を発症する 20 年ほど前から、大脳皮質連合野では老人斑ができ始める。そして、神経原線維変化が加わる頃には MCI となり、さらに病変が進展して認知症を発症する。今後は、脳 β アミロイド沈着を画像化して無症状期に発見し、発症予防に取り組むことが可能となる。

現します。このように、「脳 β アミロイド沈着→神経原線維変化形成やシナプス減少→認知症」というストーリーを **β アミロイド仮説**といいます。神経細胞の減少やシナプスの減少を引き起こす原因として β アミロイド沈着は重要であるとの認識が必要です。

アインシュタインの脳にも老化が

筆者は、かつて、老化を特集した某テレビ番組から、アインシュタイン（76 歳）の脳にアルツハイマー病変がどの程度出現していたのかを調べてほしいという依頼を受け、米国から送付された保存脳組織の一部を調べたことがあります。1955 年頃にセロイジンという物質に包埋された脳なので検索に苦労しました。海馬には、アルツハイマー型認知症ほど多量ではないのですが、神経原線維変化が出現していました。エピソード記憶は悪くなっていたと推測されます。大脳皮質は前頭葉の一領域を調べましたが、老人斑がぱらぱらと散在する程度で、年齢相応の変化でした。アインシュタインは晩年まで精力的に活動していましたが、脳にはアルツハイマー病変が出始めていたわけです。誰でも歳をとれば脳に老人性変化が出てくるものです。しかし、積極的に脳を使うライフスタイルで、それに打ち勝つことができると思われます。

アルツハイマーはどんな人？

アロイス・アルツハイマー（Alois Alzheimer）は 1864 年に、アルプスを見渡すドイツのバーバリア地方で生まれました。24 歳で医師になり、精神病院で働き始め、熱心に診療に携わる傍ら、不幸にして亡くなった症例があると剖検して脳を検索しました。1 年後輩には神経細胞を染めるニッスル染色で有名なニッスル（Nissle）がいたことも幸いでした。アルツハイマーは執拗とも思えるほど熱心に顕微鏡を覗き、老年痴呆（高齢期発症のアルツハイマー型認知症）とは異なり、初老期に発症し、症状の激しい亜系を見いだしました。この亜系は、のちにクレッペリン（Kraepelin）によって、“Alzheimershe Krankheit”（アルツハイマー病）と命名されたのです。アルツハイマーは、この亜系の第 1 例（51 歳で発症）を 1906 年 11 月 3 日にチュービンゲンで開かれた医学会で報告しました。さらに 1911 年、彼が 47 歳の年に、2 例目（54 歳で発症）の組織像を詳細に記載した論文が出ました（図の一部を**図 1-18** に示す）。その翌年、ブレスロー（Bresrau）大学精神病学の教授になりましたが、3 年後の 1915 年に、51 歳の若さで亡くなりました[21]。

4 レビー小体病とレビー小体型認知症の概念と病態

ICD-11 では、精神の疾患であるレビー小体型認知症が神経系の疾患のレビー小体病によって生じるとの考え方から、レビー小体病の認知症（Dementia due to Lewy body disease）と表記します。レビー小体型認知症は、変性型認知症の中ではアルツハイマー型認知症に次いで頻度が高い疾患で、もの忘れ外来では 1 割程度を占めます。まずはレビー小体病の説明です。レビー小体病には、パーキンソン病とレビー小体型認知症があります。レビー小体とは、1912 年にドイツの医師レビー（Lewy）によって、パーキンソン病の中脳黒質ドパミンニューロン内に顕微鏡を使って発見された封入体です。パーキンソン病もレビー小体病だと理解してください。

このレビー小体が、パーキンソン症状と認知症を伴う症例の大脳皮質神経細胞にも出現することを 1976 年に見いだした小阪[22]が、びまん性レビー小体病という概念を 1984 年に提唱しました。日本発で世界的に認知された認知症疾患です。その後、1995 年に国際的に**レビー小体型認知症**として病型や診断基準が確立し、最近急速に認知度が高まるとともに、認知症三大疾患の一つとして、また介護困難事例が多いことから注目されている疾患です。

4-1　病態

大脳皮質や皮質下諸核の神経細胞内にレビー小体（顕微鏡で見ると赤血球くらいの大きさ）が出現します。レビー小体は、**αシヌクレイン**というタンパクが多量に蓄積したものです。このαシヌクレイン遺伝子の変異で本症を発症する家系が見つかり、本症は加齢に伴うαシヌクレイン蓄積症と考えられています。αシヌクレインの免疫染色で観察すると、レビー小体だけでなく、神経細胞の突起やシナプスに多量のαシヌクレインが蓄積していることがわかります。この神経突起への異常蓄積（Lewy neurites）が神経ネットワークのダメージを引き起こして、症状が発現します。レビー小体の出現は、αシヌクレインが多量に蓄積していることを示す象徴というわけです。パーキンソン病もレビー小体型認知症も、ともに神経細胞内にαシヌクレインが蓄積する疾患（レビー小体病）です。ですから、この両疾患は兄弟疾患といえます。どの部位の神経細胞からαシヌクレインが蓄積するかによって、病型が変わります。中脳など脳幹の病変が先行すればパーキンソン病となり、何年か経過して大脳基底核や辺縁系、大脳皮質にも病変が及ぶと認知症を合併します。逆にマイネルト核や扁桃核といった大脳基底核や海馬領域などの辺縁系、さらに大脳皮質の病変が先行すればレビー小体型認知症で発症し、のちに脳幹病変が進行してパーキンソン症状を伴うようになります。どちらにしても自律神経系（交感神経系・副交感神経系の両方）の病変は早期から出現し、**便秘**が初発症状となり、高率に合併します。また、自律神経症状として起立性低血圧・失神がレビー小体型認知症の注目すべき重要な症状です。転倒・骨折の原因となるからです。心臓を支配する交感神経節後線維が早期から脱落することが病理学的にも臨床的（MIBG 心筋シンチグラフィ／315 ページを参照）にも示されています。αシヌクレインは中枢神経系だけでなく、心・末梢血管壁・消化管などの自律神経系の末梢神経や神経節にも蓄積します。末梢神経系にまで病変が広がっていることと、自律神経症状を併発することが、中枢神経系限定病変である他の認知症疾患と異なる特徴です。

パーキンソン病（レビー小体が脳幹に出現）が先行し、5～10 年ほど経ってレビー小体が基底核・辺縁系・大脳皮質にも広がると、認知機能が低下して**パーキンソン病の認知症**（Dementia due to Parkinson disease）と診断されます。経過が長くなるほど認知症合併率が高まります。ただし、高齢のパーキンソン病では、レビー小体型認知症に移行するばかりでなく、アルツハイマー型認知症や脳血管疾患を併発して認知症になる場合もあります。

レビー小体型認知症では高率に脳βアミロイド沈着を伴いますが、パーキンソン病の認知症では脳βアミロイド沈着が乏しいと報告されています（**表 1-10** を参照）。大脳皮質では、βアミロイド沈着がαシヌクレインの蓄積を加速することが動物実験で示されていることからも、頷ける所見です。レビー小体型認知症は全例でαシヌクレインが蓄積し、多くでβタンパクも蓄積しています。このため、臨床的に両者の特徴を併せもつ例や、健忘（アルツハイマー型認知症の症状）で発症して、しばらくしてから幻視などレビー小体型認知症の症状が加わる症例がしばしばあります。

5 前頭側頭型認知症の概念と病態

大脳前半部である前頭葉や側頭葉の限局性脳萎縮を示す疾患群が前頭側頭型認知症です。ICD-11 では、前頭側頭型認知症（精神の疾患）の原因疾患は前頭側頭葉変性症（神経系の疾患）としています。

ピック（Pick）医師が 100 年ほど前に剖検脳の肉眼観察で、前頭葉が萎縮するタイプと側頭葉が萎縮するタイプ、両方が萎縮するタイプを報告し、後日ピック病と名づけられました。「肉眼で萎縮がわかる」というところが重要で、前頭葉・側頭葉障害を示す症状とともに CT や MRI で限局性萎縮が見られたら前頭側頭型認知症の診断がつくわけです。この前頭側頭型認知症は、臨床症状と萎縮部位の違いから、**表 1-11** に示した①～③の 3 臨床病型に分けられます。

⑴ 行動障害型前頭側頭型認知症（frontotemporal dementia-behavioral variant：FTD-bv）――前頭葉主体の萎縮に伴い、行動・人格の変化といった前頭葉症状を中心に発症する。前頭型ピック病に相当する。

⑵ 進行性非流暢性失語（pregressive non-fluent aphasia）――左前頭葉運動性言語中枢（Broca 野）近傍の萎縮で、緩徐進行性運動性失語で発症する。頻度が低い。

⑶ 意味性認知症（semantic dementia）――側頭葉の萎縮が主体で、語義失語（左側頭葉萎縮の場合）や相貌失認（右側頭葉萎縮の場合）など、聞いたものや見たものが何だ

表 1-11　前頭側頭型認知症の分類と蓄積タンパク

	臨床病型	病理診断
名称	前頭側頭型認知症	前頭側頭葉変性症
分類	①行動障害型前頭側頭型認知症 ＋運動ニューロン疾患（三山型） ②進行性非流暢性失語 ③意味性認知症	＊ FTLD-tau：タウの蓄積 ＊ FTLD-TDP：TDP-43 の蓄積 ＊ FTLD-FUS：FUS/TLS の蓄積

臨床病型と蓄積タンパクは一致しない。

かわからないといった意味記憶の障害で発症する（332 ページを参照）。側頭型ピック病に相当する。

5-1　病態

死後の病理検索では、原因疾患である前頭側頭葉変性症（frontotemporal lobar degeneration：FTLD）とし、蓄積タンパクから分類します。タウタンパクの異常蓄積（神経細胞内の Pick 球など）が見つかり、FTLD-tau と診断されるものと、TDP-43 タンパクの異常蓄積を伴い FTLD-TDP と病理診断されるものがあります。FTLD-TDP の中で筋萎縮を伴う症例が三山型です。TDP-43 は筋萎縮性側索硬化症で蓄積する異常タンパクでもあることが判明しています。FTLD-TDP と運動ニューロン疾患である筋萎縮性側索硬化症は兄弟疾患だったのです。また、2010 年には FUS/TLS タンパクが蓄積する FTLD-FUS が提唱されました（**表 1-10**、**表 1-11** を参照）。いずれも β タンパクの沈着を欠きます。

臨床病型との関係では、行動障害型前頭側頭型認知症はタウが蓄積するケースと TDP-43 が蓄積するケースに分かれ、意味性認知症の大部分は TDP-43 が蓄積しています。

前頭葉症状が主体で、行動障害型前頭側頭型認知症と臨床診断されていても、死後の病理検索で嗜銀顆粒性認知症（334 ページ）や大脳皮質基底核変性症などのタウオパチーと診断される例もあります。臨床像と病理との関係はようやくわかりかけていますが、はっきりした対応はありません。

6 血管性認知症（脳血管疾患の認知症）とは

6-1　概念と病態

血管性認知症とは、脳血管疾患に起因して生じる認知症を指します。脳血管疾患の原因には、脳出血（脳内部の血管からの出血で血腫を作る）やくも膜下出血（動脈瘤など脳表面の血管からの出血）のこともありますが、脳梗塞（血液が十分供給されず神経細胞が死ぬ）や脳血流灌流不全（血液が十分供給されず脳細胞の機能は低下しているが細胞死には至らない状態）など、脳虚血に起因するものが大部分を占めます。病変の主座により、①前頭連合野などの**大脳皮質病変型**、②大脳皮質下白質や大脳基底核などの**皮質下病変型**、③視床や海馬などの**重要部位病変型**（視床や海馬などの記憶や学習に直接関係のある部位は、限局した損傷でも認知症を生じやすい）に分類されます。この中で大脳皮質病変型や重要部位病変型は少なく、血管性認知症の多くは皮質下病変型です。皮質下～脳室周囲の深部白質にかけての虚血性変化を示す**ビンスワンガー（Binswanger）型血管性認知症**や大脳基底核を中心とする**多発性ラクナ梗塞**（小さな梗塞巣が密集して多発するタイプの脳梗塞）（322 ページの「6-4　血管性認知症をきたしやすい脳血管疾患」を参照）を原因とする認知症などは、**皮質下性認知症**の病像を呈すことが多いという特徴があります。この場合、大脳白質の神経線維連絡網（神経細胞同士をつなぐ経路）がダメージを受けるため、片麻痺、失語症、失行、失認など局在性皮質病変を示す巣症状は少なく、思考の鈍麻や発動性の低下を主体とする認知症となり、白質基底核障害であるパーキンソン症状（筋が硬くなり、動きが鈍くなり、動作が小さくなる）などを伴いやすくなります。

脳卒中（意識障害を伴う脳血管疾患）で倒れた患者さんに、急性期（発病から 2 週間ないし 1 か月まで）を過ぎたあとで認知症を認めたなら、当然、血管性認知症を考えると思います。確かに脳梗塞に代表される脳血管疾患は、脳が損傷される病気ですので、片麻痺、失語症などの巣症状（14 ページの［Step Up! 脳の階層性と機能局在］を参照）に加えて、大脳半球全体の広範な障害を示す症状である認知症が出現してもおかしくありません。ただし多くの場合は、多発性ラクナ梗塞型の血管性認知症のように、必ずしも倒れるような重い発作が認められなくても徐々に認知症が生じます。つまり、脳血管疾患の症状（片麻痺、失語、構音障害、失行、失認、半盲など）が突然出現するのに比べて、血管性認知症の症状はゆっくりと見え隠れしながら次第に明らかになってくることが特徴です。したがって、視床や海馬などの重要部位病変型のように、初回の脳卒中発作で認知症を呈するケースは例外的です。再発を繰り返す多発性脳梗塞例や脳梗塞後の廃用症候群例などのように、徐々に脳障害が進行する脳梗塞例が脳血管疾患の中でも認知症をきたしやすいタイプと考えられます。

このように血管性認知症の多くは、脳血管疾患による発作から時間が経って認知症が徐々に生じるため、脳卒中のあとに生じた認知症だから血管性認知症だとは、単純に決められません。そこに血管性認知症の診断の難しさがあります。認知症の原因が脳血管疾患によるものかどうかを判断する際には、①認知症が存在すること、②脳血管疾患が存在すること、③認知症の原因が脳血管疾患であること、の**3要件**を満たす必要があります。①と②に比較して③の証明は実際には困難な場合が多く、詳細な検討が必要となります（320ページの「6．血管性認知症の病型と診断」を参照）。

今までは、血管性認知症とアルツハイマー型認知症について、それぞれの病気自体の原因が異なることから、まったく別の病気と考えられていました。実際には、両者とも歳をとるにつれてかかりやすい病気ですので、血管性認知症のあとにアルツハイマー型認知症を合併したり、逆にアルツハイマー型認知症の人が脳梗塞に罹患したりする場合も少なくありません。このため、従来のように認知症の患者さんを診断する際、「血管性なのか、アルツハイマー型なのか？」といった二者択一的な診断に陥らないように、注意が必要です。アルツハイマー型認知症と診断された症例でも、病理検査や画像検査で多発性ラクナ梗塞やビンスワンガー型病変を認める場合が少なからずあり、逆に血管性認知症の症例が、アルツハイマー病変を合併していることも少なくありません。このため、最近では純粋な血管性やアルツハイマー型よりも、両者の病変を併せもつ症例が多いのではないかと指摘されています[23]。

6-2　血管性認知症の背景

1）脳血流が重要な理由

脳は膨大な数の神経細胞を抱え、酸素とブドウ糖の供給を常に必要としています。他臓器の細胞は脂肪を燃やしたりアミノ酸を糖に変えたりと、エネルギー源に融通がききます。しかし、脳はケトン体もエネルギー源として使うものの、ブドウ糖を大量に消費します。**図1-23**は全身のブドウ糖消費を見たものです。脳が圧倒的に多量のブドウ糖を消費

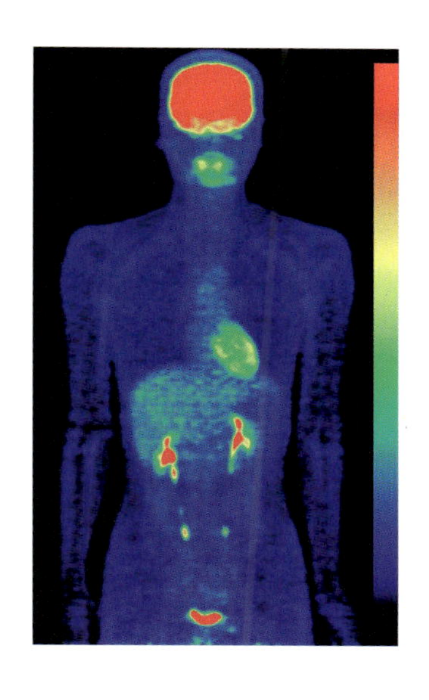

図 1-23　PET で見た全身の糖代謝（正常者）
脳の糖代謝が、他臓器に比べて図抜けて活発であることが一目瞭然である。他に心臓や肝臓が中等度の糖代謝を示している。腎盂から尿管、膀胱は、標識物が排泄されるため、糖代謝とは無関係に強い反応が出る。

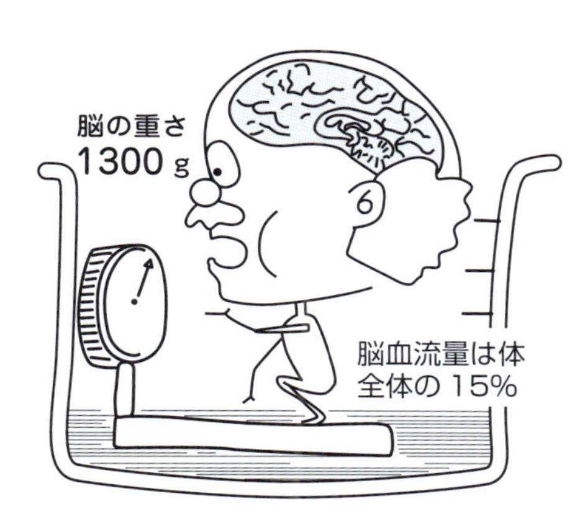

図 1-24　不格好な脳
体重の 2～3% の重さしかない脳では、心臓から送り出される血液の 15% が流れ、体全体の 20% の酸素が消費される。しかも、神経細胞はブドウ糖しかエネルギー源にしないため、酸素と糖の供給を絶たれるとすぐに死んでしまう。脳は、多量の酸素とブドウ糖を消費する贅沢な組織といえる。この神経細胞を一生にわたって使わなければならないところに、認知症の背景がある。

していることが一目瞭然です。このため、脳の重さは約 1,200～1,400 g と体重（60～70 kg）の 2% 程度しかないのに、心臓から出る血液の 15% が脳を循環し（他臓器比約 7 倍）、体全体の酸素消費量の 20% が脳で使われています（**図 1-24**）。重さの割に、代謝がとても活発なのです。このために、短時間の虚血でも神経細胞のダメージを生じます。脳は、酸素と糖が絶えず供給されなければならない贅沢な臓器です。ここに脳の脆弱性が潜んでいます。

2）脳血管の特徴

脳の血流は、大脳表面の皮質から深部にある白質に向かいます。このため血流は、大脳皮質を灌流しながら酸素を放出し、次いで酸素飽和度の低下した血液が白質を灌流するので、大脳白質は血流低下による酸素不足の影響を皮質より強く受けます（**図 1-25**）。したがって、動脈硬化に伴い脳血流が低下すると、大脳白質が虚血の影響を強く受け、髄鞘を

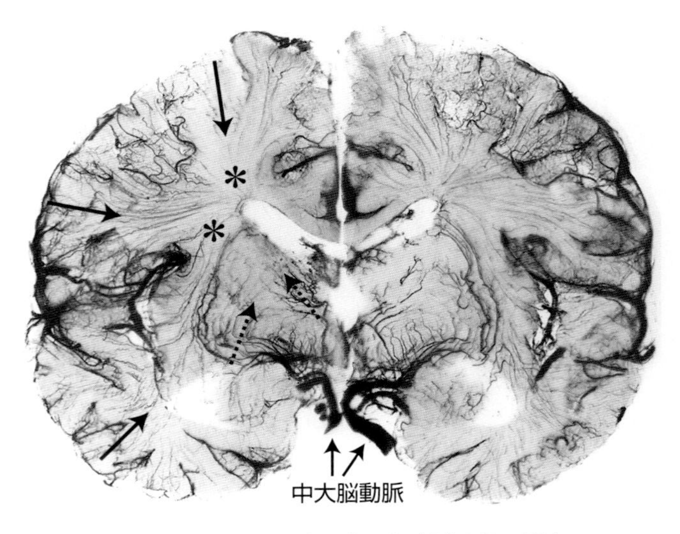

図 1-25　大脳深部白質の循環不全：大きな大脳ゆえの弱点
脳室周囲の大脳深部白質（＊）には、皮質ですでに酸素をかなり放出した血液が、皮質枝（実線矢印）から流れてくる。また、この部位は、穿通枝（破線矢印）と皮質枝との境界領域にもなる。
（Salamon 1973[24] より作成）

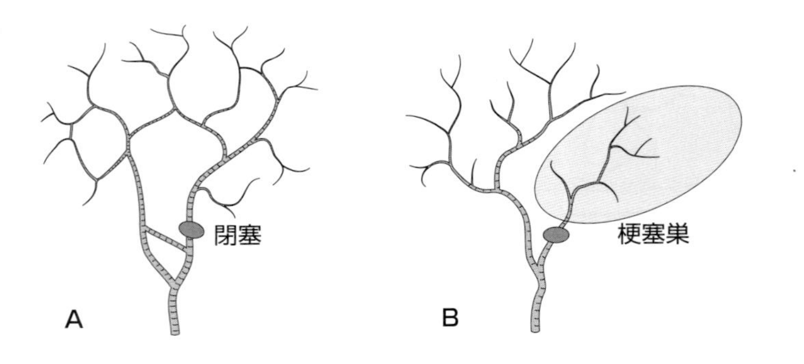

図 1-26　血管吻合（バイパス）の効果
A：通常組織の血管系。吻合が多いので、どこかで血管が詰まっても血液が迂回して梗塞巣を生じない。
B：脳の血管系。枝分かれだけで吻合がなく、終末動脈といわれる。このため、どこかで血管が詰まると、その灌流域に梗塞を生じやすい。

作る乏突起グリア（オリゴデンドロサイト）や白質を通る軸索線維が障害されやすくなります。これが**ビンスワンガー型血管性認知症**の背景です。

また、脳動脈は他臓器の動脈と異なり、末梢細動脈間の吻合（バイパス）が少なく、いったん閉塞した場合に近接した血管系からの側副血行の確保が難しいため、容易に血流の低下をきたしやすい**終末動脈**です。つまり、血管が詰まれば、他の血管から血液が回ってこない、どん詰まり血管です（**図 1-26**）。すべての脳疾患の中で脳血管疾患、とりわけ脳梗塞が多い理由は、臓器としての脳のもつこの特殊性によります。さらに脳は、進化の過程で汎用性の高い機能（運動、感覚、言語、視覚など）を担う細胞を解剖学的に集団化することでその機能をより洗練したものに高めたため、個々の機能に局在性が生まれました。言い換えれば、脳はどこも同じ働きではなく、その部位によって働きがまったく異なるわけです。こうした脳血管の特殊性と発達による機能局在のため、脳は他臓器と異なり、血管が閉塞した場合、容易に虚血が生じやすく、その障害を受けた部位が担う機能が喪失しやすいわけです。つまり、脳は虚血になりやすく、虚血による症状も生じやすい臓器といえます。

3）脳の血管系と脳梗塞の背景

大脳に血液を送る動脈は左右に分かれているため、一度の脳血管疾患で生じる病巣は、通常一側性です。しかも大脳を潤す動脈系には、前・中・後大脳動脈という３本の主要な血管があり、さらに各々が、脳表面にある比較的太い皮質枝と、脳深部にあるそれより細い穿通枝に分けられます（**図 1-27**）。皮質枝の閉塞や狭窄による大脳の皮質梗塞で頻度が高いのは、中大脳動脈皮質枝系の梗塞です。この血管は前頭葉運動野・頭頂葉感覚野・側頭葉言語野などを灌流するため、片麻痺と失語症（左側の場合）などの典型的な症状を示しますが、その反面、白質の障害が軽いため一般的に認知症を呈するケースは少ない傾

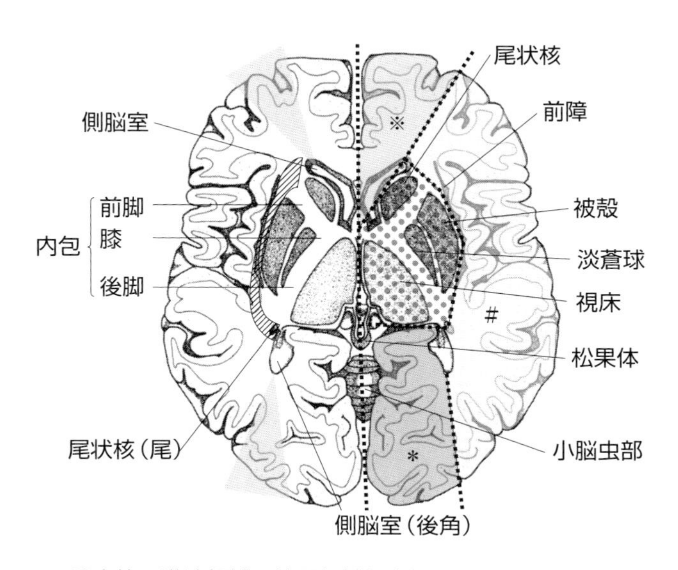

図 1-27　脳血管の灌流領域と境界領域梗塞好発部位
大脳水平断（CT スキャンの断面）で、右半分に前大脳動脈皮質枝（※）、中大脳動脈皮質枝（#）、後大脳動脈皮質枝（*）と、３動脈の穿通枝系（⁙）を示す。左半分には、境界領域梗塞を生じる部分について、皮質枝間の境界領域を▲で、皮質枝と穿通枝の境界領域を▨で示した。
（渡辺 1999[25] より作成）

向があります。これに対して頻度は低いのですが、前頭連合野や帯状回（**図 1-4** を参照）を含む前大脳動脈領域の梗塞や、記憶に重要な側頭葉内側面～海馬を含む後大脳動脈領域の梗塞（**図 4-22** を参照）では、認知症を生じることがあります。

今まで述べたように一度の脳梗塞で認知症をきたすことは稀ですが、**分水嶺梗塞（境界領域梗塞）**（**図 4-21** を参照）は例外です。一般に脳へ血液を送る血管が太ければ太いほど（例えば前・中大脳動脈に血液を供給する内頸動脈）、その血管が閉塞した場合、広範囲な脳梗塞が生じます。ただし、脳底部にあるウイリス（Willis）動脈輪が発達していれば、他の血管からの側副血行路による血液供給が不十分ながら確保されるため、脳組織は完全に脳梗塞に至らない半死半生の状態（虚血性ペナンブラ）に陥ります。この場合、広範囲の脳梗塞には至らなくても、皮質枝と穿通枝の境界にあたる深部白質や、隣の血管系との境界部の皮質や白質領域では、閉塞した動脈の末梢部にあたるため、梗塞を生じやすい傾向があります（**図 1-27**）。これは動脈系の血流量が低下すると、末梢部で血流が真っ先に低下するためです。大脳深部白質には、大脳皮質各部位の間や大脳皮質と皮質下諸核を結ぶ経路が通っており、こうしたタイプの脳梗塞では、皮質の障害が軽度であっても白質に広範な障害が生じ、結果として認知症をきたします。また、前大脳動脈と中大脳動脈の境界部、および中大脳動脈と後大脳動脈の境界部は、ともに皮質連合野であり、このような部位が梗塞に陥ると、運動麻痺を示さずに認知機能低下が出現するので、一見するとアルツハイマー型認知症のような症状を呈する場合もあります。

4）生活習慣病とメタボリック症候群

脳梗塞や心筋梗塞などの動脈硬化性疾患の背景として高血圧症や糖尿病などの生活習慣

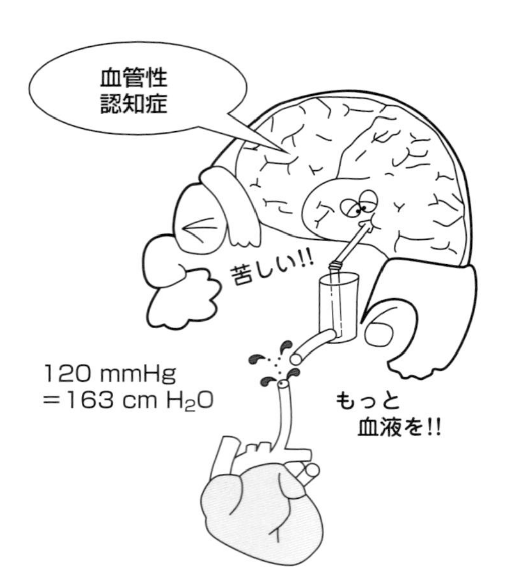

図 1-28　虚血に弱い脳
脳は心臓よりも高い位置にあるため、心臓のポンプ作用で血液が循環している。この血液を送る血管が加齢とともに硬くなり、内腔が狭くなって脳血流が減少してくることが、血管性認知症の背景因子となる。なお、血圧が 120 mmHg（水銀柱で 12 cm）ということは、水柱に換算すると 163 cm となり、心臓から 20 cm ほど高い頸部で頸動脈を切断すると、血液が 140 cm くらいの高さまで吹き出る圧力がかかっているということになる。この圧力が低くなっても脳虚血を生じる。

病が重要視されています。内臓脂肪の蓄積（腹囲の増大）と高血圧・脂質異常・高血糖などの合併（後者３項のうちの２項以上）をメタボリック症候群といい、注目されています。

脳へ血液を供給する動脈系には思春期頃から動脈硬化が出現し始め、加齢に伴って徐々に壁が肥厚して脳血流が低下します（**図 1-28**）。高血圧症や糖尿病があると、動脈硬化に拍車がかかります。そして、病変が進行して内皮細胞が傷つくと血栓が形成され血流が遮断されてしまい、脳梗塞を引き起こします。長期間続く高血圧症は、脳内部の基底核に血液を送る穿通枝（細動脈）の血管壁に壊死を生じさせ、これが小動脈瘤となって破裂すると脳内出血を引き起こします。高血圧があっても降圧剤の内服を続けることによって、血管性認知症ばかりでなくアルツハイマー型認知症の発症頻度も半減したという疫学研究もあり、降圧治療は認知症予防に有用です[16)]。

血管性認知症では、加齢による神経細胞や神経ネットワークの減少も背景にあり、脳活性化リハや食事・運動療法など生活スタイルへの介入により血管性認知症を予防・回復させる余地があります。

7 軽度認知障害(MCI)とは

認知症のない状態からいきなり認知症になるわけではなく、「生活管理ができているので認知症とはいえないまでも記憶障害や記憶以外の認知領域の軽度な障害」を認める時期(健常と認知症の中間の時期)があり、軽度認知障害(mild cognitive impairment：MCI)といいます(**図 1-22** を参照)。健常と認知症の中間の状態と捉えましょう。DSM-5 と ICD-11 では mild neurocognitive disorder(訳は軽度神経認知障害または軽度神経認知疾患)です(詳細は第 4 部の 299 ページを参照)。1990 年代までは老化に伴う健忘を生理的な老化、つまり正常な老化過程として捉えてきたのですが、2000 年代からは MCI の概念が出てきて、認知症(病気)の前段階という病的な意味合いで用いられるようになりました。ICD-11 では disorder(疾患の意味がある)という表現で、病的状態であることが impairment よりも明確に示されました。

MCI は認知症の前段階で、毎年 1〜2 割が認知症に移行すると考えられていますが、健常に戻ることもしばしばです。MCI の段階で早期発見して、運動などのライフスタイル改善で、認知症発症を遅延することが重要です。

MCI は、レビー小体型認知症などアルツハイマー型認知症以外の変性型認知症に進行するものや、血管性認知症に移行するものも含まれています。MCI と診断された症例をフォローすると、①認知機能が徐々に低下してアルツハイマー型認知症などに移行する群、②認知機能があまり変化せず MCI にとどまる群、③認知テストの点数が改善して正常化する群に分けられます。したがって、決して認知症の前段階とは言い切れないのですが、長い間には MCI の多くが認知症に進行するので、MCI の段階で発見して早期に対応し、進行を遅らせることが大切です。このように、MCI は種々の認知症疾患の発症期を寄せ集めた雑多な概念です(**図 1-29**)。高齢者は、肺気腫による低酸素症や心不全による脳血流減少など各種の疾患や内服薬の影響でも MCI になってしまう点に注意が必要です。

MCI		予後
アルツハイマー型認知症のMCI	→	アルツハイマー型認知症へ
血管性認知症のMCI	→	血管性認知症へ
レビー小体型認知症のMCI	→	レビー小体型認知症へ
神経原線維変化優位型老年認知症のMCI	→	認知症へ進行しにくい
その他の認知症のMCI	→	その他の認知症へ
内科疾患（肺・心臓疾患など）	→	認知症へ移行しない
低教育歴など	→	認知症へ移行しない

図 1-29　軽度認知障害（MCI）の予後
MCI には種々の病態が含まれる。種々の認知症へと進行していくが、認知症へと進行しないものもある。

軽度認知障害（MCI）の脳病理

MCI は現時点では「健常と認知症の中間」という概念なので、種々の認知症疾患が含まれ、その病理像も多様です。アルツハイマー型認知症の前段階としての MCI では、老人斑が大脳皮質連合野に多数出現し、神経原線維変化も出現し始めています。神経細胞数も減少し始め、ちょうど健常とアルツハイマー型認知症の中間程度の脳病理像を示します[26)]。この時期でも連合野に老人斑が出現し始めてから 10 年以上経過していると考えられます（**図 1-22** を参照）。βタンパク沈着やそれに伴う炎症反応などが引き起こすダメージの強さが脳のもつ予備能力の範囲を超え、認知障害が出現し始めた時期が、MCI に相当するわけです。

血管性認知症の前段階としての MCI では、脳室周囲の白質病変や多発する小梗塞巣などを示しますが、血管性認知症に比べれば程度の軽い病変です。この型の MCI からの血管性認知症への進行頻度は、あまり高くないようです。適切な医療で回復する例もあります。

海馬領域に限局して多数の神経原線維変化が出現する**神経原線維変化優位型老年期認知症**（333 ページ）では、記憶障害が主体で他の認知障害を伴わないため、臨床的には MCI と診断される場合が多く見られます。そして、進行が遅いことも特徴なので、いつまでも MCI にとどまる傾向があります。何年間も進行しない、治療がうまくいったと医師が喜んでいるケースは、神経原線維変化優位型老年期認知症を認知症発症の手前で診断したケースかもしれません。

認知症研究の歴史

現在の定義に近い意味での認知症は、今から約170年前の1838年にフランスのエスキロール(Esquirol)が、démence senile(老年期認知症)を、感受性、知性、意志の弱化を特徴とする後天的な大脳疾患として記載しました。

1800年代後半には失語症研究で有名なブローカ(Broca)やウェルニッケ(Wernicke)が大脳の機能局在を明らかにし、1880〜1910年の間に、ピック(Pick)が前頭・側頭葉の限局性萎縮を示す症例(ピック病/前頭側頭型認知症)を、ビンスワンガー(Binswanger)が血管性認知症を、アルツハイマー(Alzheimer)が初老期発症(早発性)アルツハイマー型認知症を、フィッシャー(Fischer)やウィーン留学中の三宅鑛一(のちに東京大学医学部附属脳研究室を創設)らが老年痴呆(現在の高齢期発症アルツハイマー型認知症)を報告するなど、認知症の原因疾患が次々と明らかになりました。当時は、認知症の最大の原因は進行麻痺(脳梅毒)でしたが、ビンスワンガーやアルツハイマーが進行麻痺の病理組織研究や鑑別診断を示し、1911年に野口英世が脳内に梅毒スピロヘータを見つけ、1917年にはワグナーヤウレック(Wagner-Jauregg)が三日熱マラリア接種による進行麻痺の発熱療法を発表しました。

本邦では、1875年(明治8年)に、京都府癲狂院が開設され、西洋医学による精神疾患の医療が始まりました。1876年(明治9年)に神部文哉が英国の精神科医ヘンリー・モーズレイ(Henry Maudsley)の『The Physiology and Pathology of Mind』を訳し、「老耄(ろうもう)」の項では、近時記憶障害を示し治らないことが書かれています。ドイツ人のベルツ(Baelz)が1884年(明治17年)には東京府癲狂院(1879年に上野に設立、移転後の1889年に東京府巣鴨病院と改名、今の世田谷区である旧松沢村に1919年に移転し、現在は東京都立松沢病院)で進行麻痺の剖検例を「麻痺狂患者剖検記事」として報告しました。当時は認知症を痴狂など「狂」の一種として表していました。1888年(明治21年)より東京府癲狂院の入院患者統計に「老耄狂」が出てきます。1907年(明治40年)、東京帝国大学精神病学教授で東京府巣鴨病院長の呉秀三が提唱し、「老耄狂」は「老年痴呆」または「老耄性痴呆」と改名されました。欧州に学んだ呉による「老耄性癡呆」の講義記録(1915年(大正4年)発行)が残されています。この臨床講義の記録を読むと、症状経過を詳細に記載し、記憶や指南力(見当識)、計算など現在のHDS-Rに近い項目を行い、的確に臨床診断していることがわかります。また、同年の東京医学会において、呉らは「老耄性癡呆」の3剖検例を報告しました。アルツハイマー型認知症の本邦初剖検報告例と思われます。

このように20世紀初頭に認知症の原因疾患が次々と明らかにされ、本邦でも明治の終わり頃には認知症を正しく診断する技術が欧州から取り入れられました。そして、呉により「痴狂」から「痴呆」へと用語が変更され、2004年には「認知症」へと変遷しました。

第 1 部の引用文献

1） 山口晴保：認知症高齢者の介護．介護支援専門員テキスト編集委員会・編集，［九訂］介護支援専門員基本テキスト，下巻，長寿社会開発センター，東京，2021，pp.201-261．
2） 粟田主一・監修：DASC-21 とは（https://dasc.jp/about）．
3） Maki Y, Yamaguchi T, Yamaguchi H：Symptoms of Early Dementia-11 Questionnaire（SED-11Q）；a brief informant-operated screening for dementia. Dement Geriatr Cogn Dis Extra 3（1）：131-142, 2013.
4） 小澤 勲：痴呆老人からみた世界―老年期痴呆の精神病理―．岩崎学術出版社，東京，1998，pp.159-163.
5） 山口晴保，中島智子，内田成香，他：病識低下が BPSD 増悪・うつ軽減と関連する―認知症疾患医療センターもの忘れ外来 365 例の分析―．認知症ケア研究誌 2：39-50，2018．
6） 山口晴保：認知症の人が感じている世界を知る．山口晴保，北村世都，水野 裕，認知症の人の主観に迫る―真のパーソン・センタード・ケアを目指して―，協同医書出版社，東京，2020，pp.1-36.
7） Maki Y, Yamaguchi T, Yamaguchi H：Evaluation of anosognosia in Alzheimer's disease using the Symptoms of Early Dementia-11 Questionnaire（SED-11Q）. Dement Geriatr Cogn Dis Extra 3（1）：351-359, 2013.
8） WHO：ICD-11―International Classification of Diseases 11th Revision（https://icd.who.int/en）.
9） 認知症施策推進のための有識者会議：認知症年齢別有病率の推移等について（https://www.kantei.go.jp/jp/singi/ninchisho_kaigi/yusikisha_dai2/siryou1.pdf）．
10） Alzheimer's Association：2015 Alzheimer's Disease Facts and Figures（http://www.alz.org/facts/downloads/facts_figures_2015.pdf）.
11） 永江誠司：教育と脳―多重知能を活かす教育心理学―．北大路書房，京都，2008，p.56.
12） Vaishnavi SN, Vlassenko AG, Rundle MM, et al：Regional aerobic glycolysis in the human brain. Proc Natl Acad Sci U S A 107（41）：17757-17762, 2010（doi: 10.1073/pnas.1010459107）.
13） Bennett DA, Schneider JA, Arvanitakis Z, et al：Neuropathology of older persons without cognitive impairment from two community-based studies. Neurology 66（12）：1837-1844, 2006.
14） 羽生春夫，深澤雷太：糖尿病性認知症．日内会誌 103（8）：1831-1838，2014．
15） 岩立康男：脳の寿命を決めるグリア細胞．青春出版社，東京，2021，pp.15-99.
16） 山口晴保：認知症予防―読めば納得！脳を守るライフスタイルの秘訣―，第 3 版．協同医書出版社，東京，2020．
17） Snowdon DA, Nun Study：Healthy aging and dementia；findings from the Nun Study. Ann Intern Med 139（5 Pt 2）：450-454, 2003.
18） Snowdon DA：Aging and Alzheimer's disease；lessons from the Nun Study. Gerontologist 37（2）：150-156, 1997.
19） Alzheimer A：Über eigenartige Krankheitsfälle des späteren Alters. Zeitschrift für gesamte Neurologie und Psychiatrie 4：356-385, 1911.
20） Braak H, Braak E：Frequency of stages of Alzheimer-related lesions in different age categories. Neurobiol Aging 18（4）：351-357, 1997.
21） 吉岡愛智郎：Alois Alzheimer について．神経進歩 9（3）：592，1965．
22） 小阪憲司：レビー小体型痴呆．Dementia 10：365-371，1996．
23） 長田 乾，山﨑貴史，高野大樹，他：血管性認知症とアルツハイマー病の血管性因子．老年期認知症研究会誌 18：145-148，2011．
24） Salamon G：Atlas de la vascularisation arterielle du cerveau chez l'homme. Sandoz, Paris, 1973, pp.120-121.
25） 渡辺正仁：理学療法士・作業療法士・言語聴覚士のための解剖学．廣川書店，東京，1999，p.273.
26） Gomez-Isla T, Price JL, McKeel DW Jr, et al：Profound loss of layer II entorhinal cortex neurons occurs in very mild Alzheimer's disease. J Neurosci 16（14）：4491-4500, 1996.

第2部 認知症の人の症状・サインと能力を生かすケア

このセクションでは、認知症の人の示す症状・サインを解説し、その背景を探るとともに、各症状・サインに対しての対応法を解説します。認知症の人が示す行動はその人の心の表現であり、これをサインとして介護する側が受け取るという考え方が基本です。「その人はどうしてそのような行動をとるのか？」と認知症の人の気持ちになってそのサインの意味（本人の心の内）を考え、対応する。これが「パーソンセンタードケア」の基本です。

認知症の症状・サインは、理解しにくいのが特徴です。脳卒中による高次脳機能障害で「消しゴムでタバコに火をつけようとする人」（左頭頂葉病変）や、「洋服の袖と自分の腕の関係がわからず服を着られない人」（右頭頂葉病変）などを経験すると、大脳皮質の不思議さが理解できます。しかし、アルツハイマー型認知症になっても運動麻痺のような目に見える障害が生じないので、介護する家族は「なんで同じことを何度も聞くの！」などと、つい怒鳴ってしまいがちです。運動麻痺があって歩けない人に「なんで歩けないの！」とは叱らないのに。脳の病気で 10 分前にとった自分の行動を記憶していられない人に「なんで覚えていないの！」と叱ってしまうのは、それが病気の症状・サインだと理解できていないからです。認知症の人の感じている世界を理解するには、本人が書いた著書[1)]や、認知症の人の目線で解説した本[2)]を読むことをお勧めします。

認知症ケアでは、「失われた機能を補うケア」から「残された機能を生かすケア」へと、考え方を転換する必要があります。認知症になって失われた認知機能そのものは回復が困難でも、残された機能を使って明るく楽しく生きる術があるはずです。「歩けない→車椅子」、「尿失禁→おむつ」、「風呂に入れない→介助浴」といった短絡的なケアではなく、なぜできないのか、ではどうしたらできるようになるのか、と考えることが必要です。認知症になったら何もできなくなると思わないで、能力を見抜く目を養ってください。

そして、介護には、施設スタッフや家族の力が大切です。認知症の人に関わる施設スタッフや家族の熱意と愛情が、彼らの心を動かし、生きる力を与えます。このような対応により、介護負担を軽減したり、進行を遅らせることも可能になります。

以上述べたように、認知症のケアは、施設や介護者の都合を優先したケアから、国際生活機能分類（ICF）の考え方に沿って生活機能を向上させるケアや、「認知症になってもその人らしく生きる」ことを支えるパーソンセンタードケアやユマニチュード®へと進化してきました。さらに、本書ではポジティブ心理学に基づく「ポジティブケア」の考え方を解説します。

1 総論：認知症の症状・サインとパーソンセンタードケア

1-1　認知症の人が示す症状・サイン

まず「症状」と「サイン」の使い分けについて説明しておきます。症状は医学用語なので、ケアの領域ではサインという用語が適切と考え、病気の医学的説明では「症状」、本人の言動・表情などは「一人の人間が示すサイン」と使い分けています（63ページを参照）。

アルツハイマー型認知症を中心とする認知症の人が示す症状・サインの全体像を全人的な視点から捉えたものを**図 2-1** に示します。中央が認知症の人です。この人の示す症状・サインを、①認知機能の視点で捉えると認知障害（いわゆる中核症状）、②生活の視点で捉えると生活障害（生活の困難や不自由さ）、③行動と心理の視点で捉えると認知症の行動・心理症状（behavioral and psychological symptoms of dementia：BPSD）や行動などとして表出されたサイン、④全身状態の視点で捉えると、体調や身体合併症、服薬による症状への影響、⑤神経機能の視点で捉えると、運動麻痺やパーキンソン症状、自律神経障害などとなります。これに⑥環境要因を加えると、認知症の人の全体像を全人的に捉えることができます。

アルツハイマー型認知症でしばしば出現する「繰り返し質問」を例に解説します。まず、認知機能の視点では記憶障害（中核症状）です。これが頻回だと、時間がとられ、生活に支障が出ます（生活障害）。行動と心理の視点で捉えると、これは異常な行動（繰り返し行動）なのでBPSDです。医学的にはBPSDですが、本人視点では、わからなくて困っていることの表出であり、介護する側が受け取るべきサインです。全身状態の視点で見ると、体調が悪いことが背景にあるかもしれません。アルツハイマー型認知症は中期までは神経症状が乏しいので、神経機能の視点では初期には問題がないでしょう。環境要因の視点で見ると、本人はその日の予定が気になっているのかもしれません。また、介護者（環境要因の一つ）のソワソワした態度が不安を引き起こしているのかもしれません。

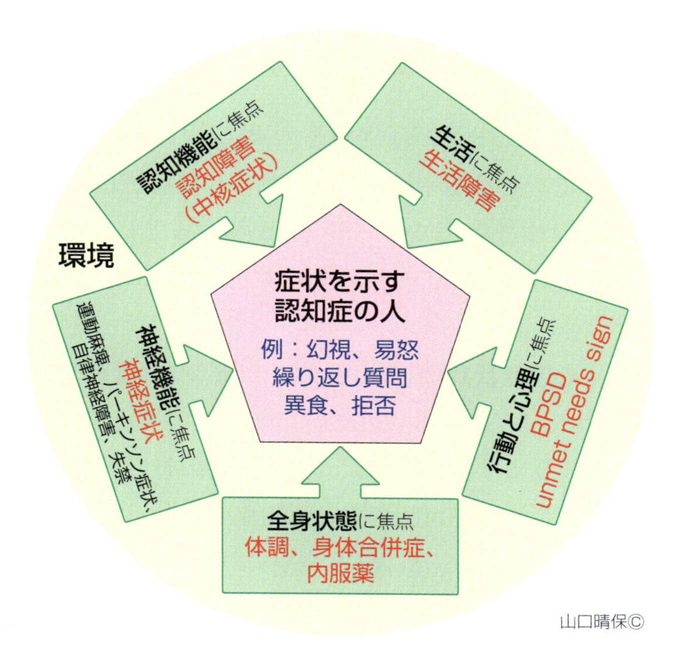

図 2-1　環境を含めた六つの視点で認知症の全体像を捉える

こうした捉え方はとても大切ですので、もう一つ例示します。アルツハイマー型認知症初期に見られる「服薬管理困難」です。まず、認知機能の視点で見ると、服薬したかどうかを覚えていない記憶障害や、今日の日付がわからないという時間の見当識障害、認知症ではないので服薬は不要と思っている病識低下などが考えられます。生活の視点で見ると、服薬管理というI-ADLの障害です。行動と心理の視点で見ると、（不要と思っている）服薬の拒否や、「ちゃんと飲みなさい」などと服薬を指示されることへの立腹で、医学的にはBPSDですが、介護する側がその背景心理に気づくべきサインでもあります。本人視点では、「言われた通りにちゃんと飲んでるのになんで叱られるの？ そもそもなんで飲むの？」との思いが表出されているのかもしれません。全身状態の視点では、その薬を内服すると気持ちが悪くなったり、イライラするのかもしれません。神経機能の視点では、手指の巧緻性や筋力が低下して、錠剤をシートから取り出したり顆粒薬の薬袋を切るのが難しいのかもしれません。

このように、認知症の人の示す症状・サインを六つの視点で全人的にアセスメントして、さらには本人の声を聞き（本人の気持ちを確認する第七の視点）、その「人」への対応法を考えることが基本です。本人が希望する生活を聞くのに「認知症のご本人の生活安寧指標11項目短縮版」が役立ちます（活用ガイドとともに認知症介護情報ネットワーク（DCnet）で公開・無料ダウンロード）。

1-2 行動・心理症状、ウォンツサイン/アンメットニーズサイン

本項では四つの問題を提起します。①医療者の視点、介護者の視点と本人の視点の違い、②認知症の人の症状をいわゆる中核症状と行動・心理症状(BPSD)に二分することの誤り、③行動・心理症状は中核症状に様々な要因が加わって(二次的に)出現するという考え方の誤り、④介護の領域で「症状」という医学用語を用いることの問題点、です。

1) 問題1——行動・心理症状(医療者の視点)、サイン(介護者の視点)と本人の視点

認知症の人が示す症状・サインを医療者が行動と心理の視点で捉えると、**認知症の行動・心理症状**(BPSD)となります[3)]。これは、国際老年精神医学会(International Psychogeriatric Association)が示した医学用語です。認知症の人が示す知覚認識の障害(幻覚など)、思考内容の障害(妄想)、気分の障害(うつやアパシー)、行動の障害(暴言や徘徊など)を、「認知症の患者が示す症状」として行動・心理症状と定義しました。行動・心理症状は医学用語であり、患者に見られる異常な言動を症状として規定しています。なお、ICD-11では、認知症で見られる行動または心理の障害(Behavioural or psychological disturbances in dementia)とされています。

行動・心理症状には、幻覚(見間違えのような知覚認識の障害)・妄想(思い違いのような思考の障害)・うつ(気分の障害)などの心理症状と、徘徊(探索)や暴言・暴力、収集癖などの行動症状(行動の障害)があります。ただし、焦燥で動き回っている場合は行動症状であると同時に不安という心理症状でもあります。よって、行動症状と心理症状を明確に分けようとする必要はありません。行動と心理は表裏一体です。

1990年代に認知症の行動・心理症状という用語が提唱された背景には、認知症は治らないから治療の対象にならないという考え方ではなく、認知症でも治療可能な症状があり、それを行動・心理症状として捉え、その背景要因を探って治療しようという考え方があります。ですから、「これは行動・心理症状だからどうにもならない」という捉え方は誤りで、「行動・心理症状だからこそ、きちんと対応しよう」というのが正しい捉え方です。詳しい解説として、国際老年精神医学会のThe IPA Complete Guides to BPSD - Specialists Guide(2010)の日本語訳[4)]が出版されています。

ここまでは、医療者として行動・心理症状を解説しました。一方、認知症の当事者は「BPSDと言われたくない」と言います。特に「徘徊」は、「何もわからなくなってうろつき回っている」という意味の差別的な表現だと反対の声を上げています。そこで、多くの自治体で徘徊を「ひとり歩き」などに用語変更しています。公文書には徘徊を使わないと宣言した自治体もあります。徘徊に代えて「探検」「見回り」「探し物」「道迷い」などという言い方も使われます。「妄想」と言われることは、本人視点では「私の考えが否定さ

れた」となるでしょう。よって、妄想を「揺るぎない信念」などと言い換えるとよいかもしれません。

「デイサービスに通うことを嫌がる（介護拒否）」という言い方も、本人にとっては納得のいかないことでしょう。帰宅願望も本人からすれば当然の権利で、「あって当然、ないほうがおかしい」であり、帰宅させないのは人権侵害という考え方もあります。行動・心理症状の様々な用語を本人視点で検討することが必要な時期にきていると考えます。

では、介護する側の視点では、「症状」に替えてどのような用語が適切でしょうか？ 行動・心理症状の多くは、本人の内面が言動などとして表出されたサインであり、介護する側はそのサインに気づいて本人視点で捉えること（認知的共感／72ページを参照）が大切だと考え、筆者らは「サイン」を提唱します。詳しくは「4）問題4――介護では「症状」に替えて「サイン」を」の項目で説明します。

2）問題2――中核症状と行動・心理症状に二分することの誤り

わが国では多くの教科書が認知症の症状を中核症状と行動・心理症状に二分していますが、この考え方は破棄してください。例えば、レビー小体型認知症の幻視や前頭側頭型認知症の絶え間ない徘徊（周遊）は典型的な行動・心理症状ですが、脳病変と強く結びつく認知障害（中核症状）でもあり、行動・心理症状と中核症状が重複しています（**図2-1**）。行動・心理症状であると同時に認知障害（中核症状）でもあるという理解です。いくつか例示します。「繰り返し質問」を認知機能の視点で見ると記憶障害という中核症状ですが、行動と心理の視点で見ると繰り返し行動という異常行動なので行動・心理症状に該当します。「異食」という行動・心理症状は、同時に口唇傾向（手当たり次第に口に運ぶ）という中核症状です。「道に迷う」症状を、行動の側面で見れば行動・心理症状であり、認知機能の視点で見れば空間認知障害（中核症状）です。これらの行動・心理症状は中核症状と表裏一体です（**図2-1**）。どちらかに二分するのではなく、中核症状であると同時に行動・心理症状であってもよいのだと理解してください。一人の人間の示す症状・サインは、認知機能の視点で見れば中核症状であり、行動と心理の視点で見れば行動・心理症状や介護者が気づくべきサインであり、さらに生活の視点や全身状態、環境など全人的な視点で捉えることが重要です（58ページの「1-1 認知症の人が示す症状・サイン」を参照）。

3）問題3――行動・心理症状は中核症状に様々な要因が加わって生じるという考え方の誤り

行動・心理症状には、認知障害を背景にして生じる不安や混乱をベースに、周囲との関わりの中で生じるものがあります（**図2-2A**の考え方）。例えば、もの盗られ妄想は、記憶

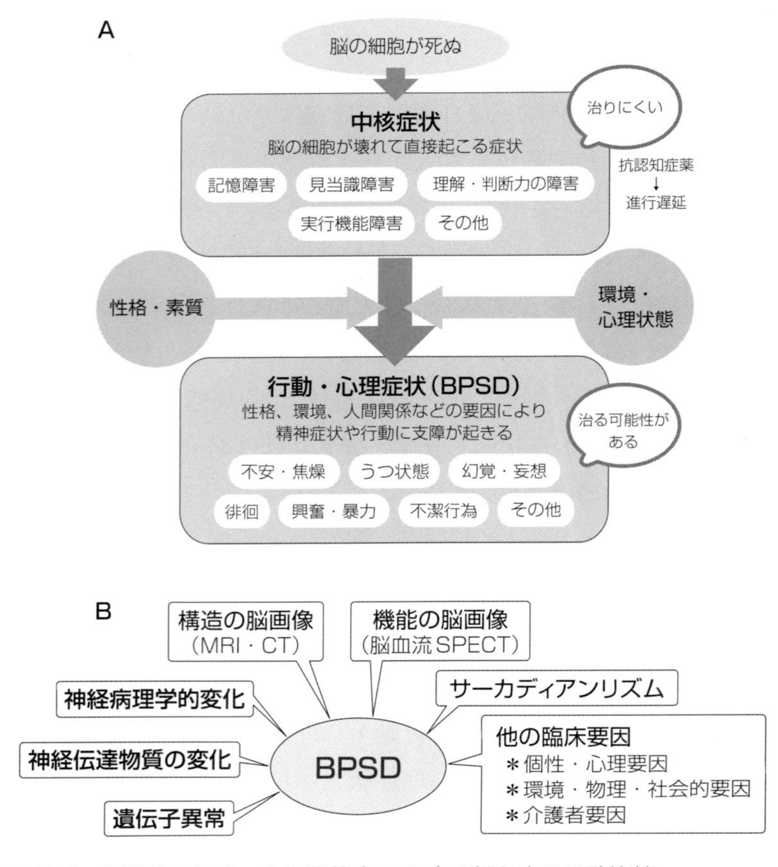

図 2-2　認知症の行動・心理症状（BPSD）の捉え方の日欧比較
A：認知症サポーター養成講座をはじめ、日本では中核症状に諸要因が加わって BPSD が二次的に生じるという考え方が多い。
B：国際老年精神医学会の説明では、BPSD にはたくさんの要因が並列関係にあるという単純な図式になっている。
（B：The IPA Complete Guides to BPSD より作成）

障害のためにしまった財布を見つけられなくなるだけでは生じません。ケアに関わる人との人間関係の中で、「あの人が盗った」という妄想が生まれてきます。この場合は、中核症状に環境要因（介護者との力関係の逆転など）が加わって行動・心理症状が生じています。ですから、「行動・心理症状は中核症状に様々な要因が加わって生じるという考え方」は、概ね正しいのですが、前述の「繰り返し質問」や「異食」のように様々な要因が加わらなくても生じる行動・心理症状があることに留意してください。中核症状であると同時に行動・心理症状でもある一群です。

行動・心理症状と脳病変の関係を調べた臨床病理研究[5)]を紹介しておきます。この研究では、アルツハイマー型認知症では海馬領域の病変が強いことが記憶障害に関連した妄想（しまい忘れからもの盗られ妄想に発展）に関連する、頭頂葉内側の楔前部の機能低下が置いた場所の想起を困難にする、と解説されています。このように行動・心理症状には脳病変が強く関係しています。

ここで、理解を深める事例を提示します。

アルツハイマー型認知症のＡさんが「今日はどこに行くの？」と介護者Ｂさんに尋ねました。５分後にも、そのまた５分後にも尋ねました。

介護者Ｂさんは「なんで何度も同じことを聞くの。ボケちゃってホント困るわ」と言いました。

Ａさんは「私をバカにして！」と、Ｂさんを叩きました――。

ここには二つの行動・心理症状があります。一つめは繰り返し質問で、認知障害でもある行動・心理症状です。二つめは、介護者の言動によって引き起こされた暴力という行動・心理症状です。そして、前者は改善が難しい行動・心理症状ですが、後者は介護者の関わり方を変えることで改善が可能な行動・心理症状です。

国際老年精神医学会が示した行動・心理症状の解説には、「行動・心理症状は中核症状に様々な要因が加わって生じる」という考え方が示されていません。単純に「行動・心理症状には様々な要因がある」という考え方で、中核症状は要因の一つにすぎません（**図2-2B**）。「行動・心理症状は中核症状に様々な要因が加わって生じるという考え方」は国際標準ではなく、日本固有の考え方のようです。このようなことが生じた原因は、周辺症状という用語を行動・心理症状に単純に置き換えたことにあります。「周辺症状は中核症状に様々な要因が加わって二次的に生じる」という解説は正しいのですが、傍点部の周辺症状を行動・心理症状に置き換えると、この文は正しくなくなります。けれども、この考え方は適切なケアを見つけ出すうえでは役立ちますので、筆者はこの考え方を否定しているわけではありません。行動・心理症状の正しい理解ではない点を強調して伝えたいのです。

4）問題４――介護では「症状」に替えて「サイン」を

問題提起の最後は、介護の領域で「症状」という医学用語を用いることの問題です。医学用語である「症状」は、「（治療が必要な）異常な状態」を示しています。ケアの領域では、認知症の人の示す言動を“異常”と捉えるのではなく、正常か異常かの判断抜きに、その人の示す「サイン」として捉えることを推奨します。ケアは相手の示すサインに気づくことから始まるからです[6)]。

徘徊を例に考えてみましょう。これを医療者の視点で捉えれば行動・心理症状です。一方、介護者の視点から捉えてみると、「この人はなんで動き回っているのだろうか？」「この人の表情やしぐさ、姿勢、態度、言葉、行動は何を示しているのだろうか？」となります。医療者の視点で医学的に捉えると行動・心理症状という困りごとですが、介護者の視点から本人の発するサインとして捉えることもできます。ケアにおいて、症状として医学的に捉えるのか、サインとして人間中心の視点で捉えるのか、どちらがよいかという問題提起です。筆者はサインとして捉えるのがケアの原点という考え方です。

サインについて深掘りします。筆者は、二次的に生じる行動・心理症状（きっかけや予兆がある）については、ウォンツサイン（wants sign：欲求サイン）ないしはアンメットニーズサイン（unmet needs sign：未達目標サイン）という用語がよいと考えます。いわゆる行動・心理症状を、その人の隠れた欲求（wants）が表情やしぐさ、姿勢、態度、言葉、行動に表出されたサインとして捉えるのです。表出されたウォンツサインの背景にある真のニーズを推測してケアするという意味からは、アンメットニーズサインがよいとも考えます。認知症の人の欲求に気づき、その背景にある心理を推測し、真のニーズ（一人の人間として尊厳が守られ、周囲から大切にされていると本人が感じられ、本人が能力を発揮でき、本人が生きがいを感じ、安心して暮らせる状態にあること）を満たすように対処すれば、認知症の人は落ち着くでしょう。いずれにしても、ケアでは「症状」よりも「サイン」を使おうという提案です。ウォンツサイン/アンメットニーズサインに対するケアの基本は、「なぜそのような行動をとるのか」とその人の視点に立って考え、その行動の背景を探り、それを取り除くように対応して反応を見ることです。それでもうまくいかなければ、別の背景を探り対応します。また同時に、感情的に対応せず、穏やかにゆったりとした気持ちで認知症の人に安心感を与える態度での対応が必要です。

1-3　行動・心理症状の背景要因を探る医学的アプローチ

行動・心理症状の背景には、様々な要因があります（**図 2-3**）。まず、きっかけがある場合です。先の事例で示したように、本人にとって不快な発言（「ボケちゃってホント困るわ」）がきっかけの場合は、きっかけをなくすことが対応策です。図の左側の因子は、認知障害やこれまでの生活歴などのため介入が困難です。一方、図の右側にある薬剤や居住環境、体調、ケアなどの因子は介入が可能です。背景要因を論理的に漏れなく探り、行動・心理症状の減弱・消失を図るのが医学的なアプローチ（問題の要因を探り、それをなくす・減らすことで解決する）です。一部を例示します。

⑴ 薬剤――易怒性や過活動（うろうろする、家から出てしまう）などは、ドネペジルなどアセチルコリンを増やすタイプのアルツハイマー型認知症治療薬を減量・中止することで軽減します。

⑵ 居住環境――周囲がうるさいために落ち着かなかったりイライラしている場合は、静かな環境にする配慮で落ち着きます。行動・心理症状の多くは対人関係において発生するので、人的な生活環境は大きく影響します。

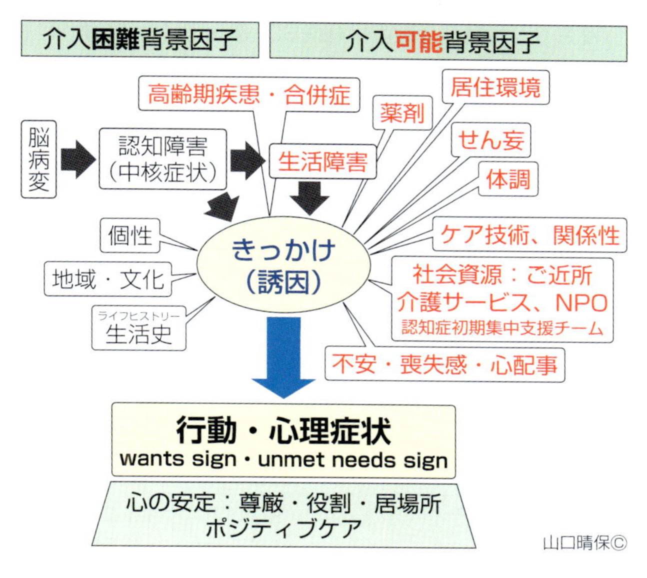

図 2-3　行動・心理症状の背景因子の分析

(3) 体調――便秘があるだけでもイライラして怒りっぽくなることがあります。

(4) ケア――本人の意に沿わないケア、本人の承諾を得ずに実施するケアが怒りや暴力に結びつきます。

一方、認知症の人の居場所をつくり、日課や役割を提供し、尊厳を守ることで、認知症の人の心を安定化しようというポジティブケア（能力を引き出す・高める）もあります。認知症の人の抱える**不安**や**混乱**から生じる言動をサインとして捉えて、その人がよい状態（真のニーズが満たされた状態）になることをめざすアプローチです。記憶障害があって数分前のことを覚えていなかったら、また、なぜ自分が今ここにいてこの作業をしているのかわからなかったら、誰もが強い不安や焦燥感に襲われますね。医学的なアプローチだけでなく、認知症の人が抱える不安や混乱を取り除き、周囲との関係を整えることで、穏やかな生活を取り戻すことができます。ポジティブケアについては次項で詳しく説明します。

適切なケアで本人の不安が減少すると、介護者に優しい対応をとる余裕が生まれ、行動・心理症状はさらに減って不安がなくなるという**良循環**が生まれます（206 ページの**図 3-6** を参照）。逆に不安を煽るような不適切なケアは行動・心理症状を悪化させ、悪循環に陥って介護が困難になってしまいます。**表 2-1** に行動・心理症状を悪化させる因子とその対策をまとめました。

認知障害の改善は困難でも、ポジティブケアを含む適切な包括的医療・ケアでその人らしく楽しい生活を送ることが可能になります。

表 2-1　行動・心理症状（BPSD）悪化因子とその対策

	BPSD 悪化因子	対　応
個人	状況がわからないことの不安、自分の能力が徐々に失われていく自己喪失感など	安心を与える説明、受容し支えるケア、日課・役割のある生活
医療	BPSD を悪化させることがある薬剤（ドネペジル、アマンタジン、睡眠薬、安定剤など）	生活状況を介護者から聞き取り、必要に応じた減量・中止
	薬剤や拘束、脱水、便秘、疼痛、発熱などによるせん妄※の併発	せん妄の原因となる病態の排除や薬剤の中止
ケア	尊厳を損ねる不適切なケアや無視、放置	パーソンセンタードケアやユマニチュード®の導入、介護者の教育
	空腹や排泄などへの気づきのない介護、人手不足による無視や放置	介護者の観察力やマンパワーの育成
	入院、施設入所、ショートステイ利用などのリロケーションダメージ	仲良しや居場所づくり、なじみの家具・調度品の持ち込み、入院よりも在宅医療で
	トイレへの経路、ベッドの場所、室内の飾り物、雑音などの環境	トイレの表示、なじみの環境に近づけ、落ち着いて過ごせるように調整
リハ	日課や役割、生きがいのない生活、孤独な生活	会話を増やし、できる仕事を手伝ってもらい、なるべく習慣づけて日課にし、ほめて、やる気を引き出す脳活性化リハ

※…せん妄については 349 ページを参照。

1-4　ポジティブ心理学とポジティブケア

はじめにポジティブ心理学に触れます。従来の心理学は、抑うつのような病的心理状態の人を正常レベルに引き上げる（戻す）ための心理学です。一方、ポジティブ心理学は、正常な心理状態の人をウェルビーイング（well-being）なレベルに高めるための心理学です。なお、ウェルビーイングは「持続的で多面的な幸福（満たされた状態）」を意味します。日本語では「幸福」と訳されますが、一時的な幸福（例えば、くじに当たるとか、性的快楽）を意味するハッピー（happiness）とは異なります。そして、ポジティブ心理学のコアとなる PERMA 理論では、持続的幸福状態（flourish）に必要な五つの要因が提唱されています。その 5 要因とは、①ポジティブ感情（positive emotion）：喜び、楽しみ、嬉しさ、愛など、②没入（engagement）：（仕事や趣味など）夢中になれる、③良好な人間関係（relationship）：互恵関係、仲間、④意味・意義（meaning）：生きる意味、生きがい、⑤達成（achievement）：目標の達成で、それぞれの頭文字をとると PERMA となります（**図 2-4**）。介護職だけでなく、認知症の本人や介護家族も含めて、皆が持続的幸福をめざしてほしいという考えを基本にして、以下、ポジティブ心理学に基づくポジティブケアを提案します（**表 2-2**）。

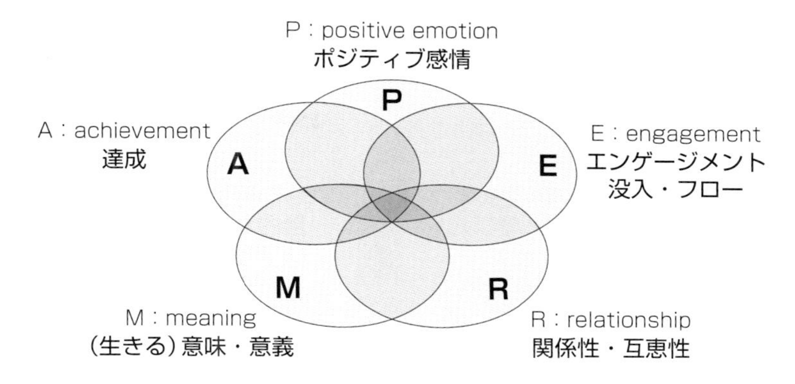

図 2-4　セリグマンの well-being 理論―PERMA モデル（2011）―
（セリグマン 2014[7]より作成）

表 2-2　ニュートラルケアとポジティブケア

	ニュートラルケア	ポジティブケア
カテゴリー	医学的因果モデル	ポジティブ心理学モデル
対　象	病気	人間（関係性）
焦　点	①欠点（困難・症状） ②失われた機能	①長所（ストレングス） ②残存能力・潜在能力
アプローチ	①欠点（症状）をなくす ②不幸をなくす	①長所・残存能力を伸ばす ②幸せになる
アウトカム	困難・症状の軽減・消失→健常	楽観主義、自信回復→幸福
手　法	原因究明→解決 元から絶つ	レジリエンス（弾性）強化 回復力・適応力・緩衝力
ケ　ア	背景要因への対応→ BPSD 消失 生活の困難を減らす 困りごとを減らす	ほめる・認める・感謝する 能力を引き出す 役割・生きがい・居場所の提供

（バニンク 2015[8]を参考に作成）

医学は、病気という欠点の原因を見つけて治療するのが基本的アプローチです。つまり、ネガティブを減らすアプローチです。これは、マイナスをゼロに戻すので、**ニュートラルケア**とします（**表 2-2**）。先に述べた行動・心理症状への対応（64 ページ）は、行動・心理症状という症状（ネガティブ）の背景要因を見つけて症状をなくそうというケアなので、ニュートラルケアの例になります。

できることを介護職が代行して本人の能力を奪うケア（自立を損なうケア）や、動き回らないように身体拘束するなどは**ネガティブケア**です。介護家族の対応はしばしばネガティブケア（叱る、など）になりがちです。本人のできないことばかりに目が向き、「ちゃんと片づけて」「しっかり覚えておいて」「じっとしてて」などなど、失敗を指摘して、介護

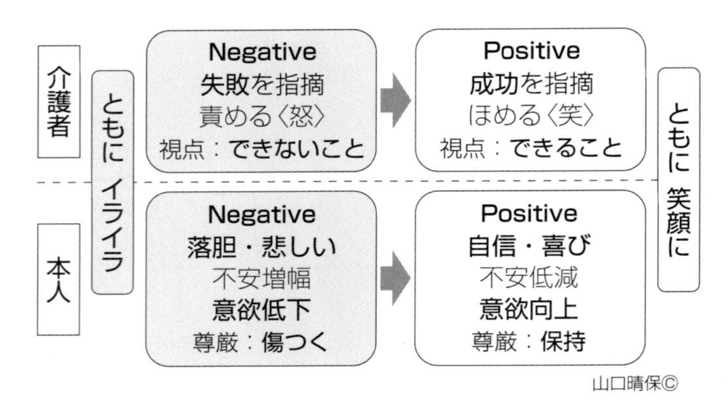

図 2-5　ポジティブケア 対 ネガティブケア

負担の要因となる問題（症状）をなくそうとしますが、このようなアプローチは本人も介護者もつらい気持ちになり、心がネガティブな方向に向かいます（**図 2-5**）。

一方、ポジティブ感情を増やしたり、レジリエンス（弾性・抵抗力）を高め、残存能力を活用し、長所を伸ばそうとするのが、**ポジティブケア**（**表 2-2**）です。例えば、行動・心理症状を示す人に日課や役割、居場所を提供することで、ポジティブ感情や生きがい、達成感、夢中になる、良好な関係性などを満たそうというものです。第３部で詳しく紹介する脳活性化リハビリテーション５原則は、まさにこのポジティブケアです。前述の介護家族による失敗の指摘に関していえば、まず、本人のできないことは諦め、指摘をやめて、できることに目を向け、できたことをほめて感謝するように伝えます。こうすることで、本人も介護家族も笑顔の方向に心が動きます（**図 2-5**）。

のちほど述べるケアの実際においても、このポジティブケアの視点を紹介していますので、ぜひ実践してみてください。

1-5　認知症ケアの基本：パーソンセンタードケア

英国のトム・キットウッド（Tom Kitwood）が提唱した**パーソンセンタードケア**（person-centered care）、つまり、その人らしい生活を支える介護という考え方が、認知症ケアの基本です。キットウッドは、従来の医学的対応に基礎を置くケア（old culture）に対して、パーソンフッド（personhood／その人らしさ）を維持することを大切にするケアを新しい概念（new culture）として提唱しました[9]（**図 2-6**）。パーソンフッドとは、『関係や社会的存在の文脈の中で、他人からひとりの人間に与えられる立場や地位である。それは人として認めること、尊重、信頼を意味している』と定義されています[9]。「**その人らしさ**」とは、周囲との関係性の中で一人の人間として認められること、尊重され、信頼されることを意味しています。認知症になっても「いつでも、どこでも、その人らしく」暮ら

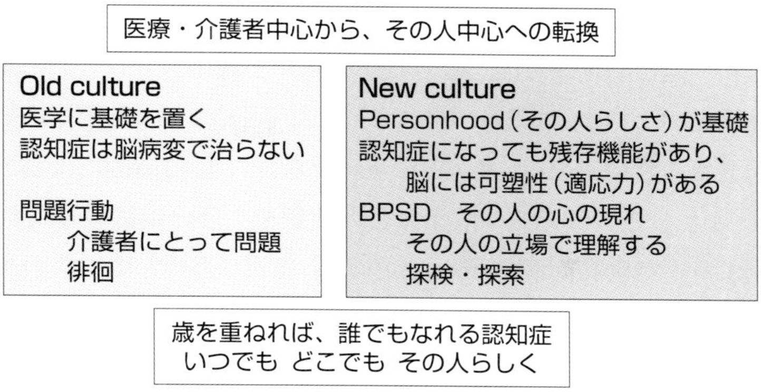

医療・介護者中心から、その人中心への転換

Old culture
医学に基礎を置く
認知症は脳病変で治らない

問題行動
介護者にとって問題
徘徊

New culture
Personhood（その人らしさ）が基礎
認知症になっても残存機能があり、
脳には可塑性（適応力）がある
BPSD　その人の心の現れ
その人の立場で理解する
探検・探索

歳を重ねれば、誰でもなれる認知症
いつでも どこでも その人らしく

図 2-6　パーソンセンタードケア

せるようにケアすることが基本理念です。重要な点は、「一人の人間として認められること、尊重され、信頼されること」を、ケアする側がそう思っていることではなく、ケアされる側がそう感じていることです。認知症の人が、一人の人間として自分は大切にケアされていると感じ、介護者と信頼関係・互恵関係が築かれていることが大切です。

キットウッドは、行動・心理症状として「（介護者にとっての）問題行動」と捉える従来の視点（old culture）ではなく、その行動は認知症の人の心の表現（言葉や表情・しぐさ・行動などに示される本人の欲求／サイン）なので、そのサインの意味を本人の立場で理解して対応しようする視点（new culture）を提唱しました。例えば、これまで「徘徊」という問題行動としてネガティブに捉えていたものを、何か探し物をしている「探索」や「探検」とポジティブに捉えるのです。英国ではキットウッドの考えを受け継ぎ、行動・心理症状の代わりにチャレンジング行動（challenging behavior）が用いられています。認知症の人の欲求が発言・発声、表情・様子、行動に現れたものという捉え方です。

認知症の人のとる行動には、その背景があります。本人の生い立ちや職歴・生活歴、趣味などを知り、その人の気持ちになって、その人の内的体験を理解することで、認知症の人が「なぜそのような行動をとるのか」わかるようになります（認知的共感／72 ページを参照）。そのうえで対応するのがパーソンセンタードケアです。このようなケアには、本人を中心に据えたセンター方式の「C-1-2 心身の情報」（私の姿と気持ちシート）（168 ページを参照）での評価が役に立ちます。

キットウッドは、環境の要求に従ってゆっくりと変化する脳の適応力に着目し、尊厳を大切にするケアで認知症の症状が改善し、進行が緩やかになるからこそ、パーソンセンタードケアが必要なのだと力説しています。認知症は治らない病気という古い医学的な考えを捨てて、脳は適応力（回復力・可塑性）をもち、ケアの仕方次第では認知症でもある程度の回復が見込めるというポジティブな考えをもつことが大切だと示しました。

わが国のグループホームなどにおいても、パーソンセンタードケアを実践することによって症状の緩和や進行防止が可能となったケースが多数報告されています。介護サービス施設での具体例をいくつか示すと、きれい好きで掃除好きだった認知症の女性ならば、日課として朝起きたらお掃除をしてもらい、日中の空いている時間には脳活性化リハビリテーション（リハ）としてトランプや散歩などの活動を生活の中に取り入れることによって、家にいた頃よりも行動範囲が広がり、5年以上症状が進行していないケースがあります。また、無気力になってしまい、自宅で毎日ごろごろとしていた認知症の男性の場合、デイサービスに通うことにより活発になった例が報告されています。そのデイサービスでは、本人はかつてゴルフが趣味でなかなかの腕前だったことが家族からの情報でわかったときに、アクティビティーの時間にパターゴルフを取り入れました。そこで本人が見事な腕前を披露し皆の喝采を浴びた日から、日常生活でも気力を取り戻し、自分自身の身の回りのことができるようになりました。

以上のようなパーソンセンタードケアの実践例は、まさに本書で述べる脳活性化リハの考え方であり、以下に述べる認知症ケアの基本的スタンスです。

1-6　自立・自律支援が基本―本人の声に耳を傾ける―

1）生活の自立と自律

同じ「ジリツ」でも、「自立」と「自律」は大きく意味が異なります。自立（independence）は他者の助けなしに独りで行うことを示し、自律（autonomy）は自分の立てた規範に従って自らの行いをコントロールすること（自己決定）を示します。例えば、入浴を独りで行うことが「自立」です。一方、介助浴であっても、①自宅でヘルパーさんの介助で入浴する、②デイサービスで入浴する、③清拭で済ませるなどからどれにするかを自分で決めることが「自律」です。本人のできることまで支援すると、能力を奪い、「自立」を妨げることになります（ネガティブケア）。まずはできることは自分でやってもらい（自立）、できないことは本人の希望に沿って（自律）、支援する必要があります。

2）自律支援：意思決定支援と表明された意思の尊重

認知症の人も、自分で意思を形成し、それを表明でき、その意思が尊重される生活を望んでいます。しかし、認知症の本人は判断できないと考え、家族やケアスタッフが代わりに判断してきました（自律を妨げていた）。そこで、本人の意思を尊重するため、「認知症の人の日常生活・社会生活における意思決定支援ガイドライン」[10)]が2018年に公表されました。本ガイドラインでは、意思決定の支援の過程を「意思形成支援」、「意思表明支援」、「意思実現支援」に分け（**図 2-7**）、例えば意思形成支援においては、認知機能低下が

待つケア＝自立支援のケア―デンマークの尊厳を守るケア―

施設では中等度～重度認知症の人が多いと思います。施設ケアはパーソンセンタードケアの理念で行うことは無論ですが、日本人ケアスタッフは「おせっかい」な介護の傾向が強いと思います。例えば、ゆっくりなら歩けるのに車椅子に乗せる、衣類を揃えてあげれば見守りで更衣できるのに、手を出してしまう。本人ができることまでやってあげるのは「能力を奪うケア」です。「**待つケア**」、そして、できないところだけをさりげなく支援して「失敗を防ぐケア」が、真に求められる「**自立支援のケア**」（能力を引き出す・保つケア）です。待つケアは時間がかかり、そのケアワーカーは無能と評価されがちです。施設ではテキパキとケアしてあげて早く作業を終えるケアワーカーが有能と評価されがちです。施設の管理者が考えを改めないと、「待つケア：能力を引き出すケア」は普及しないでしょう。

デンマークでは、本人が了解しない限りケアは行いません。無理やり入浴させる、無理やり着替えさせるなどは決して行いません。これが**尊厳を守るケア**です。本人の意思をとことん尊重します。ゆえに本人が自分の意思で椅子から立ち上がって転倒しても、基本的には自己責任であり、施設の責任は問いません。日本はこれを転倒事故と捉えます。事故扱いすることのデメリットとして、拘束や抑制、能力を奪うケアが生じます。この転倒の問題は、入所時に本人と家族と施設で十分に話し合って、合意を文章に残しておくとよいでしょう。介護施設は拘束を禁じられています。本人も拘束を望むとは思えず、家族が拘束を希望することは、基本的人権を奪い日本国憲法に違反することだという共通認識をもつことが望まれます。

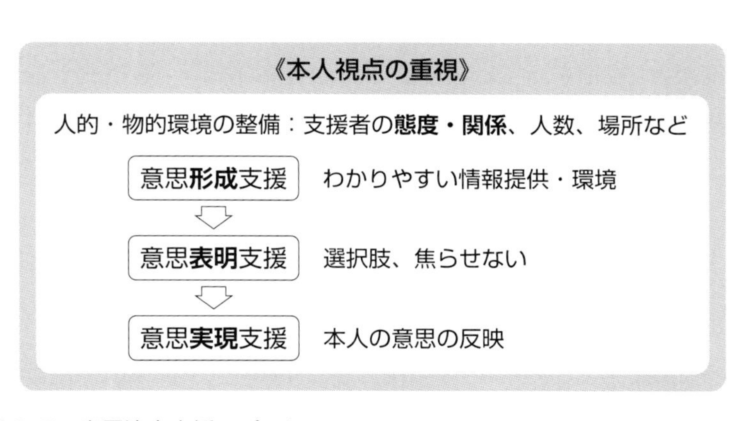

図2-7　意思決定支援のプロセス
認知症施策推進大綱（2019年）でも「本人視点の重視」が明記されている。
（文献10より作成）

あっても理解しやすいように情報提供すること、集中して考えられるよう静かな環境で行うことなど、それぞれの過程の具体的な方法や注意点が整理されています。また、ケアする側が普段から認知症の人の価値観や嗜好などを理解し、意思や選好を推定する必要があることも述べられています。

意思決定支援は一度行えばよいのではなく、記憶障害があれば、意思を繰り返し確認する必要があります。専門職として適切に自立・自律を支援したいものです。

1-7　病識低下と認知的共感―予防的ケアに向けて―

本人の病識の程度を把握し、本人の示すサインから心の内を認知的共感で推測し、本人のニーズに寄り添うケアを提供できれば、本人の尊厳が守られ、その人らしく生活できると思います(パーソンセンタードケアの提供)。そして、周囲を困らせるような言動は減るだけでなく、生じなくなるでしょう。これが予防的ケアです。行動・心理症状/サインが生じてから対処するのではなく、予防することが大切です。そのためには、予兆や初期段階で介護者が変化に気づくことが重要です。筆者らは、そうしたごく軽度の変化に気づくための質問票である**BPSD気づき質問票57項目版**を開発し[11)]、認知症介護情報ネットワーク(DCnet)で公開しています(無料ダウンロード)。

1) 病識低下とメタ認知

自分の状態を客観的に把握する認知機能がメタ認知です。例えば、自分がアルツハイマー型認知症で、どの程度記憶力が低下しているかを正確に自覚していれば、病識が保たれています。しかし、アルツハイマー型認知症の人の多くは、自分の記憶力低下を実際よりも少なく(軽度だと)見積もっています。これが「病識低下」(6ページを参照)です。アルツハイマー型認知症では進行に伴って、病識(自覚)は低下していきます(7ページの**図1-1**を参照)。自覚がないわけではありませんが(病感はある)、自分の認知機能低下を問題視しなくなり、失敗の自覚がなかったり、またすぐ忘れてしまいます。本人にとっては病識が低いほうがうつになりにくい、ハッピーな気持ちでいられるというメリットがありますが、介護者が「本人にとってはおせっかいな人」であったり、「失敗をなじる敵」になってしまい、介護者が大変になりがちです。自分は病気だと思っていない、介護が必要だと思っていない病識低下状態の人を介護することが前提なので、この「本人の気持ち」を理解したうえで対応しないと、パーソンセンタードケアは成り立ちません。例えば、本人が必要ないと思っているケアを、介護者の必要という思いから無理強いすれば本人に怒りが生じます。また、介護者が「こんなこともできないの!?」と漏らせば、それが介護者への怒りの引き金になりかねません。自分の認知機能低下状態を正確に把握していない

表 2-3　認知的共感（視点取得）と情動的共感

分類	内容	視点	捉え方	特徴	バーンアウト
情動的共感	感じる〈直感〉扁桃体 自動的反応	自他の区別なし	自分が相手に感じたまま	同情・感情移入しやすく、疲弊しやすい〈疑わない〉	易 しやすい
認知的共感	考える〈思考〉頭頂葉 理性的処理	相手の視点 視点取得	他人事として推測	推測が正しいとは限らないという認識〈疑う〉	難 しにくい

山口晴保＆北村世都©

人がケアの対象者だということを肝に銘じてあたらなければなりません。

2）情動的共感と認知的共感

共感には大きく分けると情動的共感と認知的共感があります（**表 2-3**）。情動的共感はわかりやすいです。相手の状況を見た途端に「かわいそう」「痛そう」などと自分事のように感情移入して共感する心の働きです。扁桃体などの情動系が働く共感で、“熱く”なります。一方、相手の心の内を、相手の視点に立って他人事として推測するのが認知的共感です。頭頂葉や前頭葉を使って推測し、他人の心の内を推測しているのだからその推測が正しいとは限らないという冷静さを保っています。認知症ケアでは、この認知的共感が基本です。認知症の人の示すサインから行動意図や欲求を認知的に推測しつつ、その推測は誤っているかもしれないので本人に確認してみようという態度をとることで、適切なケアができます。情動的に共感して思い込みでケアしてはいけないということです。本人の欲求が言動や表情・態度などとして表出されたものをサインと客観的に捉えてケアしようと述べましたが、これがまさに認知的共感に基づくケアです。

認知症ケアマッピング

キットウッドはパーソンセンタードケアを実現するために、認知症ケアマッピング（dementia care mapping：DCM）を開発しました[12)]。このツールは、認知症の人とその介護者の行動を、マッパーと呼ばれる観察者が6時間の間、5分置きにコード化して記録するものです。DCMでは、行動を24

表 2-4　認知症ケアマッピングの評価基準

よい状態　well-being	よくない状態　ill-being
○自分の意見をはっきり述べる ○身体的にくつろいでいる ○自尊心を見せる ○他の人を援助する ○ユーモアがある ○社会的関わりをもつ ○感情の表現をする ○愛着を示す	○相手にされない悲しさ、寂しさがある ○身体的に不快さや痛みがある、緊張がある ○無気力や引きこもり ○興奮 ○退屈 ○不安、絶望 ○絶え間のない怒り

のカテゴリーに分け、各行動が－5 点（例：無視、非難、激怒など）～＋5 点（例：笑顔、得意、他者への気遣いなど）で評価されます。さらに、「だます」、「能力を使わせない」、「怖がらせる」など“個人の価値を低める行為”と「意見を聞く」など“前向きな働きかけ”という 2 種類のチェックリストに従って、介護者のケア内容をチェックします。

観察終了後にこの記録を介護者にフィードバックして議論することで、介護者の態度や行為が認知症の人の心や行動にどのような影響を与えたかが明らかになり、介護現場の質が向上します。第三者が冷静な目で日頃のケアを観察することで、日常業務の中で何気なく行っている行為が認知症の人の尊厳を低める行為であることに気づき、ケアが改善されていきます。「施設や働くスタッフの都合を優先するケア」から、「認知症の人の尊厳や思いを優先するケア」へと、DCM により変わっていきます。

倫理観に基づいたよい状態（尊厳を高める状態）とよくない状態（尊厳を低める状態）を**表 2-4** に示します。このように人間の尊厳を高めるケアがケアの倫理であり、尊厳を高めることがケアのアウトカムです。そして、認知症の人が**表 2-4** の「よい状態」にあればケアがうまくいっている証拠であり、認知症の人が「笑顔のある生活」を楽しんでいることでしょう。記憶がよくなるなど認知機能が向上することがよい状態ではありません。認知テストの点数が向上するよりも、DCM の点数が高くなり、生き生きとその人らしく過ごせることのほうが、その人の QOL は高いはずです。

ユマニチュード®

ユマニチュード®は、フランスの元体育教師イヴ・ジネストとロゼット・

表2-5　パーソンセンタードケアとユマニチュード®の比較

	パーソンセンタードケア	ユマニチュード®
理念	その人らしさの尊重	人間らしさの尊重
技法	なし	あり：150以上の具体的技法
評価法	あり：認知症ケアマッピング	なし
商標登録	なし：広く普及＝誰でも	あり：家元制度＝質の担保

マレスコッティが長年のケア経験から生み出した認知症ケア技法の集大成です。ユマニチュード®とは、『さまざまな機能が低下して他者に依存しなければならない状況になったとしても、最期の日まで尊厳をもって暮らし、その生涯を通じて“人間らしい”存在であり続けることを支えるために、ケアを行う人々がケアの対象者に「あなたのことを、私は大切に思っています」というメッセージを常に発信することです。そして、そのメッセージを本人に伝わるように発信し、伝わっていることを確認することが大切です。つまり、その人の“人間らしさ”を尊重し続ける状況こそがユマニチュードの状態』と定義されています[13)]。これがユマニチュード®の基本理念です。日本では2014年頃から病院看護師の間で急速に普及しています。

ユマニチュード®は、150以上に及ぶ実践的なケア技法を体系化しています。これをイメージしていただくため、技法を一つ紹介します。車椅子で移動するとき、「片手を利用者の肩に置く」という技法で二人がつながります。車椅子に乗って後ろから押されると、押している人の姿も表情も見えません。次にどんなことが起こるのかまったく予測がつかず、自分では動きを制御できないので、とても不安です。皆さんも実際に車椅子に乗って、この不安を体験してみてください。一方、介護者が片手を本人の肩に乗せると、気持ちがつながり安心します。片手を車椅子のグリップに置くか、本人の肩に置くかのわずかな違いが、本人の心理に大きな違いをもたらします。このような「些細なテクニック（愛と優しさの技法）」の集大成がユマニチュード®です（150ページを参照）。

表2-5にパーソンセンタードケアとユマニチュード®の比較を示しました。どちらも同様な理念を背景にしていますが、パーソンセンタードケアには技法がなく、ユマニチュード®には評価法がありません。そして、ユマニチュード®は登録商標となっており、正規の研修を受講しないでユマニチュード®を取り入れた施設と名乗ることはできません。また、勝手にユマニチュード®研修を開くこともできません。ユマニチュード®の技法を日頃の

ケアに取り入れることは何ら問題ありませんが、それを宣伝するには正規の研修を受講して認定されることが必要だということです。日本ユマニチュード学会は施設認証制度を始めました。ジネスト氏は、「ユマニチュードを掲げる施設では、利用者が人間らしく生活できているという質の担保が大切」と言います。お目にかかったとき、「日本ではパーソンセンタードケアを行っている施設で認知症終末期にPEG（人工栄養／フランスでは虐待に相当）をしている。ユマニチュードの施設では、認知症終末期のPEGなどあり得ない」とおっしゃいました。フランス語で。

ユマニチュード®の実践については、本書の150ページで紹介しています。また、『認知症ケア研究誌』（閲覧・ダウンロード無料）の総説[14]も参考にしてください。

2 総論：アルツハイマー型認知症の症状と経過

認知症の症状が病期によって変化していくことを、アルツハイマー型認知症を例にして医学的に解説します。ここでは、病期という概念を理解してください。なお、主要な症状は各論で解説します。また、病態は第 1 部で解説しました。

アルツハイマー型認知症は徐々に発症し、症状がゆっくりと進行します。若年性（65 歳未満）発症では進行が速く、10～15 年くらいで寝たきりになることが多く、逆に、高齢期発症では進行が比較的緩徐で、時にはしばらく進行が止まっている時期も見られ、10 年以上の経過をたどることがしばしばです。ただし、経過は個人差が大きいです。軽症例をさかのぼってみると、発病（生活に支障が出る）数年前からもの忘れがひどくなり、意欲がなくなり、趣味活動をやめたり、家事や仕事を取り仕切ることに困難を感じる

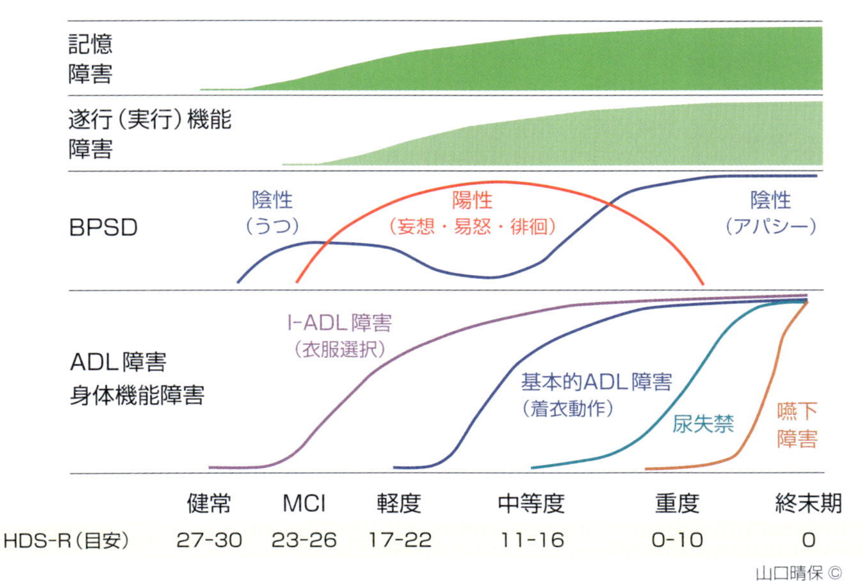

図 2-8　アルツハイマー型認知症の進行過程

私は少しも悪くないのに、
なんで私が叱られるの？!

【認知機能】
＊エピソードを覚えられない、思い出せない
＊日時や季節が？
＊同じことを何度も尋ねてしまう

【障害の自覚（病識）】
＊思い「私をバカにして」
＊自覚に乏しく医療やケアの受け入れ拒否
＊しまい忘れと自覚できずもの盗られ妄想に発展

【生活】
＊家事などの段取り困難
＊金銭・服薬などの管理困難
＊中期以降、更衣・歯磨き・排泄後の始末などADLの困難
＊終末期は嚥下困難

【神経機能】
＊嗅覚鈍感
＊中期以降は歩行速度低下、バランス不良、体が硬く動きが悪化するパーキンソン症状
＊終末期は歩行不能や嚥下障害

図 2-9　アルツハイマー型認知症の人の抱える困難

表 2-6　アルツハイマー型認知症の初期症状

症状（認知障害）	生活の変化
健忘/記憶障害	前日のエピソードを覚えていない。 同じことを何回も話したり、尋ねたりする※。
注意障害	水道栓やドアを閉め忘れたり、後片づけがきちんとできなくなった※。 同時に二つの作業を行うと、一つを忘れる※。 服装など身の回りに無頓着になった※。
見当識障害	出来事の前後関係がわからなくなった※。 薬を管理してきちんと内服することができなくなった※。
遂行（実行）機能障害	献立を考えて適切に調理することができない。 以前はてきぱきできた家事や作業に手間取るようになった※。
視空間認知障害	見えている範囲が狭くなる。 行を目で追いながら本を読むことが難しい。
病識低下	自分は認知症ではないと思っていて、受診やケアを嫌がる。 失敗していないと強く否定し、言い訳する・取り繕う。
音声認知障害	雑音のあるところでの会話が苦手になる。
理解力低下	複雑な話を理解できない※。
アパシー	興味が薄れ、意欲がなくなり、趣味活動などをやめてしまった※。
脱抑制	前よりも怒りっぽくなったり、疑い深くなった※。
思考力低下	計画を立てられなくなった※。

※…認知症初期症状 11 項目質問票（SED-11Q）の設問

など、認知症の前兆（軽微な症状）が現れています。この健常と認知症の中間のステージが軽度認知障害（MCI）です（52ページの「7．軽度認知障害（MCI）とは」を参照）。健忘がMCI期から見られ、初発症状であり主要な症状であることがアルツハイマー型認知症の特徴です。

経過全体をイメージしやすいよう、概念図として**図2-8**に示しました。また、アルツハイマー型認知症の人の抱える困難を**図2-9**に示してあります。

そして、アルツハイマー型認知症の初期症状と生活の変化について**表2-6**にまとめました。

2-1　アルツハイマー型認知症の病期（表2-7）

1）初期（軽度／FAST stage 4、HDS-R 17～22点程度）

記憶障害、**注意障害**、時間や場所の**見当識障害**、**遂行（実行）機能障害**、**視空間認知障害**などが原因で、生活に支障をきたします（**表2-7**を参照）。エピソード（出来事）記憶のうち、近時記憶が障害され、エピソードの内容だけでなく、エピソードそのものを忘れるようになっていきます。見当識は時間から障害され、次いで日付がわからなくなります。季節感も徐々に失われていきます。一人暮らしでは、日常生活の中で援助が必要になる時期ですが、面倒見のよい家族に囲まれていると、生活に困らず、認知症が見過ごされることもあります。嗅覚低下も初期症状です。

妄想はこの時期から見られ、もの盗られ妄想が大部分を占めます。今までできていたことができなくなり、喪失感からうつやアパシー、不安も高頻度に見られます。

生活能力では、手段的ADL（instrumental ADL：I-ADL）の障害が出てきます。記憶障害・見当識障害に加えて、注意障害や遂行（実行）機能障害が進むことで、金銭管理や服薬管理などが困難になります。家計の管理は困難になり、必要なものを必要なだけ買うことや、献立を考えて食事を用意することなどができなくなります。服薬管理もできなくなることが、医療での大きな問題です。しかし、身の回りのことを行うADL（基本的ADL）は保たれています。

介護が必要になり始める時期ですが、病識が低下していることが多く、介護を拒否する傾向があります。また、受診や運転免許返納を拒否する傾向も見られます。

この時期には、大脳皮質連合野や海馬領域の病変が進んでいますが、脳活性化リハで廃用を防ぎ、適切な対応を行うことで、進行を遅らせることが期待されます。

2）中期（中等度／FAST stage 5、HDS-R 11～16点程度）

記憶は、少し前のエピソード（近時記憶）だけでなく、直前のことも覚えられなくなっ

表 2-7　アルツハイマー型認知症の臨床症状出現順序

	初期（軽度） （FAST stage 4） （HDS-R 17〜22）	中期（中等度） （FAST stage 5） （HDS-R 11〜16）	進行期（重度） （FAST stage 6〜7d） （HDS-R 0〜10）	終末期
記憶障害：	近時記憶障害	即時記憶障害　遠隔記憶障害	完全健忘	
見当識障害：	時間の失見当	場所の失見当	人物の失見当	
言語障害：	健忘失語	感覚性失語	全失語	
精神症状：	不安・うつ・妄想	幻覚・鏡現象		
行動障害：	焦燥	多動・徘徊・暴力	不潔行為	
運動障害：			失禁　痙攣　固縮	四肢拘縮
生活障害：	I-ADL 障害	ADL 障害	ADL 全介助	嚥下障害

FAST：Functional Assessment Staging of Alzheimer's Disease
HDS-R：改訂長谷川式簡易知能評価スケール（上記得点は大まかな目安）

てきます（即時記憶障害）。昔のエピソード（遠隔記憶）は覚えていても、その詳細を忘れるようになります。**手続き記憶**（道具の使い方など）は保たれています。遂行（実行）機能が著しく障害され、新しいことを行えなくなります。

この時期は、多動、徘徊や暴力行為などが生じやすい時期です。初期からの妄想に加え、幻覚や多幸も見られるようになります。言葉の理解が徐々に低下して、感覚性失語の様相を呈します。

この時期から ADL（基本的 ADL）の障害が出始めます。例えば、更衣では着る順番がわからない、排泄行為自体は可能ですがトイレットペーパーの使い方がわからないなど、身の回りのことに援助が必要になります。

3）進行期（重度／FAST stage 6〜7d、HDS-R 0〜10 点程度）

認知機能の低下に伴って失行・失認が顕著になり、ADL（基本的 ADL）の障害が進行します。靴下を片足に重ねて履き片足は素足、バスタオルを上着と思い腕を通そうとする、歯磨き粉のペーストを食べてしまう、便器の蓋を開けずに座って排尿する、便器の水で手を洗うなど、家族がびっくりする行為が出てきます。この頃には尿便**失禁**も徐々に加わり、ADL は全介助になっていきます。運動面では、歩行障害から寝たきりに向かって、運動機能が徐々に低下していきます。筋の固縮（パーキンソン症状）や痙攣発作、ミオクローヌスも見られるようになります。妄想や幻覚、多動や徘徊などの行動・心理症状はありますが、活動性が低下するため、行動・心理症状の介護困難度は低減していきます。また徐々に全失語の状態になり、言葉によるコミュニケーションが困難になります。しかし、快不快などの情動を表現することはできます。

4）終末期（FAST stage 7e, f、HDS-R 計測不能）

大脳皮質の機能が広範に失われた**失外套症候群**(しつがいとう)を呈します。大脳の外側を覆う大脳皮質を外套（マント）に譬(たと)え、人間らしさの源である大脳皮質の機能が失われた状態を失外套といいます。意識は保たれているので、睡眠・覚醒のパターンがあり、反射運動は保たれますが、随意運動はなくなり、四肢の関節は拘縮していきます。開眼していてもしゃべれず無言、飲み込めず、無表情で、手足は動かず、**除皮質姿勢**（上肢は肘・手関節屈曲、下肢は伸展）で拘縮していきます。発症して 10〜20 年でこのような寝たきり状態になっていきます。この時期には嚥下障害が大きな問題となります。随意的な嚥下はできなくなるものの嚥下反射は残っているので、食物形態の工夫などでなるべく経管栄養を先延ばしにするよう努力しますが、最後は看取りか人工栄養の選択を迫られます。人工栄養を行うと、さらに数か月〜数年間生きながらえるかもしれませんが、多くは唾液を誤嚥して肺炎で亡くなります。人工栄養は医学的には無益な延命です。人工栄養を行っても行わなくても死が避けられないからです。「生・死」の選択ではありません（182 ページの「14．認知症の終末期とターミナルケア」を参照）。

2-2　本人視点から見るアルツハイマー型認知症の困難

筆者はもの忘れ外来で、困難に対して本人がどんな気持ちで生活しているのかを知りたくて、「何か困ることはありませんか？」と声をかけるのですが、９割の人は「困ってない」「特にない」などと答えます。困っていることがあっても忘れてしまうのかもしれません。本人の困難を理解するのは難しいです。また、家族との関係を尋ねると、「叱られる」と本人が答え、家族は「叱っていない」と言うことを多く経験します。自分は失敗していないのに、失敗を注意されると感じているようです。

本人は、「思い出そうとしても思い出せない」、「自分が今どこにいるのかわからない」、「何をしたらよいかわからない」などの状況下にいますので、不安だらけなのです。そんな状況下で、「なぜ覚えていないんだ！」、「なんでこんなこともわからないんだ！」と周囲から言われたら、不安が増して混乱し、叱られていると感じるのも当然です。周囲が本人の不安感やつらさを理解して対応できなければ、それが原因で不穏や攻撃的行動などの行動・心理症状につながることになります。

このように本人の声を聴き取るのは難しいのですが、『認知症世界の歩き方』（ライツ社、2021 年）という、約 100 名の認知症の人へのインタビューからまとめられた本があります。乗るとしばらくして記憶を失い、何をしようとしていたのかなどを忘れてしまう「ミステリーバス」、本人にとってはヌルリ・ピリリなどと湧き出る泉質が入るたびに変わるので入りたくない「七変化温泉」、時計の針が一定のリズムでは刻まれない「トキシラズ宮殿」などと題したストーリー仕立てで、本人の体験と気持ちがわかりやすく紹介されています。

行動観察による進行度評価：FAST

認知症の進行度を客観的に評価することは、適切な治療やケアを提供する際に重要です。改訂長谷川式簡易知能評価スケール（HDS-R）（275ページ）のような認知機能の得点よりも、実生活での生活状況がより重要だからです。対象をアルツハイマー型認知症に限定していますが、このような行動観察尺度に Functional Assessment Staging of Alzheimer's Disease（**FAST**）があります。ライスバーグ（Reisberg）らが、「アルツハイマー型認知症の進行に伴って患者は小児期の発達過程を逆行して乳児のレベル（しゃべれず寝たきり）に至る」という考えに基づき、アルツハイマー型認知症を7期に分けて評価するFASTを作成しました（**表2-8**）。これによって、アルツハイマー型認知症の病期を大まかにですが、客観的に把握できます。FASTは、Mini-Mental State Examination（MMSE）（277ページ）との相関がよいことやステージの進行とともにHDS-Rの得点が低下することなど、妥当性も確認されています。アルツハイマー型認知症では概ねFASTのステージに則って進行し、病期が逆転することは少ないことから（ステージ6と7の細目間では逆転あり）、その重症度を大まかに把握するには優れた尺度といえます。また、各ステージと発達年齢（機能獲得年齢）との対応が記載されている点が特徴です。人間が生まれてから順々に身につけていく認知機能を、アルツハイマー型認知症になると獲得した順番と逆に失っていき、最後は赤子の状態になることがFASTからわかります。最初に身につけた微笑む能力（ステージ7e）を最後にお返しして死を迎えます。アルツハイマー型認知症は、発達過程を逆行して赤ちゃんに戻り、死を迎える病気です。なぜ発達過程を逆行して進行するのかについては、大脳の発達過程における軸索髄鞘化の順序と脳病変ができる順番が逆であることから説明しました（**図1-6**と17〜18ページを参照）。

ほかの病気で亡くなることなく長生きしていると、最後は認知症の終末期に至り、このような自然な死を迎えることになるわけです。これが人間のナチュラルコースだと思いませんか？ 認知症を過度に恐れる必要はありません。長生きすると、誰もがなれるのが認知症ですから。

表 2-8　FAST：Functional Assessment Staging of Alzheimer's Disease

ステージ	臨床診断	特　　徴	機能獲得年齢
1	正常成人	主観的にも客観的にも機能障害なし	成人
2	正常老化	もの忘れや仕事が困難の訴え、他覚所見なし	
3	境界域	職業上の複雑な仕事ができない	若年成人
4	軽度 ADD	パーティーのプランニング、買い物、金銭管理など日常生活での複雑な仕事ができない	8 歳〜思春期
5	中等度 ADD	TPO にあった適切な洋服を選べない 入浴させるために、なだめることが必要	5〜7 歳
6a	やや重度 ADD	独力では服を正しい順に着られない	5 歳
b	同上	入浴に介助を要す、入浴を嫌がる	4 歳
c	同上	トイレの水を流し忘れたり、拭き忘れる	48 か月
d	同上	尿失禁	36〜54 か月
e	同上	便失禁	24〜36 か月
7a	重度 ADD	語彙が 5 個以下に減少する	15 か月
b	同上	「はい」など語彙が一つになる	12 か月
c	同上	歩行機能の喪失	12 か月
d	同上	座位保持機能の喪失	24〜40 週
e	同上	笑顔の喪失	8〜16 週
f	同上	頭部固定不能、最終的には意識消失	4〜12 週

ADD：アルツハイマー型認知症

（Reisberg 1986[15] より作成）

FAST は、介護者に記入してもらう問診表としても使えます。FAST を家族介護者に見せながら、「アルツハイマー型認知症が軽度の段階ですが、生活管理能力は小学生並みに低下しています」と説明すると、納得して「できないことを叱ってはダメですね」と家族に言ってもらえます。また、「最終的には意識消失」に至る過程が書いてあるので、経過・予後や終末期の説明資料としても活用できます。

3 総論：レビー小体型認知症の症状

3-1　初発症状と臨床像

レビー小体型認知症の病態は第 1 部（41 ページ）で解説しましたので、ここでは症状について詳しく見ていきます。

初発症状は、自律神経症状としての**便秘**です。迷走神経背側核には早期から α シヌクレイン（41 ページを参照）の蓄積が見られ、消化管の副交感神経系にも蓄積して便秘が早期から出現します。また、うつ病で発症する例があるなど、うつ症状が初期によく見られます。半数くらいがうつ症状を示すといわれ、診断を支持する症状とされています。後述の REM 睡眠行動障害も発症の何年も前から出現する傾向があります。

中核臨床像としては 4 項目が挙げられています（314 ページの**表 4-15** を参照）。第一は、注意や覚醒レベルの変動を伴う**認知機能の動揺**です。時間や日によって変動し、月単位の長い変動周期も見られます。覚醒レベルの変動があるので、覚醒レベルが低下している状態ではせん妄と区別がつきにくい症状でもあります。覚醒レベルが高いときは注意もよく、認知テストで高得点ですが、覚醒レベルが低いときは低得点になり、MMSE などで 10 点以上の変動を示すこともあります。

第二の中核臨床像は、繰り返し出現する**リアルな幻視**（鮮明な再発性幻視体験）です。「そこに犬がいるから気をつけて！」、「子どもが何人も向かってくる」など生々しい幻視を訴えます。電気のコードがヘビに見える、立ち木が人に見えるというような錯視も訴えます。天井や壁がゆがんで見える変形視のこともあります。**リアルな**というのは、幻視があるだけでなく、見えているもの（例えば犬やヘビ）を追い払おうとする動作や殺虫剤を撒くなど、幻視に反応する動作を伴う点です。頻繁に出現することも特徴です。また、「妻の横に知らない男が寝ていた。浮気しているに違いない」など、幻視体験に伴って妄想も出現します。この誰かが家の中にいるという**幻の同居人**は、レビー小体型認知症で比較的高率に見られます。夫/妻や娘/息子など身近な人を「よく似ているが別人だ（替え玉と入れ替わった）」と言うような**誤認妄想**はカプグラ症候群といわれ、レビー小体型認知症に特徴的です。幻視は、レビー小体型認知症を疑わせる最も有用な所見です。大脳皮質（特に後頭葉）でのアセチルコリン放出量の減少に伴う視覚機能低下が関係していると考えられていますが、レビー病変が後頭葉に強いわけではありません。

第三の中核臨床像は、**REM 睡眠行動障害**（REM sleep behavior disturbance：RBD）です。夜間、夢を見ているときに大声・奇声を出したり、勢いよく蹴ったり動き出したりします（acting out dream）。夢を見ているとき、健常な人は金縛りにあって手足を動かせませんが、レビー小体型認知症では活動できるのです。隣で寝ている伴侶がびっくりして本人を覚醒させて尋ねてみると、①起き上がって隣の妻を飛び越えた→「熊に襲われたので闘った」、②手足をばたばたと動かし笑っていた→「登山をしていた」、③「あっちへ行け！」と大声を出した→「犬を追い払った」などと答えるので、夢で見たものに対応する行動だとわかります（自験例）。このように、REM 睡眠行動障害は容易に覚醒させて夢の内容を確認できる点が、覚醒させられない夜間せん妄と異なります。REM 睡眠行動障害は、発症前に出現する症状（前兆）としても注目されています。夜間に REM 睡眠行動障害があると、数年～十数年後にレビー小体型認知症やパーキンソン病（どちらも α シヌクレインが蓄積するレビー小体病）を発症してくる可能性が高いということです。

第四の中核臨床像はパーキンソン症状で、これはあとから加わることもあります。固縮や無動が主体で、パーキンソン病と異なり振戦は稀なので、診察時は固縮の有無に注目します。特に手首の固化徴候を見逃さないように診察します。レビー小体型認知症の固縮は動かしているうちに減弱する傾向があり、いつまでも続くパーキンソン病と異なります。動かし始めに注意して固縮の有無をチェックします。固縮が軽度でわかりにくい場合は、対側の上肢を上下にゆっくりと動かしてもらうと（上肢を伸展したままでの肩関節の運動）、固縮が増強してわかりやすくなります。また、体幹の前屈前傾や体幹の側方への傾きなどにも着目します。椅子などに座っていて徐々に体が傾いてくるという症状です。

次は**診断を支持する臨床像**ですが、この中にも重要なものがあります。

⑴ 抗精神病薬への過敏性（過鎮静）です。抗精神病薬に限らず、中枢神経系に作用する薬剤全般に対して過敏性を示します（治療の項で詳述）。また、抗うつ剤でうつ症状が悪化したりと、逆の作用を示すこともあります。胃酸分泌を抑える H_2 ブロッカーや抗うつ剤などでせん妄が引き起こされることもあるので、せん妄を引き起こしやすい薬剤（抗コリン薬）の投与には注意が必要です。

⑵「繰り返す転倒」や「失神」が高頻度に見られます。第１部の「4-1 病態」（41 ページ）のところで説明したように、末梢神経系の交感神経節後線維が広範囲に障害されているために、起立性低血圧をはじめとする自律神経系の反射機構が障害されていることが背景です。パーキンソン症状としてのバランス障害もあります。頻回の

転倒・失神は、事故の観点から注意が必要です。レビー小体型認知症ではいきなり倒れることが多く、いくら注意していても転倒を防げません。このほかの自律神経症状としては、便秘（前述）、インポテンツや排尿障害、発汗異常などがあります。便秘は高率です。

⑶ 幻視ではなく、稀ですが幻聴や腹痛などの体感幻覚を訴える場合もあります。

⑷ 嗅覚障害は早期から出現します。

⑸ このほか、過眠、一定の考えに基づく妄想、アパシー（無気力）、不安、うつが診断支持臨床像です。

介護者が認知症の症状をチェックする**認知症病型分類質問票43項目版**（DDQ43／291ページ）では、レビー小体型認知症の項目にチェックがたくさんつくことで、この病気を疑うことが容易です。

3-2　本人視点から見るレビー小体型認知症の困難

幻視で見えているものが事実かどうかについては、半信半疑の人が多いと思います。見えているものが怖ければ、逃げる、追い払うなどのリアクションを伴います。本人は見えて怖いという体験をしています。まずはこの体験に共感する姿勢が医療・リハ・ケア職に必要です。

認知機能の変動について検討するために24組の当事者・介護者にインタビューを行った研究[16]から、本人が語った認知機能の変動をいくつか紹介します。会話が続けられなくなる困難については、「会話の途中で突然ポツッと途切れる」、「突然頭が真っ白になる」、「脳では理解しているが答えられなくなる」など、会話の途中でも認知機能（覚醒レベル）が変動すると語っています。幻視については、普段のよい状態では「現実にはない」と判断できることが、認知機能が変動して低下した状態では「悪いほうに解釈してしまう」、「妄想的な思考に引き込まれる」と語っています。日によって調子が違う日間変動だけでなく、同じ日の中でも刻々と調子が変わる変動があります。

当事者である樋口直美氏が著した『誤作動する脳』（医学書院、2020年）[17]も、本人の困難を理解するのに役立ちます。著者は50歳でレビー小体型認知症と診断され、処方を受ける以前は、上記とほぼ同様の症状に苦しめられていたことに触れています。最初、30歳代終わりに幻視が現れ、いるはずのないハエやクモが頻繁に見えるだけでなく、『壁が突然、半球状に盛り上がったり、カーペットの模様や写真のなかの物が動いたりする』など、震え上がるほど怖い思いをしたと述べています。また、家族や友人を心配させ苦しめることを恐れて、幻視への恐怖感を知られないようにしたことで、『経験したことのない孤独のなかにいた』と述べています。40歳代初めには聴覚の障害が現れ、その後、嗅覚や味覚など五感すべてに障害が現れるようになっただけでなく、過敏症や時間の認識障害、空間の認識障害、記憶障害などの症状が現在も続いているそうです。このような症状は、通常の生活を送っているときには多少の不自由さはあっても問題になりませんが、聴覚の障害については、賑やかな場所や突然耳に入る音楽などに脳が反応し、パニック状態に陥ることで、他者とのコミュニケーションに支障が生じてしまうことがストレスにつながると述べています。さらに、幻覚（幻視・幻聴）は一定期間続いたり、数年にわたり現れないときもあったことを振り返る中で、脳の激しい疲労とストレスが脳にかかったときに現れると自身で分析しています。同書を出版した60歳を迎える現在では、自身の病気への理解だけでなく、適切な医療を受け、家族や友人をはじめとする周囲の理解もあって、記憶力の低下を意識しながら自らの症状を受容して、代替の方法を見いだすことで、ほぼ自立した生活を過ごしています。

しかし、高齢者施設やグループホームに入所するレビー小体型認知症の人たちの多くは、客観的に振り返る能力は残されておらず、上記の幻覚をはじめとする症状の波が頻回になり、コミュニケーションも正常にできない状態になっています。こうした当事者や家族の話は、ケアするうえで非常に重要であるだけでなく、初期に正しく対応することで症状の進行を抑えられることを示しています。

各論1：記憶障害とケア

記憶は、神経心理学的に、記憶内容の観点と、保持時間の観点から、概ね以下のように分けられます。記憶内容は、言葉や文章で表すことができる陳述記憶（エピソード記憶や意味記憶）と、言葉では表せない非陳述記憶（手続き記憶など）に分類されます（**表2-9A**）。また、保持時間の観点からは、即時記憶（記憶に残らず数十秒後には消却されていく）、近時記憶、遠隔記憶に分けられます。アルツハイマー型認知症では少し前の出来事を忘れるという近時記憶障害が特徴的です。一方、認知心理学では、短期記憶（数十秒以内）と長期記憶という分類と、短期記憶にほぼ該当する作業記憶（ワーキングメモリー／91ページを参照）という概念が用いられます（**表2-9B**）。電話番号を記憶して番号を押している最中に番号を忘れてしまうのは、秒単位の作業中の障害なので、短期記憶障害/作業記憶障害です。一方、5分前に言ったことを覚えていなくて繰り返し言うのは、短期記憶障害ではなく、長期記憶障害/近時記憶障害です。

表2-9　記憶の分類

A. 内容による分類

記憶
- 非陳述記憶 ― 手続き記憶（自転車に乗るなど無意識にできる動作）など
- 陳述記憶
  - 意味記憶（知識）
  - エピソード記憶（個人のいつどこでどんなという出来事）

B. 時間による分類

神経心理学的分類	期　間	神経心理学的検査法（例）	認知心理学的分類
即時記憶	数十秒以内	覚えた名前をすぐに再生する即時再生	短期記憶（作業記憶）
近時記憶	数分～数日	覚えた名前を5分間の別の作業後に再生する遅延再生	長期記憶
遠隔記憶	数週～数十年	昔その人の体験した出来事を質問する	

表 2-10　Ribot が 1881 年に記載した "記憶の逆行" 法則

＊最近の出来事を忘れているのに、昔のことをよく覚えている。	→エピソード記憶は近時から消失
＊知的に習得した記憶（知識）は徐々に失われていく。	→意味記憶は徐々に消失
＊長い間かかって身についた習慣（手仕事、ゲーム）は失われにくい。	→手続き記憶の保存
＊感情は最期まで失われにくい。	→感情の保存

(Ribot 1881[18])

アルツハイマー型認知症は、記憶障害から発症します。しかし、認知症の原因疾患によっては、前頭側頭型認知症（ピック病）のように初期には記憶障害を欠いたり、記憶障害が目立たないこともあります。

認知症の記憶障害の特徴について、なんと 1881 年にフランスのリボー（Ribot）が法則を書き記しています（**表 2-10**）。少し前の出来事（近時記憶）を覚えていないのに昔のこと（遠隔記憶）を覚えているなど、現在でも正しい重要な法則が 100 年以上も前に書かれているのです。

加齢に伴って記憶力は徐々に低下しますが、体験したエピソード（出来事）そのものは覚えているものです。体験した時間や場所は加齢とともに少し怪しくなってきますが、例えば「昨日買い物に出かけた」というような体験した事実の全体像は覚えています。また、買ったものを細かく思い出せなくても、買ったものを見ると、ああそうだったと思い出します（再認可能）。しかし、アルツハイマー型認知症の記憶障害では、買い物に出かけたという出来事そのものをまったく記憶していないのです。また、買ったものを見ても再認できません（**表 1-1**）。自分が買ったものなのに「誰がこんなものを買ってきたの？」などと言い出します。このように出来事全体の記憶が残らないので、生活に支障を生じます。再認できないという特徴を知っておくことは、ケアで重要になります。

4-1　エピソード記憶の障害

エピソード記憶は、その人が実際に体験した出来事の記憶です。時間的な分類からは、**近時記憶**（例えば 10 分前の出来事）と**遠隔記憶**（例えば遠い昔の出来事）に分けられます。言葉の意味や知識のような意味記憶とは区別され、いつ（時間）、どこで（場所）、何（内容）を体験したかの３要素からなっています。そして、思い出す（**想起**）という手続きが必要な記憶です。しかし体験したことすべてが記憶されているわけではなく、また、すべてを思い出せるわけではありません。出来事の大部分は長期記憶として保存されないのです。情動に対するインパクトの強い出来事だけがしっかりと記憶され、想起できるのです。衝撃的な出来事は、その映像が鮮明に思い出されるのもそのためです。印象の弱いもの、すなわち大切でないことは忘れるほうが好ましいのです。もしすべてのことを記憶していったら収拾がつかなくなりますから（92 ページの「記憶の達人」を参照）。忘却にはよい面と悪い面の二面性があります。楽しいことだけを覚えて、嫌なことをすぐ忘れる、というのが人生の智慧でしょう（よい面）。しかし、認知症の人は、楽しい出来事をその日のうちに忘れ（悪い面）、嫌なことはいつまでも根にもつ傾向がありますので、家族にとっては介護が大変になります。

エピソード記憶には、覚える（記銘）→忘れないでいる（保持）→思い出す（想起）という過程があります。出来事を記銘する経路として**海馬（図 1-4、図 1-17 を参照）**を含む大脳辺縁系が重要です。両側の海馬を含む側頭葉内側領域を切除された患者は、手術以前の出来事は想起できるのに、その手術以降の出来事をまったく記憶できなくなったことから、海馬領域がエピソードの**記銘**に必要な部位とされています。アルツハイマー型認知症では、海馬領域に多量の神経原線維変化が出現し、神経細胞が脱落・消失するので、前向性のエピソード記憶の障害、すなわち新たな出来事を記銘することが困難になる症状が必発します。その結果、昔のこと、すなわち海馬に病変が出現する前に記銘された出来事は覚えているのに、少し前の出来事は、海馬障害ゆえに記録されずに忘れてしまうのです。しかも体験そのものを忘れる、つまり「朝食を食べた」という体験や、「5 分前に質問した」という体験を忘れるという特徴があります。

さて、海馬を通ったエピソード記憶の情報は、側頭葉などにしまわれます。視覚情報に関するものは後頭葉連合野、体性感覚に関するものは頭頂葉感覚連合野と、側頭葉以外の部位も関与しているようです。有名なペンフィールド（Penfield）の実験では、局所麻酔で患者を覚醒状態にしたまま脳外科手術を行い、手術中に側頭葉など脳の各所を電気刺激すると刺激部位ごとに異なるエピソード記憶がよみがえったことから、記憶が断片化して側頭葉を中心とする脳のあちこちに蓄えられていることが示されました。アルツハイマー型認知症では、側頭連合野などに老人斑や神経原線維変化が多量に出現するので、昔のエピソード記憶も初期には比較的良好ですが、病変の進行とともに徐々に障害を受けます。このため、その人にとって重大なエピソードについては記憶の断片が残っていますが、エピソードを年代順に並べて自分の生活史を振り返ることは難しくなります（ここにリハ介入の余地があり、回想法では生活史を振り返りながら自分史を再構築することで、自信を取り戻します）。そして、病期の進行とともに比較的新しい記憶から消失していきます。ただし、新しいエピソードを全部忘れるわけではありません。自分の好きなお菓子のしまい場所や A さんにいじめられたというような印象深い記憶はしっかりと残ります。記憶に残るかどうかは、情動の座である**扁桃核**の働きによってコントロールされているので、感情へのインパクトが強い記憶は残るのです。

4-2　作業記憶（ワーキングメモリー）の障害

作業記憶（ワーキングメモリー）とは、『言語理解、学習、推論といった複雑な認知課題の解決のために必要な情報（外から与えられたもの、あるいは記憶から呼び出したもの）を必要な時間だけアクティブに保持し、それに基づいて情報の操作をする機構』と定義されます[19]。刻々と変わる周囲の状況にあわせて人間が適切な行動をとるときに必須な機能です。単に短期記憶にとどまらず、記憶と遂行機能が一体化したものです。人間の行動は注意を向けたものに対して生じるので、作業記憶は注意機能とも密接に関係しています。

作業記憶の容量は 7±2 といわれます。例えば 10 桁の電話番号を覚えるともう限界です。皆さんは新しい電話番号を一度聞いただけで、電話をかけ終わるまで覚えていられますか？ このように容量に限界があるので、いつまでも覚えていると次の情報が入りません。よって、次々と書いては消されること、忘れ去ることが大切です。

人が動作を実行するには、いくつかの情報を保持しながら判断や行動を行わなければなりません。耳から入った情報（言語情報）や目から入った情報（視空間情報）を一時的に蓄え（短期記憶）、さらには関連する過去の記憶を呼び戻し、これらを一時的に保持しながら状況判断し、行動を決定する必要があるのです。このようなシステムの制御系が**作業記憶**として捉えられ、**前頭前野**などにその場があると考えられています。この作業場としての機能は、さしずめパソコンの RAM に相当します。一時的に情報を蓄える RAM 容量が大きいほど仕事をスムーズに速く進められます。ワードとエクセルとパワーポイントを一度に立ち上げて並列作業をするには大容量の RAM が必要です。同時並行でいくつもの料理を作って夕食を用意するような作業には、作業記憶がフル回転しています。RAM は作業を終えると、その作業で使った記憶を消して空き容量を増やして、次の仕事に備えます（よって一時的な記憶）。

作業記憶の評価には、数字の逆唱、繰り上げを伴う計算や、二つの課題（デュアルタスク）を同時にこなす検査を用います。この作業記憶の容量は加齢とともに減少するようです。聖徳太子は五つの仕事（マルチタスク）を同時にこなしたといいますから、よっぽど前頭前野が優れていたのでしょう。

知能には結晶性知能（知識）と流動性知能があることを［認知症と脳老化］（24 ページ）で触れました。時々刻々と変化する状況にあわせて、絶えず状況を認知して正しい行動を判断する機能こそが流動性知能であり、認知症ではこの流動性知能が低下します。高齢になったら、仕事は一つずつ順番に片づけることが秘訣です。アルツハイマー型認知症や血管性認知症では、作業記憶障害が遂行（実行）機能障害の要因となっています。作業記憶は、注意の集中・分散とも関連しており、作業記憶が悪化すると、実生活で支障が出てきます。よって、作業記憶障害/短期記憶障害は、注意障害として捉えることができます。筆者自身が70歳となり、別なものに注意が向いた途端に、直前まで手に持っていた書類が行方不明になって探すというような体験がしばしばです。無意識に手放してしまい、どこに置いたか記憶にないのです。ガスレンジの消し忘れ、水栓の閉め忘れなど、作業中の記憶障害は注意障害として捉えることができます。

4-3 保たれる手続き記憶

手続き記憶は運動やスキルの記憶であり、練習すると「運動を覚え」てその運動が上達するという、体で覚える記憶です。自転車に一度乗れるようになると、10年ぶりに乗ったときにも、初めからうまく乗れます。運動やスキルの記憶は小脳や大脳基底核などに保存されますが、アルツハイマー型認知症では小脳の老人斑出現は軽度であり、手続き記憶は障害されにくいといえます。**脳活性化リハ**の一手法である作業回想法（229ページの「10-2 作業回想法」を参照）では、古い生活道具（洗濯板など）を通して手続き記憶に訴え、体験談を引き出して話を弾ませたり、使い方を教える役割を演じてもらうことで、高齢者が元気になり、意欲が出てきます。

記憶の達人

人並み外れた記憶力をもつS. V. シェレシェフスキの話は、記憶がよすぎると不幸なことを示しています[20]。シェレシェフスキは、優れた記憶力によって、例えば本を読むとその内容を細大漏らさず再生することができます。しかし、些細なことに気をとられ、その内容の大切な点をまとめること、概要を捉えることはできませんでした。頭の中には不要な記憶が山ほどあり、大切なものを見極めることができないのです。木を見て森を見ず（森の中のすべての木を一本一本見ることができるのですが、森全体を見渡すことができない状態）になってしまうのです。不必要なものは覚えないという適度な忘却は、要点をまとめるためになくてはならないものなのです。わかりやすい例を示します。Zoomミーティングで1時間の会議を行い、録画しました。この会議を振り返るとき、会議で話し合ったことの概要をまとめた半ページのサマリーと1時間の動画ファイルのどちらが役立ちますか？ 要点を抽出し、大部分は記憶から捨て去るアブストラクト能力こそが大切だと理解できるでしょう。

もの忘れで不安を感じているよりも、少しくらいもの忘れをしたほうがよいと前向きな気持ちでいたほうが、脳の健康によい結果をもたらすでしょう。ポジティブ感情を増やすのです。

4-4　注意障害と記憶障害の関係

1）注意とは

全身の感覚器や目（視覚）・耳（聴覚・平衡覚）・鼻（嗅覚）・口腔（味覚）からの膨大な量の感覚情報が大脳に届きます。しかし脳の情報処理量には限界があるので、そのうちの一部分の感覚情報だけを取捨選択して、いわば焦点を当てて情報処理しています（しばしばスポットライトになぞらえる）。この感覚情報などの適時適切な取捨選択機能が「注意機能」です。脳に押し寄せる膨大な感覚情報に対するフィルター機能といえます。例えば自動車の運転中であれば、運転に必要な感覚情報だけが意識にのぼります。皮膚感覚や嗅覚などは大部分が無視されます。これが単純な注意機能で、ボトムアップ系（感覚受容器→脳）です。

一方、特定の対象に**注意**を集中して**持続**したり、複数の対象に注意を**分配**したり、注意の対象を切り替える（**転換**）といった能動的・意図的な注意のコントロール機能がありますが、これは複雑性注意というトップダウン系です。米国精神医学会診断・統計マニュアル第５版（DSM-5）の認知症の定義では、認知症で障害される六つの認知領域の一つとして複雑性注意（complex attention）が挙げられています。なお、レビー小体型認知症やせん妄では注意障害が顕著です。注意障害については、筆者の書いた総説[21)]を参考にしてください。

2）アルツハイマー型認知症の注意障害と記憶障害との関係

アルツハイマー型認知症の初期から、注意の選択（たくさんの情報の中から関心のある特定の情報を抜き出す）と分配（いくつかの対象に注意を分割する）の機能が障害されます。そして、このことが、集中力の低下や二つのことを同時にできないという生活の困難として現れます。ドアを閉め忘れる、水道栓を閉め忘れる、トイレを流し忘れるなど、「○○し忘れる」も不注意、つまり注意障害の現れだといいます[22)]。一つの行動をしているときに注意が持続せず、注意が別の対象に移ってしまうという注意の持続障害によって「○○し忘れる」が生じます。油断すると忘れるけれども、医師の前などで緊張すると忘れずにちゃんとできるというのは、注意障害の特徴です。アルツハイマー型認知症では、二つのことを同時に覚えるのが難しいですが、これも注意の分配障害が背景にあると考えられます。このように、記憶障害によると思われる生活の困難も、背景に注意障害が隠れています。ですから、高度な注意の分配を必要とする車の運転は危険です。

アルツハイマー型認知症では初期から服薬管理などの生活管理能力（手段的ADL／I-ADL）が低下しますが、これには注意機能の低下が、知能全般の低下や見当識障害よりも大きな影響を与えています[23)]。

また、注意障害があると次のような生活の困難が現れやすいとされています[24)]。ただし、注意障害と記憶障害、遂行（実行）機能障害は密接に関連していて、明確に分けられないと理解してください。

＊集中せず、落ち着きがない。

＊すぐ中断し、長続きしない。

＊ミスが多く、効率が上がらない。

＊周囲の声や他者の動きに注意がそれやすい。

＊何度も繰り返し、言ったり、指示する必要がある。

＊ぼんやりして、てきぱきと処理できない。

＊複数の事柄を同時に進行できない。

＊周囲の状況に応じて、修正・転換ができない。

＊なんとなく意欲が出ず、自発性に乏しい。

＊頭の切り替えがうまくいかなかったり、もの忘れしやすい。

これらは、認知症や軽度認知障害（mild cognitive impairment：MCI）を疑わせるサインでもあります。

3）情報フィルターとしての注意障害

情報フィルター（ボトムアップ系の注意）がうまく働かないと、多量の感覚情報が認知処理システムに流入してしまいます。例えば、目の前の人の声を聞いて理解したいのに、周囲の雑音（ほかの人の声、器物の発する音、BGM など）が言語理解のための情報処理を邪魔します。また、多量の皮膚・深部感覚などが情報フィルターを通り抜けて認知処理システムに流入すると、そちらに注意が向いてしまい、言語処理ができなくなります。そして、人混みや騒音など情報入力（多種類の感覚入力）の多いところでは適応行動がとれなくなります。ですから、認知症の人への適切な対応は、静かなところで、一対一で正面から向き合い、近距離で目と目をあわせて、注意を集中してもらってコミュニケーションを図ることが原則です。BGM は会話の場では阻害因子です。

このような困難がアルツハイマー型認知症の進行とともに出現します。クリスティーン・ブライデン女史（結婚後、ボーデンからブライデンに改姓）は著書『認知症とともに生きる私―「絶望」を「希望」に変えた 20 年―』（大月書店、2017 年）の中で、望ましい環境について、『色彩をなくし、音を調和させることが必要です。けばけばしい柄のソファやカーテン、派手な装飾のモダンな品々は避けてください。視覚的にチラチラするものは視界の妨げになります。居間に置く物は最小限に抑えてください。中心にある部屋は、くつろげるようにしてください。ただし、寝室には記念の写真や物を置いてね』と書いています[25)]。無味乾燥な部屋は嫌だけど、余分なものや複雑なものは置かないでほしいと訴えています。認知症が進行するほど、感覚入力を減らすシンプルな環境が必要になります。また、レビー小体型認知症当事者の樋口直美氏は、渋谷駅前でのある（調子の悪い）日の経験について、『頭上には巨大スクリーンがいくつも迫り、それぞれが違う映像を映し、違う音声、音楽を放っていました。その全部が私の目と耳にいっせいに飛び込み、殴られたような苦痛を感じました。……まぶしいスクリーン、ネオン、チカチカ点滅する電光掲示板、車のライト、信号機の光、店の照明……。何もかもが破壊的です。……すべてが痛みに変わります』と書いています[26)]。

注意機能は、アルツハイマー型認知症やレビー小体型認知症の初期から低下しています。膨大な感覚情報が押し寄せてきて押しつぶされるような状態を健常者がイメージすることは難しいですが、認知症のケアでは、このような本人の抱える困難を理解することが必須です。

4-5　本人視点から見る記憶障害

健常者はエピソードが時間軸上に連なって記憶されています。つまり、出来事の時間的順番がわかっています。串団子のイメージです。時間軸という串が団子に刺さっているので、出来事の順番は不動です。そして、未来の予定（展望記憶）もあります。一方、アルツハイマー型認知症では時間軸が消えてしまいます。そうすると、エピソードの断片が記憶に残っていても、順不同になってしまいます。串から団子が抜け、バラバラになっている状態です。しかも、いくつかの団子は消えてしまいます（**図 2-10**）。こうして過去も未来も失い、“断絶された今”の中で生きています。

健常者の時間軸の先には未来の予定（展望記憶）があります。しかし、時間軸がなくなると未来がなくなります。アルツハイマー型認知症の人は、過去も未来も消えてしまい、その時その時の現在を生きるようになります。それも過去の基盤の上に立つ現在ではなく、過去と切り離された「さまよえる現在」を生きています。単に記憶できないという困難の中にいるのではなく、過去も未来もない「**さまよえる今**」の中で生きる困難を不安とともに抱えています。

エピソード記憶だけでなく、作業記憶や注意も低下します。少しでも時間軸をつなごうと頑張れば簡単な作業ができますが、気を抜くと前後の関連が失われ、「あれ？ 今何をやっているのだろう？ どこまで進んだのだろうか？ 次は何をするの？」になってしまいます。本人は低下した認知機能の中で、“全集中”で必死に生活しています。よって、疲れてしまいます。……というのが本人の感じている世界のようです。

少し前の体験を忘れ、指摘されても再認できないという事実が、認知症の人を深い不安へと導きます。自分がなぜ今ここにいるのか、なぜこんなことをしているのか、状況を把

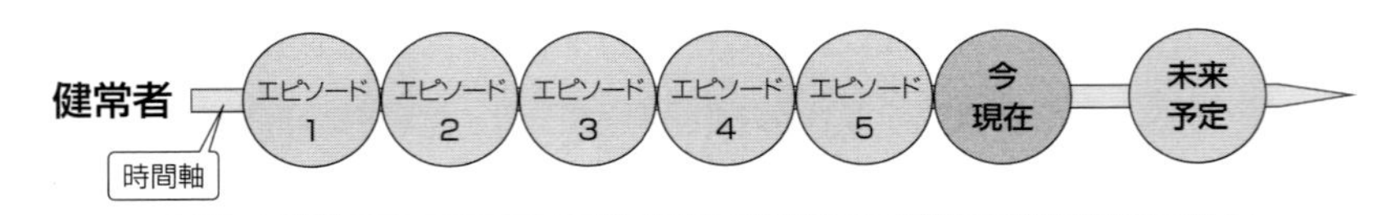

健常者のエピソード記憶の順番は、時間軸で固定されている。

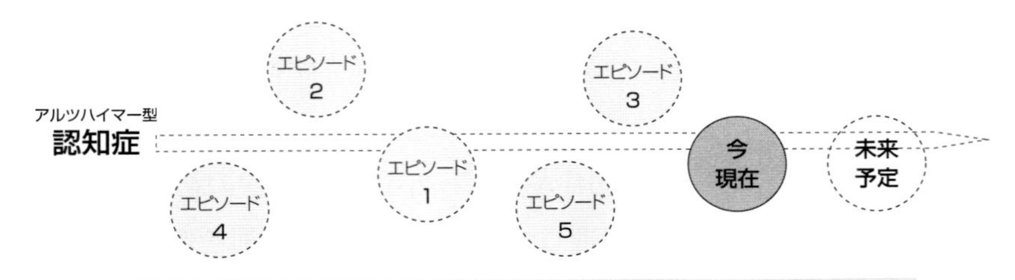

アルツハイマー型認知症では、時間軸を失い、エピソード記憶が散逸・消失し、“さまよえる今”を生きている。それは近い過去も近未来もない“断絶された今”である。

図 2-10　串団子と記憶障害

握できなくなってしまうのです。認知症のケアでは、このような特性をよく理解することが鍵です。認知症の人が何度も同じ質問を繰り返すことに対して、「さっき教えたでしょう」などという答えは、本人の気持ちを逆なでしたり、不安を増悪させるでしょう。本人が、「さっき尋ねた」という事実をまったく覚えていないのですから。脳卒中で歩けなくなった人に「なんで歩けないの？」とは聞きません。障害が目に見えるからです。認知症の場合は「覚えていない」という障害が目に見えないので（健常な人には理解できないので）、キツイ言葉で叱ってしまうわけです。だからこそ、本人の視点に立って、本人の感じている困難を理解する必要があります。

Let's try! 記憶障害のケア

【1】近時記憶障害（＋見当識障害）への対応―最近のことを忘れる場合―

（1）過ぎたことは言わない

数分前の出来事も覚えていないので、「さっきは○○でしたね」と話しかけても混乱させるだけです。例えば、花見に出かけて帰ってきたときに「桜が満開できれいでしたね」と話しかけても、「そんなもん見てないよ」とそっけなく返されることがよくあります。その場では嬉しそうに感激していたのでつい言ってしまいがちですが、本人は数分前のことも覚えていないのですから、かえって「覚えていない」という事実が不安や混乱の要因になったり、相手が自分に嘘を言っていると思って興奮してしまうということになりかねません。不用意に言ってしまった場合は、相手が困惑している様子に気づく能力と、「ごめんなさい、勘違いでしたね」とこちらが間違っていたように振る舞う配慮が必要です[27)]。

（2）声かけを頻繁にする

歯磨きや洗髪、手洗いなどの連続した作業を一人で行ってもらって、介護者が終了を促すと「まだやり始めたばかりですから」と言って、なかなかやめようとしない場合があります。これは、いつから開始して、どれくらい時間が経過したのかわからなくなってしまうために起こるもので（時間の見当識障害でもある）、特に介護者がほかに手を取られ、声かけをまったくしなかった場合に生じます。このような作業を認知症の人が一人で行う場合、介護者は開始した時間をチェックしたり、様子をうかがいながら頻繁に声かけをする必要があります。コツは実況中継です。「歯磨きが始まりましたね」、「きれいに磨けていますね」、「さっぱりしますね」、「上手に磨けましたね」などポジティブな声かけを連発していれば、十分に磨けたと自覚して、やめるきっかけになるでしょう。本人も介護者も楽しい気分で終了するポジティブケアです。

食事を済ませて空の食器が目の前にあるにもかかわらず、「何も食べていない！」などと訴える場合も、同様に独りで黙々と食事をした場合が多いようです。食事をしている実感や満足感が得られるように、「今日のおかずはＡさんの好物ですね！」など、介護者は

独りで食べると忘れるのに、一緒に楽しく食べると忘れない

声かけをこまめにしましょう。介護者のポジティブな声かけは、明るく笑顔のある生活にもつながります。

(3) 記憶への援助

大きなカレンダーを目立つところに用意して、日々の予定や出来事を書き込むと、毎日それを見ることで、数日前の出来事を再認したり、予定を忘れずに実行できて、不安感を和らげることにつながります。また、声かけの際には季節感のある話題や場所、人物に関する話題など、見当識に関する情報をさりげなく多く含ませると（現実見当識訓練の実践）、過去の記憶とつながり、安心感をもってもらえます。記憶ノートを用意して、本人が覚えておきたい大切なことを日頃から書き留めるようにしておくことで、必要なときにそれを振り返って見ることができます。

服薬管理もできなくなるので、大きなカレンダーに薬を貼りつけたり、1週間分・朝昼夕夜と区分けされた壁掛け服薬支援グッズ（お薬カレンダーなど）を使うといった工夫が必要になります。日付が大きく表示される電波時計を使うといつでも正確に日時が表示されるので、これとお薬カレンダーをセットにすることで支援がうまくいく場合があります。「服薬管理できないから」と代行してその能力を奪うネガティブケアではなく、適切な支援で能力を保持するように支援するポジティブケアを工夫してみましょう。

また、認知症初期では、結婚などの主要な出来事の年度や家族構成（氏名・生年月日など）について、完全ではありませんが記憶している場合が多いものです。認知症が進行すると、家族の名前さえも忘れてしまいますので、少しでも保持の期間を長くできるように、余暇時間の活動として**フェースシート**などに本人が記入する作業を取り入れるとよいでしょう。固有名詞や新たに知り合った人の氏名を覚える（記銘）能力も低下しますので、個人の記録ノートを用意して、身近な職員名や利用中のサービス名など主要な話題を自分で記入することもできます。想起できるように、スタッフが「私の名前は○○です。覚えてもらえると嬉しいです」などと時々話しかけると、コミュニケーションや脳の活性化につながります。繰り返していると初期では記銘に至ることもありますが、中期でもノートの名前を間違いなく指さすことはできるようになるものです。

記憶への援助

【2】記憶障害に基づく反復行動への対応―同じ質問や行動を繰り返す場合―

（1）冷静に忍耐力をもって対処する

基本的な対応として、同じ言動を繰り返された場合は否定や説得はせず、そのつど初めて聞いた（見た）ように受け応えます。5W1H の質問をして（109 ページの「【4】5W1H の質問とパターンの分析により、真のニーズを把握する」を参照）、何に最も不安を感じているのかを把握し、可能なら原因を取り除くよう対処します。一歩距離を置いて傾聴するゆとりをもち、冗談を言って笑わせたりしながら、さりげなく話題を変えましょう。一貫してこのような対応を保っていると、その**どっしりした態度**に安心するようになります。

例えば、「あんたはどこ出身？」と聞かれ、こちらが「○○です」と応じると、「ああ、○○かい。私は○×出身でね」と返され、そこから再度最初の質問に戻るというパターンが延々と続くことがあります。このようなケースでは、自分が言ったこと、聞いたことを忘れてしまって繰り返しているわけですから、最初の質問をされてこちらの出身地を答えたあとに、「△△さんは○×出身でしたよね」と返すようにします。ほとんどのケースで「あんた、よく知っているねぇ」と嬉しそうな表情で返してくれます。そこで、こちらから違う質問をして、話題を変えるようにします。

また、デイサービスやショートステイ、入院・入所施設の利用当初は、「家に帰らなければ」と言って、荷物を持っては出口を探してうろうろし、そのたびに「今日はここにいる（泊まる）ことになっていますよ」とスタッフに諭され、そのときは納得しても間もなく同じ行動を繰り返すというパターンもあります。このようなケースでは、家に帰りたい理由を質問して、すぐに帰る必要はないことを伝え、不安をなくすようにします。雰囲気

固執するときは、話を楽しい話題に変えてしまう

を変えるために、興味や関心のあることをしてもらってもよいでしょう。

病室であれば、「あなたは心臓の治療で入院しています。帰れる日まで治療に専念しましょう」などと大きく書いた張り紙をベッドサイドに掲示するなどの見当識へのアプローチや、家からなじみの品を持ち込んだり、家族や好きな俳優の写真を飾るなどのポジティブな環境調整が有効でしょう。繰り返す行動の背景には不安があるので、安心感を与える対応が不可欠なのです。

(2) いっとき離れる

やり取りを繰り返しても要求が通らないことで興奮させてしまったり、そうしたことが積み重なることで介護者への不信感につながることがあります。このようなケースでは、興奮させてしまった時点で、いっときその場を離れて様子を見守るとよいでしょう。時間の経過や場面の変化により、その前のことを忘れ、怒りやイライラした気持ちが収まることがあります。また、介護者が替わると気分が変わり、繰り返して話していたことを忘れることがあります。

【3】進行した記憶障害への対応 ―過去の生き生きとした時代に暮らしている場合―

(1) 過去に生きていることを受容する

認知症の中期以降になると、認知症の人は過去の最も生き生きしていた頃のエピソードの中で暮らすようになります。それは、今の状態が認知できず、自分の居場所がないなどの不安から生じ、現実の生活からの逃避とも考えられます。無理に現実に連れ戻そうとせず、まず本人の話を傾聴し、どの時代にいるのかをその言動から推測し、**受容**します。介護者がこのことを理解できないと、混乱はさらに悪化してしまいます。

(2) 本人の生きてきた生活歴や時代背景を理解する

これまでの生活歴や時代背景を普段から本人や身近な家族などから聞いて、過去を受容するときに役立てます。過去の主要な出来事の写真や家族の写真などを貼った「**思い出ノート**」(214 ページの「5-3 コミュニケーションに役立つツール」を参照) を作っておくと、なじみの関係を早くつくれます。それぞれ聞いた内容を介護者同士で**情報交換**し、記録しておくとよいでしょう。内容としては、仕事、学校時代、軍隊生活、生家の状況、子ども時代の遊び、自分の子どもや孫のこと、両親のことなどが比較的多く語られるので、当時の時代背景を理解しておくようにします[27)]。

(3) 今の状況を心地よいものにする

受容したうえで、本人の関心があることやできることが見つけられると、わずかずつですが過去にいる時間が減少していきます。**なじみの関係**ができ、居場所ができると、今ここの生活が落ち着くようになり、その頃には自然にそれぞれの役割が出来上がっていきます。また、認知症が進行してコミュニケーション能力が低下しても、音楽に反応したり、好んでよく歌った唄は記憶していますので、介護者はそれぞれの時代の流行歌を理解し、一緒に歌ったり、音楽を聴いてもらうようにし、心地よい感情が持続できるようにポジティブケアで援助します。

私は誰になっていくの？

『私は誰になっていくの？―アルツハイマー病者からみた世界―』を著したクリスティーン・ボーデン女史は、46歳でアルツハイマー型認知症の初期と診断され告知を受けました(数年後には前頭側頭型認知症と診断されましたが)。政府の高官も務めた才女ゆえに、認知症を発症してから発表したその自叙伝の中で、自らの心の内面を書き記しています。

『時々、いつもの出勤の道で曲がり角を間違えたり、ときには文章中に「抜け落ち」があったり、人の名前が――仕事のスタッフの名前でさえも思い出せなかったりする』[28)]と初発症状があり、半年間の精査で診断が確定しました。アルツハイマー型認知症は、オーストラリアでは死因の第4位を占め、診断後平均8年ほどで死亡する疾患と捉えられています。アルツハイマー型認知症の診断は死亡宣告と同様の意味をもつので、診断には時間と費用をかけて精査が行われました。

この自叙伝には、彼女が認知症の初期に感じたことが挙げられています。記憶力が悪くなり、話の筋をたどれなくなる。ノイズの多い騒がしいところでは混乱する。食事なら二～三人で、静かなところでとりたい。大人数のパーティーは苦手。急かされるのもストレスになる。なぜしたくないのかを説明しようにも言葉が出てこなくてストレスになる、などです。これらは健常者が体験できない、よって本などから知識を得なければ理解できない症状です。そして、これらは認知症の人への対応で注意すべき重要な点です。例えば、集団で大きな音の中で演歌を歌うことを喜んでいない認知症の人も多いはずです。本書は、認知症の人が健常者の理解可能範囲を超える世界に住んでいることをわからせてくれます。ですから、読む価値があるのです。

この本には、認知症の人が抱える強い不安と深い喪失感が描かれています。病識がなく多幸的に見える認知症の人が、実は不安と混乱の中で生きていることに気づかせてくれました。

彼女は、このような状況の中で、キリスト教の信仰が精神的な救いになったと書いています。本邦ではこれから、宗教心をもたない高齢者が増えてきます。心のケアはますます重要になっていくでしょう。

この本は2003年に日本で出版されて大きな反響を引き起こしましたが、クリスティーン・ボーデン女史は結婚してブライデン姓となり、『私は私になっていく―痴呆とダンスを―』(クリエイツかもがわ)という本を2004年に出版しました。そして、2017年には『認知症とともに生きる私―「絶望」を「希望」に変えた20年―」(大月書店)という本を出版しています。このタイトルの変遷を見ると、「誰になっていくのかという不安」が最初の本、「障害受容」が次の本、そして「希望をもって生きる姿」が三番目の本と、不安から希望への変化が読み取れます。女史が認知症とともに生きた20年間が、認知症への偏見に満ちた社会から、認知症になっても希望をもって生きられる社会への長い道のりだったと理解できます。

5 各論2：見当識障害とケア

5-1　見当識障害

見当識とは、自分を取り巻く周囲の状態を認識し、自分の置かれた状況を判断する能力のことです。季節や一日のうちの時間帯（朝昼夕夜）などを判断する時間の見当識、どこにいるのかを判断する場所の見当識、目の前で話している相手は誰かという人物の見当識に分けられます。

見当識障害（失見当）は、認知症の初期診断に有用な指標です。軽度認知障害（MCI）の段階では失見当が目立たず、アルツハイマー型認知症の初期にまで進行すると失見当が現れるので、認知症を見分けるのに役立ちます。見当識障害はアルツハイマー型認知症の初期から出現する症状です。まず「**時間**」の見当識障害が出現し、出来事の前後関係（時間の流れ）がわからなくなるので、時間軸を消失した認知症の人（96ページの**図2-10**を参照）はとても不安になります。次いで、「**場所**」の見当識障害が現れます。自分の移動歴を覚えていないので（エピソード記憶障害）、ここはどこなのか、なぜ自分がここにいるのか、どうやってここに来たのか、わからなくなります。アルツハイマー型認知症では頭頂葉の機能障害として、空間の中での位置の把握（空間認知）の障害が初期から比較的強く現れます。徘徊（無断外出）があると、自分の居場所がわからなくなり、驚くほど遠方で発見されることもあります（地誌的見当識障害）。自分の家で暮らしているのに、「ここは自分の家じゃない。家に帰りたい」と訴える人が多くいます（アルツハイマー型認知症やレビー小体型認知症、せん妄状態のとき）。夕方になって覚醒レベル・認知機能が低下してくると、このような混乱が生じやすくなります。

人物の分析はとても高度な認知機能で、側頭葉下面にしまわれている顔の記憶情報と視覚情報を照合して行われます。馬が100頭いたらどれも馬面（うまづら）で顔を見分けることは困難ですが、人間が100人いれば100人を見分けることができます。健常者のもつこの高度な顔識別能力は、アルツハイマー型認知症やレビー小体型認知症で低下してきます。レビー小体型認知症の場合は、身近な人をよく似ている別人と言います。例えば、自分の息子を見て、「息子の友人だ」と言います。レビー小体型認知症で人物誤認がある場合は、丁寧な説明（病気のせいで誤認すること）で納得する可能性が高いです。一方、アルツハイマー型認知症では比較的障害されにくい能力ですが、進行すると「**人物**」の見当識障害も出てきます。自分の娘を妹や母と言うこともあります（本人は経過とともに若返るようです）。自分の息子も認識できなくなると重度の認知症です（**表 2-7**）。

人物の見当識障害は、自己像の認識障害として出現することもあります。鏡に映った自分を見ても自分だと認識できないのです（132 ページの［鏡現象］を参照）。人物の見当識障害の中でも、自分が何者であるかという**自己見当識**を失うことが、認知症の人を不安に陥れ、大きな問題となります。適切なケアやリハ（229 ページの「10．各論：回想法と作業回想法」を参照）で自己を再認識できると、不安を背景にした行動・心理症状が落ち着きます。

見当識障害の背景因子は記憶障害です。記憶障害と見当識障害はセットで出現するので、96 ページの「記憶障害のケア」では見当識障害のケアも含めて解説しました。状況判断は近い過去の記憶に照らし合わせて行われるので、そのもととなる記憶が抜け落ちていると状況判断ができないわけです。このため、アルツハイマー型認知症以外の認知症でも見当識障害が出現します。また、経過中に見当識が急に悪くなったときは、せん妄の有無や、慢性硬膜下血腫などの合併のチェックが必要です。見当識障害は意識障害があっても出現します。

5-2　本人視点から見る見当識障害

時間軸が消失して「さまよえる今」を生きる困難については、「4-5 本人視点から見る記憶障害」（95 ページ）で解説しました。今の時間がわからない、日付もわからない、季節もわからない、西暦何年かもわからない、私は今何歳なの？……不思議な世界の中で生きています。

自分の家で暮らしているのに「ここは自分の家じゃない。家に帰りたい」と訴える人は、過去の世界の中で生きていると感じていたり、今いる場所にわが家としての懐かしさを感じなかったり、安心できる環境ではないと感じているようです。

本人に日々の生活を尋ねると、「食事の用意は私の担当です。毎日しています。買い物にも行きます」と答えることがあります。しかし、実際には調理ができませんし、買い物にも行けません。本人の自己像（自己の見当識）は、「私は主婦としてちゃんと働いている」という認識です。介護者の視点から「何言ってるの、できていないでしょ」と本人に言えば、争い勃発です。本人がどんな認識をもっているのか（病識低下度）を確認して対応するのがケアの基本です。

近時記憶から消えていき、過去の記憶の中で生きるようになると、現在の環境との差異に対して違和感を覚えるでしょう。例えば、本当は80歳なのに30～40歳だと思っている本人にとっては、50歳の娘は「お姉さん」や「お母さん」だと感じるほうが自然なのかもしれません。

相手の顔を見ても、「あれ、この人誰だっけ？ この人とはどんな関係だっけ？」となってしまい、会話をしようにも挨拶から先に進みません。そして、焦ると頭が真っ白になってしまいます。人物を判別できない困難を抱えて暮らす不自由は「顔なし族の村」に住んでいるようだと表現されます[29]。

テレビを見ていて、現実の世界とテレビの中の世界を混同してしまう場合もあります。本人は、テレビ画面の中の人物と会話し、番組の続きの中にいます。「（番組の登場人物が）これから家にやってくるからご飯を用意しよう」、「寒そうだからこの半纏を着せてあげよう」などと言い出します。本人は「さまよえる今」の中で生活しています。

Let's try! 見当識障害による不安へのケア―対応の基本―

認知症では、記憶障害に基づいて見当識障害が現れます。そして、場所や時間の見当識障害から、現在の状況判断ができず、強い不安に包まれます。この不安が、妄想や徘徊の基盤となります。例えば、自分が今どこにいるのかわからなかったり、自分の周りの人々が誰かわからなかったり、朝食をとったかどうか忘れてしまったとしたら、私たちはどのような感情に襲われるでしょうか。記憶障害があって数分前のことを覚えていられなかったら、強い**不安**や**焦燥感**に襲われることが理解できると思います。ある軽度の認知症の人は、入院直後から「何がどうなっているのかわからない。頭の中が真っ白で怖くてしょうがない」と、訪問者が来るたびに話していました。その後、食事が喉を通らなくなり、何もしようとしなくなりました。このような状態は食事拒否や意欲低下と呼ばれます。認知症の人の不安や混乱を取り除く対応が、このような状態の予防に役立ち、ケア全般の基本になります[30]。

「怖いよ～」
あなたの対応が不安を与えていませんか

【1】受容と共感的な態度で接する

認知症の人の不安や不快、不機嫌、混乱、

大丈夫、心に寄り添おう

失敗のようなネガティブな感情や行為に対しては、介護者はそれらに敏感に気づき、理解（認知的共感）し、受け入れ、適切に対処することが必要です。介護者の気持ちが落ち着いた状態でないと受容と共感はできないことから、**バリデーション・セラピー**（validation therapy／Step Up!を参照）を提唱したナオミ・フェイル（Naomi Feil）氏[31]は、介護者がイライラせずに冷静でいられるように、まず介護者自身がセンタリング（精神の統一、確立）をするように推奨しています。そのあと、受容していることを表現するために、本人の話を傾聴します。その技術として、カウンセリングでいう促しの技法（相づちを打つ、頷く、適切な質問をする）や繰り返しの技法（相手の言葉の一部または語尾を繰り返す）を用いるとよいでしょう。相手の言葉が曖昧で何を言っているかわからないような場合は、無理に明確にしようとせず、そのままの言葉で返したり、代名詞（それ、彼など）を用いて繰り返すようにします。

認知障害があるために誤認や錯誤的な判断をしているような場合は、論理的に説得しても理解できないので、相手がそのとき何を感じ、考えているのかを推測して、共感する必要があります（認知的共感）。「怒っている」「イライラしている」「悲しい」「苦しい」「嬉しい」などの感情を正確に把握し、言葉で返すようにします。「今、□△だから怒っているのですね」、「今、○○したいと考えていらっしゃるのですね」というように、その**心に寄り添う**ことが大切です。このように介護者が否定せずに受容と共感的な態度をとることによって、認知症の人の不安や混乱を緩和することができます。「**説得より納得**」です[30]。

反対に、怒ったり、叱責したり、指示的・命令的に対応するネガティブケアは、混乱に拍車をかけ、不安や不快感をさらに増大させることになります。例えば、自分の行動に対して、「違う」「ダメ」と否定されたり、大声で叱られたり、行動を制止されたりすると、（したことを忘れてしまっているということもあって）何を叱られているのかがわからず、かえって不安が増し、攻撃的になったりします。言われた本人の視点に立てば、本人のいら立ちを容易に理解できますね（認知的共感）。このような場合は、本人には「この人は怖い人だ」という感情だけが残り、次にその人を見たときにその感情が自然に思い出されてイライラすることがあるようです。感情と結びついた記憶は、認知症となっても残るのです。

認知症が進行して、異食・奇声・着衣を脱ぐなどの行為が見られるようになった場合も、母親が乳児や幼児に接するように**無条件に受容する**ことが求められます。受容することによって相手に安心感をもたらし、「この人は味方だ」と感じてもらうことができます。言葉だけでなく、態度・表情・まなざし・語調・タッチといった非言語コミュニケーションを使って受容することも大切です[32)]。

認知症の人への対応と反応の良し悪しをプロセスレコードとして詳細に記載して検討した研究では、不成功の確率が高い対応法として「その場しのぎの説明」「押しつけ」「戸惑い」などのネガティブケアが、成功の確率が高い対応法として「確信的に大丈夫だと伝える」「共感・受け止め」「感謝」などのポジティブケアが実証されています[33)]。

【2】なじみのある環境をつくる

不安や混乱を取り除くには、基本的には**なじみのある環境づくり**が有効です。本人の生活歴や嗜好を配慮した環境づくりを行います。昔使っていた道具類など、慣れ親しんだものを部屋に用意します。家族の写真や本人が輝いていた頃の写真などを集めた「**思い出ノート**」(214ページの「5-3 コミュニケーションに役立つツール」を参照)などを用いても有効です。介護者も本人の過去の思い出に共感することが大切です。共感的な支援者が近くにいると思うだけで、行動が落ち着くことがあります。病院であれば家族の写真を1枚枕元に飾るだけで、ここが自分の居場所だとわかってもらえます。写真が小さければ拡大コピーして貼りましょう。

施設の場合、利用・入所したての認知症の人は環境に慣れず、生活障害や不穏・帰宅願望などが出現しやすくなります。早めに心の拠り所ともいうべき**なじみの関係**を築き、彼らの居場所をつくることが大切です。日課や役割をつくるようなポジティブケアも有効です。スタッフがまず共感的な態度でなじみの関係を築いてから、他の利用者および入院患者・入所者に働きかけて、そこでなじみの関係が築ける環境をつくることが大切です。こうして、施設が居心地のよいところになると、親切にしてくれるスタッフを娘や息子と思うようになり、たまにしか会わない家族のことをお客さんと思い違いすることも出てきます。

また、一緒に住んでいる家族であっても、認知症の人とのコミュニケーションや関わりがないと、名前や続柄の認識もなくなってしまうことがありますので、関わりを多くもつようにしましょう。介護者であるお嫁さんの名前は覚えているのに、外で働いている息子さんの顔や名前を忘れてしまうというようなケースはよく見受けられます。遠方に住んでいて疎遠になりがちな家族は、週に2〜3回電話でやり取りするだけでも、認知症の人にとって見当識の維持や心の安定につながります。

まず受容して**共感の姿勢**を示しながら、本質を見極めて適切な対応をとることができれば、ケアの達人です。

【3】楽しみや役割のある日常生活を支援するポジティブケア

日中は、独りでボーッと過ごすのではなく、なるべく人と接するようにします。他人との接触は脳の刺激にとても有効で、廃用を防ぎます。ただし、楽しく過ごすことが大切です。また、人との交流の中で、役割をもつことも大切です。いつも受け身でサービスを受けるだけでなく、他人の役に立つという喜びを味わうことが大切です（**図 2-11**）。認知症の人が話をしたときに、聞き手が「すごいね」とほめたり、「面白いね」と喜ぶだけでも、認知症の人は相手を喜ばすという役割をもつことになります。

認知症が中期になると、新しい課題や急な事態に対応することが困難になりますが、手続き記憶は残っているので、日常生活のうち慣れたことは支障なくできます。しかし、介護者が「認知症の人は何もできない」と思い込むと、本人に何もさせずに「何でもしてあげるケア」（ネガティブケア）を提供してしまいます。何もさせない生活は、意欲が低下している認知症の人にとって、さらに廃用性の認知機能低下につながることになります。それを防ぐため、初期から認知症の人が“自分でできることは自分でする”という、「自立支援」の姿勢が、介護者に求められます。また、毎日の楽しみや生きがいにつながるような活動と役割（散歩・園芸・歌・掃除・料理など）を見つけ、それを日々の生活の中に組み込むことによって、脳の活性化を図ることが大切です。さらに、食事のあとはトイレ誘導、そのあとは口腔衛生、健康チェックなどと**日課**が決められていることも、習慣化により手続き記憶を維持することに有効です。ただし、無理矢理させるのではなく、本人の承諾が前提です。そのための自律支援が大切です。このように、自己決定により日常的に楽しんで行える活動と役割をもつポジティブケアが、認知症の人の生活には最適であると考えられます。

図 2-11　役割をもつ
竹を切り（左）、正月の門松が出来上がり（右）、誰もが「すごいね」と感嘆した。

【4】5W1Hの質問とパターンの分析により、真のニーズを把握する

認知症の行動・心理症状の多くは、本人が「何かおかしい」と感じているサインであり、それらは満たされていないウォンツやニーズを表現していると考えられます。真のニーズ（未達目標：unmet needs）を把握するには、何を最も不安に感じているのかを知る必要があります。たとえ本人が主張していることが状況から判断して明らかに間違っていたとしても、5W1H（いつ、どこで、誰が、何を、なぜ、どんなふうに）の質問をすることにより、彼らが不安に感じていることを知る手がかりになります。例えば、もの盗られ妄想の場合なら、「いつからなくなったのか？」「何を盗られたのか？」「どこに置いたのか？」「誰が盗ったと思うか？」「なぜ盗られたと思うか？」「どのようにして盗ったと思うか？」などの質問が考えられます。ただし、「なぜ？」の質問は、混乱や怒りを蒸し返すことになる場合があるため、質問する場合も、根掘り葉掘り聞くといった態度でなく、言い方に気をつける必要があります。

また、言語で回答が返ってこない場合は、その症状が起こるパターンや前後の文脈を本人の生活歴とも照らし合わせて5W1Hの視点で分析することが必要です。そのためには、日頃から認知症の人の動きを観察しておき、特定のサインの前後にどのような行動をとるかなどを把握しておく必要があります。認知症の進行とともに非現実の世界が増し、適切に自分の欲求を表現できなくなりますので、表現している言葉、語調、表情、体の構え、しぐさなどを通して何を伝えたがっているか、そのサインをキャッチするようにします。例えば、尿意、便意、空腹、疲れ、眠気、不安、苦痛、孤独感などがあるときのサインはどのようなものかを知っておくようにします。そうすると、いらつきの原因が便秘や孤独感だというような**気づき**に結びつくことがあります。このように、ウォンツサイン、アンメットニーズサインとその意味をつかむためには、生活史や長年の行動特性、通常の日課、これまでの対応などの個人情報を集めることが大切です[32)]。

【5】笑顔を誘う

認知症になっても初期の段階では、冗談を理解したり、自ら冗談を言って人を笑わせたりする能力は残っています。また、いつもニコニコして楽しい会話をしてくれる介護者には心を許しますので、なじみの関係にもなりやすく、頑固な状態になったときでもその介護者の言うことならば聞いたり、何もなくてもそばに寄ってきたりします。まずは介護者が笑顔で接することができれば、**ミラーリング**の効果（226ページの「9-3 脳は鏡」を参照）で相手も自然に笑顔になるものです。特に、笑ったり、楽しいと感じることは、大脳を刺激して神経系、内分泌系、免疫系によい影響を与えますので、心を安定させ、健康な

生活を維持するためには欠かすことのできないものです。そうした関係を築くためには、介護者自身が、認知症の人と一緒にいることやケアをすることを楽しく感じ、彼らから笑いを引き出すにはどうしたらよいか、どのような冗談が喜んでもらえるのかを知る必要があります。入浴や着替えなど認知症の人たちが特に嫌がるようなケアが必要な場合も、最後は笑顔で終われるよう、冗談の一つも言えるようになって、初めて一人前です。人対人としてつき合って初めて、不安のない環境が生まれます。人は独りでいるときよりも誰かと一緒のときのほうが30倍笑うそうです。

【6】心地よい生活空間を工夫する

在宅ならば、認知症の人のための部屋は、個室に閉じこもらないようにするため、できるだけ居間の近くにし、声かけがしやすく、家族の団欒に入りやすい環境にします。入所施設では、少人数で介護者や利用者となじみの関係ができやすい環境となるようユニット型が推奨されていますが、居間やホールに個々の利用者の居場所となるような空間が用意されていることが望まれます。医療機関では、できる限りベッドから離れて他の患者と一緒に食事や談話ができるようにする工夫が必要です。家族（特に孫）と一緒の写真をベッドサイドに貼るだけでも、安心感が生まれるだけでなく、スタッフとの会話のきっかけにもなります。

認知症の進んだ人は環境や状況の変化に順応することが困難となっているので、新築の家や施設の居室は見知らぬ世界でしかありません。家具は新たに購入せず、**使い慣れた家具**を元の部屋の配置のままに置くことも、混乱を避ける一つの方法になるでしょう。「**なじみの住環境の維持**」はケアの大切なポイントの一つです。施設入所や入院の場合も、常用している道具や家族写真、思い出ノートなどをいくつか持ち込むとよいでしょう。配偶者の位牌を持ち込んで落ち着くこともあります。

部屋の窓からは庭や通りが見えて、四季の変化が感じられると、脳によい刺激となります。スウェーデンのあるグループホームでは、どの部屋にも高さが異なる窓が二つあって、利用者の状態に応じてベッドの置き場所を変更しています（**図2-12**）。立って歩ける間はトイレに近くて動きやすい場所を優先し、寝たきりになった場合は寝たままでも外を見られるよう低い窓の近くにベッドを移動するのです。しかし、認知症の親と同居して介護するため、親には増築した日当たりのよい部屋に移ってもらったら、家を息子夫婦に乗っ取られたという被害妄想を誘発して善意があだになったケースもあります。善意だけではなく、**環境を急激に変えない**ことの大切さも認識しておく必要があります。

散歩に毎日出て、季節ごとの自然の変化を肌や香りで感じることが認知症の進行予防につながります。もし、散歩に適した環境や人的余裕がない場合は、ベランダや庭を歩いた

図 2-12　スウェーデンの老人施設
A：ベランダに自由に出入りでき、リラックスタイムを過ごせる。
B：高さが違う窓が二つあり、状況に応じて使い分けることができる。

り、園芸ができるようなスペースを設けるとよいでしょう。五感に働きかける刺激が毎日の生活に必要です。

バリデーション・セラピー

バリデーション・セラピー（validation therapy）は、米国のソーシャルワーカーのナオミ・フェイル（Naomi Feil）氏が、アルツハイマー型認知症ケアの実践の中で考案したセラピーで、確認療法と邦訳されますが[31)]、共感療法というほうがピッタリしたネーミングだと思います。すべての認知症の人の行動の裏には必ず理由（ウォンツやアンメットニーズ）があるという考えに基づき、認知症の人の心に寄り添うことで、その背景に気づき、共感し、見守っていきます。その中で、認知症の人の混乱が軽減して行動が落ち着き、活力が出てくる効果が期待されます。アルツハイマー型認知症の進行度に着目して、ステージごとに使用する手技を使い分ける点が秀でています。重度の場合は、過去の輝いていた世界を受容し、こちらがその世界に入っていくものです。

実際の技法では、介護者自身の心が平静になっていることを基本とし、そのために精神を統一する呼吸法（センタリング）を最初に行います。それから相手の言うことに耳を傾け、いくつかの言語的なテクニックやアイコンタクト、タッチなど 14 のテクニックを適切に使い分けて、相手の世界に共感し、共存することで心を通わせます。ここでは簡単で役立つテクニック「リフレイジング」のみを紹介します。リフレインは歌の最後でフレーズを繰り返す部分です。認知症の人が言うことを介護者が繰り返す手法がリフレイジングです。例えば、「財布を盗られた」と言うとき、家族は「そんなことはないでしょう」と、つい否定的な応答をしてしまいます。しかし、家族が「財布を盗られたの⤵」と優しく応答すれば受容したことになり、認知症の人が受け取る印象は否定と受容で正反対となります。ケアは人間が相手なので、一言一言が大きな意味をもつことを認識して、発言に注意することが必要です。

6 各論3：前頭葉症状とケア —易怒、脱抑制、常同行動—

6-1　前頭葉症状

まずは前頭前野の機能低下を示す臨床症状（前頭葉症状）を障害部位から三つに分けて示します。①無気力を主体とする前頭葉外側面障害の症状と、②脱抑制・常同行動を主体とする前頭葉眼窩面障害の症状、③他者の気持ちをくみ取って利他的・社会的に行動することが困難になったり、病識が低下する前頭葉内側面障害の症状です。

無気力——病気が進行すると、ものぐさになり自発性が低下します。考え無精になり、質問には考えないでいい加減な答えを返します。

わが道を行く行動（going my way behavior／脱抑制と反社会的行動）——我慢できず、診察中に歌を歌い始めたり、１分と我慢できずに立ち去ります。運転すると交通ルールを無視するので危険です。脱抑制のため、イライラすると我慢できず暴言や暴力に直結します。スーパーマーケットでは、目に入った甘いお菓子が食べたくなると、その場で食べてしまったり、持ち去ってしまい万引きとして捕まってしまいます。ところが病識が低下していて悪いことをしているという自覚がなく、捕まっても謝りません。

常同行動——同じ行為を、時間をおいて繰り返す傾向があります。徘徊もコースが決まっているため、**周遊**や**周徊**という言葉が使われます。このため、外に出て行っても一定のコースをたどって元に戻ってきます。アルツハイマー型認知症と異なり空間認知機能は比較的保たれているので迷子になりません。周遊コースに邪魔があると排除して、一定のコースにこだわります。例えば、いつも座る椅子に別な人が腰かけていると、いきなり暴力をふるって排除します。また、好きな食べ物を毎日買い続けたりと、こだわりが強くなります。毎日決まった時間に同じことをしないと気が済まない「時刻表的生活」も見られます。午前中に洗濯機を使って３回洗濯するのがマイルールという人もいました。

保続——一度行った行為や発語を繰り返します。例えば「薬を飲みます」という言葉を何度もしつこく繰り返します（滞続言語）。診察室では、「右腕を挙げてください」という

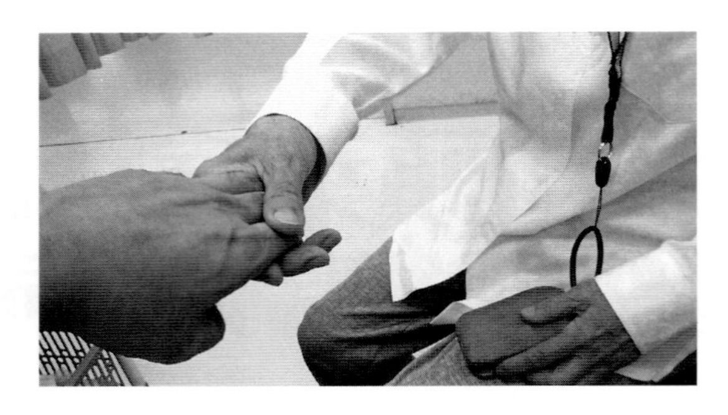

図 2-13　右手の強制把握と常同行動を利用した携帯電話保持のルーチン化

指示に対して挙げてくれるのですが、「次は拍手してください」と命じても腕を挙げます。また、一度挙げた腕を数十秒間挙げ続ける傾向があります。保続では、このように一つの行為がしばらく持続する点が、行為と次の行為の間に時間（例えば数時間）を置く常同行動とは異なるところです。保続傾向や手を握って離さない強制把握（把握反射）も、前頭葉障害の特徴です（**図 2-13**）。

食行動異常――甘いものが好きになります。例えば、まんじゅうを食べ始めると、抑制がきかず、なくなるまで一箱でも全部食べてしまいます。

転動性亢進――周囲の音などに気をとられて注意の矛先が変わりやすい（転動する）傾向があります。例えば、外から音が聞こえると興味がそちらに移り、脱抑制と相まって、不意に立ち上がって一直線に窓に向かう行動です。

共感性の低下――他者とともに喜ぶ、ともに泣くなど、他者の気持ちに寄り添い、共感することが苦手です。

病識低下――自分の認知機能に問題があるという自覚に乏しく、病識は欠如といってよいほどに低下します。

これらは行動障害型前頭側頭型認知症の主症状ですが、アルツハイマー型認知症やレビー小体型認知症でも程度の軽い前頭葉症状を伴います。

Let's try! 前頭葉症状へのケア

前頭葉症状は、ケアする側からすれば手強い症状です。なぜなら、相手は自分の意思通りに行動するからです。①こちら（介護者）の意図を尊重する、②こちらの思いに共感する、③こちらに同調する、④こちらを忖度する、といった他者との関係性をよくする行動は期待できません。Going my way なのです。

前頭前野は「人間らしさ＝他者との共存に必要な社会脳」の源です。この前頭前野の発達は、成長過程の中では後回しです。よって、前頭前野が未発達である幼児へのケアをイメージすると、前頭葉症状へのケアと共通するものが見つかります。

幼稚園児は我慢が苦手です。「静かにじっとしていてね」と先生に言われても、しばらくすれば騒ぎ出し、動き出します。このような園児を叱っても、行動を変えることはできません。それよりも、「静かにじっとしていた子にはご褒美をあげるね」のほうが有効でしょう。

【1】脱抑制へのケア

周徊や周遊しているときに日課の体操やアクティビティーに誘われても無視して歩き続けたり、一度は着席しても間もなく元に戻って歩き始めます。また、アクティビティーや入浴の誘いに強く拒否するのも、行動障害型前頭側頭型認知症に多く見られます。このような行為を抑制したり、介護者側の考えを強制的に執行すれば、怒り出して手がつけられない状態になります。ケアや対応の原則として、拒否があった場合や going my way の行為が見られるときは、否定せず、見守るようにしましょう。入浴や食事などの拒否に対応する必要がある場合は、しばらく見守ったあと、もう一度誘うようにします。日頃から声かけやコミュニケーションをとることで関係性を築いておくと、その介護者の言うことなら聞くケースがあります。会話が一方向になりやすくなるため、ユマニチュード®の「見る」「話す」「触れる」「立つ」の「四つの柱」の実践が役に立ちます。

アルツハイマー型認知症の人が外に出ようとする場合は、ソワソワしていたり、「こんなことはしていられない！」「帰りたい！」などと言ってから席を立って出ようとしますので、介護者側も気づきやすい状況にあります。しかし、行動障害型前頭側頭型認知症の徘徊は、前触れもなく突然ドアの方向に向かって出て行こうとする行動をとり、さらに他の認知症疾患に比べて比較的若い時期に発生しますので、体力があって歩く速度も速いことから、気づいたときには外に出て、遠くまで行ってしまっていたという事例があります。対応のポイントは、常にどこにいるかを把握し、安全な状態でいる場合は見守ることにつきます。できる限り介護者の目の届く範囲にいられるように工夫し、ドアや窓に近づいたときは独りで外に出ないようにするため、ほかのことに注意が向くように一声かけるようにします。

また、新しい活動を促す際は、目的を説明して動機づけを試みても理解するのは難しいことから、得意なことをしてもらうように支援するとよいでしょう（ルーチン化療法／117 ページを参照）。動くことが好きな人なら、お手玉を二つ用意して介護者と本人と同時に投げ合うと、「キャッチお手玉」が長時間続けられます。可能な範囲で距離をどんどん離していくと、5 m ほど離れたところからできる人もいました。卓球が得意だった人なら、テーブルを二つあわせてネットをセットして、ラケットとピンポン玉を渡すと、コントロールよく上手に返球することができます。このような活動は介護者の手が空いたときにいつでも行うことができます。周徊し続けていた元保育士の人に「絵本を読んでほしい」とお願いすると、感情を込めて朗読してくれました。ただし、終わるとすぐに他の場所へ向かおうとしますので、先に飲み物やお茶菓子を用意しておいて、終了後すぐに差し出して一休みするように促すと有効でした。

【2】易怒へのケア

アルツハイマー型認知症の人が怒るときは、多くの場合、きっかけがあります。「なんで何度も同じことを聞くの」と言われて相手に暴力を振るった例を示しました(63ページ)。自分の考えや人格を否定されたと感じると、誰でも怒りの気持ちが湧きます。でも、ここで怒りを表現すると対人関係が不利になると判断すれば、我慢します。しかし、前頭前野の社会脳機能が低下すると対人関係を考えずに、また、脱抑制があることもあって、直ちに反撃行動に移ります。ちょっとしたことで怒るのです。

こうした易怒性への対処の基本は、「怒りの原因を探り、そのきっかけをなくすこと(怒りスイッチを押さないこと)」です。アルツハイマー型認知症による易怒ではこの方法でうまくいくことが多いのですが、行動障害型前頭側頭型認知症の場合は、介護する側で怒りスイッチを押さなくても、いきなりスイッチが入って怒り出します(スイッチ易怒)。自験例では、妻と一緒に買い物に行き、妻がどっちの品にしようかなと立ち止まっていたら、途端に「まだか！」と鉄拳を飛ばしました。

このような人が病院や介護施設にいたら、近づきたいですか？ このような人は介護する側から疎まれます。本人の周りに近寄る人がいなくなります。スタッフは目をあわせようともせず、極力避けて通ります。その結果、本人はますますイライラするでしょう。

前頭葉症状としての易怒へのケア、難しいですね。でも、幼稚園児に接するように、ゆったりとした気持ちで何でも受け入れ、時々ご褒美(甘いものが大好きのはずです)をあげるなどで機嫌をとるのが有効と思います。そして、目を背けるのではなくスマイル、無理に話しかけなくても微笑みを投げかけ、「私は敵ではない」というメッセージを伝えましょう。

相手が興奮しているときは、いっとき離れましょう。相手の視界から消えて様子を見守ります。そして、ケアする側も心を穏やかにします。そして、甘いものやお茶などを持って出直しましょう。

【3】常同行動へのケア

こだわりが強くなり、同じ行動を何度も繰り返す常同行動へのケアも容易ではありません。説得は無効です。常同行動を阻止すると怒りを誘発し、暴力を受ける危険性があります。そこで、常同行動を利用して、適切な行動を習慣づけるような対処が**ルーチン化療法**として提唱されています。例えば、周徊して困る事例に対して、その人が興味をもつ作業を提供します。工作や塗り絵でうまくいけば、一つ完成したら次へと、次々に作業を提供することで、よい作業がルーチン化され常同行動となります。こうすれば、しばらくの間、熱心に作業を続けてくれます。その代わり、作業の途中で「ご飯にしましょう」などと無理に作業を中断すれば、暴力に結びついてしまいます。このような場合、注意の転動性亢進を利用すれば、本人が好きなおかずを提示してご飯に誘う方法で、注意がそちらに向いてくれるかもしれません。

【4】保続へのケア

保続に含まれる滞続言語は、同じ発語を繰り返し続け、語彙数も減少しますので、双方向のコミュニケーションが難しくなります。「薬を飲みます」「女房（またはお父さん）に怒られる」など、現在の状況とは関係のない、限られた二つ三つの言葉を繰り返し続けますので、つい介護者はイライラしてしまうことでしょう。

60歳を超えて間もなく認知症を発症した元新聞記者のAさんは、「私は記者をしていてね」「女房はいつも5,000円しかくれないんだ」「女房は怖いねー」の３フレーズを、顔をあわせると決まって口にし、こちらの問いかけにはいっさい返答がありません。このようなときの対応のポイントは、何度同じ内容を話されても、そのつど「そうなんですねえ」と初めて聞いたように返答することです。話している本人は、「怖い」と言いながらもニコニコしていて、相手をしてもらうと嬉しそうにして次の周遊に向かっていきます。

ところが、「相談員のBさんを知ってるかい？」と時々口にすることがあったため、家族に尋ねると、Bさんは以前通っていたデイサービスの相談員であり、非常に優しくて面倒見のよい女性ということでした。このケースでは、強く印象に残れば認知症発症後でも記憶でき、介護者側の姿勢を感じ取っていることを示しています。

前頭葉症状へのケアは、大変ではありますが、いろいろ工夫する中でたくさんの発見も生まれるでしょう。試行錯誤の中で、その人にあったケアを導き出すという姿勢が大切です。そして、うまくいったときの達成感を味わうことができるのも、前頭葉症状へのケアの醍醐味です。

7 各論4：思考・判断・遂行(実行)機能の障害がもたらす生活障害とケア

7-1　思考・判断・遂行（実行）機能の障害がもたらす生活障害

認知症の進行とともに、大脳皮質連合野の機能である種々の認知機能が低下していきます。アルツハイマー型認知症では頭頂葉病変に関係する空間認知障害や側頭葉病変に関係する意味記憶障害、聞いた言葉の理解力が低下する超皮質性感覚性失語の症状などが出てきます。前頭前野が司る遂行（実行）機能障害により、段取りを立てて計画的な行動をすることは、認知症の早期から障害されます。

献立を考えて夕食の準備をするような作業は、いくつもの確認作業や同時並行作業を手順よく行うことが求められます。①前の日まで何を食べたかのエピソード記憶で同じ料理が続かないようにする（記憶の想起）、②献立を考えて冷蔵庫などに残っている食材の確認（視覚認知、注意、遂行機能、思考・判断）、③不足している食材を調達（遂行機能など）、④献立を作業中に覚えておく（作業記憶、展望記憶）、⑤同時並行で作業を遂行する（思考・判断、注意、作業記憶、遂行機能）、⑥一緒に食べる人の食欲の推測や好き嫌いへの配慮（社会脳）と、たくさんの認知機能を使います。認知症になるとこのような複雑な作業が困難になります。そして、生活障害が明らかになると認知症の診断基準を満たすことになります。したがって、この遂行（実行）機能障害は、認知症で重要な認知障害（中核症状）の一つですが、本書では血管性認知症の項（153 ページ）で説明しますので、ここでは生活障害として、軽度認知症から出現する手段的 ADL（I-ADL）障害と、中等度～重度認知症で見られる失行・失認や認知機能低下に伴う身の回りの ADL（基本的 ADL）障害について述べます。

1）I-ADL 障害

I-ADL 障害としては、金銭管理がまずできなくなります。服薬管理もできなくなるので、医療という点では極めて重要です。公共交通機関を使った外出が困難となります。複雑な炊飯・調理が徐々に困難になります。献立を考えて、何品も手順よく調理することが難しくなります。そして、進行に伴い、認知障害や注意障害を背景に誤った行動がしばしば見られます。中期以降、例えば、タケノコの炒め物を作ろうと手に取ったボトルは台所洗剤だったのでタケノコのママレモン炒めが出来上がった、お汁粉のお餅を食べてなくなったのでティッシュペーパーをたたんで入れて食べた（確かに色は白ですが）というような、健常人から見たらあり得ないと思う行動が見られます。味噌汁にティーバッグを入れる、サラダにジャムをかける、お茶を淹れようとして茶葉がたくさん入っている茶筒にお湯を注いだなど、トンチンカンな行動は枚挙にいとまがありません。

2）ADL（基本的 ADL）障害

進行に伴い中期以降、本来の巣（局所）症状としての失行・失認とは異なりますが、失行・失認様の症状が出現します。例えば、「椅子に腰かけてください」と指示しても、この単純な動作を行えませんが、何かの拍子にすっと腰かけます。歯ブラシを渡しても歯を磨く動作ができないで、かじりついてしまったり、ただ眺めている。トイレに行っても便座を認識できない、トイレットペーパーを認識してつかむことができない、拭けない、流せない、着衣を戻せないなどの困難が生じます。

更衣に関しては、①服を着る順番がわからない（上着の上に下着を着る）、②服を着られない（服の袖と自分の腕の空間的な位置関係が把握できない）、③脱いだ服をまた着てしまう（着替えを嫌がる）、④服の上下、左右、表裏がわからない、などが出現し、着衣失行といいます。

人間は３次元空間の中で生活しています。そして、自分の身体の空間の中で占める位置が身体図式（ボディーイメージ）として認識されています。この機能によって、服を着たり、いろいろな道具を使いこなしたり、ものにぶつからないで歩いたり、自分の体よりも大きな車を運転することができます。こういった機能が障害されることも生活障害を引き起こします。

このように、認知症が進むと、排泄や更衣、整容といった ADL にも障害が出てきます。

7-2　本人視点から見る生活障害

アルツハイマー型認知症初期の独居高齢女性の事例を紹介します。本人は「調理は問題なくできている」と答えます。週１回様子を見に行く息子が「冷蔵庫には期限が切れているものがあり管理ができていない」と指摘すると、「捨てればいい」と立腹しました。診察室で、「期限切れに自分で気づくか？」の質問には「はい、自分で気づきます」と回答しますが、息子は×印を作りました。このように、本人は「問題なくできている」と答えることが多いです（病識低下）。そして、介護者から失敗を指摘されると、イライラしながら「たまにはある」と反論することがよく見られます。アルツハイマー型認知症では本人の自覚が乏しい傾向があります。また、この事例では、献立を考えての調理や服薬管理、金銭管理などに問題が生じていますが、週３回通うデイサービスにスーパーマーケットの移動販売車が来るので、買い物は助かっています。夕食弁当も週３回届くので、栄養問題も回避されています。自分でできる、お金がもったいないと配食を拒否したり、配食時に出かけてしまい不在のためにサービスを受けられないといった事例もありますが、移動販売・宅配や配食サービスを活用すると在宅生活を継続できます。

この事例に限らず、夏は脱水予防でエアコンを使うことが必要ですが、本人は「必要ない」と答えたり、必要と感じてもエアコンのリモコン操作ができないことがしばしばあります。本人の温度感覚は健常者と異なるようで、本人は暑いと感じていない可能性があります。エアコンは電気代もかかるし、大きなお世話と感じているようです。最近は家族のスマホからエアコンを遠隔操作できる機種も販売されています。ドアの開閉や家電の使用状況、睡眠状況などをネット経由で家族に知らせる見守りサービスもあります。住環境については家族が遠隔地から見守れる時代になりました。ただし、昔の生活習慣で、テレビも扇風機も電気ポットもすべて電源コンセントを抜いてしまう人もいます。コンセントを抜かれては、遠隔見守りできませんね。

次は、アルツハイマー型認知症中期の本人の世界を覗いてみましょう。……手を伸ばして物を取ろうとすると、手が届かない。変だな。距離感がわからないようだ。だから、服を着るのも、靴下を履くのも大変だ。靴に足を入れるには距離感にあわせて足を動かさなければならないが、なんでこんな簡単なことができなくなったのだろう。服を着るときは、家族が順番に一つ一つ前後がわかるように手渡してくれるとなんとか着られるので助かる。でも面倒だ。「次はこれね。ちゃんと着てね」と言われると、イライラする。本を読むとき、１行読み終わって次の行に移ろうとすると、「あれ、次の行はどこ？」となってしまう。探しているうちに今読んだ１行の内容を忘れてしまう。１行読んだあとに指でその行を逆向きになぞったら、次の行の頭に行けた。でも、内容がわからなくなった。で、この本、何の本だっけ？ まあ、いろいろ困るけど、その時その時を楽しく過ごせたらいいな……。

認知症ではないですが、脳梗塞後の高次脳機能障害の当事者が、話を聞き取れない原因を次のように自己分析しています[34)]。認知症の人もこのような不自由を感じていると思います。

＊思考スピードが低下して、ストーリーに追いつかない。→ だから、ゆっくりと話してほしい。

＊作業記憶（ワーキングメモリー）の容量が低下して、複雑な文章は理解しにくい。→ だから、単純な構文・クリアカットな文章で、短文にしてほしい。

＊注意障害があって、聞き流すべき枝葉の話や理解できなかった単語に注意が集中してしまい、そうしている間に相手の話が進行してわからなくなってしまう。

＊感覚過敏があるので、周囲の騒音、光、においなど、無視してよいあらゆる情報を無視できず、話に集中できない。→ 静かな環境、快適な環境で会話したい。

＊構文をつかめずパニックになる。すると「意味」が頭に入らない。相手が話しているのは日本語だとはわかるが……。→ 話す内容を整理して、単文で、反応を見ながら対話してほしい。

I-ADLとADLのアセスメント

生活行為行程分析表（Process Analysis of Daily Activity for Dementia）[35)] を紹介します（ウェブサイトから入手可能）。I-ADLは金銭管理、服薬管理、食事の準備、洗濯、買い物などの８カテゴリーを各15点の120点満点で、ADLは更衣などの６カテゴリーを各15点の90点満点で評価します。各カテゴリーは５工程×３項目で、できる１点・できない０点で評価します。例えば調理では、①献立を立てる、②食材の加工、③食材の調味、④盛りつけ、⑤配膳の計５工程に、それぞれ三つの下位項目があり、計15項目で構成されています。このように調理の工程を細かく評価することで、15項目のうちのどの項目で支援が必要か評価でき、能力を奪わない支援計画を立てられます。このようなアセスメントが生活の自立をめざしたケアに結びつきます。

Let's try! 思考・判断・遂行（実行）機能障害への対応：日常生活の援助とケア

思考・判断・遂行（実行）機能障害により、今まで普通に行っていたADLやI-ADLに支障をきたすため、日常生活にケアが必要になります。

2001年にWHOで採択された**ICF（国際生活機能分類）**は、「生活機能」という対象者のプラス面を中心理念に据えていることから、日常生活のケアの場面での応用が期待されています。ICFでは生活機能を「心身機能・身体構造（生命レベル）」、「活動（生活レベル）」、「参加（人生レベル）」の三つのレベルに分けて、援助の際はこれらを総合的に支援するように促しています。「活動」を支援する際は、本人の能力を最大限に使って日常生活を少しでも自立・自律して送れるように、主体的に活動できるような環境づくりを支援します。日常生活で認知症の人の「できる活動」を引き出し、「している活動」にする援助能力が求められます。「参加」を支援する際は、目標としてレクリエーション活動への参加、家事や施設での役割など、具体的に何をするのか、本人の意向を確認しながら決定します。次にそれを実施する際に、不足する「している活動」があれば、「できる活動」を生活や訓練の場で意識的に支援します[36)]。

何でも代行（介助）するのではなく、その人の認知機能を見極め、どの段階を手助けすれば作業を自立できるのかを考えて、最低限の手助けにより、なるべく生活行為を自立するように援助することが基本になります（ポジティブケア）。したがって、介護者は残存能力の維持・活用を常に意識する必要があります。“自分のことは自分でする”ことによって、生き生きした生活が維持できることを忘れてはなりません。また、脳活性化リハを一日に1時間行ったとしても、日中の残りの時間を寝て過ごしていたのでは効果が上がりません。日常生活もリハの一環と捉え、日課となるよう規則的な実施が大切です。

ここでは代表的なI-ADLの生活援助として服薬管理と家事を、ADLの生活援助として整容と更衣、入浴について紹介します。

【1】服薬の援助

I-ADLは認知症の初期から困難になり、生活管理が難しくなります。ここではその代表として、認知症の人の9割が困難になる服薬管理を取り上げます。以下、処方される薬剤への工夫、本人による内服管理の工夫、介護者による支援に分けて解説します。

（1）処方の工夫（独居の場合）

主治医と相談し、薬剤はなるべく一日1回の処方にまとめてもらいます。例えば、健常なときから降圧剤の内服を朝1回続けていた人であれば、認知症発症後も朝1回の内服を続けられるでしょう。そのためにはまず、薬の種類をなるべく減らしてもらいます。そのうえで、薬を一包化してもらいます。かかりつけ医が複数の場合は、①なるべく一人の医師だけが処方するように集約する、②調剤薬局を1か所に決めて、複数の医師からの院外処方箋をここで一包化する、という方法があります。夕方なら家族が確認できる場合は夕1回、デイサービスで内服できる場合は昼1回というまとめ方もあります。

（2）本人が内服管理できる工夫（独居の場合）

日付と時間が大きく表示される電波時計を使うと日時を確実に示せます。その隣にお薬カレンダーをセットすると、軽度の時期なら自分で管理ができます。日めくりカレンダーに日々の薬剤を貼りつけておき、電波時計とセットにする方法も有効です。毎日設定した時間（朝昼夕夜）にお知らせメッセージ音とともに薬が出くる内服支援ロボットもあります（例：コッくんお薬よ～／ミヤサカ工業）。遠方の家族からの毎日の電話で内服できているケースもあります。

（3）介護者・専門職による内服支援

介護施設であれば、毎回の手渡しが可能です。在宅の場合は、家族がチェックする、お薬カレンダーを使って家族が見守るなどで支援します。独居の場合は、家族が毎日電話する、ホームヘルパーに内服管理を依頼する、訪問看護や訪問薬剤師に工夫してもらうなどで支援します。しばらく支援して習慣化できることもあります。

【2】家事の援助

料理や掃除、草むしりなどの家事を行うことは、ICFでの最終目標である「参加」に該当する行為であり、役割意識や自分自身の存在意義、生きがいにもつながる活動といえます。「どうせできないだろうから」と何もさせないのではなく、まずは「できる活動」を見つけて「している活動」にしていきます。声かけや実際に目の前で示すことによって、「している活動」はどんどん増えるものです。食事の準備を例にとると、献立を考え、必要な食材を揃え、段取りを考えて、同時進行でいくつかの作業を遂行することが困難になりますが、大根を切る、ジャガイモの皮をむく、炒めるなどの一つ一つの作業自体はうまくできるので、誰かが手順を指示してあげれば上手に食事の準備ができます。掃除や草むしりなどは、道具を渡して一緒に作業すれば、問題なく行うことができます。終わったあとの「ありがとう」「おかげで助かりました」のポジティブな一言が、認知症の人の笑顔を引き出すだけでなく、お互いの関係性をよくしてくれます。

【3】整容の援助

認知機能の低下に伴って身の回りのことを自分で行うことが次第に困難になります。一見、身の回りのことに興味を示さないように見えますが、一つ一つの動作がわからないだけで、自分でできることやおしゃれの興味が十分保たれている人も少なくありません。日課の中に整容の時間を組み込むことによって、生活にリズムが生まれ、意欲も高揚させ、ポジティブ感情を増やすことができるでしょう。以下に、室伏[30)]が挙げた整容に関するケアのポイントを参考にして、具体例を示します。

(1) **洗面・手洗い**は、水を出す、手や顔を洗うなどの一連の動作がわからない場合が多いので、一つずつ声をかけて納得してからやってもらうと自立度が上がります（自立・自律支援）。女性の場合、洗面後に化粧水やクリームをつけて、身だしなみを思い出してもらうようにします。さらに化粧までできると、生活への活力が一段と高まります。

(2) **口腔衛生**は、食後のたびに習慣づけるようにし、自分でできる人にはやってもらいます。義歯は外して清潔にします。血管性認知症で偽性球麻痺（156ページを参照）のある人やアルツハイマー型認知症の終末期では、口腔衛生を保つことが**誤嚥性肺炎**の予防にきわめて重要です。嚥下障害があって食事のときにむせる人は、食べ物の残りかすに繁殖した菌が容易に気道に入り込んでしまいます。また、高齢のために歯が数本を残すのみとなっていて、それが牙のようになって向かい合った歯肉を傷つけることがありますので、口腔のチェックと清潔を心がけることが大切です。

(3) **頭髪の手入れ**や**髭剃り**は洗面後に、鏡の前でブラシや電動シェーバーを手に持ってもらって、自分でするように促します。手順を示して声かけをするだけで、一人で上手にできますので、できることにまで手出ししてはいけません。髭剃りでは、舌を頬のくぼんでいる部分の裏側に置いて、剃りやすくするしぐさも声かけなしでできるほどです。また、髪をとかす行為は上肢を頭の上まで挙げるので、拘縮しがちな肩関節の可動域を広げることに役立ちます。終了後に一言、「きれいになりましたね！」を忘れずに。

(4) **耳や爪の手入れ**は、介護者の手が空いているときに、ゆっくりと会話やスキンシップをとりながら行います。心地よく、ゆったりとした雰囲気をつくり出して時間を共有することが、なじみの関係づくりにも有効です。

【4】更衣の援助

「きれいになりましたね！」

更衣は、外気温や季節の変化、活動の目的などに応じて生活を豊かにしてくれます。認知症になっても、洋服ダンスからお気に入りの服を選んで着ることができます。介護者の都合で着る衣服を選んでいては、自発性や主体性が低下します。「本人のしたいこと」を尊重するケアが基本です。

日中も寝間着で過ごしたり、毎日同じ衣類で過ごす姿を見かけることがありますが、朝は着替えてベッドから抜け出すことが、廃用を防ぎ生活意欲を高める生活の基本です。また、衣服を着脱することによって、四肢の拘縮を防ぐことができます。

衣服を選択するときには、好みを大切にし、目的・温度条件に適したものを選択できるように援助します。本人が選択することが難しくなっても、「はい、これを着て！」と命じるのではなく、適切な衣服２種類を提示して「どちらがいいですか？」と自己決定を支援するのがポジティブケアです。更衣を介助するとき、着る順番がわからなくなっている場合は、順番に一枚ずつ手渡して自分でできるところまでやってもらい、少し手を添えるようにします。できない作業があれば、その要因を探し、その部分のみを介助します。時間があるときに、衣服を選択しやすいように、介護者が一緒にタンスの中の整理をすることも、脳の活性化につながります。

健常者にとって着衣はいとも簡単な作業ですが、アルツハイマー型認知症が進行して、空間の中で自分の手足をイメージ通りにコントロールできなくなった人にとっては、極めて難しい作業になります。ケアの工夫としては、①「服の前後や表裏がわからない」→服の表面の前がわかるように印・刺繍をつけておいたり、一番上のボタンを目立つ色にする（表裏と上下がわかる）、②「手を通す場所がわからない」→服の裏の腕を通す場所（袖ぐり）にリング状に目立つ色の布を取りつけて目印にする、③「重ね着してしまう」→一組だけ見えるところに置き、残りは見えないところにしまう、などがあります。この極めて難しい作業ができたときは、一緒に喜び、「素敵！」「かっこいい！」などと声をかけましょう。賞賛が更衣行動を強化します。健常者にとってはできて当然の作業なのですが、共感的態度でうまく着衣できたことを賞賛するのが自立支援です。

【5】入浴の援助

認知症の人の中には、入浴に誘うと「さっき入ったばかりですから」「今日は疲れているので」と言って、頑なに拒む人がいます。入ったあとには「ああ、気持ちよかった」と言って入る前とは表情が一変するので、入浴自体を嫌がっているわけではないようです。

人によっては、皮膚感覚が変化して、「お湯がヌルヌルして気持ち悪い」「熱すぎる」などの感覚過敏で入浴を嫌がる場合もあります[37]（81ページを参照）。

入浴を特に嫌がらない場合でも、見守りがなければ認知症の人は独力で入浴することはできませんので、「自分のことは自分でする」ことを基本として、入浴の準備から関わるようにします。居室内の自分のタンスから着替えの衣服を選択し、それを自分用の袋に詰める作業から始め、浴室に運ぶ作業まで見守ります。デイサービスでは、持参したバッグから着替えの袋を自分で出してもらい、指定の場所に運ぶところまで見守ります。

着脱室に到着してからの更衣は前述の通りですが、浴室に入ってからの洗髪・洗体、移動などについても、自分でできるところはするように声をかけ、必要に応じて介助をします。

人前で裸になるのが嫌で入浴拒否する場合もあります。浴衣や大きなタオルを使う、同性スタッフの介助など、羞恥心への配慮が必要です。

普段は就眠前に入浴している人に施設で昼間の入浴を勧める場合は、「今入っていただけると私がとても助かるので、私のために入浴に協力してください。感謝します。お風呂に入ったあとで甘いものを食べましょうね」といったポジティブな声かけが必要です。

施設での入浴拒否理由を尋ねてみると

「最近もの忘れがひどくなって認知症が疑われる。加えて、怒りっぽく、入浴拒否など介護に抵抗する」ということで、介護老人福祉施設(特別養護老人ホーム(特養))入居者の診察を頼まれました。本人に「毎日楽しいですか？」と尋ねると、答えは「つまらないよ。ここは何もすることがないから」。少し言葉を交わして友好関係を築いてから、肝心の入浴拒否について尋ねてみました。すると「先週の水曜日に、風呂に入りたくないのに、介護者から何度もしつこく『入浴しろ』と言われた。『風呂に入らないと汚い』と言われて、ムッとしたよ。だから拒否した」。相手の発言内容をきちんと覚えています。しかも、言われた日時も正確に答えることができています。どうも認知症ではないようでした。

問題行動は介護者のほうにありました。では、適切な対応は？ 入浴を無理に勧めないで、本人の気持ちを大切にする？ ポジティブな声かけ？ 答えは、「入らないと汚い」ではなく、「入ると気持ちいいですよ。ぐっすり眠れますよ」などのポジティブな声かけが有効でしょう。入浴後に肩もみしてあげるなど、ご褒美を出すのもよいでしょう。筆者なら、「風呂上がりにビールを一杯やりましょう」と声かけされれば、入浴してしまいます。特養でも少量なら飲酒が可能なところもあります。

ここで問題の本質を考えてみましょう。ユニット型と異なり従来型の高齢者施設の多くは入浴日や時間帯が決まっています。例えば、水曜と土曜の週２回・午前、などです。一般家庭のように寝る前や、好きな日に入ることはできません。決められた日時にしか入浴できないのは、病院と、従来型の高齢者施設、それと刑務所です。

さらに、入浴時間になると、風呂場に入居者が運ばれ、順番に服を脱がされて入れられ、順番に拭かれて服を着せられる、「ベルトコンベヤー入浴」という流れ作業をやっている施設もあります。この方式なら施設職員が効率よく入浴作業を済ませることができます。でも、読者の皆さんはこういう入浴を望むでしょうか？ 介護を受けるようになったら、このような入浴はやむを得ないのでしょうか？ 一人ひとりを大切にする介護の普及を願っています。

アルツハイマー型認知症の人の服薬の困難を分析

介護施設に入所している、アルツハイマー型認知症が中等度の事例です。水を入れたカップと一包化した内服薬を食卓に用意して内服を勧めましたが、内服できませんでした。その要因を分析してケアしてみましょう。

⑴ アフォーダンス――カップの形状は、取っ手をつかむ動作や、口に持っていく動作を誘発します。アフォーダンスとは、afford（与える）を元にした造語で、環境が人間をはじめとする動物に対して与えている“意味”のことです。つまり、物の形が人間の動作を誘発することを指します。健常者では、命じられなくても食卓にセットされたカップと薬から内服動作が誘発されます。この事例はアフォーダンスが無効でした。

⑵ 注意障害・視覚認知障害――視野の中心にカップと薬包を示してみましょう。これで視線が移り認識できれば、服薬できない要因は注意障害です。それでも認識できなければ視覚認知障害かも。視覚に加えて、言葉での説明（聴覚刺激）や物体に触れてもらうこと（触覚刺激）で認識できる可能性があります。「視覚＋聴覚＋触覚」作戦です。

⑶ 失行――薬包を破って錠剤を取り出し、カップの水を口に含み、薬を口内に入れて飲むという一連の動作をうまくできない場合は、観念失行が疑われます。動作ごとに口答指示したり、動作に手を添えるなどの支援が必要です。

⑷ 服薬拒否――意図的に指示に従わない場合は介護拒否です。本人の表情や態度などを注意深く観察して、サインを読み取りケアしましょう。何かに混ぜて飲ませようという対応はいけません。拒否の背景には「この薬を飲むとおなかが痛くなる」などの言語化できない訴えがあるかもしれません。拒否は本人の意思表示だと受け止め、尊重するのが基本です。

8 各論5：幻覚・妄想とケア

幻覚や妄想は、一過性のものから持続化・固定化するものまであります。また、幻覚や妄想は一緒になって現れる場合や、それぞれ単独に現れる場合があります。

幻覚には現実にはないものが見える幻視や聞こえる幻聴がありますが、大半は幻視です。そして、幻視の多くは見間違え（錯視）です。何もないところに子どもが見えるという本当の幻視は少なく、花瓶・買い物袋などが子どもに見えるといったように、錯視が多くを占めます。特徴はリアル感で、本人は「ほら、あそこに子どもがいるだろう」と指さすなど、そのときリアルに見えています。「さっきまで子どもがいた」というような過去形ではなく、現在進行形です。この幻視が妄想化することがあります。例えば、本人の妻の横に男が寝ているという幻視から嫉妬妄想に結びつく場合があります。

レビー小体型認知症（314 ページを参照）では生々しい幻視（錯視）が特徴です。幻視で見える人物が住み着いていて（幻の同居人）、食事の用意をして世話を焼くこともあります。配偶者が二人いたり、瓜二つの別人に置き換わってしまうような人物誤認（カプグラ症候群）もレビー小体型認知症では高頻度に見られます[38)]。

幻視や幻聴が視力低下や聴力低下に伴って出現することがあります。

妄想とは、「現実にない出来事を信じ込んでしまい、訂正不能なこと」で、現実と非現実が入り交じって自分に都合のよいストーリーを作り上げてしまいます。特定の相手をターゲットにして財布を盗ったと言い続けるように、同じ内容で何日も続く一貫性があります。そして、自分の主張は正しいと頑強に信じているので、誤りを指摘しても考えを変えようとせず、かえって妄想が強化され、しっかりと根づいてしまいます。妄想の内容は、「財布を盗られた」、「ご飯を食べさせてもらえない」、「浮気される」のような**被害妄想**が主です。中でももの盗られ妄想が 7 割ほどと首位を占めています。記憶障害を背景とするもの盗られ妄想は、アルツハイマー型認知症の 43%、血管性認知症の 8% に出現するというデータがあるように、被害妄想はアルツハイマー型認知症で高頻度に出現します[38)]。

大まかに、**もの盗られ妄想ならアルツハイマー型認知症**が、**幻視に基づく誤認妄想なら**

レビー小体型認知症が疑われます。

8-1　幻視・誤認と妄想化

レビー小体型認知症では、幻視で見えているものを、実際そこに存在するかのように、とてもリアルに表現します。「そこに犬がいるから危ないよ！」と言うだけでなく、「シッシッ」と犬を追い払う動作をします。まるで一人芝居を演じているようで、その人にとっては本当に見えていることがヒシヒシと伝わってきます。また「子どもが見える」だけでなく、「フリルのついた可愛いピンクの服を着た子どもが何人もこっちへやってくる」と言うようなリアルさがあります。絶えず幻視があり、幻視の人と会話をしているうちに怒り出して相手を殴るケースもありました。また、床に置いてある紐を蛇に見誤る、庭の木が人間に見える、花瓶が子どもの頭に見えるなどの場合は、存在するものを見誤るので正確には幻視ではなく錯視です。

このような**リアルな幻視**が行動に結びつきます。子どもが見えるだけでなく、「親戚の子どもが来ているのでご飯の用意をしなくては。ほら、そこにいるだろう」などと言って実際にお膳を用意してご飯を盛ります。これを繰り返すうちに「子どもが同居している」という妄想に発展していくことがあります。また、幻視と結びつき、「夜になると夫のふとんに女の人が一緒に寝ている」などと訴えることもあり（幻の同居人／誤認症候群でもある）、繰り返すうちに嫉妬妄想になっていきます。このようなリアクションを伴うリアルな幻視と、この幻視に結びついた妄想は、レビー小体型認知症の約８割に見られる特徴的な症状です。

レビー小体型認知症の幻視・妄想は、薬物治療に比較的よく反応します。自験例では、レビー小体型認知症の妻が夫を他人と誤認して、夫に向かって「私が夫に買ってあげたシャツを、なんであなたが着ているの。すぐに脱ぎなさい！」と言って夫を杖で何度も殴るなどの症状が、抑肝散（よくかんさん）の投与で幻視とともに消失しました。このような薬物著効例をしばしば経験することがレビー小体型認知症の特徴です（もちろん再発したり、難治例もあります）。

8-2　もの盗られ妄想

認知症の初期段階で、もの盗られ妄想は女性に多く発症します。置き忘れたものが見つからないとき、認知症の人は「なくした」と自己嫌悪の方向に考えるのではなく、「盗られた」と責任転嫁の方向に解釈します。これには、自身の記憶障害を認めないアルツハイマー型認知症の病識低下（6ページの「内省能力の減退」、「病態失認的態度」）と共通する基盤があるように思えます。盗んだ相手は、見ず知らずの泥棒ではなく、身近にいるよく知った人が対象になります。親身にケアをする嫁が犯人にされる場合が多く、ケアに困難をきたします。なぜケアを提供してもらわなければならない近親者を妄想の対象にして攻撃を加えるのでしょうか。小澤[39]は、認知症の人の心に潜む「不安と寂しさ」がその背景にあると分析しています。『盗ったとなじる相手に対する彼らの「頼りたいのだけど、頼るのは絶対に嫌！」という**両価感情**』があるといいます。加齢により櫛の歯が欠けるようにぼろぼろと機能が抜け落ちていくことへの不安、愛する伴侶を失い独りで生きていかなければならない不安、記憶障害や見当識障害により自分の置かれている状況がわからなくなる不安など、潜在するこれらの**不安や喪失感**が妄想の背景です。認知症の人がどれだけ深い不安と寂しさに包まれているかをよく理解することから、妄想への対応が始まるのです。妄想の背景にある不安や寂しさに気づくことが大切です。認知症がさらに進むと、自他への関心が弱まり自然にもの盗られ妄想は消えていきます。

もの盗られ妄想の特徴には、①背景に記憶障害がある、②置き忘れやしまい忘れを盗られたと即断する、③興奮しやすく騒いで知人や警察に連絡する、④犯人が身近な人、⑤対象はお金や土地など高価なものから始まり、ぞうきん・スリッパなど些細な日用品に及ぶ、⑥説得や訂正は無効、があります[40]。

もの盗られ妄想がなぜ生じるのか？ もの盗られ妄想は記憶障害や認知機能低下といった認知症状を基盤に発症しますが、発症の直接的な誘因は、認知症の人の置かれている状況や周囲との対人関係にあります（それゆえ、かつては周辺症状といわれました）。記憶障害があるだけではもの盗られ妄想を発症しないと考えられています。妄想は、病前の性格が積極的、仕事熱心、負けず嫌い、人の面倒見がよい人に多いとされています。このような自立して生きていこうという気持ちの強い人では、「自分が忘れる」ということを受け入れられず、「盗られた」と責任を他人に転嫁することで自分は救われます（合理化という心の防衛機制）。認知症の人がたくさん言い訳をしたり、責任転嫁するのは、それだけその人が心理的に追いつめられている証拠です。人間は心理的に追いつめられると、もうこれ以上自分の失敗を認めたくないと、本能的に（無意識の反応として）責任転嫁を図ります。したがって、認知症の人が忘れても困らないような環境設定や、それを受け入れる周囲の心構えが必要です。

もの盗られ妄想の背景にあるメタ認知障害（病識低下）が、正しい判断を困難にします。

8-3 嫉妬妄想

認知症で見られる**嫉妬妄想**は、大半が配偶者の不貞を確信するものです。そして執拗に相手を攻撃します。配偶者が少しでも離れると「浮気をしてきただろう」となじり、暴力

表 2-11　妄想と作話の鑑別点

	執　着	一貫性	持続性
妄　想	強い	同一内容	継続
作　話	弱い	内容変動	一時的

をふるいます（女性でも夫を蹴ったりします）。このため、介護者（配偶者）が疲弊します。こんなにぼけてしまって、こんな体になって、配偶者に捨てられるのではないかという不安が妄想の引き金になります。「夫婦関係の保持—喪失」での葛藤が「自分は邪魔者で、見捨てられるのではないか」という不安や不信を生み、妄想となって表出されるようです。嫉妬妄想は、立場が逆転して弱い立場になった側が、身近な特定の対象者に対して攻撃的になるという点で、もの盗られ妄想と共通の基盤をもっています。

8-4　妄想と作話

作話では、例えば、入院しているのに「今朝は朝食前に飼っている牛の面倒を見てきた」などとあり得ない話をすることがあります。しかし、その人はかつて牛を飼育していたので、まったく架空な話ではありません。出来事記憶の時間軸が失われたことが背景にあり、過去の記憶を使って現在の記憶の穴埋め（取り繕い）をしている症状と捉えることができます。**作話**には、妄想の特徴である誤りを絶対に認めない執着や、何日も続く再現性はなく、記憶の穴を埋めるためのその場しのぎの話なのが特徴で、妄想と鑑別できます（**表 2-11**）。

8-5　本人視点から見る幻覚・妄想

幻覚も妄想も、見えている本人は真実と思っています。幻視で怖い人や動物が見えていれば怖がります。娘の腕を見て「象がいる」と言ったレビー小体型認知症の人がいました（**図 2-14**）。コートのゴワゴワした感じが象の鼻に見えたのでしょう。健常者は「家の中に象が出るなんてあり得ない」と状況判断できるのですが、レビー小体型認知症の本人は象が見えている自分の認知機能を疑わないのです。でも、幻視の場合は、丁寧な

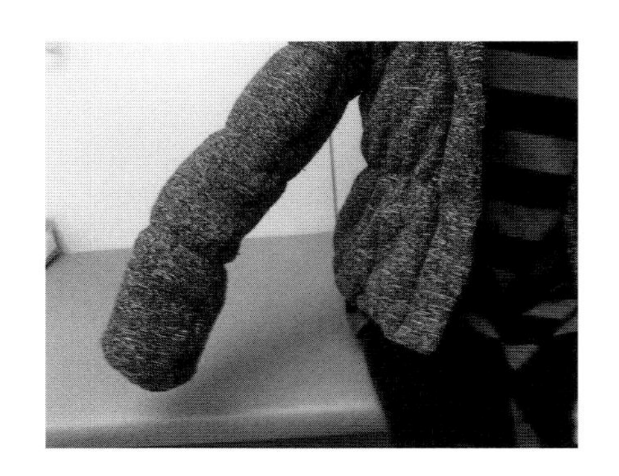

図 2-14　錯視の例
腕を見て象の鼻と見間違え、「象がいる」と言った。

説明（あなたには見えているけど、ほかの人には見えていない）で、自分だけに見えていて、それが幻だと理解できる場合が多いです。本人は半信半疑のようです。

一方、妄想の場合は、その内容が真実だと信じ切っています。本人の声に耳を傾けると、もの盗られ妄想の相手に対して、「私が大切にしていたネックレスを盗むなんて許せない」、「夫の形見の茶碗を持っていくなんて許せない」などと言います。嫉妬妄想の場合は、「あいつは性悪だ」、「私がたくさん面倒をみてあげたのに浮気している」、「私の下着を女に貢いでいる」など、相手に対するネガティブ感情を露骨に表すことが多いです。長年の恨みが積もっている場合もあるようで、本人は自分が相手に行う攻撃を正当だと信じて疑わないようです。妄想は、本人にとっては「揺るぎない信念」のようです。

鏡現象

認知症の人が、鏡に映った自分と、あたかも他人と会話するように話したり、物を手渡そうとするような現象を鏡現象といいます。認知症で稀に出現します。

鏡現象の定義は、①鏡に映った自分を正しく認識できない、②鏡に映った他人は認識できる、③相貌失認や著しい視覚障害を欠く、です。他人であれば認識できるのに、自分の顔を正しく認識できない状態をいいます。

あるとき、施設のケアスタッフが鏡と会話している利用者に声をかけてみました――「鏡に映っているのはどなたですか？」。すると、その利用者は鏡に向かって「あんた、名前を聞かれているよ、ちゃんと答えなさいよ」と言いました。このように、鏡に映っているのは自分によく似た仲良しですが、自分ではないと認識しています。竹中[41)]は、『鏡に映る自分がわからないのではなく、自分であるからこそ、そのような行動をとる』と述べています。アルツハイマー型認知症になると、生活は失敗の連続です。そして、介護者からは叱られたり卑下されたりと、つらい思いをして生きています。ところが、鏡の中には自分に似た人がいて、自分の言うことを何でも聞いてくれ、決して逆らいません。そして頷けば相手も頷いてくれます。微笑めば相手も微笑んでくれます。鏡ですから。認知症の人にとって鏡の前は安住の場所となっています。ところがそれを理解しない介護者が「問題行動」と捉え、鏡を布で覆い隠します。認知症の人の気持ちを理解していない、この介護者の行動こそが「問題行動」なのです。

人形現象

アルツハイマー型認知症の女性が人形をわが子のように慈しみ世話を焼く姿を、介護施設でよく見かけます。このような人形をケアする行為によって徘徊や興奮などが軽減する効果を見ると、心の平安に役立っていると思えます。ただ抱いているだけでなく、話しかけたり、食事をあげたりと甲斐甲斐しく面倒を見ます。人形を指して、これは何かと尋ねると、「私の子ども」という答えが返ってきます。人形ではなく子ども（人間）と認識しているのです。ところが、竹中[41]によれば、このような高齢者に別の人形を見せると、「それは人形」と答えるといいます。不思議な現象です。そして、鏡に向かって話す現象と同様に、人形に話しかけたり世話をすることは、『認知症高齢者にとって唯一の人間関係を保てることなのだろう』と竹中は述べています。生活能力を徐々に失い、喪失感と不安でいっぱいになっている認知症の人にとって、人形は「人形であることを越えて」生きがいを与えてくれるよい道具になっていると思われるのです。

近年では、言葉を聞き分けて返事をするハイテクおしゃべり人形やコミュニケーションロボットを見かけるようになりました。認知症の人がハイテク人形（人型や動物型）を抱きながら楽しそうに会話しているところに近づくと、「この子、しゃべるんだよ」と言います。「嬉しい」「ありがとう」などポジティブな言葉を色々しゃべり、歌も歌ってくれる人形なので、脳活性化リハの小道具としても役立ちそうです。Wi-Fi を使って見守り機能を付加しているものもあります。価格も家庭で購入しやすい設定になっています。

一方のコミュニケーションロボットは、ここ数年でより高性能になり、100 人もの顔と名前、会話内容をしっかりと記憶し、人間のように自然に会話することができるものも現れました。さらに、人のいる生活空間を認識して移動したり、ゲームや体操の指導までこなすことができます。声かけやコミュニケーションの時間がなかなかとれない介護現場や独居の高齢者にとっては、脳活性化だけでなく精神の安定や身体機能の向上にも役立っています。ただし、価格的に高いことや維持管理に手間がかかるなどの理由から普及しにくい側面があります。

Let's try! 幻覚・妄想への対応

幻覚・妄想は、実際には生じていないことなのですが、本人にとっては現実に今体験している事実なのです。妄想は、絶対に自分の主張が正しいと確信しているがゆえに妄想なのです。これを否定して修正を強いることは無意味です。「そんなことはあり得ないですよ」と矛盾を指摘したり、否定するのは逆効果で、妄想を増強します。**否定は強化になる**という理解が大切です。介護者から受けた否定的な感情反応は、幻覚・妄想の状態であっても意識化され持続しますので、認知症を悪化させることになります。妄想への対応方法としては、受容的な態度で黙って聞き、肯定も否定もしないことが大切です。認知症の人の言動をあるがままに受け入れ、内容をよく傾聴（または観察）し、推測します。ほとんどの内容が本人の生活歴を背景としていますので、性格、生育歴、職歴、趣味、家族関係などを把握しておき、妄想中の言動が何を意味しているのかを知る手がかりとします。そして、介護者はその場に応じた「よき演出者」となることが必要です。妄想に触れないことで強化を避けるのです。

幻視の場合は、本人に見えていることは否定しないで、本人以外には見えていないことを伝える修正が有効なこともあります（後述）。

幻覚・妄想への対応はケアが基本ですが、重度な場合は様子を見ながら抗精神病薬や抑肝散などが投与されます（355 ページの「11. 行動・心理症状の薬物療法」を参照）。ドネペジルなどのアセチルコリン作動薬は、幻視に対してしばしば著効しますし、記憶障害を改善して妄想を軽減することもあります。その一方で、易怒性・攻撃性が増して介護が困難になる場合が多いです（効きすぎ症状）。内服していなければ使ってみる。逆に投与されていれば中止してみる。このようにいろいろ試して、適量の処方を見つけるのが基本です。よいケアと少量かつ適切な薬物は相乗効果を示します。医療とケアの連携が特に重要なのが、幻覚・妄想への対応です。

【1】幻視・幻聴への対応

幻視・幻聴症状があるときは、本人も不安を感じている場合が多いため、まず 5W1H の質問（109 ページ）をして、本人が見えているもの、感じているものを把握し、続いてその世界を受容します。ただし、細かく質問しすぎると、症状そのものが増強され悪化してしまうので、表面的なやり取りにとどめます。

そして、不安の材料がわかったら、否定や叱責はせず受容し、その不安を取り除くように対応します。例えば、亡くなったはずの夫が手招きして向こうで呼んでいるという場合であれば、「ご主人様はすぐにこちらへ来てくれるそうですから、お茶でも飲んで待っていましょう」と言って、実際に一緒にお茶を飲むようにします。このように、状況に応じて「**よき演出者**」となって対処することが大切です。幻視で死んだ夫に会うことがよい効果を生み出していることもありますので、見えているものが本人にとって好ましいものであれば、あまり騒ぎ立てしないほうがよいでしょう。

幻覚があっても受容する

レビー小体型認知症の場合は、タンスの上の置物を片づけるなど部屋を整理整頓したら「部屋の隅から誰かが覗いている」という錯視が消えた例、夜間の照明を工夫したら「変な人」が見えなくなった例など、環境調整が有効な場合もあります。

また、重度でなければ、本人には見えていることを認めたうえで、介護者には見えていないという事実を穏やかに伝えると、「幻（まぼろし）」だと理解できることが多いです。「幻が見える病気のせいであなたには見えているようですが、私には見えません」と正直に伝えると、受け入れてくれます。また、「見えたら触ってご覧なさい」と伝えると、「触れなかった」「触ろうとしたら消えた」などと幻視であることを理解してもらえます。そして、幻だとわかると安心します。レビー小体型認知症では、抑肝散やアセチルコリンを増やす薬剤が有効です。

【2】もの盗られ妄想への対応

例えば、嫁にお金と通帳を盗られたと言う場合であれば、まずは否定せず、話を聞いて受容し、5W1H の質問をします（109 ページの「【4】5W1H の質問とパターンの分析により、真のニーズを把握する」を参照）。それでも見つからないことを不安がるようなら、「一緒に探しましょう」と言って、対応します。たとえ介護者が発見しても自分の手柄にせず、本人に見つけてもらうように誘導し、一緒に喜びます。普段から介護者が保管しておいて、必要に応じて差し出してもよいでしょう。また、少し間を置いてから、他の興味があることに誘って一緒に楽しく過ごすようにします。

不安や寂しさから生じる場合が多いので、数千円ほど入れた財布を手提げ袋に入れて常時身近に持ってもらったり、普段からなじみの関係を築いて安心感をもってもらうことが重要です。

「ご飯を食べさせてもらえない」「あの人は意地悪だ」などと被害妄想をもっている場合は、孤独感や不安感がなくなるように、楽しく行えて本人が打ち込めるものを探して、一緒に活動するようにします。在宅の場合、時には介護者と距離を置き、関心が他者に向くようにするために、デイサービスなどを利用するとよいでしょう。

また、話し相手や頼る人が介護者しかいないこと、寂しさや不安から陰口を言うことなどを理解し、接触や会話を増やすようにします。何気ない言葉や態度に傷つくため、冷たく感じさせるような言動は極力避けます。

具体例を紹介します。初期のアルツハイマー型認知症のAさんについて、介護者であるお嫁さんからデイサービスの生活相談員に次のような相談がありました。内容は、Aさんが財布や現金をしまい忘れては、お嫁さんが盗んだと言って、直接お嫁さんを責めたり、Aさんの息子（お嫁さんの夫）にも言いつけるので、どう対応したらよいかというものでした。AさんはADLやコミュニケーション能力は特に問題がないのですが、近時記憶の低下から何回も同じことを言ったり、同じことを繰り返して行うことが主症状の方でした。生活相談員はお嫁さんに、Aさんが持っている現金の残高と、どこに財布や現金をしまう習慣があるかを把握することと、普通の状態のときに一緒に散歩したり、コミュニケーションを意識的に図るように伝えました。また、盗んだと言われて責められたときは、病気だと思って怒らないことと、一緒に探すようにアドバイスしました。お嫁さんも素直にアドバイスに従った結果、同じ言動の繰り返しは変わらないものの、お嫁さんへの被害妄想はなくなり、二人の関係も以前よりよくなったという報告を２か月後には聞くことができました。

【3】嫉妬妄想への対応

配偶者の不貞を疑い、執拗に相手を言葉や暴力といったかたちで攻撃までしてくる嫉妬妄想は、介護者に大きな恐怖感や疲弊感を与えるものです。このようなときは、「自分は邪魔者で、見捨てられるのではないか」という不安や負い目が妄想となって表出されることを理解して、否定せずにすっといったんその場を離れるようにします。夫の浮気相手が自分の世話をしてくれるヘルパーさんと思い込む場合もあり、二人がちょっと事務的な会話をしている場合でも嫉妬妄想が起こる場合があります。このような場合も否定すればするほど相手を興奮させてしまい、収拾がつかなくなってしまいますので、否定せずにどちらかがいったんその場を離れるようにして、優しく接するようにします。

大切なことは、背景にある相手の不安や負い目の感情を理解して、対等の立場であるという気持ちや自分の存在意義を本人に感じてもらえるように、日常の中で本人が他者の役に立っていると実感できる状況をつくることです。五目並べや絵画など本人の得意とすることの先生役になってもらったり、疲れたので少しマッサージしてほしいなどとお願いしてもよいでしょう。「自分も相手の世話をしている、対等な人間関係なんだ」と実感できれば、いつの間にか嫉妬妄想が消えていきます。

嫉妬妄想の背景には健康格差が隠れています。本人よりも介護者のほうが健康レベルが高く、介護者は自由に外出し、いろいろな人と交際できます。一方、本人は認知機能が低下し、健康レベルが低下しています。そして、それがさらに低下していく不安を抱いています。そこで、「腰が痛くてつらい」「手伝ってもらえると嬉しい」「いてくれて助かる」などと、本人に対して介護者が弱みを見せたり感謝することで、相対的に格差の解消を図ることが嫉妬妄想に有効といわれています[42]。

詳しくは第３部で述べますが、自信を失い、不安いっぱいの認知症の人に対して、「あなたは大切な人です」「あなたがいてくれて嬉しい」「あなたはかけがえのない存在です」というポジティブなメッセージを介護者が発信し続けることが、「他者から認められること＝他者承認＝存在肯定」となり、不安や負い目の感情を打ち消すことになります。これらの言葉は、意味を考えると言いにくくなることもありますので、「呪文」や「念仏」と思って意味を考えずに、何度も口に出すと効果的です（208 ページを参照）。

もの盗られ妄想に対する物語を用いた介入

筆者はもの忘れ外来の担当医として、もの盗られ妄想に対して物語を用いた介入を試みています。メタ認知と病識に関する総説論文に「アルツハイマー型認知症患者は自分の認知障害は自覚しにくいが（病識が低下しているが）、他者の認知障害は認識できる」[43]と記載されていたことに着想を得ました。認知症の人がデイサービスに行くと、「私はぼけていないのだから、あんなぼけた人ばかりのところに行くのは嫌だ」と言います。このように、本人の病識が低下していても、他人の認知障害は検知できるようです。そこで、妄想を訴える本人に「認知症あるある話・妄想バージョン」（山口晴保・山口智晴Ⓒ）を読んでもらう中で、質問を挟みます。

> ぼくは、おばあちゃん、お父さん、お母さんの四人暮らしです。
>
> おばあちゃんは、もの忘れが増えてきて、いろいろなものをしまい忘れます。

最近は、「財布がなくなった」と言い出しました。そして、ぼくのお母さんに「返せ！ ドロボー」と言って、お母さんを責め立てます。
最近は、財布を盗られないように、押し入れの中に隠しています。だけど、財布を隠したことを忘れて、「嫁に財布を盗られた」と言います。
ぼくはお母さんがかわいそうで、押し入れの中を探して財布を見つけました。でも、おばあちゃんは「嫁がそこに隠した」と言って、お母さんに謝まってくれません。
ぼくは、優しかったおばあちゃんが変わってしまって悲しいです。

〈質問例〉
＊この話を読んで（聞いて）どう思いましたか？
＊もの忘れがあると、他人を犯人だと間違えてしまうことがあると思いますか？（Yes or No）
＊あなたが、犯人にされたお嫁さんの立場だったらどう思いますか？
＊このおばあちゃんがどう変われば、一家は仲良く暮らせるでしょうか？

中等度までのアルツハイマー型認知症の人に試みていますが、このような他人事の物語については、「おばあちゃんのしまい忘れなのに嫁を犯人にして嫁がかわいそう」などの反応を得られます。そこで、「アルツハイマー型認知症になると、いろいろなものが目の前から忽然と消えるなど、不思議なことが起こりますね。大抵の場合はどこかにしまったんだけど、しまったことを忘れてしまう。だから、盗られた！と思っちゃう。他人に『盗ったものを返せ！』と言う前に、自分のしまい忘れかな？ と考えたほうがいいかもしれませんね」と本人に伝えます。この物語を読んで、「これは以前の私だ」と答えた外来患者もいました。「いやいや、今も同じなんだけどな」――筆者の心の中のつぶやきです。

この物語は、妄想のターゲットになっている家族介護者にも読んでもらいます。すると、①認知症があるとこのような症状が出るのだと理解し、②世間ではよくある話で、犯人にされるのは私だけではないんだと、介護者が少し救われます。

9 各論６：徘徊（探検、ひとり歩き）のケア

9-1　徘徊―医学的視点から―

徘徊とは、無目的に歩き回る様を示し、認知症中期にしばしば出現します。しかし、この行動を本人の視点で見ると、決して無目的に歩き回っているわけではなく、何らかの理由があって歩き回っています。例えば眼鏡を探しているのかもしれません。夜中に起きたら変な所にいるので、ここはどこかと探検しているのかもしれません。

徘徊への対応は、①歩き回る徘徊（元の場所に戻る）と、②家や施設から抜け出して遠くへ行ってしまう無断外出と迷子（戻れない）に大きく分けて考えるとよいでしょう。

小澤[39]は徘徊を、①徘徊ではない徘徊、②反応性の徘徊、③せん妄による徘徊、④脳因性の徘徊、⑤「帰る」「行く」に基づく徘徊、の五つに分類しています。

①**徘徊ではない徘徊（迷子）**――場所の見当識障害のため、外出すると道がわからずに迷子になります。アルツハイマー型認知症でよく見られ、脳内にあった地図が失われた状態といえます。同じ経路を繰り返して歩く真の徘徊（周徊）ではありません。

②**反応性の徘徊**――なじみのない場所に置かれることによって生じる見当識障害と不安を基盤にして出現する徘徊です。施設入所や転居したてで、どこにいるかわからない、家に帰りたいが帰れないという不安から、堅く不安げな表情で足早に歩き回る徘徊を指します。新しい住環境に慣れて「頭の中の地図」ができれば消失しますが、新しく記憶することが困難なため、時間がかかります。アルツハイマー型認知症でよく見られます。

③**せん妄による徘徊**――せん妄状態（意識障害の一種／349ページの「10．認知症とせん妄」を参照）にあるので集中力や注意力がなく、ボーッとして視線が合いません。現実にないことを言うなど興奮状態（過活動性）で歩き続けたり、ぼんやりとして活動性が低下（低活動性）する中で、夢遊病のようにふらふらと歩き続けたりします。夜間に発生することが多く（夜間せん妄、**図2-15**）、時間の経過とともにその状態が

図 2-15　夜間の徘徊

変動します。意識障害の原因に対処することで軽快します。レビー小体型認知症では、このような症状が出現しやすく、せん妄との鑑別がしばしば困難です。

④**脳因性の徘徊（周徊や周遊）**——脳の器質障害によって引き起こされる衝動性亢進の症状です。前頭葉が障害されると出現するので、行動障害型前頭側頭型認知症（前頭型ピック病など）や前頭様症状の強いアルツハイマー型認知症などで見られます。いつも同じような軌跡を描き、早足で、堅い表情で、前に人が立っても押しのけるように歩く「周徊（周遊）」が特徴です。

⑤**「帰る」「行く」に基づく徘徊**——不安な現在から、最も生き生きと生活していた古きよき過去の時代への帰郷願望です。特徴は、女性が「故郷へ帰る」、「家に帰ってご飯の用意をしなければ」など、男性が「（かつての）職場へ行く」などと訴えることです。これは徘徊というより、無断外出です。現在行っているはずのないことをもっともらしい態度で主張して、外に出て行こうとします。外へ出ると脇目も振らずまっしぐらに歩き続け、これほどの距離を歩けるとは想像もできないほど遠方で発見されることもあります。迷子になって警察の世話になるなど、家族の介護を困難にします。特に夕暮れどきに多いことから、**夕方症候群（夕暮れ症候群）**とも呼ばれています。ごく軽い意識障害を伴っているので、これをせん妄と捉える考え方もあります。アルツハイマー型認知症や血管性認知症でよく見られます。

竹中は、「帰る」「行く」に基づく徘徊の中に認知症の本質を見いだしています。なぜ近くをうろうろするのではなく、脇目も振らずに驚くほど遠くまで行ってしまうのか。名前や住所は覚えているのに、なぜ他人に尋ねようとしないで歩き続けるのか。これらの本質は、迷子になったという状況判断をもてない、または迷子になったらどう対処したらよいかという判断ができないところにあると捉えています[44]。

9-2　本人視点では探索・探し物・帰宅

認知症の人の世界を解説した本に、本人の体験が紹介されています——『夜、時計の針が 22 時を回った頃、突然「そろそろ家に帰らないと」と思ったので、支度を始めました。パジャマの上からコートを羽織り、バッグに財布やスマートフォンを入れて、「そろそろ、お暇しますね」とその家の主人に言いました。するとなぜか、その人はいきなり怒り出し、「何言ってるんだ、ここがあなたの家でしょう！」と腕を掴んできたのです。ここは私の家ではないし、何が何だかわからず、怖ろしくなってしまいました。その男は息子だったのですが、そのときの私には、そうは見えなかったのです』[45]。このように、本人には家から出る理由があります。本人なりの理由があって出ようとするのですが、介護者側から見ると徘徊・無断外出となります。特に夜間は、本人が目覚めたときに「あれ、ここはどこだ？ 家に帰らなくちゃ」となりやすいのです。

本人は「徘徊と言われたくない」と言います。ですから、パーソンセンタードケアでは徘徊という差別的な表現をやめて、探索とか探検、「ひとり歩き」といった表現を使います。

自験例（70歳代の男性）では、『「ここは自分の家ではない」と思って家から出て、歩き続けたけどなかなか着かない。そしたら生意気な若造が無理矢理私を車に押し込もうとしたので若造（若い警察官）を蹴った。そのまま車（パトカー）で拉致されて（留置場で）一晩泊まってきた』と本人が語りました。警察官は道に迷っていた自分を救ってくれた恩人だという態度は、つゆほども見られませんでした。

Let's try! 徘徊のケア

医学的には、徘徊の基盤にある病態や要因を明らかにして、それぞれの様相に応じて対応し、徘徊行動そのものを防ぐ積極的な対応が望まれます。前記のようにそれぞれの徘徊でその背景が異なっていますが、全般的には場所の見当識障害と不安を基盤にしています。対応の基本は不安を減らすポジティブケアで、具体的には、①場所を覚え、②環境に慣れ親しみ、③今いる場所が楽しいところとなって、④そこに役割や日課があり、⑤ほかにどこにも行く必要がないと思うようになることです。部屋に昔使っていた道具や、本人のお気に入りのものを揃えるとよいでしょう。また、笑顔で対応し、明るくて居心地のよい雰囲気をつくることも大切です。役立ってほめられることも有効です。頻繁な夜間外出に家族（介護者）が難渋する場合などは、抗精神病薬（ドパミン拮抗薬）や睡眠薬（スボレキサントやラメルテオンなど）が必要な場合もありますが（355ページの「11．行動・心理症状の薬物療法」を参照）、あくまでも正しいケアが基本です。

安全対策として、服の襟元や裾の裏などに氏名と電話番号を書いておくことを家族（介護者）に勧めます。見守りキーホルダーを発行している自治体もあります。キーホルダーに記載された登録番号を発見者が地域包括支援センターなどに連絡する仕組みで、匿名のまま対処できます。また、行方不明になったときに居場所を割り出せるGPS装置を貸与する自治体も増えています（例：前橋市では月額1,000円）。小型で靴のかかとに忍ばせるタイプもあります。

【1】反応性の徘徊（失見当による徘徊）

早めに慣れ安心して暮らせるように、ポイントとなる場所がすぐわかるようにします。例えば、トイレには「便所」と大きく書いて掲示します（色分けした男女のトイレマークでは認識できません）。認知症でも認識しやすいトイレマークが開発されています[46]。施設では不安や孤独感を和らげるために、新しい利用者には特に注意を払って対応し、他の利用者たちとなじみの関係ができるように援助します。なじみの関係ができると、不思議と「家に帰りたい」という言葉が聞かれなくなります。

家（在宅の場合、生家や元の家）に帰ることを強く訴えるような場合は、本人の訴えを否定せずに一緒に外に出て、ほかのことに考えが転じるように働きかけます。

転居などによって、新しい環境に慣れずに徘徊する場合は、本人の居室の家具の配置を元の家と同様にします。転居したての時期は特にコミュニケーションを多くして、孤独感や不安を感じないように工夫します。

【2】せん妄による徘徊

せん妄の原因に沿った治療やケアを行うことが第一です（349 ページの「10. 認知症とせん妄」を参照）。強引に行く手を阻んだり、抑制・拘束しようとすると、興奮して乱暴することもあります。手を握り、「そばにいるから大丈夫ですよ」と言って安心感をもってもらい、夜間の場合は、静かに横になれるように誘導します[30]。また、部屋や廊下など本人がいる場所を明るくします。

昼夜逆転による夜間不眠になっても起こるので、日中はしっかり覚醒し、心を外に開いて生き生きと過ごせるように援助します。

訴えを否定せずに一緒に外に出る

【3】脳因性の徘徊（欲動・衝動性の徘徊）

若年性での頻度が比較的高い行動障害型前頭側頭型認知症（前頭型ピック病）は、人格障害も伴い、脇目も振らずに一心不乱に早足で歩くことを特徴としています。周徊して戻ってくる点では安心ですが、周徊途中でいろいろなものを持ってきてしまうことがあります。よその家の自転車、果物、花などを勝手に持ってきてしまうので、介護者が謝りに行く必要が生じます。警察に通報されないようにするためには、ルート上のご近所に事前説明しておくことも大切です。

身体的には問題がなく、まだ活力がある場合が多いため、一緒に運動、散歩などの興味を引くものに注意を向けるようにして、その活動性を転換します。行動をともにして、安心できるようにします[30]。適切な行動（例：塗り絵）を習慣化することで不適切な行動を減らすルーチン化療法（117 ページを参照）を活用してもよいでしょう。

薬剤の併用が有効な場合もあります（355 ページの「11．行動・心理症状の薬物療法」を参照）。

【4】「帰る」「行く」に基づく徘徊（仮性行為としての徘徊）

夕方症候群で、「家に帰ります」と言って自宅から出て行こうとするとき、どんな対応がよいでしょうか？ ①「何言っているの！ ここがあなたの家でしょう。ほら、この住民票を見てください。あなたの名前が、ここの住所のところに載っているでしょう」――証拠を示して説得しても、本人は納得していないので、またしばらくすると同じことを言い出すでしょう。②「では一緒に行きましょう」と肯定する――一緒に外を歩き、楽しく雑談をしながら気分転換を図り、疲れた頃に「そろそろ帰りましょう」と家に戻ります。このような対応ができればよいですが、介護者は大変ですね。③「チョットこれを食べて待っていてくださいね。そのあとで一緒に出かけましょう」と甘いものを差し出す――この対応は、本人の主張を決して否定していないので、うまくいくと甘いものを食べているうちに落ち着いてしまいます。②と③の例のように、ケアには柔軟性が必要で、正解はありません。

「帰る」「行く」に基づく徘徊の根本には、今住んでいる家が「わが家」ではないと本人が思っていることがあります。その理由は、今ここの生活に満足感がないからと考え、本人の興味を引くものを探し、役割（夕方の日課など）や居場所をつくります。そうすれば、そこをわが家と思うようになり、「家に帰ります」と出て行く行為は減少します。

あるグループホームでは毎日 16 時頃から 1 時間程度、夕方症候群のある利用者のためにカルタやトランプゲームなどテーブルでできる遊びを習慣化することにしました。結果として、その利用者の徘徊が減少したのはもちろんですが、ゲームに集中できるために頻尿の人のトイレに行く回数が減少したり、不穏な利用者が落ち着くなどの効果も生まれています。また、別の施設では、夕方になるとスタッフがギターの弾き語りを始め、利用者が集まって「歌声喫茶」となります。そろそろ帰宅しようとソワソワしだす利用者を落ち着かせ、そのまま夕食にという作戦です。これで、いわゆる帰宅願望行動が減りました。

徘徊しているときにはお菓子がいい？

大声を出しながら夜間に徘徊するＳさん。他の利用者の居室に入り込み「おい、起きろ！」と叫ぶため、「迷惑だからこっちに来てください」と言っても、言うことを聞いてくれません。次に、お菓子を見せ「こっちに来てください」と言うと、すんなりこちらにやってきてくれました。職員と椅子に座ってお茶を飲みお菓子を食べ終わると、「寝るよ」と自分から部屋に戻っておやすみになりました。甘いものは気持ちを落ち着ける効果があるため、言葉で納得してもらえない場合などには、こうして使用します。スウェーデンの施設では、チョコレートのような甘いお菓子が居間のコーナーに置いてあって、いつでも食べたいときに食べられるようになっています。

「食事の用意をしないと、嫁に怒られる！」

グループホームに入居しているＮ子さんは、夕方の４時半頃になると、突然、居室からバッグを持ち出して外に出て行こうとします。職員が「どこに行くのですか？」と尋ねると、「こんなことはしてられない、食事の用意をしないと、嫁に怒られる！」と言って、先ほどまでの機嫌はどこへやら。この頃になると形相も変化し、「ご飯の用意」一点張りになります。このようなときは一緒に出てみますが、すごい早足である方向に向かって行こうとします。そこで、追いかけながら聞いてみます。

職員：「Ｎ子さんの家はどこでしたっけ？」
Ｎ子：「Ａ市だよ！」
職員：「じゃあ、歩いていくのは無理ではないですか？　ここはＢ市ですから」
Ｎ子：「そんなことはないよ、人を騙そうとして！」
（電柱に貼られた住所を指さして、納得してもらえることもありました）
職員：「やっぱりＡ市まで歩くのは大変でしょう。食事の準備が必要かどうか、電話で聞いてみましょう」

ここで、ほとんどの場合は納得し、ホームまで戻ることができましたが、戻ってからも電話することを記憶していて、実際に家族に電話をしたことが３回ほどありました。夕方症候群は、入所してから半年間にわたって週に3～4回くらいの割合で続きました。

10 各論7：不潔行為、攻撃的言動、性的言動のケア

ここでは、不潔行為、攻撃的言動、性的言動のみを取り上げます。

10-1　不潔行為とケアのポイント

不潔行為とは、弄便（ろうべん）（尿）など排泄物を弄ぶ（もてあそぶ）、尿を撒き散らすなどのことをいいます。このような行為は、在宅・施設を問わず介護者を困惑させるものの一つで、「認知症になると清潔感がなくなり恐ろしい」と感じさせてしまうようです。それでは、本当に認知症になると清潔感がなくなり何もわからなくなるから、このような行為をするのでしょうか。実はよく観察すると、それぞれの行為には下記にまとめたように様々な原因があることがわかります[47]。それぞれの原因を究明し，取り除いたり、上手に対処すると、不潔行為が軽減することがわかっています。原因を見極め適切に対応することが必要です。中等度の認知症では羞恥心や罪悪感が残っている場合が多く、介護者の反応や対処方法によっては、状況をさらに悪化させている場合もあります。してしまった行為を叱ったりせずに、また、汚物を処理するときには小言や文句を言わずに淡々と作業することが大切です。

1）残便（尿）・便秘による不快感

残便（尿）や便秘の場合、その不快感から自分の指で便を掘り出そうとして、手や周りのものを汚してしまうことがあります[47]。

＊水分摂取を増やし、腹部マッサージや温湿布で刺激を与え、残便を出します。

＊便が出ず不快感が続くようならば、食事を工夫したうえで、緩下剤や麻子仁丸（ましにんがん）（漢方）を服薬します。

＊野菜、コンニャク、干しブドウなどの乾燥果実や、ヨーグルトなどの発酵食品が有効です。

＊便秘は、攻撃的行動やせん妄の誘因となることもありますので、適切な対応が必要です。

2）蒸れや暑さ、掻痒感による不快

オムツ着用による蒸れ、暑さ、皮膚疾患などによる掻痒(そうよう)感から便を弄びます[47)]。

＊排便（尿）のリズムを見つけ、言葉やサインを見分けてこまめにトイレ誘導を行い、定期的に排泄ができるよう援助し、オムツに便が残らないよう配慮します。

＊原因となる皮膚疾患を治療します。

3）排便後の汚物処理ができないとき

居室で排便してしまい、困惑して夢中で処理しようとするために、気づいたときにはシーツなどあちらこちらに汚物が広がっているケースは少なくありません。また、トイレまで行って排便できても、便器や床を汚してしまい、自分で拭こうとして、さらに汚れを広げてしまうことがあります。流し方がわからず、排泄物を始末しようとしていじり廻している場合もあります。

＊居室やトイレの中での様子がおかしい、臭気がするなどに早めに気づき、対処します。

＊見えるところにトイレットペーパーやティッシュを置きます。トイレットペーパーは先端を 10 cm 程度垂らしておくと使いやすいです。

＊水洗レバーは赤色テープを巻いておくと目立ちます。

＊トイレに入ったら、適切な排泄姿勢を確保できるように援助します。

＊自分で処理しようとしてかえって汚してしまった行為を叱らずに、片づけようとした行為を認めましょう。

＊笑いヨガの「笑い飛ばし」（175 ページ）で、汚れたところを指さして大声で「アッハハハハ」と笑うことで、ストレスを感じにくくする「一人ストレス撃退法」が有効です。

4）生理的要因

トイレまで行こうとするのですが間に合わず、途中で失禁したり、廊下の隅などに放尿・放便をしてしまいます[47)]。特に血管性認知症では、動作が遅くなることと、尿意を感じると我慢できないことから、多く見られる症状です。また、汚したことを恥じ、タンスや押入れの中に便や尿で汚れた衣類をしまい込んでしまうことがあります。

＊ゴムひものズボンなどで、迅速な衣類操作の工夫をします。

＊排便（尿）のリズムやサインを見つけ、定期的にトイレ誘導を行います。

＊夜間などは身近にポータブルトイレを置きます。

＊失禁したり、放尿（便）してしまったときは、叱責せずに「歳をとれば、誰でもあることですから」と受容的な態度で接します。

＊汚れた衣類をタンスや押入れなどに隠しているときは、羞恥心やプライドからそのような行為をするため、決して叱責せず、本人がいないときに処理します。

トイレ以外で放尿しても、プライドを傷つけない対応を

5）誤認や空間失認

居室内のゴミ箱や洗面台のようなトイレ以外の場所で放尿したり、トイレの場所が認識できなくて放尿・放便をしてしまいます[47]。

＊ポータブルトイレを居室内の見えやすいところに設置します。ポータブルトイレをトイレと認識できない場合は、背後の壁に「便所」と書いた標識を貼ります。

＊迷わずトイレに向かえるよう、トイレの入口には、「便所」と昔の表現で書いた標識をつけておきます（男女のイラスト標識はトイレとして認識できない場合が多いようです）。施設であれば、トイレのドアの色を変えることや、トイレまでの経路の壁や床に「便所➡」のよう表示することも有効です。トイレのドアに愛犬の写真を貼ったらうまくトイレを使えたという事例もあります（認知症ケアの体験を投稿するサイトで様々な工夫が成功率とともに載っている「認知症ちえのわ net」より）。

＊排便（尿）のリズムやサインを見つけ、定期的にトイレ誘導を行います。

＊室内排便を咎めると「それは私のじゃない。犬の（糞）だ」などと責任転嫁します。その背景にあるつらさを理解して、責めないようにしましょう。

＊ゴミ箱への排尿なら、ふとんの上よりはよかったと、前向きに考えましょう。

6）介護者の叱責やケアに対する反発

排泄の失敗を叱責されたり、本人の羞恥心やプライドから、かえって便をなすりつけたり、隠したりします。また、介護者のケアに対して不満があり、その反発として弄便などの行為をする場合があります[47]。

＊介護者の接し方、対応に問題がないか考えます。注意、小言、叱責のようなネガティブな対応は、混乱や困惑、怒りを招くだけで、何も改善されることはないことを認識しましょう。

＊このような行為は、寂しさや不安の裏返しと考え、スキンシップや会話など、一緒にゆっくり過ごす時間をとることで改善します（ポジティブケア）。

7）退行現象

認知症が最重度になると認知機能がさらに低下するため、便を不潔と思わず弄んだり、ごみと思い込んで摑んだりします。また、口へ運ぶこともあります。このような行動は、赤ちゃん返りともとれますが、誰からも関心が示されず、居室などに放置されてしまったときに起こる場合が多いようです。

＊便を弄ぼうとしているときは、本人は便をほかのものと思い込んでいる場合が多いので、何をしているところなのか、まず尋ねます。そのことを受容したうえで、ほかのことに興味が移るように誘導します。

＊爪の中や衣類に便が残っていないかチェックします。残っていれば、本人のプライドが傷つかないように、手洗いや着替えを心地よく行います。

＊周りに無関心になっている場合が多いですが、諦めずに何かできること、興味を示すことを探し、一緒に行います。

＊立ち上がると自動で水洗するトイレだと、排泄物が流されます。

「俺の手に触るな！」

夜間、多量の軟便を居室のベッド上で出してしまったＳさん。職員が気づいたときには少々時間が経過していたのか、本人の体だけでなく、シーツ、壁、床も便だらけ。シャワーで体を洗ってから部屋をきれいにしようと考え、手をＳさんに差し出します。すると「俺の手に触るな！ 汚いから」と思いがけない言葉が返ってきました。さらに、「こんな大変なことになって、まいったなぁ」「臭いんだよ」とも。Ｓさんは夜間に幻覚や妄想があり、放尿・放便をよくします。

だけど、「汚いことはわかっていたのだ、今度は失禁の前に気づけるようにしなきゃ！」――夜勤職員の独り言です。

10-2　攻撃的言動への対応

認知症の人は感情のコントロールがうまくできず、一度怒り出すと普段は使わないようなひどい言葉で相手を非難したり、暴力をふるったりします。そのようなときには介護者がより冷静になり、なぜ怒るのか、本人の視点に立って客観的にその要因を推測し（認知的共感）、それを取り除くことが必要です。命令や説得、暴力などで抑え込もうとすると、かえって興奮させることになります。どうしても治まらない場合は介護者を代えるとよいのですが、在宅などでそれができない場合は、その場から離れて危険がないか様子を見守るようにします。このような言動が頻回になってきた場合は、薬剤が必要なこともあります（355ページの「11．行動・心理症状の薬物療法」を参照）。

なお、前頭葉症状としての攻撃的言動については116ページで解説しました。

攻撃的になっていても、
まずは怒りを受け止める

1）状況の判断や理解ができないとき

認知症の人は穏やかにしていても、前後の話が理解できなかったり言葉が伝えられず、イライラして怒り出すことがあります。ゆっくりと繰り返してわかりやすく話を伝えるなど、原因となるものをキャッチして対処できればよいのですが、興奮してしまった場合は諭そうとすると余計に興奮させてしまいます。少しの間、冷静に様子を観察してみましょう。しばらくすると何に立腹していたのか忘れてしまい、元の状態に戻ることがあります。

2）夜間、覚醒したとき

夜間せん妄により、夜間に覚醒すると、寝る前は機嫌がよくても人が変わったように怒り出し、暴力的になる場合があります。このようなときには、言葉で説得することは避け、混乱や危険がなければいっときその場から離れて様子を見守ります。そのうちに声の調子や興味の対象がほかに移るときがありますので、そのときに声かけをします。まずは決して逆らわず、落ち着かせるように対応しましょう。説得は無駄に終わります。そして、せん妄への対応（治療）をします（352ページを参照）。

3）無理やり何かをしてもらおうとしたとき、何かをさせたとき

作業や入浴の介助をするために声をかけずに手を引っ張ったり、オムツ交換をしようとすると、認知症の人から手を跳ね除けられたり、つねられたり、大声で怒鳴られたりすることがあります。介護者が相手に何かしようとするときは、必ず事前に声をかけ、返答や同意の合図を待ってからとりかかるようにします。返答までに時間がかかることに配慮して、同意の意思表示をゆっくり待ちましょう。

また、室内で落ち着かない状態のまま散歩に出かけたりすると、元いた場所に戻ることを嫌がる場合があります。ここで説得したり、少し手を強めに引っ張ったりすると、すご

い剣幕で怒り出し、暴力を振るおうとすることがあります。このようなときは、介護者が一人で対応している場合が多いと思いますので、携帯電話などで他の介護者に連絡して迎えに来てもらうとよいでしょう。通りがかりのドライバーが見かねてグループホームまで送り届けてくれたこともありました。

10-3　性的言動への対応

施設入所者への性に関する調査[48)]によれば、男性の 29%、女性の 22% に性に関するトラブルが認められ、特に、自己抑制が十分にきかず、ADL 能力の高い認知症の場合、第三者も巻き込んだトラブルへと発展する可能性が高いと報告されています。中でも比較的頻度の高い介護者（嫁や若い職員、ホームヘルパー）への性的言動に対するケアのポイントを探ってみましょう。

在宅では認知症の舅がケアをしている嫁に対して、体に触れる、卑猥なことを言う、ふとんの中に入るように言う、風呂を覗くといった行為をすることがあります。亡くなった妻と勘違いしたり、もともと好意をもっていたようなケースが多いようです。いずれにしても、寂しさや不安からこのような行為に及ぶということを理解する必要があります。施設では男性利用者が若い女性職員の体に触ったり、卑猥なことを言うようなケースです。高齢者の性欲は、必ずしも直接的な行為を求めているものではありません。また、居宅サービスの中でも、ホームヘルパーの仕事は家庭という密室で行われるうえに、体に直接接触することが多いため、施設に比べるとトラブルが起こりやすく表面に出にくいという特徴があります。

＊自尊心を傷つけないように、できれば冗談を交えて、上手に相手の言動に対応します。強い口調や拒否の態度は、混乱や不快を招き、暴力的にさせてしまうことがあります。

＊淋しさのためにスキンシップだけを求めている場合もあるので、体や足をマッサージしたり、両手を握ったりすることで対応します。心温まる会話も安心感を与えます。

Let's try!
攻撃的行動や徘徊のケアの基本的姿勢
―ユマニチュード®の実践―

状況判断ができず、介護者の意図を理解できない認知症の人は、入浴やおむつ交換などを無理やり行おうとしたり、徘徊を止めようとすると攻撃的行動をとることがあります。

その行動の背景には、前述した通り、介護者の声かけがないこと（同意を得ていないこと）や、適切なケアではなかった場合が少なくありません。ユマニチュード®では、このような場面や認知症ケアの基本的姿勢として、「見る」「話す」「触れる」「立つ」という四つの柱を介護者が徹底して行うように勧めています[49]。

「見る」行為では、ただ見るのではなく、「あなたの存在を認めていますよ」という思いを伝えるために、正面の位置から相手と同じ目の高さで、触れられるくらいの距離で、0.5 秒以上アイコンタクトをとります。手を挙げたり、つばを吐きかけたりと攻撃的な相手に対しても、プロ（職業人）としてきちんと相手を「見る」のです。認知機能が低下してくると、外部の出来事や情報に関心がなくなり、情報の入り口としての視野が狭くなります。その結果、ケアをする人が近づいてきても気づかずにいきなり何かが現れたと思い、自分を守ろうとして攻撃的な行為をとることを理解する必要があります。ユマニチュード®では、相手の視線があわない場合は視線を「つかみにいく」という表現をして、常に相手の視線を捉えることを提唱しています。

「話す」については、声をかけても反応がない相手の場合でも、自分が行うケアを行為ごとに実況中継して相手に伝えていこうというものです。ユマニチュード®ではこれをオートフィードバックと呼んで、反応のない人へのコミュニケーションツールとして捉えています。実は介護福祉士などの養成課程でも、このケア行為の伝達はしっかり指導されています。しかし、ユマニチュード®ではさらにポジティブな言葉、つまり人間関係を良好にする言葉を添えるように提唱していることに特徴があります。清拭するときにただ「拭きますね」と伝えるのではなく、「温かいタオルで拭きますね」を添えます。さらに「気持ちいいですか？」をつけ加えて、相手の反応を見ます。また、ケアをするときに、相手ができないと思っても体を動かしてくれるように頼み、反応があるか３秒間待つことを２回するように提唱しています。筆者も非言語コミュニケーションのつもりで、まったく反応のない人の手を握りながら「強く握ってください」と伝えたときに、弱々しいながらも握り返してくれたことがありました。

「触れる」については、ポジティブな触れ方としてこちらの優しさが伝わるように、「広く」「柔らかく」「ゆっくり」「なでるように」「包み込むように」触れることを提唱しています。移動や移乗の際に相手の手を持って支える場合は、「強くつかむ」のではなく、両手で下から支えるようにします。間

見て、話して、触れる

違っても「つかむように」「強く」「急激に」触れることで、相手に怒りや恐怖感を与えてはいけません。また、身体に触れるときには、手や顔、唇のように感覚刺激に敏感な部分と、体幹や上下肢のようにやや鈍感な部分があることを意識しておく必要があります。

「立つ」について、ユマニチュード®では直立二足歩行がヒトの原点であるとして、「一日20分立位でのケア」を提唱しています。例えば寝たきりになってしまうと、身体の拘縮だけでなく認知機能も低下し、外部に関心がもてなくなることで内側の世界で生きるようになります。このような状態になることを予防したり、状態を改善するために、本人が40秒間立っていられるなら、清拭やトイレ介助、歯磨き・洗面、着脱などの場面で立ってもらうようにします。わざわざリハビリをしなくても生活の場面で何回も立って介助することで、20分間は最低でも立位を保持することになります。

ユマニチュード®が提唱する基本姿勢は、これまで対人援助サービスでばらばらに指導されてきた援助者の姿勢を、明快に整理したものであり、さらにそれを具体的な訓練方法として確立したことに意義があります。尊厳を支えるケアの基本的理念でもある人格の尊重や自立支援に通じるものですので、ケアにあたるすべての人が身につけてほしい姿勢です。『認知症ケア研究誌』(閲覧・ダウンロード無料)にユマニチュード®の総説[14)]が載っていますので参考にしてください。

11 血管性認知症の症状とケア

11-1　血管性認知症の症状の特徴 ―どのような症状の場合、血管性認知症を疑うか―

認知症の全般的な症状については第２部全体で記載しますので、ここでは血管性認知症の特徴を述べます。血管性認知症の症状は、その病変部位に依存するので、個人差が大きいことが特徴です。下記の症状は、あくまでも傾向を示したものだということに留意してください。

アルツハイマー型認知症では記憶障害が顕著であり、認知機能が全般的に低下し、病識も低下するのに比較して、血管性認知症の初期では、記憶障害は比較的軽度であり病識が保たれ、記銘や認知機能の一部に障害があっても、判断力や理解力は比較的保たれやすい特徴があります（**表 2-12**）。ただし、以下に述べる遂行（実行）機能障害のため、記銘障害を含め知的機能障害がより強い印象を与える傾向があります。つまり、初期アルツハイマー型認知症とは逆に、血管性認知症では記憶障害が目立たない代わりに、認知機能低下や意欲低下、性格変化が目立つ点が特徴で、早期に診断する手がかりを与えてくれます。

特に**アパシー**（apathy）といわれる**自発性の低下**や意欲の低下、無気力、無関心が目立ち、喜怒哀楽の表情が乏しくなります。一見するとボーッとしていて活気や元気がなく（意欲低下）、何をするにも億劫そうで、日常生活動作が緩慢で、会話での返答に時間がかかる思考の鈍麻が特徴です。また家事などの単純作業でも、段取りの悪さや要領の悪さ（**遂行（実行）機能障害**）が目立ちます。その半面、状況の理解、病識や記憶力の低下が軽度な場合が多く、一日の中でも、また日によっても症状の変動が大きく、初期の例では一見正常に見えるときすらあります。そのため、病状に対して、家族の受け取り方が比較的深刻ではなく、「歳だからしょうがない」と加齢に伴う症状と誤解しがちです。このため、できることとできないことが時や場合により変動しやすく、**まだら認知症**ともいわれます。この変動は覚醒度（意識レベル）の変化によってもたらされます。記憶機能の全般的な障害を認めるアルツハイマー型認知症に比較して、血管性認知症の記銘障害は軽度な反面、遂行（実行）機能障害が重い場合があり、検査にあたっては、十分な時間をかけて

表 2-12　血管性認知症とアルツハイマー型認知症の比較表

	血管性認知症	アルツハイマー型認知症
発症と経過	発症も進行も様々	緩徐に発症、徐々に進行
症状の変化	症状の変動あり、夜間せん妄	進行性に悪化
症状進行の個人差	大きい	比較的小さい
認知症の内容	まだら認知症、注意障害	全般的に障害
病　識	晩期まで保たれる	早期から消失
行動・心理症状	アパシー、強制泣き・笑い	徘徊、妄想
神経学的症状	運動麻痺や偽性球麻痺など	末期に出現
言語障害	多い（構音障害や失語症）	少ない
合併しやすい疾患	高血圧、糖尿病、高脂血症、心疾患	特になし

質問の提示方法を工夫する必要があります。

また、大脳皮質下の白質基底核を中心に障害されるため、皮質症状が中心のアルツハイマー型認知症とは異なり、運動麻痺やパーキンソン症状、**偽性球麻痺**による嚥下・構音障害などの運動機能障害を合併する率が高い点が特徴です。

以上、臨床的特徴をまとめると、①遂行（実行）機能障害を主体とする認知症状（記憶障害や見当識障害はあっても早期であれば軽度）、②アパシー、抑うつ症状などの精神症状や、情動の脆さ（156ページに詳述）、③歩行障害などのパーキンソン症状、嚥下障害、構音障害などの身体症状、に分けられます。

1）アパシー（apathy）：自発性や意欲の低下と無関心

脳卒中で倒れたあとは、生き生きとした気持ちが失われがちで、なんとなくぼんやりして毎日を過ごすことが多く、何ごとにもやる気が出ず、何をやっても長続きしにくくなりがちです。このように、興味が薄れ、自発性（発動性）と意欲が低下した状態を**アパシー**（apathy）といい、前頭葉、特に大脳白質のネットワークを介した前頭前野の機能低下と関係があるとされています。アパシーは一見するとうつ症状のように見えますが、いわゆるうつ病とは悲壮感に乏しい点が異なります。実際、血管性認知症に抑うつ症状が合併することは、比較的少ないとされています。この自発性・モチベーションの低下から、日常生活での精神活動も身体活動も低下しやすく、このことがさらに認知症を進める原因になります。このため、血管性認知症では、身体活動や精神活動を高めるリハが認知症の進行防止にきわめて重要です。また、血管性認知症を初期に診断する場合、うつ症状と認知症との鑑別が重要になります（344ページの「9. 認知症とうつとアパシー（自発性低下）」を参照）。

2）遂行（実行）機能障害

遂行機能とは、仕事や家事、育児のように生活上の課題を解決および実行するための、一連の複雑な認知行動機能の総称で、前頭前野にその機能があるといわれています（14ページの［ 脳の階層性と機能局在］を参照）。遂行機能は、①環境の認知（何が問題で、何をすべきか考える）⇒②行動選択肢の発見（どのような解決法があるか考える）⇒③計画立案、意思決定（適切な計画を決める）⇒④計画の円滑な実行（妥当な行動を実行する）⇒⑤行動の評価（適切に反省評価する）、の大まかな要素に分けられます[50]。仕事に譬(たと)えれば、業務に必要な適切な計画の立案、立案された計画に基づく業務の実行、実行された業務の点検と評価、その評価に基づく業務の改善と実行といった継続的な管理機能にあたります。この機能が障害されると、生活上遭遇する様々な問題を適切に解決することが困難になり、計画に基づいた一連の行動が始められなかったり、円滑に遂行できなかったり、逆に適切に行動を中断、終了できなくなります。血管性認知症では、覚えた知恵をうまく使いこなせず（記憶の利用障害）、頭の切り替えができず（概念変換の障害と保続傾向）、頭の回転が遅い（思考スピードの障害）ため、アルツハイマー型認知症と比較して、初期から遂行（実行）機能障害が出やすいといわれています。このため自立した家庭生活やより複雑な社会生活を営む能力が初期から低下し、自宅の中に閉じこもる傾向が見られます。

3）注意障害

血管性認知症では、前頭葉の血流と代謝が特に低下しているため、一連の行為を遂行する際に注意を集中させ持続することが困難になります。つまり集中力が切れやすく、一連の行動でミスが生じやすく、精神的に疲れやすいといった特徴があります。注意機能には、①脳に入るたくさんの情報の中から特定のものを選択して意識を向ける（選択的注意）、②その注意した対象に一定時間、意識を集中して維持する、③新たに生じた別な対象に注意を転換・分配する、という構成要素から成り立ちます。このため、血管性認知症を合併した片麻痺のリハでは、他のことに気をとられたり、疲労感から集中力が低下したりするなど、注意がおろそかになりやすく、転倒・転落や誤嚥などの事故のリスクが高いので配慮が必要です。

注意障害については「4-4 注意障害と記憶障害の関係」（93ページ）を参考にしてください。

4）感情、欲求の制御障害

血管性認知症では、感情や欲求を抑えたり我慢することができず、感情を爆発させたり（場違いの場面で怒ったり、笑ったりする**感情失禁**）、欲しい物を無制限に求めたり、金銭を浪費したりするなど、感情と欲求のコントロールが効かない場合があります。一般にアルツハイマー型認知症に比べて、血管性認知症では性格の変化が早期に認められることが多いといわれていますが、性格そのものがすべて置き換わるのではなく、今までの性格が強調されて先鋭化する（頑固な性格がますます頑固になる）といわれ、感情や欲求の抑制機能の障害が原因として考えられています。前述した「アパシー（apathy）：自発性や意欲の低下と無関心」「遂行（実行）機能障害」「注意障害」により、家庭生活や社会生活では様々な問題が生じやすく、このため漠然とした不安感や焦燥感を抱きやすいといえます。このような心理面でのストレスが感情や欲求を抑えられない一因と捉えることもできます。

5）巣症状や偽性球麻痺

血管性認知症で、大脳皮質〜皮質下に局在する病変がある場合は、それに対応して、片麻痺や失語症、その他の失行・失認など病変を特定できる症状（**巣症状**）が見られます。また、このような病変が大脳の両側にある場合や、多発性ラクナ梗塞型の血管性認知症（322 ページを参照）、ビンスワンガー型の血管性認知症（323 ページを参照）では、嚥下や発語に障害を生じる**偽性球麻痺**がしばしば見られます。この偽性球麻痺は、嚥下や発語などに関わる舌・口腔・咽頭・喉頭の筋肉の動きをコントロールする下部脳神経核（延髄の左右にあり球部といわれる）に対して、より上位の大脳皮質運動野から送られてくる情報（皮質球路）が、両側で障害されて生じます（一側性の皮質球路障害では偽性球麻痺を生じません）。このため、**嚥下困難**や**構音障害**を認め、しばしば両側性片麻痺を伴っているため歩行障害を合併しやすい傾向があります。このような人では、わずかな感情の興奮、例えば、顔を見せて「おはよう」と声をかけただけで、目を閉じ、大きく口を開けてカッカッと息を詰まらせて、泣き笑いのような表情を数秒間示します（**図 2-16**）。感情失禁と

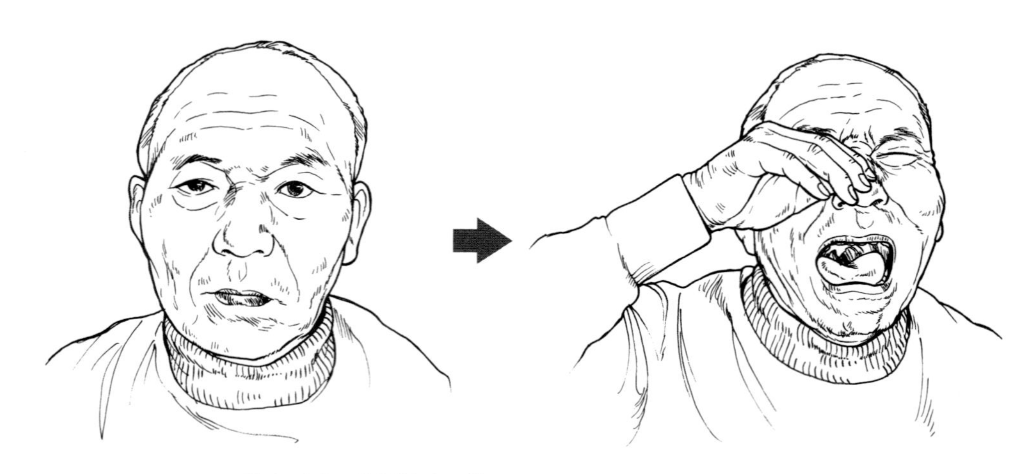

図 2-16　強制泣き・笑い
声をかけた途端に、左の表情から右の表情に急変する。

の違いは、嬉しい刺激でも、悲しい刺激でも、刺激の種類にかかわらず同じ反応が見られる点です。このような「**強制泣き・笑い**」は偽性球麻痺の特徴であり、この症状が見られると、血管性認知症が強く疑われます。感情失禁よりも、強制泣き・笑いのほうが、アルツハイマー型認知症との鑑別により有用です（**表 2-12** を参照）。

6）症状の変動

血管性認知症では、認知機能の変動がしばしば見られます。例えば、元気で受け答えもはっきりとしていて生き生きと活力が感じられる時期と、ボーッとして視線も定まらず受け答えも鈍い時期が、一日～数日くらいの周期で繰り返します。このような症状の変動の背景には、覚醒度の変化があります。覚醒度が下がる時期には、精神的にも身体的にも活動性が低下しがちですが、場合によっては、活動性が亢進して興奮気味で徘徊や攻撃的行動などが見られることもあります。

7）本人視点から見る生活の困難

血管性認知症の本人の声を紹介します。いつも外来をニコニコ顔で受診される元農家の A さんです。定期外来受診の折り、数年前に自動車運転免許を返納（高齢者講習の認知機能検査で引っかかった）してから、めっきり出歩くこともなくなり、最近では自宅でつまずくことも多くなったと、同伴の妻が珍しく相談してきました。本人曰く、「昔は麻雀仲間がいたけど、みんな歳で歩けなくなったり病気になったりで、外の用事も、畑の仕事は息子がやってくれるからね。転びやすいって？ まあ、歳だからさ、こんなもんでないかい。ばあさんがうるさく言うけどなぁ、やることもないしなぁ」。そんな本人を前にして、一日中、居間のソファで横になってばかりで少しも家のことをしてくれない、と不満気な妻――「動きはとろくて、立ち上がるのもやっと、いつか転んで怪我をするんじゃないかって。もともとしゃべらん人だったけど、しゃべりづらいのか、ますますしゃべらん。うるさく言うと怒るし‥‥」。このように、自分の身体の衰えを自覚（病識保持）している反面、仕事や家事のように計画立ってすることは、無気力といってよいほど、消極的です。

11-2　血管性認知症の経過

血管性認知症は動脈硬化に基づく全身性の疾患の一部と考えられ、その臨床経過は、内科的合併症（心臓疾患、腎臓障害などの他の臓器疾患や高血圧、糖尿病、脂質異常症、高尿酸血症などの危険因子）の有無で大きく異なります。特に他の臓器に動脈硬化性疾患を合併している場合には、単に認知機能低下や身体機能低下といった生活能力の問題だけではなく、命に関わる問題だと考える必要があります。血管性認知症は、ある時点から階段状に進行悪化することがあります。その原因としては、脳梗塞の再発と感染症などの合併症、転倒や骨折などの外傷が挙げられます。注意しなければならない点として、MRIなどの画像検査で病変の進行を確認できなくても症状が進行するケースがあることです。これは、自発性の低下や無気力、無関心が比較的強い場合に起こりやすく、このような場合、生活での活動範囲が限られ、屋内に閉じこもりがちになり、結果として対人交流の機会が少なくなり、社会生活から隔絶されやすいという悪循環が症状悪化の誘因です。つまり、健全な脳機能を保つためには、生き生きとした刺激の多い日常生活を送る必要があるということです。日常生活上、身の回りのこと（更衣、整容、食事、排泄など）が、ある程度自分でできる場合は、早期に適切な診断を行い、可能な範囲で周囲から支援や介入（薬物、リハなど）をすることで認知症の進行を抑え、重症化する時期を引き延ばすことが可能になります。つまり、適切な医療やリハを積極的に行えば、血管性認知症は必ずしも緩徐進行性ではなく、**回復**が期待できます。目黒ら[51]は、本邦では**脳血管疾患を合併したアルツハイマー型認知症**が血管性認知症と診断される傾向があり、このような例を除いた（純粋な）血管性認知症は、必ずしも進行性ではなく、リハのよい適応だと述べています。また、アルツハイマー型認知症とは異なり徘徊などの行動面での問題が生じにくいため、家族や周囲の者が比較的病状を軽く考えやすく、さらに、閉じこもり生活のため地域から気づかれにくいことから、血管性認知症では医療機関への受診が遅れ、適切な診断と治療支援につながりにくい点を問題として挙げています。

Let's try! 血管性認知症のケアの原則

症状の出現が概ね一定の経過をたどるアルツハイマー型認知症と異なり、血管性認知症では、病変部位に対応して、症状に大きな個人差があります。また、多くのケースで何らかの運動機能障害（片麻痺、パーキンソン症状など）を伴っています。そのために、血管性認知症では個別ケアが基本になります。ここでは、血管性認知症に特徴的または高頻度に見られる症状として前項で挙げた点を中心に、ケアのポイントを示します[52]。なお、「うつ」と「せん妄」については、第4部のそれぞれの項目も参照してください。

【1】アパシー：自発性の低下—廃用を防ぐ—

血管性認知症で高頻度に見られる自発性（発動性）の低下は、身体活動の低下に直結します。さらに血管性認知症では片麻痺やパーキンソン症状といった運動機能障害を伴うことが多いので、それと相俟って活動性の低下を招きます。こうして、外から刺激がないと自ら動こうともしない生活が続くことになってしまいます。このような生活は、心身機能の廃用を招き、認知機能を急速に低下させます。身体活動を高め、意欲的に日課や趣味活動などに取り組むことが、認知症の進行予防につながります。血管性認知症は第３部に示す脳活性化リハがよく適応し、有効性が期待されます。閉じこもりがちな血管性認知症の人の場合、デイサービスやデイケアを積極的に利用するなど、日中に活動的な生活を送れるような配慮が必要です。

＊アパシーでおとなしいということは、介護者側からすれば手のかからない人であり、関わりが減ってしまう可能性があります。そばを通りかかるときなど、ポジティブな内容の声かけをこまめにするように心がけましょう。周囲の人が自分に関心をもっていると感じてもらうことが大切です。

＊ほめ言葉は特に有効です。ほめることが見つからなくても、「いてくれて嬉しい」など存在をほめましょう。ほめられると脳内でドパミンが放出され、やる気が高まります（207 ページを参照）。

＊日中も寝間着のままということはありませんか？ 元気な生活は、朝の更衣と整容から始まります。

＊肺炎などの急性疾患を合併しても早期離床を心がけましょう。また、「病人は寝ていなければいけない」という誤った常識を捨てましょう。

＊椅子座位（肘掛け椅子です。車椅子は移動用具であり、長時間の座位に用いてはいけません）で、コミュニケーションを積極的に行い、廃用性機能低下を防ぎます。窓やベランダから外の景色が見えるように配慮をし、音楽を聴くなど、五感に訴えます。

【2】注意障害―注意の集中と持続力を高める―

注意が集中できるよう、なるべく個別に静かに対応します。例えば、片麻痺の人が歩行しているときに、突然物音がしたり、手すりや椅子に近づいた途端に注意がそこに移り、バランスを崩すことがよくあります[30)]。歩行・排泄・発語・嚥下などを行うときには、注意が常にそこに向いていないと失敗を繰り返してしまいます。

＊歩行・入浴・排泄・食事など事故が発生しやすいケアを行うときには、気をそらさないように言葉かけに気をつけます。作業中は一つ一つの動作について声に出して確認しましょう。

＊疲れやすいため、作業が続く場合には適宜休憩をとり、体を休めます。

＊パーキンソン症状でリズムを持続することが困難な人であれば、歩行のときに静かに「イチ、ニイ」と声をかけると小刻み歩行が軽減されます。

＊構音障害のある人が発語しようとするときはゆっくり待ち、集中できる雰囲気をつくります。聞く側がイライラすると、本人は口をつぐんでしまいます。長い人では質問から答え始めまで 10 秒はかかるだろうと、ゆったりと待ちます。

＊注意の集中はそのときの感情状態に影響されやすいため、不安や欲求不満が表出されている場合は、特に受容的・共感的態度で接するようにします。

＊指示は一度にまとめて出さず、一つ実行されたら、次の指示を出します。せっかちに指示を出さず、ゆったり、穏やかに待つことが基本です。

【3】感情・欲求の制御障害―その人らしさを受け止める―

血管性認知症では、前述した性格の先鋭化が見られます。また、プライドが傷つけられたり欲求が受け入れられないと、興奮して暴力行為に及ぶこともあります。

＊まず受け止めて、否定も肯定もしない流動的な態度で受容し、傾聴します。

＊雑談、散歩、おやつなどを一緒にして、“快”の時間を多くとります。このとき、手をつなぐなどスキンシップも取り入れましょう。

＊興奮しているときには間を置き、場（状況）や対象（人）を変えてみるのも有効です。

＊互いの考えを理解し合える仲間（ペア）をつくります。共通の話題（職業、年代、体験、出身地、好みなど）があり、認知症が同程度の人同士を選ぶとよいでしょう。

【4】巣症状や偽性球麻痺―「まだら」の把握と嚥下障害のケア―

血管性認知症ではその障害が**まだら**なために、できることとできないことが入り混じっていて困惑や混乱が生じます。また、偽性球麻痺があると、構音障害と嚥下障害へのケアが必要になります。

＊できることとできないことを見定めます。できないことでも、手順を示せばできることもあります。例えば、洗顔といった一つの活動でも、準備～洗顔～仕上げまでの一連の動作を分析して、どの動作（例：水栓を閉める）にはどの程度の支援が必要なのかを見極めて、必要最低限の支援で自立を援助します。

＊本人の能力や状況にあわせて、ヒントや手本を示します。例えば、健忘失語で名前が言えないとき（喚語困難）は、ヒントとして頭文字を与えるなど、呼称できるように援助します。

＊質問や指導をするようなときには、難しいことから始めると混乱してしまい、やさしいこともできなくなるので、やさしいものから難しいものへと移ります。また、相手が「はい」「いいえ」で答えられるような質問の仕方が親切です。

＊構音障害があればゆっくり待つなど、相手の言葉や動作を、余裕をもって受け止め、傾聴します。話の内容から必要と思われることをつなぎ合わせ、本当は何を伝えようとしているのかを推測します。

＊嚥下障害に対しては、誤嚥性肺炎の予防が重要です。食事は正しい肢位・姿勢で、声かけで覚醒度を上げて、焦らせずにゆっくり食べてもらうなどの配慮が必要です。食後は口腔内の食べ物の残りかすを除去することと、しばらくは横にならないで起座位を保ち逆流を防ぐことが大切になります。また、口腔のブラッシングによって、嚥下反射を司るサブスタンスＰ神経系の働きが高まるので、誤嚥性肺炎の予防に口腔ケアが有効です。

＊咀嚼嚥下機能強化に役立つ具体的方法を二つ示します。①「パタカラ」の発声練習――「パパパ‥‥」と 10 回発声、次いで「タ」「カ」「ラ」を同様に 10 回ずつ発声、最後は「パタカラ」を 10 回繰り返して発声します。②スルメイカ咀嚼練習――細長い短冊状に切ったスルメイカを噛み続けます。最後に口から引き抜いて終了です。美味しい味がして、唾液がたくさん出て、咀嚼筋や舌筋が強化されて、食事の時間が短縮できます。

【5】症状の変動―パターンの把握―

穏やかな時期と攻撃的な時期というように二面性を示すので、その特徴をつかんで変動の時期を捉えるようにします。覚醒度が低下している時期の対応は、［Step Up！せん妄への対応］（352 ページ）に詳述するように、ゆったりと受容的な態度で受け止めることが基本です。

＊言葉やしぐさなどから不安や不満の原因を探り、それを受容し解消するように援助します。

＊今の状況を繰り返し丁寧に教え、自己の見当識を高めます。同時に、日々の生活になじませながら非現実性を解消します。

＊不眠、脱水、住環境の変化などが覚醒度の変動の誘因になります。健康的でなじみの生活を続けるように気を配ります。

12 施設における援助とチームケア

実際にケアを担う看護や介護の個々のスタッフが認知症ケアの専門的な知識や技術を習得しても、施設や事業所内でチームとして一貫したケアがなされていなければ、尊厳を支えるケアは実現できません。また、家族はチームとして一貫していないケアを見て精神的にストレスを抱えることになるでしょう。

ここでは、介護・医療施設や居宅系サービスにおいて、認知症の専門的なチームケアが実践できるためのポイントを整理します。

12-1　できることに照準を当て、アセスメントする

アセスメント（評価）をもとに実施可能な目標を立て、ケアやサービス内容を具体的に表現することにより、適切に自己表現することが難しい認知症の人にも質の高いサービスを提供できます。認知症のアセスメントは、本人の行動・心理面に偏りがちですが、認知機能や生活機能、生活全般のニーズ（121 ページの「Let's try! 思考・判断・遂行（実行）機能障害への対応：日常生活の援助とケア」を参照）や本人の残存能力などにも注意を向けます。58 ページでは、認知機能、生活、行動と心理、全身状態と服薬、神経機能、環境の六つの視点で全人的にアセスメントすることを推奨しました（＋本人の声を聞く）。

日頃のケア場面でのスタッフの気づきを大切にし、**ケアカンファレンス**などで多職種のスタッフがそれぞれの専門的な立場から、ICF でいう「できる活動」（活動できる能力はあるが実生活で発揮していない）や「している活動」（実生活）について意見や情報を交換しましょう。また、認知症のケアには本人の生活歴や嗜好などを理解することが欠かせませんので、家族や訪問者からも本人の元気な頃の様子を日頃から聞いておくことが必要です。ケアカンファレンスには、本人や家族も同席するようにして、さらにアセスメントを有益なものにしたいものです（**図 2-17**）。

「認知症の人のためのケアマネジメントセンター方式」（Step Up! を参照）のように、本人を

図 2-17　本人・家族を交えてのケアカンファレンス

中心に、多方面から分析できるアセスメントをすることも、よい体験になります。

なお、2021 年の介護報酬改定で、科学的介護情報システム「LIFE」の加算が新設され、認知症領域のアセスメントでは、行動障害の評価尺度である DBD13（13 項目のうちの 5 項目）と、意欲の評価尺度である Vitality Index（5 項目のうちの 1 項目）が採用されました。

12-2　ケアプランに基づいてサービスを実施する

ケアプランや看護計画の内容がスタッフ全員に周知されるには、ケアカンファレンスを行い、ケアプランの内容（ケアプラン表）が常に見える場所に掲示されていることが必要です。ケース記録内に最新のケアプランを綴ったり、日々の記録用紙に達成できたかどうかをチェックできるような項目を組み込むと、スタッフ全員に周知され実践が促進されます（**図 2-18**）。

また、全スタッフが質の高いサービスを提供しようとする理念や姿勢も必要です。このためには、チームをまとめることができる指導者やリーダーの存在が鍵となります。

12-3　定期的な内部研修や会議の実施、外部研修へのスタッフ派遣

2009 年度から 2021 年度までの介護報酬改定で、介護保険サービス事業所における、専門的な認知症ケアの普及に向けた研修などの取り組みが認知症専門ケア加算に反映されましたが（後述）、人材確保や人材育成の観点からもキャリアアップの仕組みの構築状況に応じて、介護職員の処遇改善のための加算が同時に拡充されてきました。実際に内部研修や会議を繰り返すことによって、スタッフ間で様々な情報が共有され、新たなアイデアが生まれるなど、ケアの向上を図ることができます（**図 2-19**）。

内部研修を定期的に実施するには、毎月第○週の△曜日□時などと決め、優先順位を高

利用者名（　◎井△子　）様

7/25 （月） 記録者	①自力での食事摂取（促し）☐　②移動時タオルを使用 ☐　③車いす時ずりおち注意 ☐ ④毎食後歯磨きうがい（促し）☐　⑤レク・行事への参加（促し）☐
7/26 （火） 記録者	①自力での食事摂取（促し）☐　②移動時タオルを使用 ☐　③車いす時ずりおち注意 ☐ ④毎食後歯磨きうがい（促し）☐　⑤レク・行事への参加（促し）☐

図 2-18　ケース記録用紙

図 2-19　施設内研修

くする必要があります。研修内容については、施設や事業所のケアやシステムの傾向や風土上の問題点を客観的に探り、チームで取り組むことのできるテーマ設定にすることで、具体的な問題解決や改善につなぐようにしましょう。研修の講師は施設のリーダーやテーマに適したスタッフの中から選任することで、ニーズに則した研修が実現し、職員間の情報共有もしやすくなります。しかし、テーマや内容をどうしたらよいかわからず、定期的に研修を実施できていない施設が少なくないようです。このような悩みに応えて、研修をすぐにでもスタートできるように、山口晴保・監修／松沼記代・編集『明日から使える！ 高齢者施設の介護人材育成テキスト―キャリアパスをつくる研修テーマ 16 選―』（中央法規出版）が 2017 年 9 月に出版されました。認知症ケア、コミュニケーション技法など現場のニーズの高い 33 のテーマを、各 60 分で実施できるように編集されています。

また、外部の研修会において他の施設や先進的な認知症ケアに関する情報や知識を吸収し、自分の施設のケア向上に役立てていくことが大切です。どのような外部研修に参加しても、今、目の前にいる利用者の生活全般のニーズ、「できる活動」、「している活動」に焦点を当てて、具体的なケアのアイデアを示していくことが大切です。認知症や認知症ケアに関する優れた学識と高度な技術、および倫理観を備えた専門士を育成することを目的として、日本認知症ケア学会は2005年に「認知症ケア専門士」制度を設けました。2022年４月時点で約３万人が認定されています。群馬県では、2005年から認知症に関係する多職種協働の地域活動として「ぐんま認知症アカデミー」(https://www.grn-net.com/ninchi/)が、研修(認知症ケア専門士の研修単位認定)や研究発表の機会を設けています。

12-4 「気づき」のあるスタッフの育成

どの施設でも、スタッフの中には、熱心さに欠けているわけではないのですが「どこかずれてしまう人」、「結果的にいつも失敗してしまう人(空回りしてしまう人)」がいるようです。このような人は、よいケアに関する知識はあり、ケアプランも上手に作れるなど、頭ではわかっているのですが、実際のケア場面で「**気づき**」が足りない人たちと考えられます。認知症の人は自らの欲求を適切に表現できないので、本人の発するサインにその場で「気づき」、行動・心理症状の要因やパターンの発見、対処法などを推測することが重要です。前述したように、ケアは相手の示すサインに気づくことから始まります(58ページを参照)。気づけなければアセスメントや問題解決に生かすことは不可能です。「気づき」があるスタッフは、場面ごとに注意や関心を向け、その状況を正しく把握して、問題を未然に防いだり解決するための様々な情報やアイデアを示すことができます。認知症のケアが上手なスタッフは、他の利用者からも評判がよいはずです。このようなスタッフを一人でも増やすことが、施設のケアの水準を高めることにつながります。OJT(On the Job Trainingの略で、日常業務を行いながら職員をトレーニングする方法)、コーチング、スーパービジョンなどの一対一の個別研修を通して「気づき」を養成し、一歩先をいくケアをめざすことが必要です。認知症ケアには、従来の知識や技術を中心とした研修だけではなく、利用者や事象に関心をもち、様々な角度から物事を捉えることのできる柔軟な思考や姿勢を養成していくことが求められます[53)]。

施設ではチームでケアにあたるので、サインに敏感に気づけるスタッフがいても、業務優先の声に流されてしまいます。したがって、皆が気づけるようになる「気づき力」の底上げとともに、気づきをチームで共有できるチーム作りが大切です。

気づき：不安定な精神状態に隠されているものは？―あるグループホームの事例―

血管性認知症のAさんたちがテーブルの周りに集まり、ことわざカルタが始まりました。職員が大きな声でカルタを読み始めると、元気な利用者は嬉々として競ってカードを取り始めました。しかし、Aさんは「喉が痛いからなんとかしてくれ」と言い始めました。飴を差し出して喜んだのも束の間、何かブツブツ言っていると思うと、間もなく先ほどの訴えが繰り返されるようになりました。

そばにいた看護師は、Aさんの機嫌が悪くなるときは、いつも「喉が痛い」と言う場合が多いことを思い出し、「便がまだ出ていないからではないか」と考えました。そこで、トイレに連れていきましたが便が出る様子もなく、戻ってきました。それからは、Aさんはさらに大きな声で「苦しい」と言ってさらに不機嫌さが増し、「あー、こんなところに来たくなかった」と大声で言い始めました。

その様子を見ていたB職員は、あることが気になっていました。そこで、先ほどから考えていたことを実行に移すことにしました。Aさんの横に座り、ことわざカルタの上の句を読んで、少し間をあけてみたのです。B職員が思った通り、Aさんは上手に下の句を空で読み始めました。次々とAさんは下の句を言い当て、驚いたことに、ことわざの意味までも説き始めました。何かブツブツ言っていたのは、やはりことわざだったのです。日頃から隠れたサインに気づこうと注意していたB職員には、「何か変だな」という気づきがあったのです。

季節や今いる場所がわからず、記憶がおぼろでその日息子さんが来たことも忘れてしまうAさんなので、意味までもしっかり言えるとは期待以上でした。カルタのカードを一通り読み終えた頃には、Aさんはすっかり上機嫌となっていました。その後、他の利用者の中にもことわざや百人一首の句が言える人がいることがわかり、レクリエーションの時間にはよく使われています。

12-5　認知症ケアに関する介護報酬・診療報酬の加算

1）介護報酬の加算

2000年に創設された介護保険法の基本理念である「尊厳の保持」と「自立支援」を具現化するために、3年ごとに実施される改正にあわせて様々な認知症施策が提唱され、2018年度の改正では、センサーなどで見守りを行う介護ロボットの導入を介護報酬の加算対象とする規定が加わりました。

2009年に導入された認知症専門ケア加算は、2021年度の改正により、全介護サービスに加算対象が拡大し、介護者の認知症対応力向上に向けた取り組みが推奨されています。加算の要件としては、認知症ケアに関する専門的な研修[注1]修了者または認知症ケアに関する専門性の高い看護師[注2)]の配置と、事業所ごとに認知症ケアに関する会議・研修などの取り組みを実施することが提示されています。加えて「介護サービス情報公表制度」の創設や「認知症行動・心理症状緊急対応加算」の対象事業所が拡大されています。さらに「認知症介護基礎研修の受講の義務づけ」として、介護に関わるすべての者の認知症対応力を向上させるため、全介護サービス事業者[注3)]に介護に直接携わる職員のうち、医療・福祉関係の資格を有さない者について、認知症基礎研修を受講させるために必要な措置を講じることが義務づけられました。

2）診療報酬の加算

医療施設においても、2016年度診療報酬改定において身体疾患のために入院した認知症患者（介護保険の「認知症高齢者の日常生活自立度判定基準」におけるランクⅢ以上に該当）への適切な医療に対して**認知症ケア加算**が設定されました。専門看護師・認定看護師（または医師）の配置や多職種による認知症ケアチームの設置などの基準がありますが、2020年度の改正では要件が緩和され、加算1～3の3分類となりました[54)]。いずれも、病棟において、研修を受けた看護師らが主体となり、認知症症状の悪化を予防し、身体疾患の治療を円滑に受けられるよう環境調整やコミュニケーションの方法などについて看護計画を作成し、計画に基づいて実施し、その評価を定期的に行うことが求められています。加算1では、さらに週1回程度のカンファレンスや回診、定期的な職員研修を行います。

筆者はこの加算ための病棟回診を経験していますが、①低活動型せん妄でボーッとしている状態にあり、認知症への対応よりも覚醒レベルを向上させる対応が必要な事例や、②ドネペジルなどのアセチルコリンを増やす薬剤を減量・中止することで、活動性のBPSDが低減したり食欲が改善する事例があり、また、③脳血管疾患や骨折、肺炎、心不全などの身体疾患を併発している事例が多くを占めます。

この認知症ケア加算では、身体的拘束の実施基準を含めた認知症ケアに関する手順書を作成します。そして、身体的拘束を実施した日は6割に減点されることで、身体的拘束をしないケアを取り入れなさいというメッセージを伝えています。

注1）認知症専門ケア加算（Ⅰ）は認知症介護実践リーダー研修、認知症専門ケア加算（Ⅱ）は認知症介護指導者養成研修、認知症加算は認知症介護指導者養成研修、認知症介護実践リーダー研修、認知症介護実践者研修

注2）認知症看護認定看護師、老人看護専門看護師、精神看護専門看護師および精神科認定看護師

注3）全サービス（無資格者がいない訪問系サービス（訪問入浴介護を除く）、福祉用具貸与、居宅介護支援を除く）

認知症の人のための
ケアマネジメントセンター方式

認知症介護研究・研修東京センターで開発された「認知症の人のためのケアマネジメントセンター方式」（センター方式）のアセスメントシート[55]が、認知症の人のアセスメントツールとして提唱されています。

このアセスメントシートは、各人の情報を、「A 基本情報」「B 暮らしの情報」「C 心身の情報」「D 焦点情報」「E 24 時間アセスメントまとめシート」の 5 種類のシートに分けています。いつでも「本人」を中心に据えて、利用者本位のケアを具現化できるような構成内容になっています。

このチェックシートを使って一人のケースを本人の視点から多面的に分析してみると、それまで介護者の視点でしか見ていなかったことに気づき、ケアの方向性が変わるでしょう。すべてのシートをすべてのケースに用いる多大な労力は不要ですが、時折、多方面からの分析を行い、スタッフ全員で知恵を絞ると、よいケアのアイデアが生まれると思います。

ここでは、「E 24 時間アセスメントまとめシート」の実際の記述例（**表 2-13**）から、どのような気づきが生じ、ケアに反映できるかを紹介します。朝の体位交換時の利用者の様子を振り返ると、就眠中に不意に起こされて怪訝な表情をしていたことに気づくことができます。その事実に対して、「怪訝な表情」をした原因を探ると、もともと警戒心が強い人が急に体に触れられて不安になることが容易に想像できます。また、夕方 4 時頃にはテーブルの席でぽつんと座っていて、職員の姿を追っている情景をアセスメント時に思い出せれば、どのような気持ちで座っていたのか、なぜそのように感じるのかに気づくことができます。このように、時間ごとの利用者の言動を思い返して、その背景や要因を探れば、自ずと今後のケアの方向性が見えてくるはずです。

さらに、認知症の人の場合、本人からの情報のみでは曖昧な点が生じますので、事例のように家族から「若い頃から花が好きだった」ことや、「警戒心が昔から強い」などの情報を入手し、本人にあわせたケアプランを作成するようにします。また、E シートをまとめるには、ほかのケア関係者や家族などから本人の過去や現在の情報を収集して、A～D シートに記入する必要があります。記述式であることや書き込む量が多いことなどが職員の負担を増やすことになりますが、認知症の人が安心して心地よく過ごすことを支援

表 2-13　E 24 時間アセスメントまとめシート

	私の願いや支援してほしいこと	私の注目してほしい行動／状態	原因・背景	私がよりよく暮らせるためのケアのアイデアと工夫
6：00	●まだ眠いのに誰かが私の体を動かしている。誰だろう。	夜勤者が体位交換をしたが怪訝そうな表情をしている。	昔から人に対しての警戒心が強く、急に体に触られたりすると不安になる。	夜勤者が体位交換やトイレ介助を行うときは、急がずにコミュニケーションを図ってから行う。
13：00	●花を育てるのは私の責任です。花は大好きです。体が不自由になっても花は育てたい。	毎日、好きな花に水をやります。最近重いものを持つのは大変だが、ちょっと手を貸してもらえれば続けられそう。	若い頃から花が大好きで、自宅の庭で野菜と一緒に育てていた。認知症だけでなく、拘縮や麻痺が進行しているが、花を育てること（水やり）に意欲を残している。	毎日の花の水やりを本人の役割としてやっていただく。そのために水やりチェック票を利用する。大きなジョウロは重いので小さなものを用意する。
16：00	●私にもっと関心をもってください。話しかけてください。私は寂しい。	テーブルの自分の席でぽつんと一人ぽっち。目が好きな職員を追っている。	最近は言葉が出ません。体も動かせません。自分ではどこへも行けないし、何をすることもできません。寂しい。	担当の職員またはその日の担当職員は必ずそばに座り、笑顔でゆっくりと話しかける。

するには、一人ひとりのニーズを正確に拾うことのできるセンター方式のアセスメントの視点は欠かせないでしょう。

子育てのコツはケアのコツ

認知症の人は、自分の感情や置かれている状況を正しく理解したり、伝えることができません。そこで、ケアをする人は、相手の感情や置かれている状況を把握し、それに対して適切に対応することが求められます。一方、幼い子どもたちに目を向けると、認知症の人たちと少なからず同様の状態であると考えられ、認知症のケアは子育てと共通しているともいえます。認知症のケアが上手な人は子どもの個性を理解して上手に子育てをし、逆に子育てが上手な人は認知症のケアも上手であるといえるでしょう。

そして何より、子育てのコツは「ポジティブケア」なのです。

[1] 認めて、ほめて、愛すること

子どもは自分を**認め、ほめ、愛して**くれる親に対しては、100％心を開き、いっそう喜んでもらいたいと心が動いて、やる気と積極性が生じます。親の言うことに抵抗を感じないで、素直に言うことに従います[56)]。子どもの自己肯定感や自尊心を高める親の態度は、認知症の介護者に求められる態度で最も基本となるものです。認知症の人は、認知障害によって様々な失敗が生じ、日々不安や喪失感を感じています。そこで介護者がガミガミと怒ると、本人は自信をなくし、心を閉ざしてしまい、混乱や反抗心から介護者が困る行動をより強めていきます。逆に、その人を一人の個性ある人間として尊重し、その人を認め、ほめることで、自尊心を回復させ、やる気と積極性が引き出され、残存機能の維持につながります。また、子どもを守るためには親を守ることが大切です[57)]。介護者が自分の介護を肯定し、自分自身を守ることもよいケアにつながります。

[2] 話を聞くこと

子育てに大切なのは子どもの話をよく聞いてあげることです。親が一方的に話しかける仕方で子育てをすると子どもの心は満たされず、十分に愛されているとは感じないものです。反対に、子どもの言うことをよく聞いてやり、子どもの心の動きをわかってやってこそ、子どもは自分が理解され、認められて、愛されていると思うものです[56)]。認知症では何度も同じ話を繰り返します。介護者は「さっき聞いたよ」と言いたくなるところですが、本人にとっては話したいこと、聞いてもらいたいことなのです。聞いたばかりの話に対してもしっかり耳を傾ける態度が、認知症の人の心を安定させます。

[3] 自主性をもたせること

親が口やかましすぎると、子どもの自立心を奪い、やる気や積極性の乏しい子どもに育ってしまいます。子どものすることを温かく見守ってやることが重要です。そして上手にほめて、安心感を与えることが自信へとつながるのです[56)]。認知症のケアでも、本人にやってもらっていると時間もかかるし、介護者が口や手を出したくなる場面が多くあります。しかし、そのよう

なときは「待つケア、待つケア」と呪文を唱え、気長に徹底的につき合うことが重要です。そして上手にほめて、認知症の人に自信を回復してもらうことが、心の安定と残存機能の活用につながります。あくまでも**自立支援**です。

[4] 子育ては楽しんでするもの―ケアも楽しめないか―

「親も楽しい、子どもも楽しい」という子育てが一番うまくいきます[56)]。認知症のケアでも、なるべく楽しく過ごしてもらうことだけでも、その人の脳を活性化しますが、介護者もケアを楽しむことによって相乗効果が生じます。子育ての基本が、子どもを愛すること、つまり子どもの心の動きを知って、心を満たしてあげることであるように、認知症の人の心の動きに気づき、心を満たしてあげることが、うまいケアのコツといえます。

[5] 子どもの心を動き出させるお母さんのチェック事項[56)]

“子ども”を“認知症の人”に置き換えると、「認知症の人の心を動き出させる介護者のチェック事項」になりますね。

①子どもに丁寧に頼んでいるか。

②子どものすることに感動しているか。

③子どもに感謝しているか。

④子どもを一人の人間として尊敬して接しているか。

⑤学校の評価より家庭の評価を大切にしているか。

⑥子どもに仕事を与えているか。

このチェック事項を参考に、本人のやる気や自発性が引き出され、ケアするほうもされるほうも、双方が楽しく生活できるようになることを望みます。

13 家族介護者への教育と支援

13-1　家族介護者の教育

家族介護者が、ケアの方法を知らない（知識がない）ことにより、認知症を悪化させてしまうことがあります。認知症は早期に発見して適切に対応すれば、軽度で維持して中等度への移行を遅らせることができます。家族介護者がケアの知識をもつかどうかが、その後の進行抑制や介護負担感の軽減に結びつきます。認知症の人の言動は対応の仕方の影響を強く受けることがその特徴ですから、家族が認知症の知識を深め、認知症の人の気持ちを理解することがきわめて大切です。

例えば、もの忘れがひどくなると、しまい忘れたものを盗られたと言い、家族を犯人にすることをあらかじめ知っていれば、犯人扱いされたときに「これがもの盗られ妄想か」とわかり、頭から否定するのではなく落ち着いて対応できます。家族がもの盗られ妄想の予備知識をもつことによって、妄想の 1/3 は問題にならなくなるといわれます。認知症の原因疾患や病期に応じて、次はどのような行動が出てくるからどのように対応したらよいかという対応法を家族に知らせておくことで、介護者が困る言動の重症化・固定化を予防できます。この点からも適切な介護者教育が大切です（**図 2-20**）。

エスポアール出雲クリニックの高橋幸男氏らは、認知症の人が書いた手記を活用しながら、認知症の人がどんな気持ちで日々過ごしているのかを、その家族に理解してもらう心理教育を実践し、成果を上げています[58]。介護者が認知症の人に対して日々発している「またか」や「しっかりしてほしいなぁ」などの何気ない言葉が、言ったほうは叱っているつもりなどないにもかかわらず、「私は何も悪いことはしていない」と思っている認知症の人の心をどれだけ傷つけているのか、また、本人がどれほど強い不安を抱え、孤独な生活を強いられているのかを、本人の手記などを通じて本当に理解してもらうと、行動変容が生じ、適切な対応がとれるようになります。このレベルにまで、介護者に本人の気持ちを理解してもらいます。そうすると、在宅でもパーソンセンタードケアが可能になり、介護者が困る言動が予防でき、結果的に介護も楽になります。

失敗を理由に、台所の手伝いや洗い物、後片づけなど、認知症の人の生活や日課を家族

きっかけ	⇨	行動	⇨	反応
（例）気になった		尋ねた		**注意された**
（例）**注意された**		怒鳴った		**叱られた**
（例）**叱られた**		暴力		**仕返しされた**
他人が 変えられる		他人が 変えられない		**他人が 変えられる**

図 2-20　行動の変えられるところと変えられないところを知る
応用行動分析学では「行動の原因は行動のあとにある」とされる。行動後にほめると適応行動が増える。行動後に叱っても行動・心理症状は（あまり）減らない。

が次々と奪ってしまうと、認知機能の低下が加速するだけでなく、家族が困る言動も悪化するでしょう。認知症の人の能力を正しく見極められなくて過剰な介助をする結果、その人の日課や役割を奪ってしまい、それが帰宅願望や徘徊（探索）の原因になることもあります。例えば、眼鏡をすぐなくすからと引き出しに片づけたことが原因で、認知症の人が眼鏡を取ろうと立ち上がり転倒することが「頻回の転倒」や「危険と言っても聞いてくれない」という介護側が問題とする行動の要因になることもあります。義歯を外すと顔の外観が悪くなるばかりでなく、口腔が乾燥し、嚥下機能も低下します。それなのに、「食事のとき以外は義歯を外しましょう」と介護者が気を利かせることが、嚥下機能を低下させて誤嚥性肺炎を誘発したり、義歯を探して動き回る動作を誘発したりと、介護上の問題を引き起こす要因になることがあります。介護者の余計なお世話が、介護者が困る言動の誘因となってはいけませんね。

認知症の人がもっている能力を精いっぱい発揮できるよう、能力に気づき、「生きがいづくり」を念頭に置きましょう。子育てへの参画のような生きがいづくりは特に有効です。

13-2　家族介護者の支援

認知症の在宅介護は、日常生活への介助に加え、ケアへの抵抗や介護者を困らせる言動などが介護者の負担感を増強させています。この負担感は、介護者がどの程度ストレスとして感じるかによっても異なります。このような**主観的介護負担感**は、認知症の人の言動に対して過度に向き合い、その行動を執拗に修正しようとするまじめな介護者ほど大きく、在宅介護に限界を感じやすいといわれています[59)]。介護者の過度に向き合う行動によって、さらに症状を深刻化してしまうという悪循環を招くことにもなります。在宅生活

独りで抱え込まない

を継続するには介護者の主観的介護負担感の軽減が必要不可欠になります。

「頑張らない介護」、「ほどほどに燃える介護」、「介護者が、自分はよくやったと満足できる介護」、そのコツとともに、主観的介護負担感の軽減に役立つ、認知症介護肯定感尺度21項目版（176ページ）とポジティブ日記（177ページ）についても紹介します。

1）「頑張らない介護」――介護を独りで背負わない

普段は介護者が困る言動を繰り返している認知症の人であっても、たまにやってくる家族の前ではしっかり振る舞い、認知症であることを感じさせない言動をとったりします。短時間では症状が見抜けないので、介護者がいくら大変であると訴えてもわかってもらえず、かえって「やり方が悪いからだ」などと介護者が親族や関係者から責められてしまうことがあります。こうして独りでやらざるを得ない状況がつくられてしまいますが、限界になる前に、なるべく早い段階でよき理解者をつくることが必要です。このようなときには**地域包括支援センター**やサービス提供機関のスタッフが相談に乗ってくれます。介護者教室や家族の会[60]などに参加して、他の介護者と情報交換することも心身の負担軽減につながります。

認知症カフェ（オレンジカフェ）のように当事者や家族が専門職などと交流する場も、地域の中で広がりつつあります。認知症グループホームなどの介護施設が地域の拠点となり、地域の中に相談窓口を設置したり、本人の社会参加支援などを行う**認知症伴走型相談支援事業**が2021年から始まりました。本人・家族介護者に参加を勧めるとよいでしょう。

2）「ほどほどに燃える介護」――ゆとりをもつことの意味

介護が長期間続くと、「このつらさはいつまで続くのだろう」などと次第にゆとりがなくなり、体の疲労も重なり、ちょっとしたことで怒りやすくなったり、憎しみを感じるようになったりします。このような状態では、笑顔すらなくなり、認知症の人と介護者の両者に危機が生じます。ゆとりある在宅介護を持続するには、家族間の協力だけでなく、早期から適切な**介護サービス**を利用することが大切です。介護サービスを利用するには、まず最寄りの市町村で手続きをし、介護支援専門員（ケアマネジャー）に相談してサービスを決定する必要があります。サービスの利用は認知症の人にとって専門的なケアを受けられるという点で症状の緩和に役立つだけでなく、介護者がゆっくり休養できるという点でもメリットがあります。心身ともに常に**リフレッシュ**してゆとりをもつことで、在宅介護は継続できることを忘れてはいけません。このような介護者に息抜きをもたらすケアのことを**レスパイトケア**といいます。家族介護者にとっては望ましいのですが、認知症の本人はショートステイ（短期入所施設）などの見知らぬ別世界に預けられて混乱を深め、帰宅後の症状が悪化する場合もありますので、配慮が必要です。

また、日頃から急変したときにすぐに入院や往診をしてくれる医師や病院を確保しておくと、いざ必要なときに対応できます。介護者の具合が突然悪くなった場合は、ケアマネジャーや短期入所施設に直接連絡して、相談してみましょう。大事なことは、何もないときからこのような**居宅サービス**を利用して被介護者がその場所に慣れておくことです。

ケアのコツ：笑い飛ばし（笑いヨガから）

笑いヨガでは、相手に怒りを感じたら、言いたい言葉を言って喧嘩をする代わりに、相手を指さし、怒りを込めて「ハハハ……」とやりこめる喧嘩笑いで、怒りのエネルギーを発散します。トイレで失敗をしたとき、失敗した本人ではなく、汚れた部分を指して「ハハハハ……」と笑って、さっさと掃除をする。これが「一人ストレス撃退法」として、日本笑いヨガ協会・高田佳子代表の著書『ボケないための笑いヨガ』（春陽堂書店、2013年）に紹介されています。これは面白いと、真面目で熱心すぎて疲弊していた介護家族（息子）にこの方法を伝授したところ、「親を言葉で怒らないで済むので、自分の心の負担（罪悪感）が軽くなった。相手（認知症の本人）はきょとんとしていた。教えてもらってよかった」と好評でした。

「ハハハ」と笑ってストレス撃退

3）「介護者が、自分はよくやったと満足できる介護」——介護者のQOLや健康も大切に

例えば、日中独りにしておけなくなったときに、介護者となるべき人が仕事をもっていたり社会活動をしていたら、介護のためにそうしたことを辞める必要があるでしょうか？被介護者のQOLが問われるのなら、**介護者のQOL**も問われなければなりません。すべて自分で背負い込まないで、他の家族や親戚とも相談し、できることは負担してもらったり、**介護サービス**を上手に活用して、今までの仕事や趣味、社会活動を継続するなど

QOL を求めてほしいと思います。

また、介護者が心身ともに健康でいることが、よい介護の基本です。デイサービスやショートステイなどを利用して介護者の息抜きや受診時間をつくることも必要です（レスパイトケア）。また、介護者の３割は、介護者自身が負担やストレスに対する治療を受けたいと感じているという調査もあります。

ストレスの感じ方は、受け取る側の心の状態で大きく変わります。客観的な介護負担の程度は同じでも、それを大きなストレスと感じる家族介護者と、あまりストレスと感じない、場合によっては介護を生きがいや喜びと感じる家族介護者もいます。「介護は大変だ」とネガティブな面ばかりに目を向けて不幸だと感じるのではなく、つらい介護の毎日でも、その中に楽しい出来事や心が温まるひとときがある。そこに目を向けて幸せだと感じる心のもち方で、主観的介護負担感は著しく軽減します。介護が大変で、これから先、いくらお金が必要になるかわからないから節約、節約という悲観的な人よりも、今日は介護が大変だったからご馳走を食べて笑顔になろうという楽観的な人のほうが、介護が長続きします。心のもちようは長年かかって形成されたものなので、なかなか変えられませんが、宗教的な心をもち、どんなことにも感謝して生きられる人は、負担をも幸せに感じることが可能です[61)]。

このように、介護者が介護のよい点（ポジティブ面）に気づくことが負担感軽減に有用です。そこで筆者らは、**認知症介護肯定感尺度 21 項目版**を開発しました[62)]（認知症介護情報ネットワーク（DCnet）で公開・無料ダウンロード）。「対象者との仲が深まった」、「私の人生にも意味があると思えるようになった」、「対象者をほめるようになった」、「対象者の笑顔が見られると嬉しい」、「頼りになる医療・福祉専門職と出会えた」などの 21 項目を４段階で評価することで、自分の介護を振り返り、よい点に気づく、介護のヒントを

認知症のおじいさんがデイサービスに行っている間に、介護者のおばあさんは買い物に―楽しいことをするときは目が生き生きと輝く―

得る、介護に前向きになるなどの効果が期待されます。

筆者らが開発した**ポジティブ日記**（DCnet経由で公開・無料ダウンロード）は、ネガティブ感情をポジティブ感情に転化して介護うつを減らすことに役立ちます。就眠前に一日を振り返り、その日にあったよいこと三つを、自分をほめるように日記に書きます。これを毎日続けると1か月で効果が出ます。介護者の負担感が減るだけでなく、本人のBPSDも減ったという研究成果が示されています[63,64)]。

また、先に述べたように、介護されている認知症の人は介護者にお礼の気持ちを伝えることがまずありません。中には、他人に対して「自分が（介護者の）世話をしてあげている」と、配偶者（介護者）のほうが認知症で世話が焼けるのだと、現実とは正反対のことを言う場合もあります。家族介護者の気持ちを理解し、労をねぎらうことが、認知症に関わる専門職や別居の親戚に望まれます。「大変ですね」「よくやっていますね」と周囲の人に共感してもらうだけで、介護者の主観的負担感は軽減します。

老老介護や認認介護が増え、社会問題になっています。介護者も軽度の認知症で、服薬管理がうまくできていなかったり、体調の変化に気づかず心不全などの身体合併症の発見や手当てが遅れるなどもあります。日々の対応の中で、本人だけでなく家族介護者の健康状態や心理状態、認知機能もさりげなくチェックしておくことが大切です。

4）介護サービスを利用することに罪悪感や偏見をもたない

家庭崩壊や共倒れにならないよう、先述した介護サービスの利点を理解し、介護サービスを利用することに介護者が罪悪感や偏見をもたないことが大切です。

サービス提供事業者に不満がある場合は、事業所の苦情窓口担当者や管理者に直接相談したり、担当のケアマネジャーに相談して事業者を変更することもできます。また、担当のケアマネジャーに不満があれば、事業所の苦情窓口担当者や管理者に変更を依頼したり、事業所そのものを変更することも可能です。

認知症の人のための権利擁護制度：成年後見制度、日常生活自立支援事業、家族信託

2000年の介護保険法施行に伴い、それまで「措置」により利用していた介護サービスが、「契約」という本人の自己決定に基づく方式へと転換したことを受けて、認知症で判断能力が不十分となった人を対象にして、それを補い代行決定する「成年後見制度」が民法の改正により新たに導入されまし

表 2-14　日常生活自立支援事業や成年後見制度が役立った独居例

* アルツハイマー型認知症初期で、キャッシュカードを近くに住む人が親切で管理していたので、日常生活自立支援事業で生活費を管理するようにした。このケースは訪問販売で70 万円の羽毛ふとんなどの高額商品購入などがあったので、成年後見制度も利用し、独居生活を続けている。玄関に「成年後見制度利用」の張り紙をしてから訪問販売は来なくなった。
* アルツハイマー型認知症初期で生活保護だが、金銭管理ができず、料金未払いで電話が止められ、ガスや電気も督促状が来ていた。日常生活自立支援事業を利用し、生活保護担当のケースワーカーと市社会福祉協議会（日常生活自立支援事業）の担当者が連携して独居生活を支えている。
* アルツハイマー型認知症初期で独居生活をなんとか続けているが、2 か月に一度の年金支給日になると、普段の面倒を見ていない息子がこのときだけやってきて年金を下ろして持っていく状況だった。日常生活自立支援事業を入れ、介護保険利用料などを払えるようにしたので、ヘルパーやデイサービスなどを使い、独居生活を継続している。
* 独居の軽度認知障害（MCI）で、毎日パチンコ店に通って散財し、生活費を管理できないので、日常生活自立支援事業を入れた。
* 独居のアルツハイマー型認知症。認知症が進み、電気や電話の料金を支払えなくなり、止められたが、本人は「問題ない」と言って支援を受け入れない。認知症初期集中支援チーム員のスキルでうまく玄関先に入り込み、督促状などを説明してあげ、力になることを約束し、数回の訪問で日常生活自立支援事業の受け入れを納得してもらった。

（前橋市認知症初期集中支援チームの事例より、一部改変）

た。法律に基づいて家庭裁判所が支援者を選任する法定後見制度では、本人の判断能力や認知状態により「後見」・「保佐」・「補助」の３類型に分類して、財産管理や契約の締結などの支援の範囲が決定されます。さらに、将来が不安な人が契約に基づいて前もって支援者を選任しておく任意後見制度が新設されています。

福祉サービスの利用や日常的な金銭管理を、市町村社会福祉協議会が軽度の認知症の人などを対象にして支援する「日常生活自立支援事業」もあります。まず、専門員が契約締結ガイドラインに沿って本人の意思確認と能力判定を行い、契約書を作成します。その後、生活支援員（民生委員がなる場合が多い）が契約内容に基づいて援助を実施します。成年後見制度と異なり、社会福祉事業として位置づけられていることから手続きが容易であり、費用が低額で利用しやすいという利点があります。この制度が独居の継続に役立った例を**表 2-14** に示しました。

しかし、成年後見制度は、介護保険法導入とともに徐々に利用者が増加したものの、費用面や手続きの煩雑さから利用につながらないケースが多く見られます。また、日常生活自立支援制度は、成年後見制度に比べて利用しやすいものの、契約や法的手続きを本人に代わって行えないなどの制限があります。

このような二つの制度を補完するものとして、2006年に信託法（1922年制定）が改正され、「家族信託」制度が創設されました。この制度は、認知症と診断される以前に、信頼できる家族とルールを決めて財産の管理全般を委託する仕組みで、本人（委託者）と子（受託者）が信託契約を結び、金融機関との取引などの経済行為を実行できる仕組みです。契約に際し公正証書などの正式な契約書を作成しますが、作成のための諸費用が初期にかかるだけで、成年後見制度のように長期にわたって定期的に報酬を支払い続けることはありません。家族信託の注意点として、委託者が認知症とわかった時点では契約できないことと、契約の進め方によっては家族間のトラブルが生まれることの二つが挙げられます。家族信託は一対一の契約であり、子どもが複数いる場合は、そのうちの一人と契約することになります。他の子どもに知らせないで契約を結ぶと、あとでトラブルが起きる要因となりますので、親族を含めた関係者に親である本人が誰と家族信託契約を結んでいるかを伝え、トラブルを回避する必要があります。

認知症初期集中支援チーム

認知症初期集中支援チームとは、複数の専門職が、家族の訴えなどにより認知症が疑われる人や認知症の人、およびその家族を訪問し、アセスメント、家族支援などの初期の支援を包括的、集中的に行い、自立生活のサポートを行うチームをいいます。

訪問対象者は、40歳以上で、在宅で生活しており、かつ認知症が疑われる人または認知症の人で、①まだ医療や介護サービスに結びついていないファーストタッチの例（必ずしも発症初期ではなく、進行した例も対象になる）、②すでに医療や介護サービスに結びついていても、行動・心理症状が顕著で対応に苦慮している例です。

訪問に先立ち、医師会と連携体制を構築し、かかりつけ医がいれば情報提供を受けてから訪問することが望まれます。専門職が訪問しアセスメントを行います。アセスメント結果をもとに、チーム員会議で対応を検討しつつ、数回の訪問で、医療や介護につなげる支援や家族教育を遂行します。

前橋市では、地域包括支援センターからの依頼を受けて、主治医と連携しながら活動しています（**図2-21**）。介入の代表例を**表2-15**に示しました。

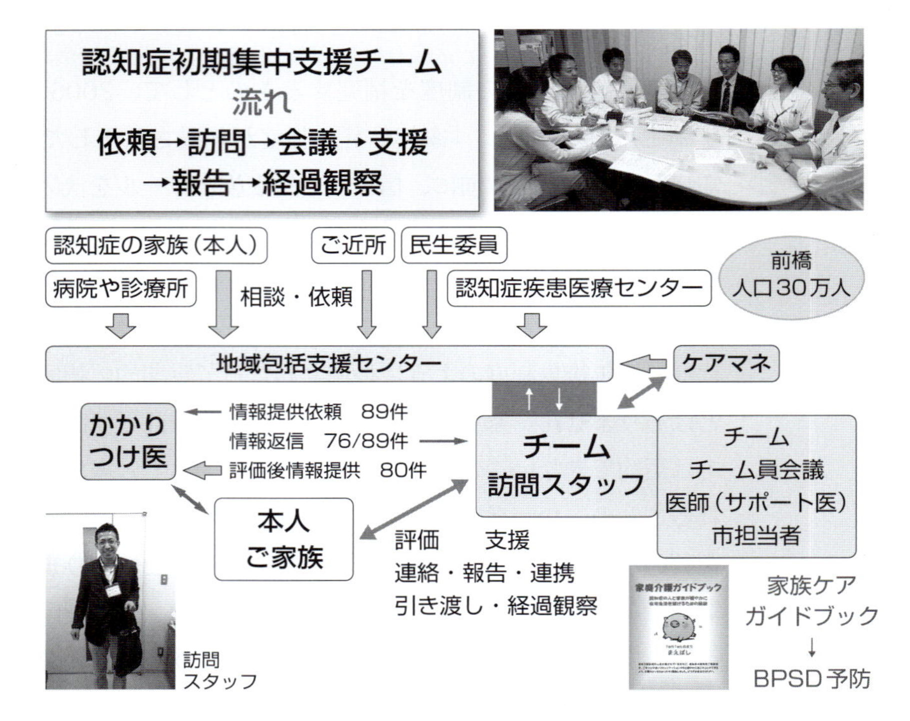

図 2-21　認知症初期集中支援チームの活動（前橋市）
前橋市のホームページから「認知症初期集中支援チーム設置促進モデル事業実施報告書および運営・実施マニュアル（平成 25 年度版）」をダウンロードできる。

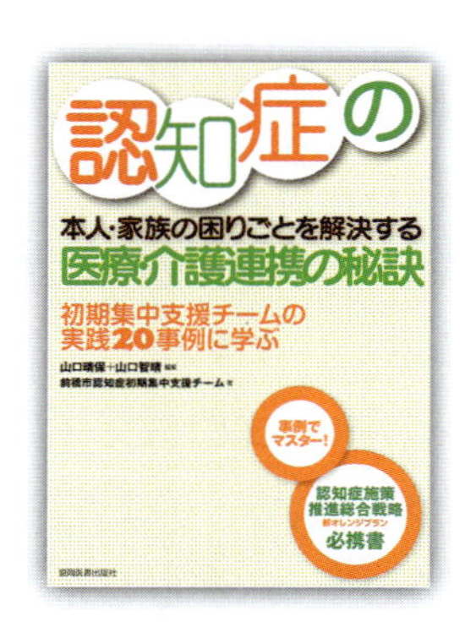

笑顔で暮らすアイデア満載！

また、事例集を山口晴保＋山口智晴・編集『認知症の本人・家族の困りごとを解決する医療・介護連携の秘訣—初期集中支援チームの実践 20 事例に学ぶ—』（協同医書出版社、2017 年）として書籍化しています。

「前橋市認知症初期集中支援チーム運営・実施マニュアル」や家族指導に用いる「前橋家庭介護ガイドブック」は前橋市ホームページからダウンロードできます。また、前橋市での実績の詳細を論文として発表しています[65)]。

表 2-15　介護困難でチームに依頼があった同居事例

＊ 一戸建てに住む、二人とも認知症の姉妹。チーム員が訪問すると、出入りの庭園業者に支払った領収証が見つかる。庭木剪定や床下消毒など計 70 万円をその月に支払っている状況だった。しかし、姉は病識に乏しく、介入を受け入れない。妹への介護保険を利用した支援を提案するも、「自分がする」と言ってすべて拒否した。①時間をかけて妹の受診に結びつけ、②妹の介護保険認定と利用開始に成功、③ホームロイヤーで弁護士に妹の成年後見人になってもらった。そして、④姉を医療と成年後見に結びつけるのが次のステップだが、ここまでに 1 年かかっている。
＊ アルツハイマー型認知症の妻を介護する夫が、頑なに介入を拒む。どうにかチーム員が家に入れてもらったが、ふとんの下には虫がわいている、風呂桶の水は藻で緑色に変色、テーブルの上のおかずにはカビという状況だった。妻の介護保険手続きを行い、時間をかけて、ヘルパーの受け入れに成功した。
＊ アルツハイマー型認知症の妻を夫が叱るので、妻が「死んでやる！」と包丁を振り回した事例。妻に優しく接するように夫を指導し、介護保険に結びつけ、妻はデイサービスに通い、夫のレスパイトを図り、穏やかに生活できるよう支援した。
＊ レビー小体型認知症で女の子が見える男性例。女の子が見えるのは悪霊に取り憑かれたからだと思った妻が、夫に殴る蹴るの暴行を加えた。女の子の幻視は病気の症状だとチーム員が妻に説明し、妻は納得した。その後、医療に結びつけた。
＊ パーキンソン病で動きが鈍く、認知機能が落ち始めた 80 歳代後半の男性。MMSE 22 点と認知障害は軽度だが、動作が鈍いため、妻が「のろま、バカ、死ね！」などと暴言を連発する。それでも本人は、「妻の友達が『あなたの旦那はまだ生きてるの（早く死ねばいいのにね)』などとそそのかすのが悪い」と妻をかばう。どちらが認知症なのと言いたくなるようなケース。本人への支援ではなく、妻への教育が必要なネグレクトの事例です。本例は、本人よりも介護者への介入が必要でした。
＊ 80 歳代の夫婦で、夫は認知症疑いで心不全あり。妻は MCI 疑いで、起立歩行困難。夫への支援を含めた一切の支援を妻が拒否しており、チームに依頼があった。夫自身は通院に支援が必要な状況だが、妻の拒否で介護保険サービスも受けられない。しかし、夫は「自分が動けない妻の起居動作を支えて一緒に生活したい。それが幸せ」という意志が強く、チームとしては「困ったらいつでも連絡ください」という見守りだけを続け、強行な介入はしないこととした。妻の態度はネグレクトではあるが、夫が自宅での二人暮らしを幸せと望んでいるなら、安全よりも当事者の気持ちを優先することとした。

（前橋市認知症初期集中支援チームの事例より、一部改変）

14 認知症の終末期とターミナルケア

発症から10～20年で認知症の終末期に至ると、どの原因疾患かにかかわらず、大脳皮質の機能が広範に失われた失外套症候群に近づいていきます。人間らしさの源である大脳皮質の機能が失われ、意識は保たれていますが、随意運動は消失し、反射的な動きだけになっていきます。FAST（82ページ）のStage 7e～fにあたる時期です。この終末期では、生命の維持に不可欠な咀嚼・嚥下が大きな問題となります。どうやって経口摂取を続けるか、経口摂取が不可能になったときの対応はどうするかといった問題を解説します。

14-1　口から食べ続ける工夫

認知症が重度になると、食べ物を認識しにくくなります。その場合は、匂いや色で誘う、一口味わってもらうなどの方法があります。また、一つのどんぶりやプレートにご飯とおかずを一緒に盛って、視線や注意を分散できなくても目の前の食事に集中して食べ続けられるようにする方法があります。フルコース方式で、1品ずつ目の前に出す方法もあります。周囲の音や目の前に座っている人の行動に注意が移ってしまう人では、壁に向かって静かに食事に集中できるような配慮や、騒音から離れた場所での食事などの工夫があります。

食欲が低下していれば、ドネペジル（そもそも終末期以前に中止すべき薬剤）など原因となりそうな薬剤をやめ、胃腸薬や食欲増進作用をもつ六君子湯（りっくんしとう）で治療します。

食事を拒否する場合は、背景に不安や不満が隠れていることがあります。やさしい声かけで、好物を用意すると食べ始めることがあります。

このように、食べない原因を見極めて対処するのが基本です。

終末期になると、随意的な嚥下はできなくなりますが、嚥下反射は残っているので、なるべく経管栄養を先延ばしにするよう努力します。嚥下だけでなく咀嚼機能も低下しているので、噛めなくても食塊形成が可能な食物形態にします。施設などでこのような時期の

図 2-22　ミキサー固形食（左）と高齢者ソフト食（右）
左：冷やし中華（高橋明音氏調理）、右：エビフライ（黒田留美子氏調理）。
（山口 2008[66]）

対象者にキザミ食が出る場合がありますが、とても危険です。かといって、とろみをつけたミキサー食では美味しくないだけでなく、咽頭残留が多く、誤嚥性肺炎の原因となります。手間はかかりますが、一度出来上がった料理を食材ごとにミキサーにかけ、ゲル化剤（スルーパートナー®など）で固めて元の料理の形に戻す**ミキサー固形食**が望まれます（**図 2-22**）。これだと、見栄えも味もよく、さらに咽頭残留を減らせます。誤嚥の可能性が高い場合は、ゲル化剤に替えてゼラチンを使います。ゼラチンは体温で溶けるので、誤って気管に入っても、しばらくすると溶けて窒息しません。しかし、飲み込みに時間がかかると口の中で溶けてしまうという欠点があります。そこで、比較的溶けやすい低分子量寒天とゼラチンを混ぜた介護食用ゼラチン寒天も開発されています。もっと手間がかけられれば、黒田留美子氏が推奨する**高齢者ソフト食**が理想的です[67]。これは、食材を先に濾したりすり身にしたりしておき、山芋など粘性のある食材と混ぜて形成します。**図 2-21** に示したエビフライ、美味しそうでしょう。見た目は普通のエビフライです。口に入れるとエビフライの味なのに、噛まないで顎を少し動かすだけで食塊形成ができ、するっと飲み込めます。ソフト食は作り方が違うので、始めから工程が別になり、手間と費用がかかるのが難点です。

経口摂取方法の工夫のポイントですが、熱めか冷たいもの（体温から離れるほど感覚刺激が強まり嚥下反射を促進）や、酸味、炭酸飲料が嚥下機能を促進します。辛いものに含まれるカプサイシンはサブスタンスＰを介して嚥下機能を高めます。上体の姿勢、首の向きや角度、声かけ、口に入れるタイミングなども大切です。また、口腔ケアで口腔粘膜を刺激することも、サブスタンスＰを介して嚥下機能を高めます[68]。これらの工夫で、経口摂取をなるべく継続できるよう努力します。

薬剤では、降圧剤の一種でサブスタンスＰの分解を阻害するアンギオテンシン変換酵素（ACE）阻害薬、サブスタンスＰの放出を促進するアマンタジン（シンメトレル®）や

L-DOPA製剤、漢方の半夏厚朴湯(はんげこうぼくとう)などが、嚥下反射や誤嚥時の咳による喀出を促進します[68]。

筆者は、10年ほどの経過で認知症の終末期に至って経管栄養を考慮する段階となった患者に対して、アマンタジンやL-DOPA製剤(マドパー®など)といったパーキンソン病治療薬やACE阻害薬を投与し、栄養状態を維持しつつ、2年以上にわたって経管栄養を遅延しているケースを報告しました[69]。これらの患者では、パーキンソン病治療薬によって嚥下機能が向上しただけでなく、表情(笑顔)や一語程度の発語が出現するなどの改善効果が見られました。認知症の終末期には、諦めないでパーキンソン病治療薬の投与も検討し、経管栄養を遅延することや誤嚥性肺炎を防ぐことをお勧めします。

このようになるべく経口摂取を維持し、経管栄養にしない努力が必要です。それでも、いよいよ経口摂取が困難になると、看取りか経管栄養(胃ろうを含む)の選択を迫られます。

欧米では、認知症の終末期には基本的に経管栄養を行いません。筆者が見学したオランダのナーシングホームでは、経管栄養の入居者は一人もいませんでした。口から食べられなくなったらおしまいとのことでした。その一方で、とろみ食をスプーンで食べさせてもらっている入所者が、背広を着てネクタイを締めて手厚い介護を受けていました。これが尊厳を守ることかと実感しました。パジャマで車椅子に乗せられ胃に食物を流し込まれる日本の介護施設との大きな差を感じました。

14-2 胃ろう

経管栄養の方法として経皮内視鏡的胃ろう造設術(PEG)が簡単に行えるようになり、認知症終末期のPEG設置が増えています。筆者が関わっている介護老人福祉施設(特別養護老人ホーム)でも入居者の1〜2割が経管栄養になっています。PEGによって延命は図れますが、終末期の状態がさらに数か月〜数年間続くことになります。PEGを設置しても、口腔内に生息する多量の菌を含む唾液を飲み込めないため、唾液が気管から肺に入って誤嚥性肺炎を併発して亡くなります。PEGを入れても入れなくても亡くなるので、「認知症終末期の延命は医学的には無益」と考えられています。アルツハイマー型認知症などの変性疾患は死因となる、終末期に至れば確実に死亡するという認識が必要です。中心静脈栄養などの人工栄養も同様に医学的に無益です。この事実を医師がきちんと家族に伝える、そして医療者と介護者で話し合って方針を決めることが大切です。もちろん、本人の事前の意思表示があればそれを尊重します。

認知症の終末期にPEGを挿入した介護家族にアンケートをとると、将来自らが終末期を迎えた場合は経管栄養を望まないという意見が多数を占めました[70]。積極的な延命は3

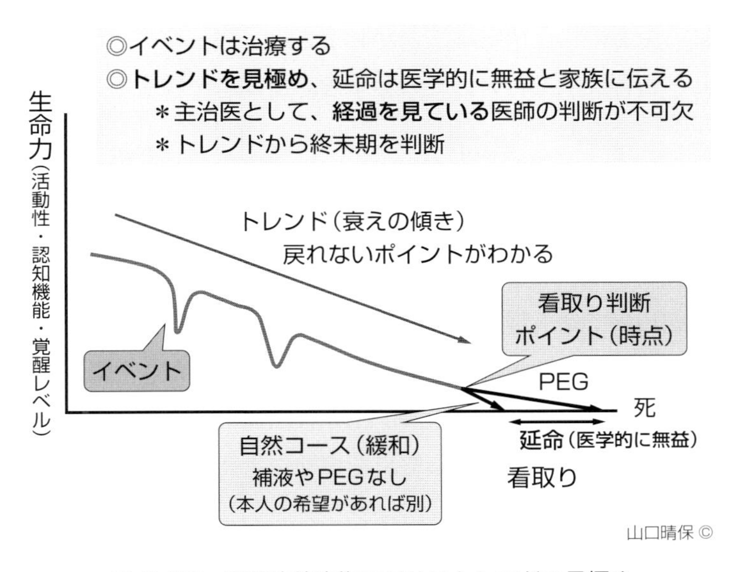

図 2-23　認知症終末期におけるトレンドの見極め

%、経管栄養は 11% の人しか望みませんでした。

終末期の経管栄養に関するアンケート調査で、「あなた自身が経口摂取が不能となった場合、経管栄養を望みますか」という問いに９割の介護者が「しないでください」と答えたという調査結果を家族に伝えたうえで経管栄養について判断を仰ぐと、経管栄養の実施率が半減したという報告もあります[68)]。反対する人が多いと聞けば、なびくのが日本人です。一方、医師が「PEG を入れないで親を見殺しにするのか」と言えば、介護者は内心反対でも PEG に承諾するでしょう（入れてもいずれ亡くなるのに）。大切なことは、もし認知症でなければ本人がどんな最期を望むだろうかと家族が考え、それを実現することです。ガイドラインや判定委員会の整備、家族のサポートシステム構築などインフラ整備が少しずつ進んでいます。医療者が**図 2-23** に示すようにトレンドを見極め、終着点と判断したら、それ以上の延命は医学的に無益だと家族に伝えるべきです。フランスでは、アルツハイマー型認知症終末期の PEG を虐待と捉えています。

以上、認知症終末期の原則を書きましたが、血管性認知症では偽性球麻痺によって終末期を迎える前に嚥下困難が出現することがしばしばあります。この場合は、PEG 挿入が必要です。回復の望みもありますし、終末期ではありませんので。

14-3　事前指示書

事前指示書（advance directives）とは、将来、自分に行われる医療行為に関する意思決定が自分でできない状態に置かれたときのために、事前に自分の意思を示すものです。米国では1990年に「患者の自己決定権法」が制定され、病院やナーシングホームなどでは事前意思を確認し、情報提供を行い、その結果を診療録に記録することが義務化されています。

日本尊厳死協会が提唱する尊厳死の宣言書（リビング・ウイル）では、第三者が判断する安楽死とは異なり、「不治かつ終末期」になったとき、自分の意思で延命治療をやめてもらい、安らかに人間らしい死を遂げるという意思を書面にして医療スタッフに伝えることにしています。認知症では、軽度のうちにこうした文書を書くことを検討しておくとよいでしょう。米国では、終末期医療や葬儀をどうしてほしいか、判断を誰に託すかなどを元気なうちに事前指示として書き記す運動（Five Wishes）が広まりつつあります。日本では「終活」という言葉が生まれ、人生の終焉を事前に考えて、自分の望む最期を迎えたいと考える人が増えています。また、エンディングノートなどとして、事前指示などを書き残しておくものが多数販売されていますし、一部の自治体では住民に無料配付しています。エンディングノートは、終末期医療のことだけでなく「愛する人々に知っておいてほしいこと」を含めて、自分の気持ちを家族や後見人に伝えるものです。書くだけでなく、書いたこととその内容を身近な人に伝えておくことも大切です。

市町村によっては、救急医療情報キット（オアシスキット）を冷蔵庫の中に入れて冷蔵庫のドアに表示シールを貼っておくと、救急隊員が冷蔵庫を確認する仕組みを作っています。そこに延命処置の希望について自分の考えを書いておくと効果的です。

日本の認知症終末期医療の現状は、事前指示書がなく、本人の気持ちが考慮されずに医療者と家族の合議で進められる傾向があります。極端な場合、施設入所者では、「費用＞年金額」だと看取りを、「費用＜年金額」だと延命を家族が希望する場合もあります。本人の意思を尊重し、尊厳を守って最期を迎えるためにも、事前指示書・エンディングノートの普及が欠かせません。終末期が近づいてからこれらを書くのではなく、判断力が保たれているうちに本人の意思を書いておき、毎年継続して確認していくことが大切です。

また、成年後見制度の後見人や任意後見人に治療行為の代諾権がないことも問題です。成年後見制度は財産を守ってくれますが、尊厳までは守ってくれないのです。

終末期医療に関して、厚生労働省が「人生の最終段階における医療・ケアの決定プロセスに関するガイドライン」（改訂 平成30年3月）を示しているので、参考にしてください。このガイドラインでは、「医師等の医療従事者から適切な情報の提供と説明がなされ、それに基づいて医療・ケアを受ける本人が多専門職種の医療・介護従事者から構成される医療・ケアチームと十分な話し合いを行い、本人による意思決定を基本としたうえで、人生の最終段階における医療・ケアを進めることが最も重要な原則」とされています。そして、①本人の意思が確認できる場合と②本人の意思が確認できない場合に分けて、終末期の医療・ケアの方針決定手続きを示しています。

14-4　アドバンス・ケア・プランニング

アドバンス・ケア・プランニング（advance care planning：ACP）とは、『将来の変化に備え、将来の医療及びケアについて、患者さんを主体に、そのご家族や近しい人、医療・ケアチームが、繰り返し話し合いを行い、患者さんの意思決定を支援するプロセスのこと』です[71)]。事前指示書が本人の意思なのに対して、ACPは多職種のチームが本人の事前指示を尊重しながら立てた将来の医療・ケアのプランです。介護施設では終末期になってからターミナルケアを検討するのではなく、施設入所時からACPを作り、毎年書き換えていく作業が有用だと思います。本人・家族・ケアチームで共通認識を形成する作業が、相互理解に役立つからです。

15 本人が活躍する Dementia-capable

第２部のタイトルに入っている「能力を生かすケア」の実例として、認知症になってもいろいろなことができるというDementia-capableの考え[72)]をここに示します。

認知症の当事者たちが日本認知症ワーキンググループを2014年に立ち上げ、認知症施策について政府に働きかけるなどの活動を行い、認知症施策推進大綱に「認知症の人やその家族の視点の重視」が示されるなど、当事者の声を政策に生かす時代になりました。当事者たちが小グループで意見交換する「本人ミーティング」も2015年に６市で始まりました。その中から行政への提言も生まれています。

厚生労働省は2020年に五人の認知症当事者を「希望大使」に任命しました。その後、都道府県が任命する地域版希望大使も徐々に広がっています。希望大使の一人である丹野智文氏は、その著書『丹野智文 笑顔で生きる―認知症とともに―』（文藝春秋、2017年）の中で、『できなくなったことを受け入れて、人生を再構築しながら生活を楽しんでいる仲間は、まばゆいほど輝いています』と述べています。認知症の人が、自分が認知症であることの自覚をもち（病識を高め）、認知症を受け入れて（障害受容し）、前向きに生きること（認知症ポジティブ）が大切です。また、『私は思いきって病気（認知症）をオープンにしました。結果的にオープンにしても、偏見を感じることはほとんどないし、逆にサポートしてくれる人たち（パートナー）がたくさんできました。‥‥偏見は自分自身の中にあるのだ』とも述べています。周囲の人に自分が認知症になったことを伝えれば、周囲の人は親切にしてくれます。「恥ずかしい」「ばかにされる」という偏見は、認知症の人自身の中にあります。筆者は、それを少しでも減らしたいと願っています。本人が、①病識を高め、②障害受容し、③周囲に伝えることが、当事者が社会で役割を担うための必要条件だと思います。

特に若年性認知症の人は、行動力が比較的高く、いろいろな社会活動にも当事者として参加しています。例えば、39歳で若年性アルツハイマー型認知症と診断された仙台市の丹野智文氏（希望大使）は、診断された直後に絶望状態に陥った自らの経験から、認知症をオープンにすることで周囲の協力者（サポーターではなくパートナー）を得て笑顔が戻った自身の体験を他の認知症の人に伝えて、その人たちを元気にしたいと、「おれんじドア」の活動をしています。診断後の絶望状態にある認知症の人がここを訪れて丹野氏の笑顔に触れると、前向きになり、新しい「笑顔の人生」の第一歩を踏み出します。このように、当事者が当事者を支援する仕組みを作ったことで、丹野氏は、自分が認知症になったからこそこの役割ができるし、有意義な人生を笑顔で送れるようになったと、先に紹介した著書で述べています。

若年性認知症の人が働けるデイサービス DAYS BLG！（218 ページを参照）も参考にしてください。厚生労働省の調査研究事業の成果から参考になる事例や知恵を集めた『認知症の人の「はたらく」のススメ』でも紹介されています[73]。

上記のように認知症の本人が社会活動をするには、一緒に活動するパートナーが必要です。できないことをしてあげるサポーターではなく、ともに助け合うパートナーです。本人と複数のサポーターや専門職などでチームを作って本人支援を行おうというチームオレンジや伴走型支援が、各地で行われています。

家庭や施設の枠を超えて認知症の人が活躍できる地域づくり、つまり、①認知症に対する偏見の解消、②認知症とともに生きる人々への差別の撤廃、③認知症とともに生きる人々の包摂、④社会参加の促進をめざす活動が揃った「認知症にやさしい地域（Dementia-friendly community）」[74]が求められています。

第２部の引用文献

1） クリスティーン・ボーデン：私は誰になっていくの？─アルツハイマー病者からみた世界─．クリエイツかもがわ，京都，2003.
2） 筧 裕介：認知症世界の歩き方．ライツ社，兵庫，2021.
3） 国立研究開発法人日本医療研究開発機構（AMED）「BPSDの解決につなげる各種評価法と，BPSDの包括的予防・治療指針の開発～笑顔で穏やかな生活を支えるポジティブケア」研究班（研究開発代表者：山口晴保）：BPSDの定義，その症状と発症要因．認知症ケア研究誌２：1-16，2018.
4） 国際老年精神医学会（日本老年精神医学会・監訳）：認知症の行動と心理症状 BPSD，第２版．アルタ出版，東京，2013.
5） 池田研二：BPSDの神経病理．Dementia Japan 28（1）：18-27，2014.
6） 村上靖彦：ケアとは何か─看護・福祉で大事なこと─（中公新書 2646）．中央公論新社，東京，2021.
7） マーティン・セリグマン：ポジティブ心理学の挑戦─“幸福”から“持続的幸福”へ─．ディスカヴァー・トゥエンティワン，東京，2014，pp.33-42.
8） フレドリケ・バニンク：ポジティブCBTとは何か．ポジティブ認知行動療法─問題志向から解決志向へ─，北大路書房，京都，2015，pp.6-19.
9） トム・キットウッド：認知症のパーソンセンタードケア─新しいケアの文化へ─．筒井書房，東京，2005，pp.5-15.
10） 厚生労働省：「認知症の人の日常生活・社会生活における意思決定支援ガイドライン」（https://www.mhlw.go.jp/file/06-Seisakujouhou-12300000-Roukenkyoku/0000212396.pdf）.
11） 藤生大我，内藤典子，滝口優子，他：BPSD予防をめざした「BPSD気づき質問票57項目版（BPSD-NQ57）」の開発．認知症ケア研究誌３：24-37，2019.
12） 水野 裕：Quality of Careをどう考えるか─Dementia Care Mapping（DCM）をめぐって─．老年精神医学雑誌 15（12）：1384-1391，2004.
13） 本田美和子，イヴ・ジネスト，ロゼット・マレスコッティ：ユマニチュード入門．医学書院，2014，pp.3-6.
14） 本田美和子：「優しさを伝えるマルチモーダル・コミュニケーション・ケア技法：ユマニチュード」はなぜ有効なのか─情報学的・生理学的・哲学的考察─．認知症ケア研究誌６：28-39，2022.
15） Reisberg B：Dementia；a systematic approach to identifying reversible causes. Geriatrics 41（4）：30-46, 1986.
16） 加藤泰子，高山成子：本人と家族がとらえたレビー小体型認知症に現れる認知機能変動．日本認知症ケア学会誌 19（3）：533-547，2020.
17） 樋口直美：誤作動する脳（シリーズ ケアをひらく）．医学書院，東京，2020.
18） Ribot TA：Les maladies de la mémoire. Baillière, Paris, 1881.
19） 渡邊正孝：ワーキングメモリー─その機能と脳メカニズム─．医学のあゆみ 219（7）：549-552，2006.
20） ジョン・J・レイティ：脳のはたらきのすべてがわかる本．角川書店，東京，2002，p.206.
21） 山口晴保：注意障害と認知症．認知症ケア研究誌３：45-57，2019.
22） 橋本 衛：注意障害．老年精神医学雑誌 27（Supple I）：37-44，2016.
23） 船山道隆：認知症と遂行機能．老年精神医学雑誌 27（Supple I）：53-60，2016.
24） 浜田博文：注意の障害．鹿島晴雄，種村 純・編，よくわかる失語症と高次脳機能障害，永井書店，大阪，2003，pp.412-420.
25） クリスティーン・ブライデン：認知症とともに生きる私─「絶望」を「希望」に変えた20年─．大月書店，東京，2017，pp.138-139.
26） 樋口直美：誤作動する脳（シリーズ ケアをひらく）．医学書院，東京，2020，pp.126-127.
27） 板谷章文，岸本年史・監修：痴呆「生活」介護マニュアル─あなたの「思い」を実現できる！─．日総研出版，名古屋，2004，pp.24-27.
28） クリスティーン・ボーデン：私は誰になっていくの？─アルツハイマー病者からみた世界─．クリエイツかもがわ，京都，2003，p.47.

29）筧 裕介：認知症世界の歩き方．ライツ社，兵庫，2021，pp.76-85.
30）室伏君士：痴呆老人への対応と介護．金剛出版，東京，1998，p.134，pp.149-158，p.161，pp.226-227.
31）ナオミ・フェイル：バリデーション―痴呆症の人との超コミュニケーション法―．筒井書房，東京，2001.
32）日比野正己，佐々木由惠，永田久美子：図解痴呆バリア・フリー百科．TBSブリタニカ，東京，2002，pp.98-100.
33）小名留美，柴田幸枝，内田陽子：訴えを繰り返す認知症高齢者の真のニーズの探求―プロセスレコードによる分析―．看護技術55（13）：51-56，2009.
34）鈴木大介：「脳コワさん」支援ガイド（シリーズ ケアをひらく）．医学書院，東京，2020，pp.21-26.
35）田平隆行，堀田 牧，小川敬之，他：地域在住認知症患者に対する生活行為工程分析表（PADA-D）の開発．老年精神医学雑誌30（8）：923-931，2019.
36）大川弥生：「よくする介護」を実践するためのICFの理解と活用―目標指向的介護に立って―．中央法規出版，東京，2009，pp.10-11.
37）筧 裕介：認知症世界の歩き方．ライツ社，兵庫，2021，pp.98-111.
38）木戸又三：老年期の幻覚・妄想．老年精神医学雑誌8（12）：1352-1359，1997.
39）小澤 勲：痴呆を生きるということ．岩波新書（新赤版）847，岩波書店，東京，2003，pp.84-85，pp.126-137.
40）須貝佑一：痴呆に伴う幻覚と妄想．老年精神医学雑誌9（9）：1031-1037，1998.
41）竹中星郎：鏡のなかの老人―痴呆の世界を生きる―．ワールドプランニング，東京，1996，pp.17-18，p.104.
42）熊本大学大学院生命科学研究部神経精神医学分野：認知症における嫉妬妄想治療マニュアル（平成27年10月作成）(https://www.bpsd-map.com/download/data/bpsd_8.pdf).
43）Bertrand E, Landeira-Fernandez J, Mograbi DC：Metacognition and perspective-taking in Alzheimer' s disease；a mini-review. Front Psychol 7：1812, 2016.
44）竹中星郎：明解痴呆学―高齢者の理解とケアの実際―．日本看護協会出版会，東京，2004，p.4.
45）筧 裕介：認知症世界の歩き方．ライツ社，兵庫，2021，p.51.
46）月井直哉：認知症の人が理解しやすい環境調整の手引き―マークを用いたトイレまでの移動支援―(https://researchmap.jp/Naoya-Tsukii/works/40773058).
47）島村俊夫：不潔行為．日本老年行動科学会・監修，高齢者の「こころ」事典，中央法規出版，東京，2000，pp.206-207.
48）熊本悦明，塚本泰司，佐藤嘉一，他：老人福祉施設における“性”．高齢者のケアと行動科学4：3-16，1997.
49）本田美和子，イヴ・ジネスト，ロゼット・マレスコッティ：ユマニチュード入門．医学書院，2014，pp.40-77.
50）島田睦雄：前頭葉の構造と機能―職業適性の生物学的基礎―．旧日本労働研究機構（JIL）資料シリーズNo.118（2002. 2），独立行政法人労働政策研究・研修機構ホームページ(http://www.jil.go.jp/institute/siryo/2002/118.html).
51）目黒謙一，石井 洋：血管性痴呆の疫学問題―診断基準の問題点と神経基盤に関する考察―．老年精神医学雑誌14（2）：169-180，2004.
52）松沼記代，山口晴保：脳血管性認知症の特徴とそのケア．認知症介護8（3）［秋号］：25-34，2007.
53）松沼記代：気づきを高める研修方法．認知症介護9（1）［春号］：50-56，2008.
54）厚生労働省：「令和2年度診療報酬改定について」(https://www.mhlw.go.jp/stf/seisakunitsuite/bunya/0000188411_00027.html)
55）田中香南江，窪内敏子，津田祐子，他：認知症ケアプラン＆記録の学校．日総研出版，名古屋，2005，pp.93-119.
56）七田 眞：認めてほめて愛して育てる．PHP研究所，東京，2004，p.19，p.26，pp.56-57，p.76，p.159.
57）明橋大二：子育てハッピーアドバイス．1万年堂出版，東京，2006，pp.162-181.

58) 高橋幸男：心理教育（サイコエデュケーション）．老年精神医学雑誌 18（9）：1005-1010，2007．
59) 松田 修：痴呆性高齢者と家族．日本老年行動科学会・監修，高齢者の「こころ」事典，中央法規出版，東京，2000，p.208．
60) 公益社団法人認知症の人と家族の会（https://www.alzheimer.or.jp/）の支部が各都道府県にある．
61) 玄侑宗久：まわりみち極楽論―人生の不安にこたえる―（朝日文庫）．朝日新聞社，東京，2006．
62) Fuju T, Yamagami T, Yamaguchi H, et al：Development of the Dementia Caregiver Positive Feeling Scale 21-item version（DCPFS-21）in Japan to recognise positive feelings about caregiving for people with dementia. Psychogeriatrics 21（4）：650-658, 2021.
63) 藤生大我，山上徹也，山口晴保：認知症家族介護者がポジティブ日記をつけることの効果．認知症ケア学会誌 16（4）：779-790，2018．
64) Fuju T, Yamagami T, Yamaguchi H, et al：A randomized controlled trial of the "positive diary" intervention for family caregivers of people with dementia. Perspect Psychiatr Care 58（4）：1949-1958, 2022（doi: 10.1111/ppc.13013）.
65) 山口智晴，堀口布美子，狩野寛子，他：前橋市における認知症初期集中支援チームの活動実績と効果の検討．Dementia Japan 29：586-595，2015．
66) 山口晴保：認知症のリハビリテーションとケア．日本認知症学会・編，認知症テキストブック，中外医学社，東京，2008，pp.181-199．
67) 黒田留美子：高齢者ソフト食―安全でおいしい介護食レシピ―．厚生科学研究所，東京，2001．
68) 佐々木英忠：摂食・嚥下障害，老人性肺炎．エビデンス老年医療，医学書院，東京，2006，pp.1-48．
69) Yamaguchi H, Maki Y：Tube feeding can be discontinued by taking dopamine agonists and angiotensin-converting enzyme inhibitors in the advanced stages of dementia. J Am Geriatric Soc 58：2035-2036, 2010.
70) 山下真理子，小林敏子，松本一生，他：アルツハイマー病の病名告知と終末期医療に関する介護家族の意識調査．老年精神医学雑誌 15（4）：434-445，2004．
71) 日本医師会：終末期医療―アドバンス・ケア・プランニング（ACP）から考える―（https://med.or.jp/dl-med/teireikaiken/20180307_31.pdf）．
72) 山口晴保：認知症ポジティブ～東京センターのめざす道．認知症ケア研究誌 1：11-19，2017．
73) 徳田雄人：認知症の人の「はたらく」のススメ―認知症とともに生きる人の社会参画と活躍―（https://www.mhlw.go.jp/content/12300000/000334587.pdf）．
74) 粟田主一：Dementia Friendly Community の理念と世界の動き．老年精神医学雑誌 28（5）：458-465，2017．

第3部　脳活性化リハビリテーション

　このセクションでは、脳活性化リハビリテーション（リハ）の基本理論といくつかの代表的手法を解説します。脳活性化リハは、失われた認知機能そのものの向上も期待しますが、それ以上に、脳活性化リハを通して人と人が触れ合い、心が通じ合って、残存能力を生かしながら役割をもつことで生きがいが生まれ、ほめられて意欲が引き出され、生活機能が向上し、**認知症があっても前向きに楽しく暮らせるようになる**ことを目的にしています。実際の脳活性化リハでは、これらの手法と散歩や体操などの身体活動を組み合わせます。脳活性化リハの時間だけでなく、生活の大部分を占めているリハ以外の生活時間も、この脳活性化リハ５原則に則って過ごすことが大切です。主役は“本人”です。そして、第２部で紹介したポジティブケアも含めた包括的な多職種協働のチームアプローチで本人を支援します。

　本人を主役にするには、事前準備が大切です。その人の生い立ち、職歴、性格、習慣、趣味、スポーツ、社会活動などを事前に調べ、楽しく能力を発揮できる環境設定を事前に考えて脳活性化リハを実施します。そして、実施後は満足してもらえたか、能力を発揮したかなどを評価して、リハプログラムの改善につなげます。こうして「その人を大切にしている」という思いを伝えることが重要です。脳活性化リハは、医療・リハ・介護の現場で役立ちます。認知症は早期発見・早期リハの時代です。

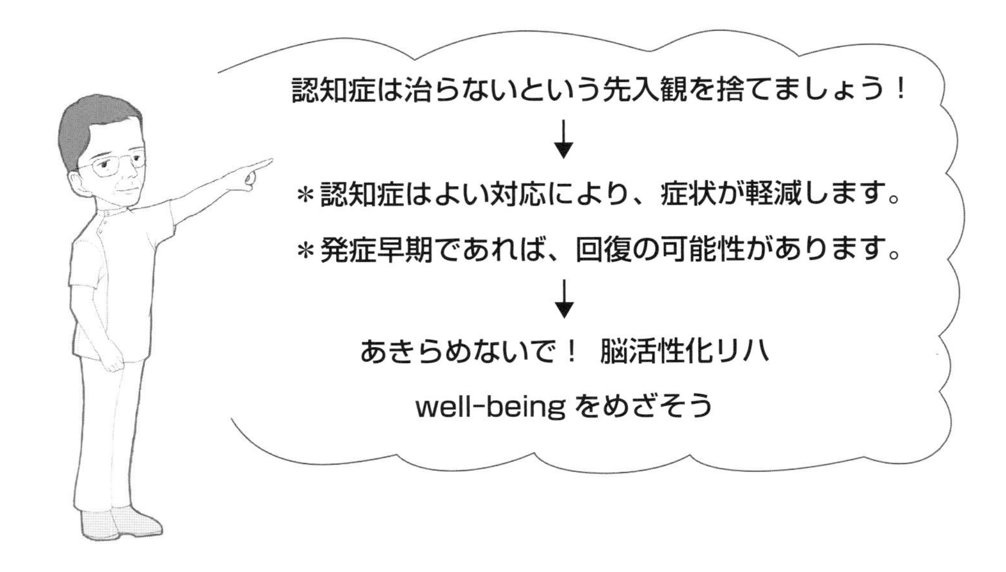

1 総論：脳活性化で認知症が改善するか？

1-1　脳には回復力——可塑性がある

認知症は、脳の**器質性障害**（神経細胞の変性消失）であり、回復が難しいとされています（**表 1-4** を参照）。しかし、筆者は「**消えゆく老人斑**」として、脳βタンパク異常蓄積（βアミロイド沈着、老人斑）がグリア細胞（24 ページを参照）によって取り除かれることを示しました（**図 3-1**）[1)]。脳には病変を取り除こうとする力があるのです。さらに、脳には可塑性（シナプスをつなぎ換えて回路を更新する性質）があるので、脳活性化リハビリテーション（リハ）によって認知機能の低下スピードが遅くなることが期待されます。短期的には認知機能の維持・改善も期待されます。認知症になってもあきらめないで、脳活性化リハにより意欲や生活能力の向上をめざすことが大切です。

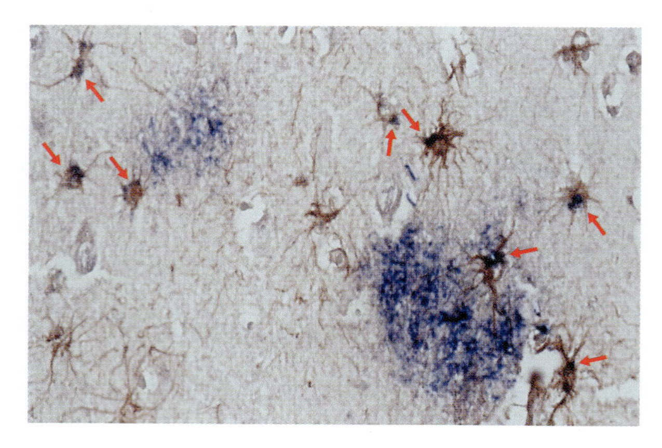

図 3-1　消えゆく老人斑（βタンパクと星形グリアの二重染色）
青く染まる不整円形シミ状のβアミロイド沈着（びまん性老人斑）の中や周囲で、茶色に染まる星形グリアがβタンパク（青）を細胞内に取り込んでいる。こうして、星形グリアがβアミロイド沈着（老人斑）を掃除する。

1-2　回復力：脳の可塑性

脳の**可塑性**（柔軟さ）とは、どのようなものなのでしょうか。神経細胞は多数の分枝をもった樹状突起を周囲に伸ばし、アンテナとして情報を受け取ります。一つの神経細胞の樹状突起には数千〜数万にのぼるシナプスがあり、あちこちから情報を受け取っているのです。一方、情報の出力系はたった１本の軸索ですが、情報を届ける末端部近くで分枝して多数のシナプスを形成し、何か所にも情報を届けることが可能です。そして、使われるシナプスは強化される一方、使われないシナプスは退化・消滅します（刈り込み）。こうして、神経ネットワークは状況に応じて変化し続けます。これが脳に可塑性をもたらします。

神経ネットワークはとてもフレキシブルで（可塑性があり）、新しい知識や技術を覚えていきます。ちなみに、プラスチックを漢字で書くと「熱可塑性樹脂」となります。「熱」を加えると「どのような形」にも形成できる樹脂のことです。脳もプラスチックと同様に、「学習」を加えると、「どのような能力」もつくのです。脳は「**学習可塑性能力**」ですね。脳の可塑性の本態は、神経ネットワークの**つなぎ換えの柔軟性**なのです。人間は毎日たくさんの体験をします。そして、その記憶は、夜中に行われるシナプスのつなぎ換え作業などによって大脳皮質に残ります（88ページの「4．各論１：記憶障害とケア」を参照）。脳は体験によって毎日変わっていきます。まさに「日々進化する脳」なのです。

では、その仕組みはどうなっているのでしょうか。神経細胞Ａがシナプスを介して神経細胞Ｂに情報を伝達すると、神経細胞Ｂは神経細胞Ａへご褒美の栄養因子を与え、そのシナプスは強化されます（大きくなる）。逆に、使われないシナプスは栄養因子をもらえないため、その機能を維持できず退化し、ミクログリアによる刈り込みで消滅します（**図3-2**）。シナプスの一方を形成する軸索末端は、神経細胞本体から遠く離れています。神経細胞は、情報をその届け先まできちんと手を伸ばして届けます。このため、神経細胞はとても不格好です。長い軸索は、胞体（核のある中心部分）の大きさの1,000倍もの距離になります。体の長さの1,000倍の距離を想像できるでしょうか。あなたの身長が160 cmだったら、あなたの手が1.6 km先まで伸びているのです。このように著しく長い軸索の中を、軸索流というベルトコンベアに乗って、タンパクや膜脂質などの必要物資が、胞体からシナプスを形成する末端部まで延々と流れて栄養を供給しています。この長い突起を維持するためには、情報を届けたときにご褒美としてもらう栄養因子が不可欠です。そして、使えば使うほどたくさんのご褒美をもらえるのです。

これまで神経細胞は再生しないと考えられてきましたが、海馬領域では古い神経細胞が少しずつ死ぬと同時に、新しい神経細胞が日々少しずつ生まれています（247ページの「14．各論：身体活動による認知症の発症予防・進行予防」を参照）。従来、「神経細胞は

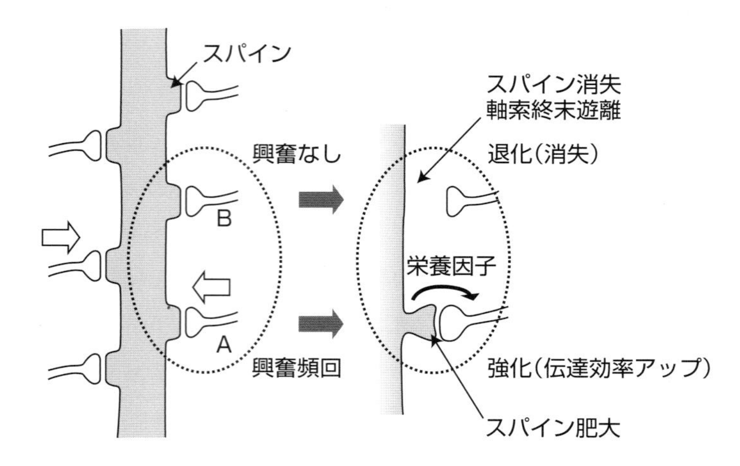

図 3-2　シナプスの強化と退化
樹状突起にはいくつものシナプスがあり、使われるシナプス（A）は強化され、伝達効率も上昇する。一方、使われないシナプス（B）は退化・消失する。⇦は情報の伝わる方向を示す。

再生しないので、脳の器質性病変では機能が回復しない」と考えられてきましたが、部位によっては神経細胞が新たに生まれるのです。さらに、神経細胞はその突起をつなぎ換えることにより新たな神経ネットワークを構築して、徐々にではありますが機能を回復させたり、新しい機能を獲得していきます。

1-3　廃用と病変と可塑性（回復力）のバランス

脳機能も、「使えば使うほど強化され、使わなければ退化する」という身体機能の大原則の例外ではありません。長期臥床による廃用症候群には、心肺機能低下、骨密度低下、筋萎縮などに加えて認知機能低下も含まれます。詳しくは Step Up! で述べますが、**廃用**は認知機能の低下だけでなく意欲低下（アパシー）や気分の沈み込み（うつ）も引き起こし、認知症の引き金になるばかりでなく、認知症の重大な悪化促進因子です。

一方、脳には可塑性（回復力）があり、脳病変が進行する中でも、適切なリハ・ケアによって認知症の進行を遅らせることや、場合によっては緩やかな回復も期待できます。認知機能が向上し、生活意欲が引き出されて、うつが防がれることがあります。

慢性的に病変が進行するアルツハイマー型認知症では、βタンパクやタウタンパクの異常蓄積が進行して神経ネットワークの崩壊が続いています。それでも、廃用を減らし、活性化を増やして、病変とのバランスを変えることで、進行を緩やかにできるのです。

脳の回復力は残念ながら年齢が増すほど低下しますが、80 歳になっても失われるわけではありません。

廃用は認知症の原因となるか？

認知機能は身体の廃用によって低下します。筆者らが、介護老人福祉施設（特別養護老人ホーム）の入居者を７年間フォローした結果、身体機能が保たれた群では認知機能低下が軽度でしたが、骨折などにより身体機能が低下していった群と７年間寝たきりだった群では著しい認知機能低下が見られました（**図 3-3**）。

廃用は認知症の原因ではなく、アルツハイマー型認知症など認知症を引き起こす疾患の誘因や悪化促進因子として、とても重要です。認知症の症状は脳病変だけでは決まらないことが、ナン・スタディーでも明らかにされています（27 ページを参照）。脳病変だけを見たらアルツハイマー型認知症なのに認知機能はまったく正常な状態を保った例が見つかっています。余力を増やせば脳病変に打ち勝つことが不可能ではありません。いかに**認知予備能**（200 ページを参照）を高めて脳病変に打ち勝つか――。廃用を減らして脳を活性化することの意義がそこにあります。

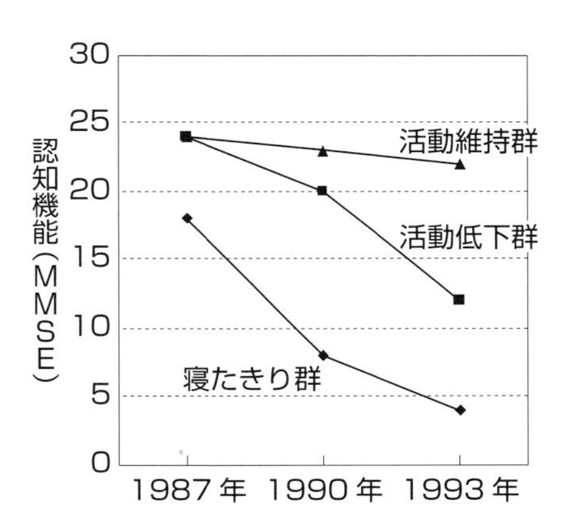

図 3-3　活動性と認知機能
介護老人福祉施設（特別養護老人ホーム）で MMSE を指標に前向き調査を行ったところ、活動維持群が認知機能を比較的保ったのに比べ、活動低下群と寝たきり群で認知機能低下が著しかった。
（山口ら 1995[2)]）

2 総論：脳活性化リハビリテーション

認知症は脳病変によって生じ、神経ネットワークが少しずつダメージを受けていきます。しかし、脳には**可塑性**（必要な機能を高める柔軟性）があるので、ダメージを緩めて回復力を高めれば、認知症の進行を緩め、場合によっては進行を食い止めたり、症状を軽くする可能性もあります。バランスが「ダメージ＞回復」へ傾いた状態から、逆の「ダメージ＜回復」の状態に変えようというのが脳活性化リハです。また、認知症の人の活動性が低下すると、廃用がダメージに拍車をかけ、進行が速まります。使われる機能が向上するという正の方向の可塑性がある一方で、使われない機能は不要と判断されて失われていくという負の方向の可塑性もあります。可塑性は両刃の剣です。廃用を防ぎ活用を増やす点からも、**脳活性化リハ**が必要なのです。

2-1　脳活性化とは

脳活性化とは何でしょうか。脳には身体各部からの情報が集まります。例えば皮膚をつねると、痛みによって覚醒します。痛み刺激は大いに脳を刺激するのです。しかし、脳活性化リハではこのような有害刺激を用いません。それは、痛み刺激が**不快刺激**だからです。つまり、刺激すればよいのではなく、適切に刺激することが大切なのです。だからといって、リラックスできるソファに腰かけてもらい、ゆったりとした音楽を静かに聴いてもらうのはどうでしょうか。確かに快刺激ですが、これでは覚醒レベルが下がり眠ってしまいます。脳活性化リハでは、「適度な快刺激」が求められます。ストレスは青斑核（橋背部、**図 1-7** を参照）のノルアドレナリン神経を興奮させます。すると、その軸索が投射（到達）するマイネルト核（**図 1-7** を参照）のアセチルコリン神経系が興奮します。このアセチルコリン神経系は大脳皮質に広く投射して皮質の神経細胞を活性化するので、**覚醒レベル**を高め**注意行動**を引き出します[3)]。そして、認知機能を向上させます。マイネルト核に隣接する中隔核・対角帯核（アセチルコリン神経系）も同時にノルアドレナリン神経の

青斑核 —NA→ マイネルト核 —ACh→ 大脳皮質 - - - 覚醒・認知向上
青斑核 —NA→ 中隔核・対角核 —ACh→ 海馬 - - - - 学習・記憶向上

図 3-4　脳活性化の伝達物質
NA はノルアドレナリン、ACh はアセチルコリン。

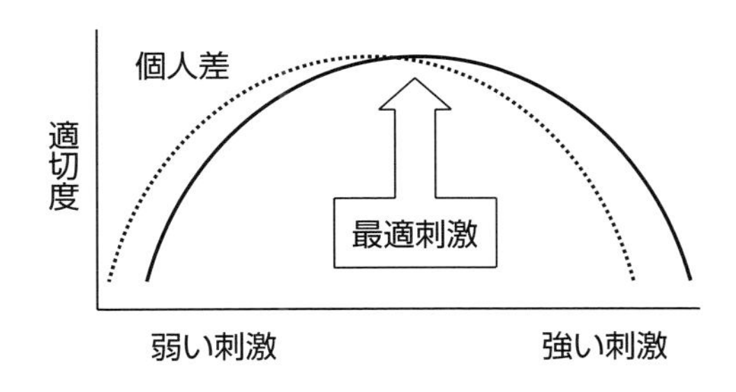

図 3-5　適度なストレスは脳を活性化させる。ただし、快適な刺激であることが必要。最適刺激の強度には個人差があるので、個々の対応が必要。

投射を受け、海馬にアセチルコリンを放出して海馬を活性化し、学習・記憶能力を高めます[3]（**図 3-4**）。このように、ストレスフリーではなく、適度なストレスが脳活性化に必要なのです（**図 3-5**）。

また、頭は使うほどよいのですが、心配事、悩み事に頭を使ってしまうのは、同じ使うのでも逆効果です。頭を使うといっても、前向きに、楽しいことに頭を使うことが大切なわけです。喜びのようなポジティブ感情を増やすと脳はさらによい方向に向かいますが、悲しみや怒りのようなネガティブ感情を増やすと脳はさらに悪い方向に向かう性質をもっているからです[4]。ポジティブなこと、楽しいことに思いをめぐらし、嫌なこと、悲しいことは考えないようにする。そのためには、認知症の人が心に抱える不安や混乱を取り除くケアが同時に必要です。脳活性化リハは、不安や混乱を取り除くケアや日々の日課となる規則的な楽しい日常生活と組み合わさって、最大限の効果を発揮します。

脳活性化リハでは、本人が脳活性化を意識することが大切です。脳を刺激したら自分の能力がよくなる、という期待をもつことです。「自分はいろいろな能力を失ってしまった」と、ネガティブに考えてはいけないのです。まだ自分にはこんな能力が残っていると**ポジティブ**に考えて自信をもち（自己効力感を高める）、「失った能力を回復させるぞ」というくらいの**意欲**が大切です。本人の意欲が結果に大きく影響するからです。また、「今日は楽しい」「やる気が出た」「私にもできる」などのポジティブな表現を声に出して言うことが有効です。言ったことを実現するように働く仕組みが脳にあるからです（221 ページを参照）。介護者にも同じことがいえます。介護者も前向きな言葉を口にすることが大切です（176 ページの「認知症介護肯定感尺度 21 項目版」と 177 ページの「ポジティブ日記」を参照）。

脳活性化とは、そう難しいことではありません。寝て過ごすのではなく、**前向きに楽しく頭と体を使って人と交わる**とよいのです。寝て過ごすことに比べると、椅子に座っているだけでも、脳への感覚入力は大幅に増えます。さらに手足を使えば、脳への深部感覚系の情報量が飛躍的に増えます。さらにほめ合うなど人と楽しく交われば、脳への刺激は格段に増えます。こうして脳への刺激を増やし、それが有害刺激ではなく快刺激であれば、有効です。そして、前向きに生きようとする意欲が出てくるのです。脳活性化リハのめざすところは、**快刺激による意欲・生きがいの創出**です。また、残存能力の活用や失われた能力の回復も期待されます。ですから、脳活性化リハは理学療法士や作業療法士などのリハ職だけのものではありません。ケアの専門職も家族介護者も、脳活性化リハの考え方（5原則）を生活の中に取り入れる工夫をしてほしいと思います。

2-2　脳活性化リハビリテーションと認知予備能

第1部で示したように、アルツハイマー型認知症の病変が脳にたくさん出現していても、日々の生活では認知症の症状が出ていない人たちがいます。脳病変に打ち勝つ余力が備わっている人たちで、代表はナン・スタディーの事例です（27ページ）。このような余力を**認知予備能**といってきましたが、国際会議で話し合われた結果、①脳予備能、②認知予備能、③脳の維持力、それぞれの定義が2020年に示されました[5]。「脳予備能」は、脳の体積が大きいほど認知症になりにくいといった形態学的な余力です。「認知予備能」は、神経回路がダメージを受けても、残っている別の回路を有効活用して機能低下を回避する機能的な余力で、適応力・レジリエンスが高いことです。「脳の維持力」は、脳病変に抗う神経生物学的な力です。脳活性化リハは主に認知予備能に働きかけ、認知症病変により神経ネットワークがダメージを受けていても、残された神経ネットワークを有効活用することで、認知機能の低下スピードを遅延したり、生活機能を維持する効果を期待しています。しかし、脳病変に打ち勝つのは容易ではありません。ゆえに、認知機能や生活機能への効果だけではなく、むしろそれ以上に、意欲をもって前向きに生きがいを感じて暮らせることや穏やかな気持ちで暮らせることへの効果（well-being と QOL 向上）を期待しています。

2-3　脳活性化リハビリテーションの5原則

脳活性化リハでは、前記の要件を満たす様々な手法が使われます。ここでは脳活性化リハに共通する5原則について述べます。実施する側をセラピストではなく**スタッフ**と表記します。脳活性化リハはリハ専門職以外でも関われるからです。ただし、介護保険の**認**

知症短期集中リハビリテーション実施加算のように実施要件がある場合には、その要件を満たす資格職が実施します。また、**小グループ**での実施が基本なので、認知症の人を**参加者**と表記します。

1）快刺激で笑顔になる〈原則１〉

楽しくなければやる気が起きない、楽しくなければ続かない。そう、活動（リハの内容）は楽しくなければいけないのです。どのような手法を用いるにしても、**楽しい時間**を過ごすことが大切です。そのために、小グループでの実施を基本に、なじみの道具を使ったり（作業回想法）、間違えない課題で（満点主義）、楽しい時間を共有することにより笑顔が生み出されます。快刺激により笑顔が生まれるとき、脳ではドパミンが多量に放出され、学習意欲が高まり、やる気が出ます。このとき、スタッフもともに楽しんでいることが大切です。笑顔が笑顔を生みます。そして、参加者の笑顔や歓声から**快刺激**であることがわかります。スタッフは、味方の証である微笑み（smile）を忘れず、楽しいときは素直に喜び、笑いましょう。

2）ほめることでやる気が出る〈原則２〉

認知症になると、日々の生活で失敗を繰り返し、そのつど介護者からはつらい言葉を浴びせられ、惨めな気持ちになってしまいがちです。普段はほめられることなどない認知症の人にとって、残存能力を発揮してほめられると、とても嬉しいものです。「ほめられる」ことは人間にとって最大の**報酬**です。他人に認められることは、自分の存在意義を確認できる大切なご褒美です。このご褒美は、**ドパミン**の放出をもたらします。そして、前向きに生きる気力ややる気が高まります。

また、「ほめられる」と同様に、他人を「ほめる」ことも快感ややる気を生みます。利用者がスタッフをほめると、ほめた利用者の脳でドパミンが放出され嬉しくなります。逆にスタッフが利用者をほめると、利用者とともにスタッフも気持ちよくなります。そして、相手に対して肯定的な感情をもて、「**他人をほめる自分**」への気づきが自身の**自己効力感**や尊厳を高めます。「ほめること」も「ほめられること」もともに有効なので「ほめ合い」が素晴らしいのです。これを「ほめ愛」と表現したらチョット格好良いですね。

積極的にほめることが難しければ、「今のままでいい」「あなたがいてくれて嬉しい」というように「存在を認める」「存在に感謝する」という消極的なほめ方も、利用者の抱えている心の痛みを和らげるのに有効です。相手への感謝の気持ちは、表情や態度などに非言語メッセージとして表出されて相手に伝わり、よい効果を生み出します。

3）コミュニケーションで安心する〈原則３〉

小グループで仲間と楽しく交流しながら行うことが望まれます。スタッフとのコミュニケーションだけでなく、仲間同士のコミュニケーションが生まれます。笑顔の輪の中では**非言語コミュニケーション**も生まれます。笑顔は伝染し、生き生きとした笑顔が生まれます。楽しくなくても笑顔を作ると、心が愉快になってくるから不思議です。家族にも加わってもらうと、普段は喧嘩ばかりの関係でも、楽しい時間を共有できます。なじみの仲間ができると**安心感**が生まれます。スタッフや家族を含め、お互いの理解を深めるよい機会になります。スタッフは、笑顔の双方向コミュニケーションを意識しましょう。

4）役割をもつことで生きがいが生まれる〈原則４〉

認知症になっても、能力を発揮できる仕事や役割を与えられると、自分が周囲の人の役に立っているという**生きがい**が生まれます。例えば作業回想法では、認知症の参加者が古い道具の使い方を若いスタッフに教えるという**役割**を演じることで、いつも面倒を見られている立場から面倒を見る立場に逆転し、生き生きと輝きます。そのとき、スタッフは思いっきりほめて、お礼の気持ちを伝えると効果が倍増します。与えるケアから**引き出すケア**への転換です。与えるのは「**あなたが大切です**」というメッセージです。「あなたの代わりにしてあげるケア（役割を奪うケア）」ではありません。認知症になったら何もできなくなるというネガティブな視点ではなく、**まだ○○ができる**というポジティブな視点が必要です。

役割や日課は、**尊厳**を守るという点としても大切です。役割や日課は、その人が生きている拠り所となり、一人の人間として認められているという実感をもたらします。役割や日課があってこそ「生きがい」が生まれるのです。生きがいは持続的幸福（flourish）の 5 要因（PERMA 理論／66 ページ）の一つです。

5）失敗を防ぐ支援で成功体験を増やす〈原則５〉

子どもの学習では、誤りの指摘を受けて修正して正しい方法を習得することが可能です。しかし、認知症では、誤りを繰り返すと「誤った方法」が記憶に残り、「正しい方法」を覚えない傾向があります。このため、ミスを誘発しないようにサポートし、正しい方法を繰り返すことで、その能力を身につけるというアプローチである**満点主義**が基本です（error-less learning：誤りなし学習）。誤りやすいような難しい課題を与えるのではなく、達成可能な課題を小刻みに繰り返すうちに能力を高めるのです。

さらに、正しい行動が増えれば、ほめるチャンスが増えます。積極的に「ほめる」というご褒美を提供しながら、失敗を防ぐように最低限の支援を行います。そして、成功体験（達成感）の増加とともに自信がつき、意欲が高まります。日々失敗ばかりの認知症の人にとって、**成功してほめられること**は貴重な体験です。

上記５原則により、役割をもちながら楽しく交流する中で、**生きがいとやる気**が生まれてきます。そして、それは生活能力の向上につながるばかりでなく、注意や集中力にもよい影響を及ぼします。記憶障害や遂行（実行）機能障害などを改善させることは容易ではありませんが、脳活性化リハによって、認知症の人自身が自分の残存能力に目覚め、それを活用して前向きに生きようとすることで、生活能力が向上するでしょう。また、家族も脳活性化リハに参加することで、認知症の人の能力に気づき、**ともに笑顔で生きよう**と考えが変わってきます。これらがあわさると、相乗効果で認知症の人が元気になり、生活意欲が向上するとともに、穏やかに暮らせるようになるでしょう。本人もスタッフも家族も well-being が目標です。

さらに、脳活性化リハのプログラムに**身体活動**（運動）を組み込むことが望まれます。適度な身体活動は心地よさをもたらすだけでなく、①覚醒レベルを上げる、②海馬神経細胞を増やして記憶力を高める、③アルツハイマー病の脳病変を軽減する、④老化の原因となる活性酸素の毒性から神経細胞を守る、⑤抗うつ作用、といった効果が期待されます（247 ページの「14．各論：身体活動による認知症の発症予防・進行予防」を参照）。

また、脳活性化リハでは、参加者の情報収集と評価→評価に基づく適切な実施計画→臨機応変な実施→再評価による効果の検証というプロセス（PDCA サイクル）も重要です。介入プログラムは、参加者にあわせて実施し、評価しながら改善していくプロセスを通じて進化していきます。

医療やケアを含めた包括的な多職種協働の関わりの中で、**認知症があっても笑顔でその人らしく過ごせる環境づくり**の一つとして、脳活性化リハが有効であると考えています。

あきらめないで！ 脳活性化リハ

三度の脳出血を体験した著者が、医師として自らの高次脳機能障害（認知障害）を分析して書き著した『壊れた脳 生存する知』という本があります[6)]。この著者は、二度の発作で脳出血に脳梗塞を併発し、右頭頂葉を中心にした病巣による高次脳機能障害が現れました。しかし、この障害を年余にわたるリハで克服し、「あきらめないで努力を続ければ認知機能は回復すること」を実証しました。この人のたどった回復過程を知ることは、認知症の脳活性化リハにも有用なので、紹介しましょう。

『わかったことがある。どんな脳でも必ず何かを学習する、ということだ。ただし、それには前提として、やろうという意思の力が必要である。それがある人は、必ずよくなる』とあります（前掲書、p.133）。もうダメだと思って、努力をやめたらそこでおしまいです。脳力（種々の能力）をアップするには、立ち向かおうとする強い意志、よくなりたいという思いが不可欠なのです。

この著者は、本を読むのも、1行読み終わって次の行に移ろうとすると、次の行がどこだかわからなくなってしまう。次の行を探しているうちに今読んだ行の内容を忘れてしまうので、読むにはものすごい時間がかかる。でも、この悪戦苦闘をあきらめないで、本を読む作業を続けた結果、2年くらいの経過で徐々に読めるようになったといいます。

この著者のように、あきらめないで工夫して生活障害を一つ一つ乗り越えていけば、記憶障害や認知障害が克服されていくのです。この人の場合は、周囲の人々があきらめないで支援体制を続けたことも、障害克服の大きな因子だと思いました。

あきらめないで！ 脳活性化リハ。

3 総論：快一徹！ 意欲の源 〈原則1〉

「**快一徹**」は、筆者の造語です。認知症の人に接するとき、決して忘れてはならない心がけが「快」であり、いっときも忘れてはならないという思いを込めて「一徹」とつけました。

自己表現がうまくできない認知症の人も、快不快の感情表現はできます。医療やリハ・ケアは時として不快な行為も伴いますが、絶えず笑顔で相手に了解を求め、楽しく接することを心がけなければなりません。

3-1　快の指標と効用

「**快＝笑顔**」は認知症の人の主観的 QOL の指標です。病期が進行すると、自分の意思や感情を言葉で表現しにくくなります。認知症の人に対して正しい対応をしているのかどうか、その見極めには、認知症の人の示す**笑顔が指標**になります。人間は相手の顔を見て瞬時に快か不快かを見分ける優れた能力をもっています。ただ漫然と関わるのではなく、また、これは認知症の人にとって快に違いないという思い込みで対応するのではなく、表情や声、態度の微妙な変化（サイン）を読み取って、認知症の人が不快となる刺激を避ける配慮が常に必要です。

例えば、「昨日一緒に食べたケーキはおいしかったね。覚えている？」と笑顔で話しかけても、本人はその記憶を失っているので、「私は昨日の記憶をなくしてしまったのか」と不安でいっぱいになります。さらに、「ねえ、覚えてないの？」という善意の声かけが、認知症の人にとっては「私を馬鹿にして」という怒りにつながります。自分の発言に対する相手の反応を素早く読み取り、失言を繰り返さないように注意しましょう。

神経科学の発達により、快刺激が脳によい影響を与えることが判明しました。出来事を覚えるのに大切な海馬領域では新しい神経細胞が次々と生まれていますが、快刺激はこれを促進し（神経細胞が増え）、不快刺激はこれを抑制する（神経細胞が減る）と考えられて

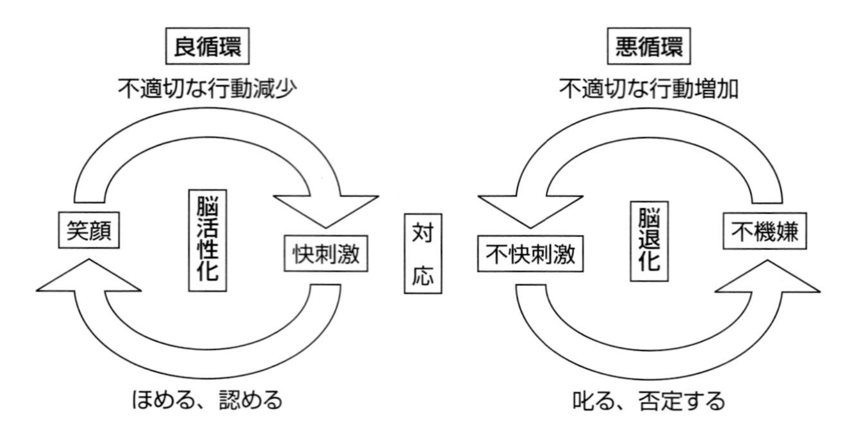

図 3-6　良循環 or 悪循環――あなたの対応で決まる
快刺激は笑顔を引き出し不適切な行動を減少させ、それがさらに笑顔を生むという良循環をもたらすため、そうした楽しい生活の中では脳が活性化される。一方、不快刺激は不適切な行動を増加させ、それがさらに不適切な行動を生むという悪循環をもたらすため、そうした不愉快な生活の中では脳が退化する。

います。また、脳活性化リハにおいて、「意欲」を引き出すためのアプローチは「快」刺激です。「不快」な活動に意欲を出す認知症の人はいません。健常な人であれば不快なことでも、あとで“報酬”というご褒美がもらえるとわかっていれば我慢ができ、意欲を出すでしょうが、その時その時を生きる認知症の人にご褒美の後出しは通用しません。その時その時が**快**であるように心がける必要があるのです。脳活性化リハを本人が続ける意欲をもつには、楽しく行えることが不可欠です。確実にできる簡単な課題（満点主義）で失敗を防ぎ、さらに、失敗しそうになったときのさりげない支援で失敗体験を防ぎ、よくできたとほめることが大切です。

認知症の人への快刺激は、笑顔を引き出し、心を穏やかにし、それによって周囲の介護者にも笑顔が戻り、これがさらに認知症の人の笑顔を引き出すという**良循環**を形成します。介護する側からは不適切と思える行動に対し、「そんなことしてはダメでしょう」とネガティブに反応して腹を立てると、本人も不機嫌になり、さらにその行動が悪化するという悪循環に陥ってしまいます（**図 3-6**）。笑顔が笑顔を生み、認知症があっても楽しく生きられる環境を提供することが、認知症に関わる専門職の使命です。そして、この快適な生活から、生きる意欲が生まれます。

快はポジティブ感情の一つです。ポジティブ感情を増やすことの大切さは、山口晴保・著『認知症ポジティブ！―脳科学でひもとく笑顔の暮らしとケアのコツ―』（協同医書出版社、2019 年）[7]で詳述しています。

総論：ほめ合い・認め合い〈原則2〉

ほめられると嬉しいですね。他者からほめられることは脳にとっての報酬となります。そして、報酬はやる気をもたらします。ほめられることがほとんどなく、生活意欲を失った認知症の人にはほめることが効果てきめんです。

ほめられるとリハの効果が高まることが示されています。リハ病院で脳卒中片麻痺患者179名をランダムに２群に分け、歩行練習後に一方の群だけをほめた結果、ほめた群の退院時歩行スピードが、ほめなかった群よりも有意に速かったと報告されています[8)]。ほめることがリハ効果によい影響を及ぼします。

スタッフは、たくさんのほめ言葉を発信し続ける必要があります。ですから「ほめ上手」でなくてはならないのですが、「よいところ」を見つけてほめようとすると、なかなか大変です。そこで、よくできた「結果」をほめるのではなく、「過程」をほめます。何かが上手にできたからほめるのではなく、リハ室に来てくれたことをほめる、参加してくれていることをほめる（感謝する）のです。

「ほめるのは難しい」と言うスタッフや家族に対して、筆者は、リハ室なら「あなたが来てくれて嬉しい」と、家庭なら「あなたがいてくれて嬉しい」と、単純に存在に感謝すると簡単だと伝えています。日本人はこのような感謝の言葉を発することに慣れていないので、「発する言葉の意味は考えないで、お唱え・挨拶と思って声に出してください」とお願いしています。

あるがままをほめればよいので簡単です。しかも、認知症の人はすぐ忘れてくれるので、同じことを何度もほめても大丈夫です。「すぐにほめる、何度もほめる、笑顔でほめる、感謝する」が基本です。

ネガティブな言葉を控えて、ポジティブな言葉がけをすることも大切です。Negativity Bias といい、ネガティブな事柄は心に大きく響きます。１回ほめても１回叱ると、叱られたダメージの大きさがほめられた喜びを上回ってしまいます。そこで、「**3：1の法則**」があります[9)]。１回叱ったら３回ほめる、そうすると３回分のポジティブ総量がネガティブ１回分を上回るという考えです。では、認知症の人は普段の家庭生活でほめられることがあるでしょうか？ きっと、ほとんどないでしょう。多くの場合、介護者からはネガティブな指摘を受け続けています。ですから、ネガティブを減らして、ポジティブがその３倍量になるように心がける。そのために、脳活性化リハでは「ほめ続ける、感謝し続ける」が大切なのです。

ここでの「ほめる」は、決して上から目線のものではありません。「ほめる」という言葉は、「上司が部下をほめる」というように上下関係があるから適切ではないという意見も耳にします。しかし、心から喜んで、その喜びを相手に伝えるという態度であれば、たくさんほめてよいと思います。また、脳活性化リハの「ほめる」は、広い意味で使っています。「**感謝する**」という意味合いや「**認める**」という意味合いを含んでいます。相手に感謝されると人は喜びを感じます。そういう報酬系の仕組みが脳にあるからです。**利他行為**といって、他者の役に立つ行動をとると脳が喜びを感じます。利他行為でドパミンが両者の脳で放出されることがわかっています。ですから、他人に役立つことをするとその行為自体が嬉しい、自分だけでなく相手も嬉しい、さらに相手が感謝してくれるともっと嬉しくなります。基本はスタッフが利用者をほめたり感謝したりするのですが、逆に利用者がスタッフをほめたり感謝することでも、利用者の脳でドパミンが放出されて快とやる気がもたらされます。ですから両者の「ほめ合い」が大切です。筆者は「**ほめ愛**」とチョットしゃれて言います。家庭でも、本人と家族がほめ合うようになることが望まれます。

さらに、他者から認められることは、心の痛みを癒やし、生きる力を与えてくれます。認知症の人は病識が低下している場合が多いですが、自分が失われていく不安を感じています（病感がある）。本人の視点に立つと、「なんで自分が馬鹿にされるのか」「なんでこんなひどい扱いを受けるのか」「生きていてもしょうがない」「夢がない」などと感じているでしょう。そのような自分の存在価値を見いだせないことに起因する心の痛み（スピリチュアルペイン）には、「他者から認められること＝**他者承認＝存在肯定**」が有効です。自信を失い、不安いっぱいの認知症の人に対して、「**あなたは大切な人です**」「**あなたがいてくれて嬉しい**」「**あなたはかけがえのない存在です**」というメッセージを、脳活性化リハを通じてたくさん伝えましょう。そして伝わると、利用者は「生きる自信」を取り戻し、前向きな生活意欲が生まれるでしょう。それを見ているスタッフも嬉しくなり、仕事の意欲が高まるでしょう。**ともにほめ合い・響き合う互恵関係**が素晴らしいと思います。

これらのポジティブな言葉が有効だと頭ではわかるが、こんな言葉を面と向かって言えないという介護者も多いと思います。そこで、筆者は「この言葉は関係性を改善する魔法の言葉です。お唱え・念仏・挨拶と思って、意味を考えずに口から出してください。何度も出すほど有効です」と伝えます。皆さん、自分が「あなたがいてくれて嬉しい」と言われる場面を想像してください。きっと、嬉しくなるでしょう。言われるほうは嬉しい。言うほうは意味を考えないで何度も唱える。そうしているうちに、言うほうも嬉しくなります。ポジティブな言葉を発していると、脳が自分の出した言葉を肯定するようにポジティブに働くのです。それゆえ、これらの言葉は「魔法の言葉」なのです。

報酬とドパミン

快感！——よい響きですね。ラットの脳では、快楽の経路が視床下部にあります。バーを押すと電極挿入部位が電気刺激されるような装置を使うと、視床下部に刺激電極があるとき、ラットは夢中でバーを押し続けます。よっぽどの快感を味わえるのでしょう、まるで自慰行為のように休む暇もなく押し続けます。このラットにドパミン受容体遮断薬（抗精神病薬の類）を投与するとバー押しをやめます。このことから、快楽には視床下部近傍のドパミン神経経路〈報酬系〉が関与していると考えられています（**表 3-1**）。

ドパミンが意欲を高めることが動物実験で示されています（**図 3-7**）。まず、ラットにレバーを押すと餌が出てくることを学習させます。次に、餌をもらえる条件を変えて実験します。通常のラットは、簡単な課題（レバーを 1 回押すと餌を 1 個もらえる）でも大変な課題（レバーを 64 回押すと餌を 1 個もらえる）でも頑張ってたくさんレバーを押します。ところが、側坐核に薬を注入してドパミン系を働かなくしたラットは、簡単な課題ならやる気を出して正常ラットと同量の餌を得ますが、レバーを何度も押さないと餌がもらえない困難な課題ではやる気をなくしてしまいます。この実験から、ドパミン系がやる気の源であることがわかります。

ドパミンはやる気物質ともいわれます。始めたらやめられなくなる覚醒剤のコカインは、ドパミントランスポーターに働き、シナプスでのドパミン再取り込みを抑制してシナプス間隙のドパミン濃度を高めます。快刺激により

表 3-1　大切なドパミン神経系

神経細胞存在部位	投射先（ドパミン放出部位）	機　能
中脳腹側被蓋野 （A10）	扁桃体、側坐核などの辺縁系 ［**中脳辺縁系路**］	報酬（快感）系で依存症に関与 情動に不可欠
	前頭前野、前帯状回など ［**中脳皮質路**］	創造性や発想が豊かに 障害で統合失調症に
中脳黒質緻密部 （A9）	線条体（尾状核と被殻）など ［**黒質線条体路**］	運動の制御 障害でパーキンソン病に

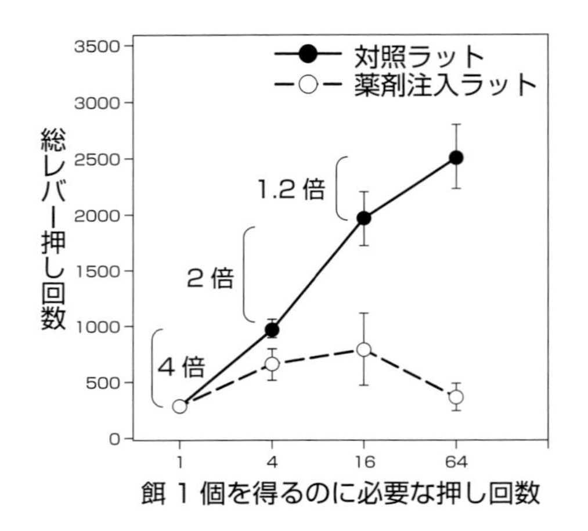

図 3-7　ドパミンが意欲を高めることを示した動物実験
レバーを押すと餌が出ることをラットに学習させたあと、餌1個を得るのに必要なレバー押し回数を1～64回に変化させて押し回数を記録した。正常ラット(●)は条件が困難になってもレバー押しを続けたが、手術で側坐核にドパミン阻害薬を注入したラット(○)は困難な課題でやる気を失った。
(Aberman et al 1999[10])

ドパミン放出が増え、脳はさらに快を求めて活動する(やる気が出る)のです。このように、ドパミンは快楽という報酬をもたらし、**やる気**を引き起こす神経伝達物質といわれています。

ヒトでは、**側坐核**(尾状核の内下方にある小さな核で、マイネルト核の隣に位置し、前脳基底部を構成する／**図 1-7** を参照)でのドパミン放出が快感に重要な働きをしています。また、側坐核は「やる気」を担当しています。側坐核の興奮が視床下部に伝えられると意欲が高まります。側坐核は感情の座である扁桃核の支配を受けているので、気に入ったものにはやる気が出ますが、気に入らないものにはやる気が出ません。このため、側坐核は学習にも重要で、ほめられると側坐核が刺激されて注意・集中力を増し学習効果を高め、記憶がよくなります。ですから、脳活性化リハも快刺激による側坐核の活性化をめざします。ちなみに、側坐核を壊されたサルは集中力を失い、やる気に欠けます。快適なことは行い、不快なことは行わないというのは人間の本能です。認知症に対する種々の療法が試みられていますが、「快」を伴うものでないと長続きしません。人間が行動するには、快という報酬が必要なのです。

ところが、同じ程度の快刺激が続くとドパミンの放出量は徐々に減ってしまいます。実はドパミンは快刺激に対して出るだけではなく、「報酬の予測とのズレ」つまり報酬が予測（期待）よりも大きいほどたくさん放出され、報酬が予測通りに続くと放出がだんだんと減ってしまうのです。ドパミンは依存症にも関係しています。ギャンブルにはまるのもドパミンが原因なのです。そして、同じ快刺激に対しては徐々に放出量が減るドパミンの性質によって、ドパミンを増やそうと、より高額の掛け金をつぎ込むことになります。買い物依存症では、より高額の商品を購入するようになり借金が急激に膨らんで、破綻します。ですから、少量のドパミンでも満足できる脳であることが大切です。それにはセロトニンという満足伝達物質を増やすことが有効です。律動的な運動で脳内のセロトニン放出が増え、快刺激に喜ぶだけではなく満足でき、穏やかになります（347 ページを参照）。

中脳から前頭前野に投射するドパミン神経系の**中脳皮質路**（**表 3-1**）は、意欲を高めます。ロボトミー（統合失調症の治療を目的とした、前頭前野の後方にメスを入れて前頭前野と他の部位との線維連絡を切断する手術で、現在は行われていない）により前頭前野の働きを止められてしまった患者は、物事に感動しなくなり、同時に意欲・発動性を失います。アルツハイマー型認知症でも、早期から前頭前野の機能低下があり、それゆえ前頭前野に働きかける**脳活性化リハ**が有効です。

5 総論：コミュニケーション〈原則3〉

コミュニケーションという言葉にはいろいろな定義や使われ方がありますが、本書では単に情報を伝え合うということにとどまらず、「お互いに感じていることや考えていることを伝え合うこと」として、双方向コミュニケーションについて話を進めます。①認知症の人が発する信号を、②家族や介護者が高感度に受信して理解し、③適切な応答を返すことで、④互いの心に**共感**を生む（響き合う）にはどうしたらよいでしょうか。

双方向コミュニケーションは、脳と脳のふれあいです。そして、この脳と脳のふれあいが脳活性化をもたらします。スタッフ（セラピスト）の脳は参加者（認知症の人）の脳に影響を及ぼすと同時に、参加者の脳から影響を受けています。スタッフの「この人によくなってほしい」という強い気持ちが相手の脳を動かして「よくなりたい」という意欲を生むと同時に態度や表情に表れ、それがスタッフの脳に伝わり喜びを生み、それがさらに相手に喜びをもたらし、という良循環が生まれます。リハは人が人に関わるセラピーです。その効果には、「どんな内容の手技を実施したか」ということよりも、「スタッフが相手とどれだけ気持ちを共有したか」のほうがより大きく影響します。脳活性化リハは、一方的なものではありません。スタッフにとっても快であり、スタッフも能力を発揮して、ほめられて元気になる、つまり参加者と同じ原則が当てはまります。**スタッフも参加者もともに楽しく、声をかけ合い、ほめ合い、互いに能力を発揮し合う**ときに最大の効果が生まれます。このような自己脳と他者脳との相互作用、すなわち**間主観性**（intersubjectivity）が、脳活性化リハの肝です。

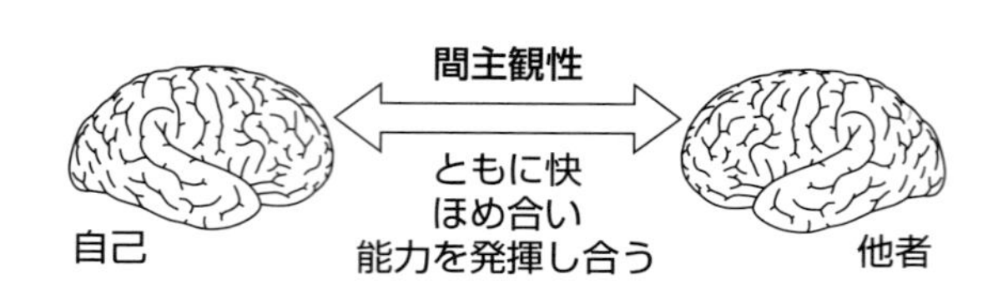

5-1　家族や介護者が高感度に受信する：気づき

認知症の人は心に不安を抱え、自己表現に必要な言語機能は徐々に失われていくので、自らの気持ちを言語でうまく表現することが徐々に困難になります。しかし、心の内はその人の言語だけでなく、声・表情・しぐさ・態度・姿勢・行動などに現れます。このような、認知症の人が発する信号をサインとして家族や介護者がうまく捉えて（気づき）、応答することが大切になります。普段とはチョット異なる行動に気づき、その背景を探り、その要因を取り除くような対応が必要です。例えば「トイレの場所がわからず探している」サインを見逃さずに対応すれば、放尿や失禁を防げます。この「気づき」というテーマについては、第２部の「12. 施設における援助とチームケア」（162 ページを参照）で詳しく述べています。

5-2　非言語の力

言語コミュニケーションにおいても、言葉本来の意味以外の部分が、より大きな意味をもっています。例えば、お願いに対して「わかりました」という返答は読むと一通りですが、①仏頂面で面倒そうに低い声で「わかりました」と言われたときと、②微笑みを浮かべながら嬉しそうに明るい声で「わかりました」と言われたときでは、相手がどう思っているかという判断がまったく異なります。テレビドラマの中では、主人公が「俺のことは俺が一番よくわかっている」と不満そうに言うシーンが、「主人公は自分のことをまったくわかっていない」という事実を表現しています。人と人との間のコミュニケーションでは、言葉そのものの意味よりも、その言われ方（非言語の表現）が大きな意味をもつのです。認知症の人は、あなたの一言の意味はわからなくなっても、その空気感（この人が味方か敵かという雰囲気）を敏感に感じ取っています。あなたの言葉の内容より、語尾のトーンや表情、態度が敏感に伝わります。

言語機能が失われる頃には、稀にしか訪ねてこない息子の顔を見ても誰だかわからなくなりますが、ほめられているのか、叱られているのかは判断できるようです。優しく接することで「快」刺激となり、脳が活性化されるばかりでなく、うつ状態も改善され、笑顔が生まれます。笑顔が笑顔を導くので、優しい接し方により脳活性化の良循環（図 3-6）が作られるのです。

優しい目、にこやかな顔と優しい言葉

意気投合という言葉を聞くと、楽しいイメージが湧きますね。このとき脳ではドパミンがたくさん放出されています。感じていること、考えていることが通じ合うと、共感を覚えて快感となります。たとえ言葉が通じなくても、声のトーンやしぐさ、スキンシップなどで認知症の人と楽しいひとときを過ごすことが可能です。なるべく楽しく過ごせるよう、認知症の人と心を響かせ合いながら、ともにハッピーにつき合っていくのが脳活性化リハやケアの極意です。

群馬県にある崇禅寺のパンフレットの中によい言葉を見つけました。「施し」をするのにお金はいらないという「無財の七施」の一部です。

- 眼施（げんせ）：優しい眼で人に接する
- 和顔施（わげんせ）：にこやかな顔で接する
- 言辞施（ごんじせ）：優しい言葉で接する

「眼は口ほどにものを言い」を、中国語では「眉目伝情」、ドイツ語では「In den Augen lieght das Herz（心は目の中にあり）」といいます。優しいまなざしとにこやかな笑顔で人に接することは、**非言語コミュニケーションの極意**です。笑顔を作るのにお金はかかりません。自分の心をチョット楽しくすれば笑顔が出てきます。その笑顔で人に接すると微笑みが返ってきます。それを見ると、さらに心がうきうきして笑顔になります。笑顔の良循環です。「**優しいまなざし**」と「**笑顔**」、それと「**優しい言葉がけ**」がポイントです。

行動・心理症状は、自分の意図することをうまく伝えられないことや、周囲の人と言葉を通じたコミュニケーションがうまくとれないことのサインかもしれません。このような場合、非言語コミュニケーションによる交流が有効です。

5-3　コミュニケーションに役立つツール

思い出ノート

欧米では、個人ごとの「**思い出ノート**（memory notebook）」が活用されます。一冊のスクラップブックまたはクリアファイルに、生い立ちから現在までの生活や仕事などに関する代表的な写真を貼っておきます[11)]。なるべく楽しそうな場面がお勧めです。このほか、昔の大切な手紙、切り抜き記事、賞状、趣味のものなどで構成します。家族の写真、特に孫の写真は喜ばれます。大切な写真はカラーコピーかスキャンするとよいでしょう。このツールを活用すると、初対面の人とでもすぐに楽しい会話に入り込むことができます。そして、楽しい会話の中で、その人の趣味や好み、嫌なことなどを聞き出すこともできるのです。とかく嫌な思いをしがちなトイレには、楽しい思い出の写真や有名スターの写真などを張っておくと、楽しい話のネタに使えます。個人史（その人の生活歴）を知ることは、**パーソンセンタードケア**の基本です。介護保険のショートステイを利用するときなど、このようなツールがあると、短期間でなじみの関係になることに役立ちます。

5-4　集団の力

病期の進行とともに言語能力が失われていきますが、認知症の人同士ではうまく会話しています。お互いに相手の会話内容をほとんど理解していないので話はまったくかみ合いませんが、相手にあわせて上手に笑顔で互いに言いたいことをやり取りしています。このようなコミュニケーションの場として、在宅ではデイケアやデイサービスが重要な役割を果たしています。閉じこもりは、認知障害を促進する因子です。脳は、他者の脳と楽しく自由に触れ合っているとき、とても活性化します。ですから、脳活性化リハでは小グループでの実施が基本です。介護老人保健施設などで**認知症短期集中リハビリテーション実施加算**が認められましたが、残念ながら個別での実施が条件になっています。アルツハイマー型認知症の人は個別よりも小集団のほうがはるかに多くの能力を発揮します（262ページを参照）。血管性認知症では個別に「あなたを大切にしている」というメッセージを伝える関わりのほうが好ましい場合もありますが。

一人暮らしで、子どもや友人もいない高齢者群と、配偶者と同居し、子どもや友人とのコミュニケーションがある群の間で比較すると、前者の対人交流が乏しい群のほうが後者の対人交流の豊富な群に対して年間の認知症発症率が約８倍高いという研究があります[12)]。孤独というストレスを取り除くだけでも、認知症の発症を低下させる可能性があるのかもしれません。

認知症の言語障害

アルツハイマー型認知症では、病期の進行とともに言語機能が低下します。軽度の時期では、会話は流暢で一見不自由ないようですが、聴覚理解が悪くなるので、複雑な構文を聞き取りにくくなります。雑音のある場所や視覚刺激の強い場所では、これが顕著になります。したがって、静かな落ち着いた環境で、主語と動詞が明確に示された単純明快な短文を使って話しかけるという対応が望まれます。また、記憶障害により固有名詞はなかなか思い出せず、「あの」のような代名詞が頻繁に登場します。質問にはすぐ答えますが、返答の内容も具体性が乏しくなります。一歩踏み込んだ質問には答えられず、当惑させてしまうことになります。

アルツハイマー型認知症の中期では、言語理解が徐々に低下して、感覚性失語や超皮質性感覚性失語の様相を呈します。語彙はさらに減少して、会話は流暢ですが短い文章になり、文法の誤りも出てきます。さらに進むと、言語理解能力を失い、発語も数語のみになり（82ページの［行動観察による進行度評価：FAST］を参照）、終末期には発語がなくなります。したがって、病期の進行とともに**非言語コミュニケーション**が主体になります。

血管性認知症では、**偽性球麻痺**（156ページを参照）を伴うケースが多く、思考のスピードの低下や構音障害が見られます。このため、話し始めるのに時間がかかり、会話のスピードも落ちます。また、ろれつが回らず、発する言葉が不明瞭になります。本人が落ち着いてゆっくり話せる環境をつくり、聞く側も落ち着いた雰囲気を醸し出してゆっくり待つことが必要です。血管性認知症では、一般的に言語理解よりも発語に困難を生じます。アルツハイマー型認知症同様、非言語コミュニケーションが大切です。

前頭側頭型で左側頭葉に萎縮が強いと意味性認知症の病型となります。ものの名称を理解できない・言えないという語義失語が主症状となります（詳しくは332ページを参照）。

6 総論：役割・日課〈原則4〉

大学では教養教育が大切ですが、認知症の人には「今日用(きょうよう)・今日行(きょういく)く」が大切です。「今日の用事がある・今日行くところがある」という日課・役割が生きがいを生み出し、尊厳を守る生活につながります。人間が生きていくには、日課や役割が不可欠だからです。スタッフが一方的に指導したり、リハを提供するのではなく、利用者が能力を発揮して役割を果たす場面設定が望まれるのです。後述の作業回想法では、「利用者がスタッフに教える」という役割を果たします。また、介護施設の利用者が、「防犯パトロール」や「登下校路の見守り」、「ご近所や公園の清掃」など、地域に役立ち生きがいを感じられるような日課を生活の中に取り入れるという工夫も有効です。例えば、リハ室で片づけを手伝ってもらう役割を利用者が担い、スタッフが「ありがとう。おかげで助かりました」と感謝を述べることが、大きな効果を生みます。他者に役立つ行為（利他行為）を行うと脳内でドパミンが放出され、喜びを感じ、利用者のリハに対する意欲が高まります。さらに、お礼を述べたスタッフの脳でもドパミンが放出され喜びを感じるだけでなく、ほめた以上、この人はいい人だという“自分の発言の正当化”が行われ、利用者に対するポジティブな感情が湧きます。役割が双方に意欲と生きがい、そして喜びを生み出すのです。

リハは機械的な作業ではなく、人間が人間に関わって行うものです。**ともに笑顔で楽しく、ともに役割をもち、ほめ合うこと**、これが原則です。

役割が生きがいを生む

日常生活でも役割・日課が極めて重要です。そして、役割・日課は本人の自己決定に基づくことが基本です。お仕着せの役割ではなく、自らが望んだ役割であるべきです。自己決定により意欲が高まるからです。山口市のデイサービス「夢のみずうみ村」を2001年(平成13年)に開いた藤原茂氏は、次のような「日課の自己決定」の取り組みを行っています[13]——①生きがいを生む役割のプログラムをいくつも用意し、何をするかは利用者が自分の意思で決める。パンを焼くのか、花札を楽しむのか、散歩に行くのか、はたまた寝て過ごすのかを自らの意思で決める。②食事はバイキング方式で、自分の食べるものは自分で決める。③入浴の介助量も自ら決める。④リハの目標設定も自ら行う。⑤ユーメという園内通貨を自由意思で使う。このような日課・役割の自己決定で社会性を高めています。

若年性認知症の人が働く場を提供しているデイサービスのDAYS BLG!(東京都町田市)では、利用者が自動車販売店に出向いての洗車作業、チラシのポスティング(各戸配布)、領収書整理など、いくつかある役割の中で自分が担当する役割を自己決定します。そしてその作業を行うことで、少額ですが報酬を得ています。つまり、デイサービスの利用者が働きたい仕事で働いて報酬を得て、デイサービスは若年性認知症の人の利用料を得る仕組みです。デイサービスの利用者が施設外で有償ボランティアとして働く際の注意事項が、厚生労働省より示されています[14]。

6-1 人の役に立つ日課づくりの具体例

認知症の人が利用するグループホームや宅老所(託老所)と託児所を併設したり、互いに交流したりする中で、認知症の人が幼児〜学童の世話を通して生きがいを感じ、行動や心の状態が安定する効果が報告されています。幼児や学童のほうも、一緒に食事作り(かまどで薪を使ってのご飯炊き)や散歩などの活動を行う中で高齢者の愛情を感じ、言うことを素直に受け入れて、両者ともによい効果を生み出しています。この**幼老統合ケア**を実践している三重県の宅幼老所では、表情や気分・感情ばかりでなく、記憶や見当識にも改善が見られています[15]。設立者の多湖光宗氏は、通常のグループホーム(高齢者とスタッフだけの疑似家族)ではなく、子どもも含めた三世代の疑似家族として、各世代がそれぞれの能力を生かして助け合い、刺激し合うことによって、ケアや子育てに相乗効果が生まれることを期待して三世代交流共生住宅を建てたと述べています。

さらに、このグループホームでは、認知症の人が子どもたちと集団で散歩します。腕には「防犯パトロール」の腕章を着けます(**図3-8**)。すると、地域の犯罪が半減し、地域住民からも「ありがとう」と声をかけられるようになりました。こうして、認知症の人が地域に役立つという役割を発揮して元気になりました。認知症になったら一方的に介護を受ける立場になってしまいがちですが、このように認知症の人が地域に役立つという逆転の発想が大切です。

別のグループホームでは、認知症の人が小学校の玄関で登校してくる子どもたちに「お

図３-８　集団徘徊が防犯パトロールに、そして役割に
（山口 2015[16]より作成）

はよー」と声をかける仕事をして、入居者が元気になり、放課後は子どもたちがグループホームに遊びに来ます。子どもとの交流は、元気の源になります。

地域貢献を行うデイサービス「ワーキングデイわかば」(鎌倉市）は、デイサービスの利用者が地域の公園の清掃を行います。掃除作業で身体を動かすことは、よい機能訓練になります。町内会からは花壇の整備の仕事を受託しました。近隣の高齢者の宅地の草刈り剪定も行っています。そして、これらの作業の報酬を活動資金にして、活動を広げています。稲田秀樹氏は、『要支援や要介護になっても、認知症になっても障害があっても、「活動」と「参加」の機会があることで、役割をもち、いきいきと自分らしく、やりがいをもって過ごすことができる』と述べ、地域のニーズと介護のニーズがリンクすることが大切と指摘しています[17]。

7 総論：失敗を防ぐ支援〈原則5〉

Negativity Biasについて、さらに詳しく述べます。人の心は、よいこと・嬉しいことに比べて、悪いこと・嫌なことに「より素早く、より強く、より持続的に反応する」仕組みとなっています。心は脅威や侵害や失敗を発見して反応するように配線されているからです。危険を扁桃体によって恐怖として素早く察知して身を守ることで、人類は生き延びてきたのです。例えば、扁桃体を破壊されたネズミは天敵のハブを恐れずに近づき食べられてしまいます。動物は、危険に素早く反応して身を守るようにできているので、悪いことには超敏感なのです。

ネガティブな出来事は心を落ち込ませ、意欲を奪います。ヒトも動物も失敗し続けると「無気力」になる仕組み（学習性無力症）が生来備わっています。ですから、失敗を防ぎ、成功体験を増やすように関わることが基本です。

例えばトイレ動作などの練習では、指示をなるべく簡潔明瞭にしつつ、口答指示に従えなければジェスチャーで見本を示し、それでもできなければ手取り足取り補助し、極力失敗体験を減らしながら、一つ一つのステップをクリアして、利用者自身ができるようになることをめざして繰り返し練習していきます。手出しは極力控えて「待つ」ことも大切ですが、失敗しそうになったらさりげない手出しをしましょう。見守りと手出しのタイミングやバランスが難しいですが、それができるのがプロです。見守りすぎて失敗体験を増やすのもよくない一方で、手出しによって利用者の尊厳を傷つけたり怒りを買うことも避けなければならないので。

8 総論：能力を引き出すコツ

講習会を受けてある一つのセラピーを学んでくると、「それをやらないのは罪になる」というくらいまで惚れ込んで、利用者にそれを押しつけてしまっていませんか？ 大切なことは、利用者が自らやる気になって、スタッフと一緒になって喜びながら、そのセラピーを行えることです。「○○療法を行えば効果が出る」のではありません。参加者が自らの意思で行い、それをスタッフが支える姿勢が大切なのです。ここまでに示した**快刺激**、**コミュニケーション**、**役割**、**ほめること**、**失敗を防ぐ支援**、**主体性**という原点を忘れてはいけません。また、「尊厳を守る」ことも心に留めておきましょう。

8-1　行動強化

脳には、**合理化**という「口に出したことを正当化する仕組み」があります。例えば、相手に向かって「馬鹿野郎！」と口に出すと、脳は自分の発言を正当化するために相手の悪いところを探し始めます。相手は○○だから私が馬鹿野郎と言って当然だというように、自分の発言を正当化する理由を探すのです。一方、相手に対して「ありがとう」と口に出すと、今度は相手のよいところを見つけ出して、自分の発言を正当化しようと脳が働きます。ですから「嬉しい」「できる」「いいね」などポジティブな言葉を声に出して言うことで、脳は前向きな思考をとるように働き、実際、前向きな行動が現れます。スタッフの声かけも本人の発言も前向きという単純な法則が、大きな効果をもたらします。スタッフの指導も「○○はダメ」ではなく「○○だともっといいですね」としましょう。例えば、「遅い」と注意するのではなく、「もっと早くできると嬉しいですね」という具合に、ネガティブな言葉をポジティブに言い換えましょう。では、ここでクイズです。①「うるさい！」、②「面倒くさい」、③「叱られて悔しい」をポジティブに言い換えてみましょう（答えは次ページの下です）。

バンデューラ（Bandura）は、**自己効力感**（self-efficacy）を高めて行動を強化する因子として、①自分と同じ程度の人ができるのを見る、②専門職からほめられる、③できた経験がある、などを挙げています。成功体験を重ねることで自信を取り戻し、意欲が高まります。目標はなるべく小さく失敗しないもので設定し（スモールステップ）、その目標達成のたびにほめながら、少しずつ**成功体験**を増やしていきます。また、認知症が自分と同じ程度の人ができるのを見ると、自分もできるという気になり、自己効力感が高まります。小グループで脳活性化リハを実施することで、同じ認知症の仲間が能力を発揮する姿を見ることも、自信につながります。この意味でも小グループでの実施が効果的です。

専門職からほめられる・認められると、自己効力感がぐんと上がります。リップサービスを意識的に行いましょう。合理化のメカニズムで、リップサービスしたほうも嬉しくなります。両者のポジティブ感情が増して、両者の意欲がさらにアップします。

8-2　具体例から学ぶ

ここでは具体例を示しながら、能力を引き出すコツを解説します。仕組みや環境設定が重要なことがわかります。

1）利用者からボランティアへ

軽度のアルツハイマー型認知症のAさんは、デイサービスを週2回利用しています。施設では、他の利用者の着替えを手伝ったり、食器を揃えたり、ゲームや工作では援助をしたりと、しっかり「ボランティア」として役割を果たし、他の利用者から「ありがとう」「Aさんは元気でいいね」などと声をかけられ笑顔で働いています。その様子が「ボランティアノート」を介して家族に伝えられます。この取り組みにより、アルツハイマー型認知症の告知を受けたAさんから「私はダメ」というぼやきが減り、生活が前向きになりました。ボランティアを始めて7年間、認知機能の低下はHDS-Rで毎年1点程度と穏やかな進行にとどまりました。

このように、施設の理解と協力を得て、サービスを受ける「利用者」としてではなく、サービスを提供する「ボランティア」としてデイサービスを利用してもらうと、役割が生きがいを生んで、とても有効なことがあります。

2）心が動くと体が動く

心が動くような働きかけに応じて、思わぬ能力が発揮されることがあります。例えば、血管性認知症でデイサービスの利用を開始したBさんは、自宅ではほとんど臥床して過

［前ページのクイズの答え］
①「元気でいいね」、②「達成感がある」、③「相手に優越感を与えた私は素晴らしい」

ごし、おむつ使用、移動は車椅子でした。利用開始から６か月ほどしたある日、桜の花見に出かけると、B さんはケアの順番を待ちきれず、自ら立ち上がりました。この日を契機に、B さんは杖歩行が可能となり発語も増えて、他の利用者と楽しく交流できるようになりました。このように、外出の際には認知症の人の思いがけない能力をいくつも見ることができます。

認知症になったら何もできないと、先入観をもってはいけません。できないことに対して最低限の援助をし、じっくり見守っていれば、いろいろなことができます。どのような援助で自立できるのか、そこを見極める目をもつことが専門職に求められています。

3）子育て

218 ページの「6-1 人の役に立つ日課づくりの具体例」に書いたように、子育てへの参加はよい刺激になります。筆者が出会った患者さんの中にも、孫の育児に関わることで日中ボーッとしてはいられず、元気に動いて認知機能を保っているアルツハイマー型認知症初期の人がいます。

4）作業の依頼

作業を依頼するときの具体例を示します。「ゴマを擂ってください」と一方的に頼むのではなく、スタッフが「ゴマの擂り方を教えてください」とお願いします。先輩から教えを授かるという態度が、認知症の人をその気にさせます。また、「A さんの擂ったゴマはすごく美味しいので、また擂ってもらえると、とても嬉しいです」という言い方も有効な方法です。このような「あなたが○○をしてくれると私が嬉しいのでお願いします」という依頼方法は、家族が依頼する場合も有効です。どんな頼み方をしたら相手が嬉しいかを考えてみましょう。

9 総論：笑顔のある生活

9-1　情動は顔に表れる

人間の快・不快は、すぐ表情に現れます。もちろん、声やしぐさにも現れます。たとえ認知症を発症しても、生きがいを感じながら穏やかに笑顔で過ごせる生活（well-being）をめざして支援することが、認知症医療・リハ・ケアの究極の目的といえるでしょう。自分の気持ちをうまく自己表現できない認知症の人も、その感情を表情に表します。自らを語らない認知症の人の主観的QOLは評価が困難ですが、「快＝笑顔」は、QOLが高いことの指標として間違いないでしょう。

「快＝笑顔」へは、二通りのアプローチがあります。一つは**快刺激**です。とはいっても、面白いものを見せたり聞かせたりするという意味ではありません。認知症の人が別の認知症の人や介護者に気遣いを見せ、感謝の言葉をもらう機会を増やそうということです。認知症の人の趣味や嗜好を把握しておき、その人が能力を発揮したときにほめる・感謝するように声かけしましょう。もう一つは**不快な刺激を避ける**ことですが、これは、不快なことをまったくするなという意味ではありません。おむつに便が出ていたら、本人が嫌がってもきれいに拭いて交換しなければなりません。和田[18]は、おむつ交換など相手の嫌がることをしたときは、**楽しく終わる**ことが大切だと述べています。最後に冗談の一つも言えないようではケアのプロではないと。嫌々仕事をして仏頂面で終えるのではなく、最後にどのようにして相手を笑わせようかと考えながら仕事をする。こうしたら笑ってくれるかなと楽しいことを空想しながら仕事をしていると、その本人が

不機嫌 or 上機嫌
声のかけ方で態度が決まる

楽しく仕事をできるうえ、相手に喜んでもらえるという一石二鳥の効果があります。おむつ交換で嫌な思いをさせても、楽しく会話しながら笑顔を引き出せることが、ケアする者の「職人技」なのです。また、入浴を嫌がることが多いですが、「入浴しないと臭くなりますよ」というようなネガティブなアプローチではなく、「一緒に水遊びしましょう」とか、「お風呂に入ると気持ちいいですよ」といったポジティブなアプローチにより楽しく入浴し、入浴後にはビールを１杯ぐらい飲んでもらうのもよいのではないでしょうか。

9-2　笑顔の効用

人間は独りでいるときより大勢でいるときのほうが30倍笑うといわれています。ところが、寄席に認知症の人ばかりを集めると、全然笑ってくれないというのです。認知症の人は、健常者に混ざって落語を聞いてもらうと、つられて笑うそうです。認知症になると落語の「落ち」を理解できなくなります。例えば、「ここに一頭の馬が真っ直ぐに立っています。頭が東を向いているとき、しっぽはどちらを向いているでしょうか？」と問われたとします。皆さん、答えを考えてください。「答えは下です」と聞くと、「西」という期待を裏切られて、だらっと下を向いた馬のしっぽを思い浮かべ、思わず笑うでしょう。ここで笑うには前頭前野の機能が必要なのです。実はこの問題は、前頭葉機能検査の一つとして使われています。前頭葉機能が低下した人は、「ああ、下ですか」とまじめに無表情で答えるといいます[19)]。認知症になると、ストーリーを理解して結末の「落ち」で笑うことができなくなりますが、笑いの渦の中では思わず笑ってしまうのです。楽しい環境づくり、笑顔や笑い声の多い環境づくりが必要なのはこのためです。このような環境づくりには、介護者や施設のスタッフなどが明るい気持ちでいなければなりません。笑いは周囲に伝染（！）します。

笑いは、**表3-2**に示すような、種々の機会に生じます。**快の笑い**は伝染し、雰囲気を明るくします。人は楽しくなくても、笑うことで楽しくなります。楽しいから笑うだけではなく、逆の「笑うから楽しくなる」も真なのです。一緒に笑うことで感情を共有し、意思が通じ合います。**会釈**は自分が相手に対して敵意をもっていないことを伝えます。集団で暮らすサルには順位があり、順位が下のサルが上の順位のサルに出会ったとき、服従の意を示すのが会釈の起源といいます。明日から普通の会釈ではなく、チョット意図的に微笑みを浮かべて会釈してみませんか。自分の心が楽しくなり、相手から笑顔が返ってくると、さらに嬉しくなるものです。

表 3-2　笑いの分類

分　類	種　目	効　果
快の笑い	不調和（マンガ）、価値逆転・低下（コント）、本能（食欲）や期待（合格）の充足	雰囲気を明るくし、感情を共有、意思疎通
社交上の笑い	協調（会釈）、防御（Japanese smile）、攻撃（嘲笑）、価値無化（苦笑）	会釈は敵意のないことを示す
緊張緩和の笑い	ほっとしたとき	リラックス

（志水ら 1994[20] より作成）

9-3　脳は鏡

サルの脳を研究していた研究者が、興味深い神経細胞を見つけました。サルの脳に電極を刺してサルが物をつかんで口に運ぶ動作をするときに反応する神経細胞を見つける研究の最中です。休憩時間になったので、サルの前で研究者がジェラート（アイスクリーム）を口に運ぶと、なんと先ほど見つけた神経細胞が活動していることに気づきました。自身がものを口に運ぶ動作のときだけでなく、目の前の他人が物をつかんで口に運ぶ動作をしたときにも反応する神経細胞が見つかったのです。そして、鏡のような神経細胞（ニューロン）なので**ミラーニューロン**と名づけられました。

この神経細胞は、ヒトの脳ではブローカ野という発語の中枢に相当する場所で見つかりました。このミラーシステムを使って、人間は相手のしぐさを見ているときに、同じしぐさを脳の中でまねていると考えられます。そして、そのとき感じる気持ちから相手の心を読み取っています。相手が笑顔だと、自分も笑顔を作る運動系神経細胞が働き、楽しい気持ちになります。そして、思わず笑顔になってしまいます。テレビや映画を見ていて、熱が入ると思わず映像と同じ動作を行ってしまうことがありますね。脳が見た動作のまねをしているからです。

相手の動作から、相手の意図や目的といった心を推測できるのは、「心の理論」といわれる人間で高度に発達している脳機能です。そして、人間が他者と社会生活を営むのに不可欠な社会的認知機能（社会脳）です。

リハやケアは人が人に関わる仕事です。人の心は鏡ということを絶えず意識していないと、こちらの憂鬱な気持ちや不快な気持ちが相手の鏡に映り、相手がそう感じてしまいます。逆に笑顔で接すると、相手は自然に笑顔になります。「快には快の応答を示し、不快には不快の応答を示す」というのが動物の情動応答の原則です。楽しいことをイメージし、明るい気持ちになってから、笑顔で認知症の人に向き合いリハ・ケアを始めましょう。

認知症の人の気持ちを理解できないとき、「鏡」を使ってみましょう。例えば認知症の人が「家に帰って子どもの面倒をみます。すぐに迎えを頼んでください」といった行動を日々繰り返す場合、なんでこの人はこんな行動をとるのだろうという理由がわからなかったら、その人の表情や行動を鏡のように逐一模倣し続けてください。しばらく模倣していると、その人の気持ちがある程度わかると思います。バリデーション（111ページ）のミラーリングというテクニックです。

9-4　最後まで残る微笑む能力

「微笑み」によって相手から社会的援助を引き出すことは、サルと人の脳で特に発達した機能のようです。生まれたての乳児では、REM睡眠時に新生児微笑（左下の図）が出現します。そして生後3～4か月になると、お母さんの笑顔を見て微笑む社会的微笑（右下の図）を獲得します。

認知症になると、人間が生後に獲得するのと逆の順番で諸機能が失われていきます。生後に微笑みから始まり、歩行や会話などの機能を次々と獲得して思春期までに買い物など社会生活の能力を身につけていく発達の順番がありますが、認知症では買い物などの社会生活の能力から失われていき、歩行能力は終末期近くまで残ります。アルツハイマー型認知症の病期を示すのに用いられるFAST（82ページの［Step Up 行動観察による進行度評価：FAST］を参照）は、これを示しています。筆者は以前に介護老人福祉施設（特別養護老人ホーム）の入居者を調査しました[21)]。**図3-9**は各能力がどの程度残存しているかを示したものです。高齢者の能力は、「金銭などの管理能力」がまず失われ、車椅子を操作する能力が歩行能力より先に低下します。そして会話の能力が失われても、相手の微笑みに対して「微笑む能力」は最後まで残存していました。このお母さんの笑顔を見て微笑む能力（社会的微笑）は、生後3～4か月の乳児が身につける能力です。重度の認知症になって会話ができなくなっても、最後まで残る能力によって、快・不快には敏感に反応します。

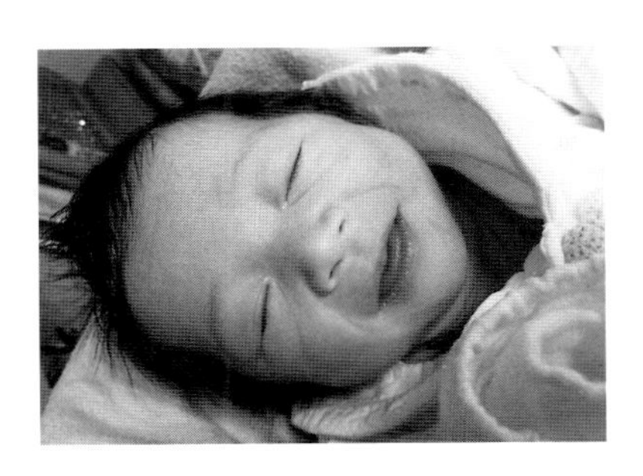

新生児微笑（生後２週）

社会的微笑（生後５か月）

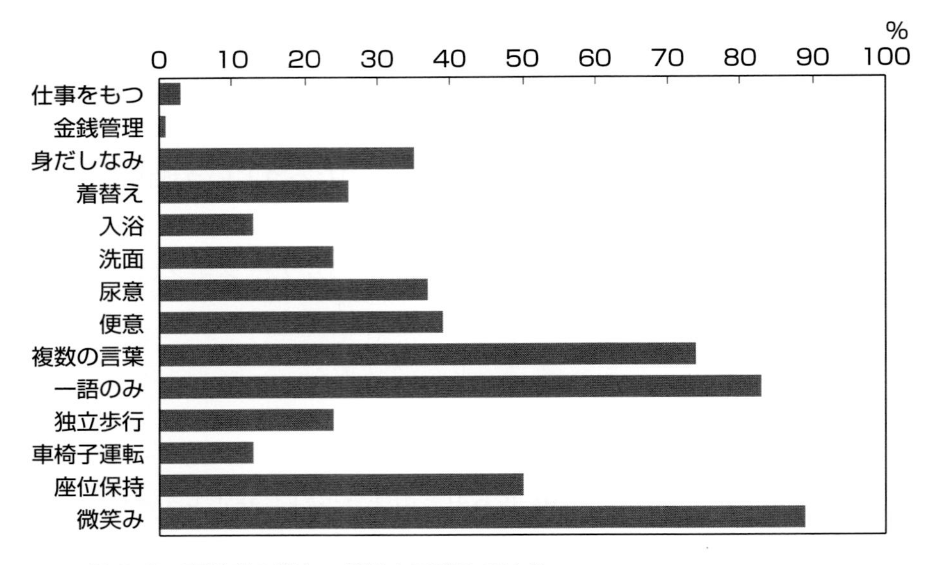

図 3-9　高齢者の能力：最後まで残るのは？
小児の発達段階に基づいて並べた能力がどの程度の割合で見られるかを、介護老人福祉施設（特別養護老人ホーム）入所の 131 名で調査した結果、微笑みの能力が 9 割で残っていた。
（山口ら 1992[21] より作成）

リハ・ケアで大切な点は、「快＝笑顔」を引き出すことといえるでしょう。

人間は人の表情を識別する高度に発達した後頭・側頭連合野をもっています。表情の中でも「笑顔」は、人が最も鋭敏に識別できる表情です。笑顔はすぐに見分けられるのです。「笑顔」は人がうまく生きていくために必要不可欠なものだからです。

認知症になって、いろいろな表情の認知が低下していく中で、嫌悪などの認知は特に低下しますが（嫌な顔には鈍感になる）、笑顔の認知は比較的保たれます[22]。

10 各論：回想法と作業回想法

10-1　回想法

回想法とは、1964年に米国の精神科医ロバート・バトラー（Robert N. Butler）によって提唱された、高齢者を対象とする心理療法の技法です。従来、否定的にとられてきた高齢者の過去への回想に、専門家が**共感的受容的姿勢**をもって意図的に働きかけることによって、高齢者の**人生の再評価**や**アイデンティティーの強化**を促し、心理的安定やQOLの向上を図ろうとする方法です。認知症では、新しいことを覚える記銘力の低下があっても、昔の記憶（遠隔記憶）は比較的よく残っているために具体的な反応を得やすく、導入しやすい方法です。回想法を用いて残存機能に働きかけることにより、認知機能や精神活動の改善が期待できます。具体的には表情が豊かになる、発語が増える、他者への関心や集中力が増すなどの変化です。日頃から喪失感を感じることの多い認知症の人にとって、回想法によって慣れ親しんだ昔を振り返ることは、たとえいっときであっても、現在の不安、混乱から解放されます。自分が生き生きと過ごした古きよき時代に戻ることは、回想法が与える快刺激といえるでしょう。さらに、自己の認識が薄れ、不安を抱えている認知症の人が、回想法を通じて自分の歴史をもう一度振り返ることで心が安定し、落ち着いた生活ができるようになります。複数の無作為化比較試験（RCT）で認知症に対する回想法の効果が検討され、特に施設入居者でQOLや認知機能をわずかですが改善する可能性が報告されています[23)]。

回想法は、楽しく昔話をしたり、思い出を共有するなど仲間づくりにも有効なため、最近では、介護予防事業のサロンなどのメニューとして取り入れられていたり、高齢者が昔の遊びを子どもたちに教えることが伝承や世代間交流になるため、地域づくりにも用いられています[24)]。

10-2　作業回想法

回想法の一つである作業回想法は、従来の回想法に古い生活道具などを使う作業を組み合わせることで、「回想」を促すとともに、「作業」を通じて残存機能である**手続き記憶**を引き出したり、教えるという役割を果たすことによって、QOL の向上を図る手法です[25]。

作業回想法の実施手順（**図 3-10**）に沿ってポイントを説明します。作業回想法では、その人自身が人生で体験してきた家事、手仕事、遊びなどをテーマに、なじみの懐かしい道具を用います。まず、懐かしい道具を見たり、触れたり、生活場面の音や味や香りを再現することで五感を刺激し、回想の引き金とします。例えば、盥（たらい）や洗濯板を見たり触ることで当時を思い出し、「懐かしいねー。昔は洗濯機なんてなかったから、いつもこれで洗濯した」、「井戸の傍らで洗濯した」、「手が冷たくて、しもやけができた」など、認知症の人が嬉しそうに目を輝かせながら思い出を語ってくれます。懐かしい感覚や、「話題が理解できる」「今の自分でも発言できるテーマである」ことが快刺激（脳活性化リハの〈原則 1〉）となるのです。

次に、その道具などを用いて、スタッフに対して作業の仕方を指導してもらうように進めます。すると、普段はおとなしい人も、生き生きと作業の仕方を実演してくれます。例えば洗濯であれば、盥（たらい）に張る水の量、洗濯板の向き、衣類への洗濯石けんのつけ方、洗濯物の洗い方など、身振り手振りを交えてリアルに再現してくれます。認知症になっても動作の記憶である手続き記憶は障害されにくいため、作業はできるのです（〈原則 5〉失敗を防ぐ支援）。

今度はスタッフが教えてもらった通り実演してみるのですが、やったことがないので、参加者のようにスムーズに行えません。すると参加者が、「こうするんだよ」、「そんなこともできないのか」など自信満々で作業の仕方を教えてくれるのです。これこそが若い人に教え伝えるという役割の発揮（〈原則 4〉）となります。

最後に、参加者・スタッフ全員で感想を述べると、参加者の「楽しかった」、「昔は大変だったけど、よくやった」などの発言に、他の参加者は同じ作業や生活を体験してきた仲間として共感し頷き、コミュニケーション（〈原則 3〉）が生まれます。また若いスタッフは、昔の作業を体験することで、高齢者の知恵や技術を自然に認め、「教えていただきありがとうございました」という感謝の言葉が出て、ほめ・認めること（〈原則 2〉）ができるのです[26]。

通常の回想法と作業回想法の大きな違いは二つあります。まず一つめは、作業回想法では物品を用いる、懐かしい音や味や香りを再現する、動作を実演してもらい、体を動かす中で記憶がよみがえるなど回想の引き金が多いため、通常の回想法よりも回想しやすく、適応となる対象者が広いことです（**図 3-11**）。病期が中等度に進行すると、通常の回想法で、言葉だけで「思い出を語ってください」と指示しても、想起できる内容は限られ、「忘れました」などと簡単に済まされることが多々あります。また、スタッフが別の話題をもちかけても同じ内容の話の繰り返しになり、話題が広がりません。しかし作業回想法どうやって使うんですか？
懐かしいわぁ～

あいさつ、会の趣旨を伝える。
用意しておいた古い道具や材料の名前と、その使い方を尋ねる。参加者に道具を回し、見たり触ったりしてもらう。

〈視覚・触覚刺激〉

〈手続き記憶〉

今日のテーマを伝え、「やり方を教えてください」と一人ひとりに実演（お手本）を促す。

〈自発性・意欲・満足・自尊心〉

スタッフ自らもやってみせ、アドバイスを受ける。作業や道具にまつわる個人の回想を促す。

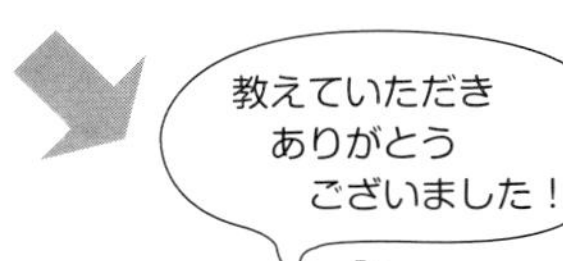

〈共感・感謝〉

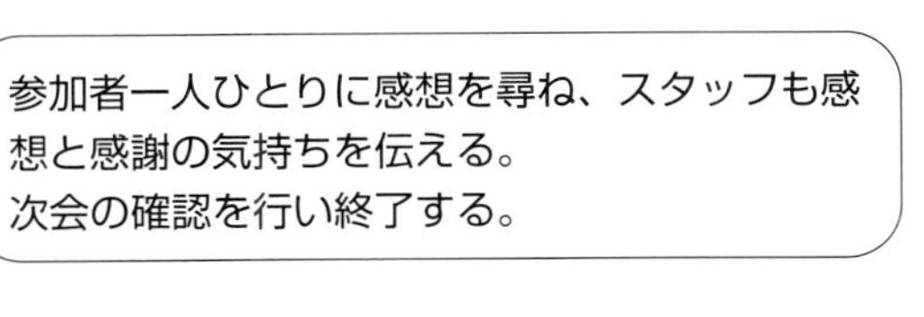

参加者一人ひとりに感想を尋ね、スタッフも感想と感謝の気持ちを伝える。
次会の確認を行い終了する。

図 3-10　作業回想法の実施手順

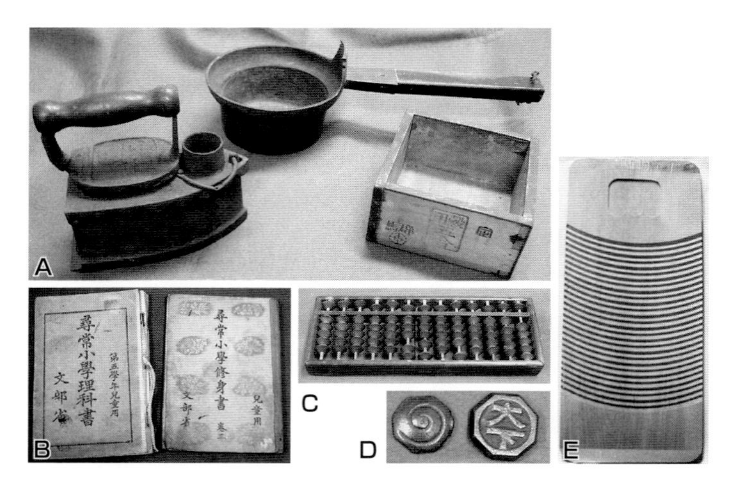

図 3-11　作業回想法で使う道具

A：古い生活用具は古民具・骨董の店で仕入れてくる。上段中央は、火熨斗（ひのし）という、炭を入れて使う昔のアイロン。

B：古い教科書も喜ばれる。

C：算盤は、実際に使う動作に結びつきやすく、導入が容易である。

D：遊び道具は、手の巧致運動や身体活動にも結びつく効果がある。

E：洗濯板など、昔は誰もが使っていた道具で、現在は使われていないものがよい。ネットショップで新品を入手できる。

では、テーマや道具を変えることで、今まで同じ話を繰り返していた人が、そのテーマや道具にまつわる思い出をどんどん話すようになります。

二つめは、認知症の人が先生となり、若いスタッフに教えるよう進める点です。「人に教え伝える」という高齢者本来の「役割」を取り戻すことをねらいとしています。普段はお世話される側の認知症の人が、お世話する側のスタッフに教えるという役割の逆転が生じ、対等な関係づくりができるのです。昔の生活をありありと思い出して、自分の人生は価値ある人生だったと肯定的に振り返る回想法本来の効果だけでなく、人に教えるという役割を果たして周囲から認められることの効果も得られるのです。人に教授・指導し、感謝されることで、その人が「私もまだまだ捨てたものじゃない」と自信を回復すると、表情は自信に満ちてきます。そして、ほかのことにも、やる気、集中力をもって臨めるようになります。作業回想法実施中に見つけた参加者の能力を、リハのプログラムやケアの中の役割として取り入れる（例えば、針仕事が得意なことがわかれば、雑巾を縫う仕事をお願いし、普段からその人の縫った雑巾を使う）ことで、リハ・ケアを通じた生活の質の向上になります。

作業回想法は、認知症の人とスタッフ・家族との関係を再構築する間接的な効果ももち合わせています。作業回想法の場面に家族やスタッフが参加することで、普段見ない認知症の人の表情や発言、残存機能に気づき、また、尊敬の念が増すことで認知症の人への接し方が変わります。家族やスタッフの接し方が変われば、認知症の人の反応も変わり、両者の関係が再構築されます。この「関係の再構築」がやる気や自信を回復させ、さらに自身の認知機能や精神機能を改善させます。このような良循環を作業回想法はもたらします。作業回想法を用いた関係の再構築は、その人を認め、理解することであり、たとえ認知症が進行しても認知症の人が住みよい環境を維持していくのに有効です。作業回想法は有効性も実証されつつあります。筆者らの研究成果は「15-4 介入効果の検証からわかった直接効果と間接効果」(258 ページ) に示しました。

作業回想法として行わなくても、認知症グループホームやユニットケアの施設であれば、料理や掃除など生活支援の中で、「教えてもらえませんか？」、「手伝ってもらえませんか？」と声をかけます。そして、対象者の得意な家事や作業を一緒に行い、昔話をしつつ、コツを教えてもらい感謝を伝え、手つきや出来上がりを賞賛するなど、普段のケアの中に作業回想法のエッセンスを取り入れることで、認知症の人の残存能力を引き出すケアができます。

テレビ回想法・パソコン回想法・回想法ライブラリー

『テレビ回想法 懐かしい話』(シルバーチャンネル) という DVD が販売されています。テレビ回想法は、１回が 30 分ほどで、内容は「ぬかみそ漬けの作り方や食べ方」、「洗濯板を用いた洗濯のやり方」などです。日常生活に密着し、昔体になじんだ作業活動をテーマに、ナビゲーターが高齢者にやり方を尋ね、伝授してもらいながら、回想を自然に引き出していくという設定になっています。映像の後半では作業場面の映像とともに質問内容がテロップで流れ、それを参考にスタッフが同時進行でテレビを見ている参加者に質問する流れになっています。ほかにも、『よみうり回想サロン』(読売新聞社) という DVD シリーズが販売されています。

『パソコン回想法』(エヌ・プログレス) は、介護老人保健施設における認知症短期集中リハ実施加算 (個別で 20 分以上認知症のリハを実施すると報酬が増額される) のプログラムとして開発されたものです。したがって個別リハで使用可能です。パソコン画面上に昭和初期の懐かしい道具の写真や絵が表示され、画面下に質問のテロップが表示されます。興味のある写真をクリックするとさらに関連する写真や質問が表示されます。

NHK アーカイブスの「回想法ライブラリー」(https://www.nhk.or.jp/archives/kaisou/) では、昭和初期・中期の暮らしや生活道具の解説動画が流れ、最後に質問のテロップが表示されます。

どれも道具の準備なしに気楽に作業回想法が体験でき、これから作業回想法を実施する施設や、家族でホームプログラムとして実施したい人などに便利です。

11 各論：現実見当識訓練・認知活性化療法

現実見当識訓練（reality orientation training：ROT）は、認知的側面への働きかけを通じて、見当識を含めた認知機能の改善をめざします。そのことが認知障害による誤った外界認識を軽減させ、情動や精神状態が安定することで、適応行動の増加や心理的安定が期待されます。具体的には、①生活状況の見当識が高まることで、うまく生活していけるようになる効果、②スタッフがほめることで、よりいっそう自信をもち、楽しく生活できるようになる効果（〈原則 2〉）、③コミュニケーションにより認知症の人とスタッフの相互理解が深まる効果（〈原則 3〉）、があります。ROT は、非定型 ROT と定型 ROT に分けられます。

非定型 ROT は 24 時間 ROT や基本アプローチとも呼ばれます。一日 24 時間、認知症の人と接するすべての機会を捉えて、スタッフが現在の情報を与え続け、時間・場所・人物を思い出させたり、スタッフが出来事に意見を述べたりします。例えば、季節の花を居室に飾ってともに愛でる中で、「こんなにきれいに菜の花が咲くなんて、春ですね」といったようにさりげなく現実へ導きます（〈原則 5〉失敗を防ぐ支援）。しかし、日付を繰り返し教えてそれを正確に言えるようにすることが目的ではありません。また、認知症の人では見当識障害により作話が見られますが、ROT では決して同意せず、機転をきかせて、手際よく不同意を表明したり、話題を変えます。そして話の内容よりも、そこで表されている本人の感情に理解を示します。例えば、自分の母親はすでに死んでいるのに、玄関に佇んで「母を待っているの」と言った際、スタッフは本人の発する言葉に隠されたメッセージである不安の気持ちを理解し、「お母さんは優しい方だったのでしょうね。一生懸命にあなたを育ててくれたのでしょうね」などと対応します。また、この対応の際、過去の時制をうまく使うことで、認知症の人の尊厳を保ち、矛盾を指摘しないで現実へと導くことが可能となります[27]。

非定型 ROT では個別に評価を行い、その人の趣味、長所などのバックグラウンドを理解したうえで（〈原則 1〉快刺激）、現在の能力と問題点、ニーズを抽出し、それに対して

図 3-12　ROT の活用例―場所の見当識障害で帰宅欲求を訴える認知症者への対応―

スタッフが統一した対応をとります。例えば、施設入所中で、場所の見当識障害のためにここがどこかわからず帰宅願望のある認知症の人（A さん）が「家に帰りたい」と訴えた際、多くの場合、実際に家に帰ることはできないため、スタッフは「ここが A さんのお家ですよ」、「ここは A さんが泊まっている施設ですよ」など、あの手この手で訴えに対応します。認知症の人からすれば、あるスタッフはこう言ったのに、別のスタッフは別のことを言ったとなれば、何が本当かわからず、余計に混乱したり、スタッフに対する不信感が高まるかもしれません。そのようなことがないよう、ROT では個別に統一された対応をとり、認知症の人に最も適切と思われる情報を頻回に提供することで、認知症の人の不安を軽減し、快刺激を与え、認知機能の維持・向上をめざします（**図 3-12**）。つまり、残存する認知機能を楽しく活用して廃用を防ぐ、認知障害による不自由を適切に補い不安を軽減するなど、ROT は認知症の人と関わる際の基本的なスタンスといえます。

定型 ROT はクラスルーム ROT とも呼ばれます。これは、24 時間 ROT の補助的な役割をするもので、障害の程度に応じて 3〜6 名のグループになって、毎日 30 分〜1 時間のセッションを行います。複数の無作為化比較試験で認知症に対する定型 ROT の効果が検討され、適切に行うと認知機能の改善に有効であることが報告されています[28)]。一方で、進行性の疾患である認知症者の認知機能の改善には限界があります。認知機能の改善ばかりに注目した“訓練”になると本人の心理的な負担を高めることになります。そのような反省から、ROT を発展させ、グループで楽しくクイズや会話をし、広く認知機能を刺激する**認知活性化療法**が開発され、認知機能やうつの改善効果が報告されています[29)]。認知活性化療法のセッションの要点は、①成功体験をもつ（誤りなし学習）、②自分の外部で何が起こっているかを知る、③コミュニケーション、です。内容は、日時、天気、名前などの基本的情報に重点を置いて反復学習するものから、対人関係や社会的意識、関心を育むものまで、レベルに応じて変えます。スタッフは案内者として、励まし・援助・助言を行います。

普段の会話やレクリエーションの場面で、意識して見当識の情報を入れたり、対象者の興味・関心のある話題を提供することで ROT を実施できます。

12 各論：ゲーム、学習、アート、音楽で脳活性化

ここでは、ゲーム、音読や計算などの学習、アートセラピー、音楽療法による脳活性化を解説します。

12-1　ゲーム

ゲームも脳活性化リハのメニューになります。誰しもが、子どもの頃、家族や友達とゲームを楽しんだ思い出があるでしょう。ゲームは楽しいものです。ゲームの駆け引きや勝ち負けのハラハラ・ドキドキ、勝ったときの喜びが快刺激（〈原則 1〉）となります（**図3-13**）。また、複数人でゲームを一緒に行うことによる時間の共有が仲間意識を高め、ゲーム中に相手の思考や出方を推測するといった、非言語的なやり取りもゲームの醍醐味といえるでしょう（〈原則 3〉コミュニケーション）。そしてゲームの種類によっては、親役や審判など役割を演じてもらえますし（〈原則 4〉）、ゲームで勝った人は「強い」、「すごい」と自然とほめられ・認められます（〈原則 2〉）。

ゲームは上記のように脳活性化リハ５原則を含むだけではなく、認知機能の向上も期待できます。ゲームで勝つためには、ルールを理解し（記憶力）、その中で、相手の出方や動きに注意し（注意力）、予測し、自分の出方に機転をきかせ、工夫する（想像力）など前頭前野を活性化させます。認知症を発症すると、前頭前野機能が低下してきます。前頭前野は、人が周囲の環境条件の変化に応じて自発的に計画し、機転をきかせて物事の手順・処理を考え、意欲をもって創作・工夫・応用し、注意をいくつもの作業に同時に分配するといった大脳の統合機能・発動性全般を含んでおり、これこそ人間が社会の中で活動するために必須の脳機能です。ゲームを行うときは、これらの機能を活用することが求められます。

筆者が出会った認知症の人の中でも、スタッフが働きかけても反応に乏しい自発性の低下した人や、何ごとにも無関心ですぐ居眠りをしてしまう人にオセロを勧めてみたとこ

図 3-13　その人にあったゲームの選択
記憶障害があるもののMMSEが27点という軽度認知障害（MCI）の人に昔好きだった将棋を勧めると、「王手！」のあとに最高の笑顔を浮かべた。それを見て、妻も「久しぶりに主人の笑った顔を見ました」と喜んでいた。

ろ、いつの間にか目の色を変えてゲーム盤に集中して思考し、「やられたー」、「すごい！たくさん替えたねー」と言って笑い合っている姿が見られました。ゲームは行うだけで自然に、無意識に、しかも楽しく、脳も心も活性化しており、そこがゲームの素晴らしい点であると実感しています。ゲームで楽しいひとときを過ごすだけでなく、仲間とゲームを楽しむことを長期間続けていくと、閉じこもり傾向だった人が仲間を自然にゲームに誘えるようになります。このような社交性の向上が認知症の回復に有効です。

しかし、脳活性化に有効なゲームも、参加者の能力に応じたものを選択することがポイントです（〈原則5〉失敗を防ぐ支援）。中等度～重度の認知症ではルールの理解が困難となるため、ゲームそのものが実施できなくなります。ゲームを楽しめるのは、軽度認知障害（MCI）～軽度認知症の人に限られます。また近年では、パソコンやインターネット、タブレットなどでも手軽に実施でき、認知症予防に有効とされるゲームがたくさん紹介されています。それらも一人で黙々と行うだけでなく、仲間と一緒に行うとよいでしょう。筆者らは、介護老人保健施設で体感型ゲーム（XaviXほっとプラス／新世代株式会社）を使って小グループで楽しくコミュニケーションを図る脳活性化リハを実施したところ、アパシーに有効で、HDS-Rの得点も上昇しました[30]。体を使って行うゲームをスタッフと利用者が一体になって楽しむことが有効です。

ゲーム実施例

筆者は、①おはじき、剣玉、福笑い、あやとりなど回想を促すゲーム、②オセロ、囲碁、将棋、麻雀、トランプなどのアナログゲーム、③輪投げ、パターゴルフ、卓球、ペットボトルや新聞紙を使ったレクリエーションゲーム、④体感型ハイテクゲームであるWii（任天堂株式会社）や、高齢者向けに開発されており簡単に実施可能なXaviXほっとプラス（新世代株式会社）などを、参加者の認知機能や身体機能、場面設定に応じて使い分けています。例えばルールを覚えられない重度認知症の人が対象の場合であっても、①の回想を促すゲームであれば楽しむことが可能です。逆に軽度認知症の人の小グループで参加者同士の交流を促すことが目的であれば、オセロ、囲碁、将棋、トランプなど、座って落ち着いてやれるゲームを選びます。参加を躊躇する男性の人でも囲碁や将棋は楽しんで参加します。また、人数が多い、参加者のレベルが様々、体を動かしたいといったときには、レクリエーションゲームが有効です。特にチーム対抗や男女間のグループで競争心を刺激するゲームは盛り上がります。細く切った新聞紙を物干しにかけ、下から団扇であおいで何分で落とせるかというダイナミックに体を動かすゲームや、空のペットボトルを床に寝かせて置いて、糸を使って何秒で起こせるかといった体の動きを微調節しながら行うゲームなどを目的に応じて実施しています。軽度認知障害（MCI）～軽度認知症の人で新しいものに興味をもつ人には、④の体感型ハイテクゲームが喜ばれます。

12-2　音読や計算などの学習

認知機能を高め、コミュニケーション能力や身辺自立性を改善することを目的に、簡単な計算ドリルを解いたり、やさしい本を音読する学習の取り組みがあります。小学校低学年で習うような一桁の足し算、引き算、掛け算など簡単にすらすら解ける問題を行うことで、脳の前頭葉の活性化に役立つとされています。

この取り組みを成功させるためには、大切なポイントが二つあります。一つめは、学習を独りで行うのではなく、**援助者**（介護者や家族）とともに行います。学ぶ側と援助する側が楽しくコミュニケーションをとりながら進めることで、**成功体験**や学習目標を共有し、意欲を育みます。つまり、学習だけでなく、コミュニケーションによる援助者との**共感**が前頭前野を刺激するのです（〈原則3〉コミュニケーション）。二つめは**満点主義**です。実施前に学習能力を評価し、達成可能なレベルを設定することで（〈原則5〉失敗を防ぐ支援）、問題をすらすら解いて100点をとり、それを援助者がほめることによって（〈原則2〉ほめる・認める）、喪失感や不安を抱えている認知症の人に自信を与える効果があります。これが学習の取り組みを成功させる鍵でしょう。実際に問題を解き、100点が

ほめられて自信満々

とれると、皆さん嬉しそうに「私の頭もまだ大丈夫だねー」と言います（〈原則 1〉快刺激）。ゲームに勝っても、手工芸の作品が出来上がっても、「自分の頭がよくなった、頭がいい」と言う人はいません。音読や計算といった、小学校や中学校の成績に関係した科目で 100 点がとれるということは、「頭がいい」というイメージと結びつき、自信につながるようです。援助者側も成果が見えやすく（点数や実施した量）、ほめやすいです。

音読、計算の能力は、軽度〜中等度の認知症でも保たれています。そのため適応が広く、しかもアートセラピーなどと比較しても、道具は問題集と筆記用具があれば可能であり、実施しやすい方法です。学習で認知症が治るわけではありませんが、適応の広さ、実施しやすさ、比較的簡単に快刺激を与えられる点、コミュニケーションのきっかけとなりやすい点などから、自宅で家族と実施するのにも適しているのではないかと思われます。実際に、お嫁さんが認知症のお義母さんのためにノートに問題を書いてあげ、それを毎日解き、そのノートを介してコミュニケーションやほめる・認めることを日課としていた家族がありましたが、良好な関係が保たれ、穏やかに生活できました。また、男性は比較的趣味がないという人が多く、意欲を引き出すのが難しいのですが、計算はできるという人が多く、有効です。

しかし、無理やり学習させるのは逆効果です。家族はなんとか認知機能を維持させたいと、「これをしないともっとボケちゃうわよ！」などと必死になるのですが、これではいじめです。「すごいね」「いい話だね」などと、認知症の人と楽しく学習することで能力が引き出されるのです。

12-3 アートセラピー

アートセラピー（芸術療法）は、絵画を中心に、造形、陶芸、舞踏、心理劇、音楽、ダンス、詩歌、その他文芸や写真など、様々な創作表現活動を用いた療法を総称したもので、以前から精神科臨床の一手法として行われています。しかし最近では、認知症に対するアートセラピーとして、今までの絵画心理学的なアートセラピーとは異なった方法で実施している施設があります。

認知症へのアートセラピーとは自己表現であり、コミュニケーションの方法の一つとして、認知症の人が今暮らしている環境の中に、個別の「居場所（自分が受容され安心できる場所)」と「アイデンティティー」づくりを行うこととされています[31)]。認知症の人は、前述のように日々のコミュニケーションの中で記憶障害や言語障害を取り繕うことに多大な労力を払っていることが多く、コミュニケーションはとりたいが、うまくとれない自分に葛藤や不安を抱えています。そこで、自分の作品を介した**非言語コミュニケーション**により、不安を和らげ、心理的安定を図るとともに、周りの人が認知症の人の内面や新たな才能を理解することに役立つものと思われます。

アートセラピーで行われるプログラムでは、従来の美術教育で行われているような、忠実にモデルを再現することや、既成概念となっている対象物を描画することは行いません。代わりに、先入観にとらわれず新たな見方で対象を観察して、作品を自分で作り上げていく工夫が凝らされています。例えば、量感画であれば、対象の中心から周囲へと雲が湧き出るように描き進めます。対象がもつ重量や容量を意識し、その成長過程をイメージしながら描いてもらう手法です。リンゴを描く際、丸い輪郭を描いて枝をつけるのではなく、リンゴを実際に食べ、甘さや固さから感じた色を使い、中味から描きながら、大きさや重さを感じつつ次第に大きくしていきます。リンゴにまつわる曲を BGM に使うのもよいでしょう。このように、工夫されたプログラムは、認知症の人の残された認知能力を賦活し、失われた認知機能の回復に寄与するとされています。

また作品を制作する中で、例えば、リンゴの色合いに美しさを感じたり、リンゴにまつわる曲を聴いてその思い出に触れたり、リンゴを実際に食べてそのおいしさを味わったりすることで、五感を刺激することになります。感情の起伏が少なくなりやすい認知症の人にとって、情動面の賦活となり、感性を磨くことにも役立つと考えられます。

芸術に点数はありません。日頃何かと失敗を経験することが多い認知症の人にとって、

図 3-14　アートセラピーの作品
本作品は、月の部分をくりぬいて紙を張ることで、後方に光源を置くと月が光って見える。ちなみに鑑賞会の際は、レントゲンのシャーカステンに作品をかざした。すると作品が一段と輝き、驚嘆の声が上がった。(内田病院の作例)

アートセラピーの趣向を凝らしたプログラムは、絵の好き嫌いや、美術経験の有無にかかわらず、誰にでも高い達成感や満足感を与えます。また周りの人からも認められ、作品作りを通じたコミュニケーションも活発に行われます。そのことで心が満たされ、快刺激となるのです（**図 3-14**）。認知症の人にとって、アートセラピーという心地よく快感を伴う「非日常」的な活動は、不安や焦りを抱えて過ごす「日常」からいっとき解放される癒しであり、心のオアシスとなるでしょう。このように、専門性に裏打ちされ目的を明確にしたアートセラピーが、認知症の人の QOL 向上にもつながります。ただ絵を描けばよいのではありません。また、知能向上をめざしたものでもありません。**心の安定と脳の活性化**をめざしたものです。

12-4　音楽療法

音楽療法士による音楽療法が認知症の人の QOL 向上を促すということが、ようやく医療やケアの現場でも注目されるようになってきました。音楽という非言語コミュニケーションを通じて、言語コミュニケーションが困難な認知症の人への介入が容易になるのです。音楽療法のセッション終了時には、食事摂取量が増える、声かけへの反応がはっきりしてくる、落ち着く、笑顔が増えるといった効果が見られます。さらに、一定期間・一定頻度でセッションを継続すると、徘徊の軽減、情緒の安定といった効果が期待できます。

適切なセッションにはアセスメントが必要です。診療録に加え、生育歴（生まれ育った場所）や音楽歴（好きな曲など）、家族関係（親や祖父母まで含む）などの情報を集めます。それらの情報から**なじみの音楽**が見つかり、オーダーメイドの音楽処方箋ともいえるセッションの基礎プログラムができます。音楽は記憶と結びついていますから、思い出と結びついたなじみの音楽を使用することで、認知症があってもかつての若々しい自分へ瞬時に戻ることができるのです。音楽が媒介となって様々な体験を生み出します。思い出の曲を使用することは、その人自身が歩んできた人生を再確認し、自信を回復することへの援助となります。家族が同席していれば、家族も彼らの人生を再認識できます。音楽療法士は彼らの感情表出をともに体験し、受け止めます。この共感が、認知症の人に活力を与えます。

認知症の人はそれぞれの内的テンポ、声の高さ、ハーモニー感、そして音量（エネルギー）をもっています。セッションでは、音楽療法士は反応を詳細に観察しながら楽器や声で彼らの感情を受容・共感していきます。彼らの気持ちに近い曲から始め、怒りは鎮静へ、悲しみは徐々に明るい方向へ導きます。速い呼吸や動作をしていればその速さにあわせた曲を選び、怒りの強い大声で歌う人には音量を上げ、声の高さがあわなくなれば音程を変えて対応します。また、失語症があっても歌ならその一部分や全部を歌える場合は、歌える部分を繰り返すことが満足感につながります。かすかな声で歌う人、声は出なくても舌だけが歌詞の通りに動く人もいます。「あー」と言葉にならない声で反応することもあり、それがあいの手になるときもあります。一つの曲がいつの間にか違う曲になっていることもあれば、拍子が変わっていることもあります。歌詞も彼らが即興で歌うこともあります。この即興で歌われる歌詞の中に、普段言葉にすることのできない思いが含まれていることもあります。そのどれもが認知症の人の自己表現です。音楽療法士は常に彼らの感情に寄り添うことで、ともにハーモニーを奏でます。セッションでは、歌い人やその歌詞に間違いや失敗というものはないのです。ですから、音楽療法士は、その時々の様子を観察しつつ、「臨機応変に対応できる音楽的技術」と「心理的介入技法」を併せもつことが必要です。そして何より、いつも笑顔で彼らに接することが大切です。

さらに、音楽療法が認知症の人の生活能力を向上させる有効な手法となるには、参加者を中心としたチームケアが必須です。セッションの終了直後、「楽しかったよー。来ればよかったのにー」と笑いながら介護職員に気持ちを伝えようとする認知症の人を、「惜しかったなー。行けばよかった」と職員がうまくフォローしてくれることで、その人にとってのセッションと日常生活がつながることもあります。認知症の人を囲む医療やケア、家族の連携の下に、セッションの記録・評価、カンファレンスを繰り返しながら音楽療法を継続することが、QOL 向上に有効な環境をつくり出すのです。

筆者の山口は、日本音楽療法学会の研究事業として音楽療法のエビデンスを示しました[32]。全国の 11 か所で、計 115 名の虚弱高齢者をランダムに 2 群（介入→対照群と対照→介入群）に分け、クロスオーバーデザインで 12 週間/12 回の介入を行った結果、歩行の改善、うつ状態の軽減、QOL の向上が有意な効果として示されました。

さて、曲名は？

活動の成果を社会参加につなげる

アートセラピー、音楽療法、作業療法（物作り）、園芸療法（花や野菜を育てる）などの様々な活動は、それ自体で成果物ができ、達成感が得られます。さらに、それを社会参加につなげることで活動の効果が高まります。例えば、アートセラピーの作品展覧会の開催、音楽療法の成果を発表会で披露する、自分で作った編み物や小物、自分で育てた花や野菜をプレゼントする、販売するなどです。作品展覧会・発表会・販売などが目標となり、活動意欲を高めます。そして上記を通じた他者との交流が、ほめ・認められる機会となり、さらに活動意欲が高まるという好循環になります。

筆者の関わる施設で、皆で作った野菜を100円で販売することになったのですが、いざ販売するときになると、「一生懸命作った野菜だからもっと高く売りたい」と、買い手に価格交渉する場面が見られ、生産者としての思いや、利用者の生活力の高さに驚きました（**図3-15**）。高齢期を豊かに過ごすためのポイントとして、プロダクティブ・エイジング（生産的高齢者）という概念が提唱されています。認知症になっても、残存機能を活用し、生産活動を介して主体的に他者と関わることが脳の活性化につながると考えます。

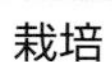

栽培　　収穫・袋詰め　　販売

図3-15　物作りを社会参加へつなげる（例：園芸）

13 各論：趣味活動と認知予備能

楽しく頭を使う趣味活動が認知症の予防や進行防止に有効です。その理由は、毎日の知的活動が脳の認知機能を担う神経ネットワークを強化し、**認知予備能**[33]（cognitive reserve／脳の余力）を増やし、認知症をきたす脳の加齢変化の影響を受けにくくするからです。もともとよく運動をして体を鍛えていた人は、しばらく運動をしなくても体力が維持されるように、認知機能に関しても普段から頭を使っている人は、認知機能が保たれやすいと考えられています。筆者らが軽度認知障害（MCI）を有する高齢者を対象に行った縦断調査[34]の結果からも、趣味活動を週2〜3回以上行った群は、ほとんど行わない群より認知症への移行が低いことが示されました。また、竹田ら[35]は5年間の追跡調査結果から、趣味「あり」が「なし」と比較して認知症を発症せず健康寿命を保持できる可能性が2.2倍高いと報告しています。

では、認知予備能を増やすにはどのような趣味活動が有効なのでしょうか。高齢者3,069名（平均年齢78.5歳）を約6年間追跡し、趣味活動と認知症発症リスクの関連を検討した研究があります。この研究では、26種類の活動のうち、ほとんどの人が実施しているもの（例：新聞を読む）、家事（例：買い物、調理）、受け身なもの（例：テレビを見る、ラジオを聞く）などを除く18種類の活動について、その実施パターンから対象者をバラエティ群（知的活動＋社会活動）、知的活動群（芸術鑑賞、PC、カードゲームなど）、社会活動群（ボランティア、教会での礼拝）、低活動群の4群に分けました。その結果、低活動群と比較してバラエティ群で33％（ハザード比0.67、95％信頼区間0.48-0.93）、知的活動群で35％（ハザード比0.65、95％信頼区間0.45-0.93）認知症発症リスクが抑えられたのに対して、社会活動群では発症リスクは低減しませんでした。また、趣味活動を、知的活動（例：読書、物作り）、身体的活動（例：ウオーキング、庭いじり）、社会的活動（例：家族の手伝い、クラブ活動）の3種類に分けて、その実施頻度や種類の有効性も検討しました。その結果、3種類の中では知的活動のみが発症リスクを低減し、過去1か月の平均知的活動が一日増えるごとに認知症発症リスクが6.6％低減しました。また、活動の種類も多いほうが有効で、1 種類増えるごとに認知症発症リスクが 8.4 % 低減しました。頻度と種類を比較すると、若干ですが頻度が多いほうが認知症発症リスクの低減には有効でした[36]。日本の健常高齢者 49,705 名（平均年齢 74 歳）を対象に約 6 年間追跡した研究では、男女共通でグラウンド・ゴルフ、旅行、男性ではゴルフ、PC、釣り、写真撮影、女性では手工芸、庭いじりが認知症発症リスクを低減し、男女ともに、趣味の種類が多いほど発症リスクを低減していました[37]。しかし、多くの趣味活動が知的・身体的・社会的要素を混合して含んでおり、それらを区別することは意味がありません。また、従来の研究では活動の質的な評価が含まれていません。筆者は、先の縦断調査の結果から、知的な趣味活動も身体的な趣味活動も、やり方を間違えなければどちらも有効だと考えています。そのやり方とは、一つは「**熱心に意欲をもって**行うこと」です。週数回以上の頻度で行っている熱心な人は、意欲的に何かに取り組んでいる結果、眼の輝きや会ったときの印象が、何もやっていない人と全然違います。生命力のようなものを感じます。もう一つは「他の人と一緒に**コミュニケーション**をとりながら行うこと」です。一緒に活動を行うだけでなく、一人で行った活動を誰かに発表したり、評価してもらったりすることも含めてです。この二点を守ることで楽しく活動ができ、達成感や生きがいを感じること、それが一番重要ではないかと考えます。ちなみにテレビを見るといった受け身の趣味活動は認知機能の貯蓄に役立たないだけでなく、認知症になる確率を高める可能性も指摘されています[38]。自宅でボーッとテレビを見るのではなく、楽しく頭と体を使って人と交わり、たくさん認知機能の貯蓄をしましょう。

オーストラリア・ニュージーランド生まれの**ダイバージョナルセラピー**は、高齢者や障害者などに対して、個々人の「楽しみ」（自発的な仕事／レジャー）からライフスタイルや生活環境にまで、その人のニーズに基づいて、アクティビティーやレクリエーションを提供（企画・準備・実施）します。ともに楽しむ、意欲を高めて能力を引き出すなど、脳活性化リハとめざす方向が一緒です。詳しくは、日本ダイバージョナルセラピー協会のホームページ（https://dtaj.or.jp/）や総説[39]を参照してください。

各論：身体活動による認知症の発症予防・進行予防

認知症の発症予防・進行予防とは、認知症になるのを遅らせる（発症遅延）・なっても進行を遅くする（進行遅延）という意味です。

記憶に関係する海馬では、神経細胞が少しずつ死んで減少していく一方で、成人になってからも新生（幹細胞から分裂により新しい神経細胞が生まれること）して数が増えることをすでに述べました（195 ページの「1-2 回復力：脳の可塑性」を参照）。マウスをトレッドミルで走らせた群と対照群とを比べると、ランニング群で海馬神経細胞の新生が有意に増加していました[40)]。幹細胞から神経細胞への分化を促進する脳由来神経栄養因子（brain-derived neurotrophic factor：BDNF）が運動によって増え、しかも BDNF を受け取る受容体も同時に増えていました。

しかし、強制的な運動は効果がありません。強制運動では栄養因子が増えず、神経細胞の新生数は増加しません。さらに、恐れなどストレスの多い環境にさらされると、神経細胞新生が著しく抑制されて神経細胞数が減少し、記憶が悪くなることが明らかになっています。ラットの飼育箱の中に天敵であるキツネの匂いを入れるなどのストレスをかけると、海馬の神経細胞新生が抑制されました。ちなみに抗うつ剤には、神経細胞新生を増やすものがあります。

アルツハイマー型認知症は脳老化の究極の姿でもあります。この脳老化の要因は活性酸素による酸化ストレスが最大の因子です。アルツハイマー型認知症では、好気性解糖が盛んで活性酸素の産生が多い部位に脳 β アミロイド沈着が強いこと（17 ページを参照）が、その証拠となります。適度な運動が酸化ストレスを低減し、老化を防ぎます。多量に酸素を消費する過激な運動ではなく、穏やかな運動を 30 分くらい続けることが老化防止に有効です。

14-1 発症遅延―人を対象にした研究から―

2019年にWHOが公表した「認知機能低下および認知症のリスク低減」ガイドライン[41]では、身体活動が認知機能低下を予防するという中等度の根拠があるとして、認知機能低下リスクを低減するために身体活動(特に有酸素運動)を行うことを強く推奨しています。人を対象にして運動の予防効果を示す研究は多数ありますが、代表的なものを示します。

スウェーデンの人口比率を代表する191名の女性(平均年齢50歳)を調査開始時の心肺機能で低群、中群、高群に分け、44年間という長期間にわたって観察した結果、認知症を発症した割合は、低群32%、中群25%、高群5%と高群が最も低かったことがわかりました。初回調査から認知症発症までの期間は、中群の28±10年に対して高群は33±2年と5年遅く、認知症を発症した年齢は中群79±8歳、高群は90±3歳でした[42]。この研究は直接身体活動の効果を検討したわけではありませんが、適度な身体活動で中年期の心肺機能を高く保つことが認知症の発症を遅らせるかもしれません。

45研究(11.7万人)のメタ分析では、認知症の発症リスクがオッズ比0.79(95%信頼区間0.69-0.88)、アルツハイマー型認知症の発症リスクがオッズ比0.62(95%信頼区間0.49-0.75)でともに運動が有効でしたが、血管性認知症の発症リスクはオッズ比0.92(95%信頼区間0.62-1.30、有意差なし)で運動の有効性を示せませんでした(**図3-16**)[43]。運動(身体活動)の効果は、血管性認知症よりもアルツハイマー型認知症のほうが大きいようです。

本項の表題は、「運動」ではなく「身体活動」としました。できれば一日に30分くら

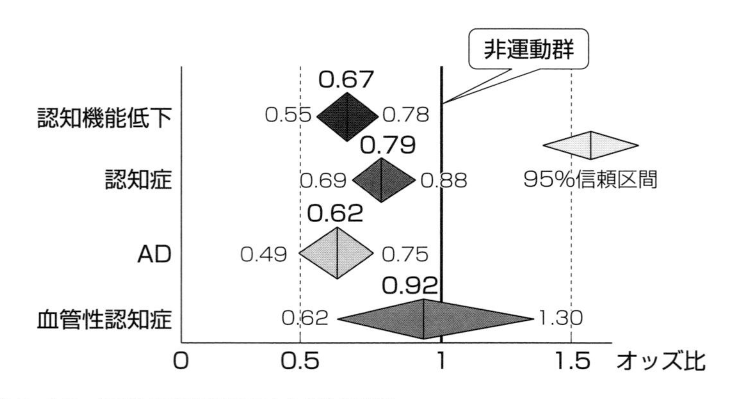

図3-16 運動の認知症リスク低減効果
合計11.7万人を対象とした45研究のメタ分析から、認知症・アルツハイマー型認知症(AD)のリスク低減が示されたが、血管性認知症では有意な低減効果が示されなかった。
(Guure et al 2017[43]より作成)

い「運動」といえるような身体活動を行うことが望ましいのですが、それにも増して、日常生活の中で、できれば毎日、最低週三日以上、なるべく体を動かすように心がけることが大切です。例えば、「おーい、お茶」でお茶が出てくる生活は ×、いながらにして「スイッチを押すとポットからお湯が出て」自分でお茶を淹れる生活は△、そのつど立って台所に行き、ヤカンでお湯を沸かしてお茶を淹れる生活が○です。自動機器やリモコンといった便利な道具が、人間の活動能力をどんどん奪っていくという視点が大切です。介護保険が導入されて、虚弱高齢者の住まいにホームヘルパーが入って家事を代行し、高齢者の活動能力がどんどん低下していくことも指摘されています（ネガティブケア）。ホームヘルパーが見守りながら一緒に家事を行って身体活動を高める援助（自立支援のポジティブケア）で認知症の発症や進行を防ぎましょう。脳活性化リハのプログラムの中で、楽しく体を動かす活動を取り入れると同時に、実生活の中でなるべく身体活動を増やす工夫をし、身体活動能力を高める指導が大切です。

14-2　進行遅延―人を対象にした研究から―

最近の研究結果をまとめた『認知症と軽度認知障害の人および家族介護者への支援・非薬物的介入ガイドライン 2022』（新興医学出版社／2022 年）において、認知症や軽度認知障害の人に対する身体活動、認知機能と運動を組み合わせた多因子介入は、運動機能やADL を維持・改善し、転倒予防に有効であるため、実施が強く推奨されています（エビデンスレベル 1）。具体的には、認知症の人に有酸素運動、筋トレ、ストレッチ、バランス運動などを組み合わせた複合的な運動を行うと、筋力や柔軟性といった身体機能、歩行やバランス能力が改善し、ADL の維持・改善が期待できます[44)]。しかもその効果は、認知症の重症度や施設入所か在宅かにかかわらず、認知障害がない者と同等の効果が期待できるとされています[45)]。これまで、認知症は脳の病気であるため、身体機能との関係はあまり注目されませんでしたが、MCI から歩行速度やバランス能力などが低下することが示されています[46,47)]（**図 3-17**）。しかし、徘徊や転倒・転落などを恐れるあまり、認知症の人の身体機能を高めようとは思わないことが多いと思います。一方で、認知症を発症するとアパシーなどで意欲が低下し、活動性が低下し、廃用を引き起こし、さらなる身体機能や認知機能の低下を招き、認知症の進行を加速させている可能性があります。実際、ある認知症グループホーム利用者の歩数を万歩計で計測したところ、一日平均約 1,000 歩でした（「健康日本 21」における高齢者の目標歩数は 6,000～7,000 歩／未発表データ）。認知症では、加齢による心身機能の低下であるフレイル（虚弱・脆弱／健常状態と要介護状態の中間）やサルコペニア（加齢による筋肉量減少・筋力低下）を合併しやすくなることも示されています[47)]。筋肉量・歩行速度を維持すること、サルコペニアやフレイルを予

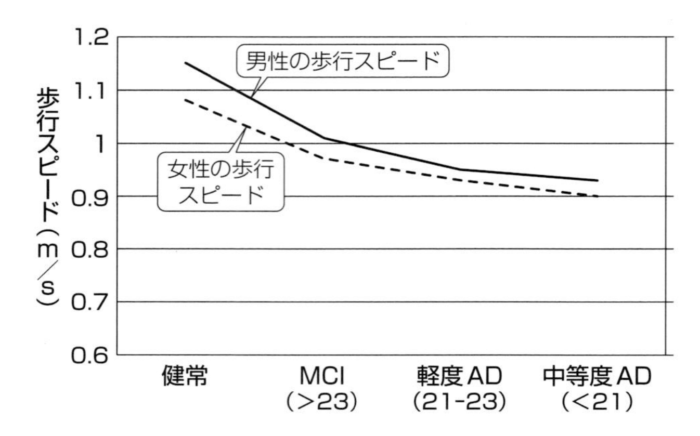

図 3-17　歩行スピードと認知機能の関係
認知機能が低下するほど歩行スピードが遅くなる。括弧内は MMSE の得点。
（Ogawa et al 2018[47]より作成）

防することが、認知機能の維持や認知症の進行遅延に大切です。

認知症の人の施設入所のきっかけの一つが、排泄介助が必要となることです。しかし、身体機能を保つことで、アルツハイマー型認知症では中等度くらいまで排泄が自立できるケースは少なくありません（自立支援は第 2 部・145 ページの「10-1 不潔行為とケアのポイント」を参照）。また、身体機能を保つことは、行きたい場所へ行き、したいことができる、廃用による関節痛の予防などにより、うつ気分、興奮、徘徊、睡眠障害などの軽減効果[48]、認知機能の維持・改善、QOL 改善や介護負担軽減などが期待できます。近年では、身体機能と認知機能は相互に関与すると考えられていますので、認知症の人の身体活動量をぜひ見直してみてください。

「お大事に」――余計な一言：主治医のつぶやき

診察が終わって患者さんが診察室から出ていこうとしたとき、看護師が「お大事にー」と決まり文句の挨拶。言われたほうも悪い気はしないから、ニッコリ会釈をして出ていきます。一方、主治医の私はなんとなくやりきれない思い。「大事にしないでカラダ使ってね！」と心の中で叫びながら患者さんを送り出します。今日はチョット認知症の患者さん曰く、「大事にってどうするの？」――看護師は絶句。おっしゃる通りです。直前の診察中に「アタマとカラダは使えば使うほどよくなるから、たくさん使うように」と話したばっかりなのですから。患者さんを見送るときの決まり文句となってしまっている「お大事に」、安易に使うのはやめましょうね。お勧めの挨拶は、「また笑顔をみせてくださいね」です。

15 各論：脳活性化リハビリテーションの実際 ―作業回想法を中心に―

脳活性化リハは、医療機関、介護老人保健施設、デイケアやデイサービスなど介護保険の通所系施設、市町村の健康教室など、いろいろなところで取り入れることが可能です。また、これから介護予防を進める中で、重要な役割を占めるようになるでしょう。ただし、グループホームのような施設であれば、取り立てて脳活性化リハをするのではなく、日々の生活そのものが脳活性化リハであるような生活（利用者が主体的に食事のメニューを決め、買い物をし、調理をし、後片づけをするなど、仲間と楽しく頭と体を動かしながら生活する）が望まれます。家庭でも同様です。

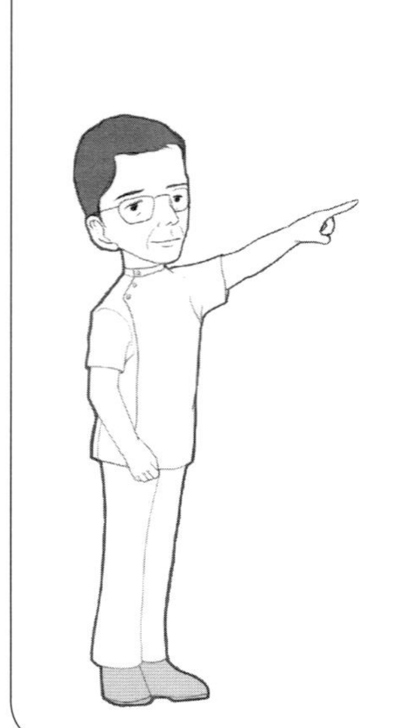

脳活性化リハは

＊認知障害（中核症状）には直接効果がない
＊行動・心理症状（BPSD）を軽減する／アンメットニーズを満たす

脳活性化リハ施行の原則

＊快刺激→笑顔になる
＊ほめ合い・認め合い
＊コミュニケーション→安心する
＊役割・日課→生きがいが生まれる
＊失敗を防ぐ支援→正しい方法の習得と成功体験

脳活性化リハの目的

＊認知症の人が役割をもち、楽しく人と交わることで
＊生きがいを感じ、不安を解消して
＊前向きに生きるようになることをめざす

認知症があっても楽しく過ごせる環境づくり
そして、well-being をめざそう

図 3-18　脳活性化リハビリテーションは何を目的にどう関わるか

具体的手法には、本書で取り上げた以外にも、園芸療法、アニマルセラピーなど挙げ出したらきりがないほど種々のものがありますし、そのような手法をまとめた本も出版されています。しかし、本書で示した脳活性化リハの理論と原則、およびいくつかの具体的手法を読み終えた方には、「どのような手法を使うか」ではなく、「認知症の人と何を目的としてどう関わるか」が重要であることを理解していただけたと思います（**図 3-18**）。したがって、どのような療法やアクティビティーを脳活性化リハに取り入れるかは、読者の方の創意工夫で広げていただければよいのです。何をするかよりも、脳活性化リハ５原則を守った関わり方が大切です。

脳活性化リハのセッションでは、原因や病期が異なり、また生い立ちや性格も異なる人たちが小グループを作って実施します。もちろん個別での実施も可能です。いずれにしても、本人の能力を発揮してもらうには、その人の経歴や趣味、家族構成などの情報を事前に収集して、その人に適し、なおかつグループ全体でも盛り上がる活動内容を考えるなど、周到な**事前準備**が欠かせません。そして、実施後は、毎回のプログラムを振り返って、それぞれの参加者が笑顔で能力を発揮できたかどうかを検証し、次回に向けての準備を進めます。単に脳活性化リハの原則を守って実施すればよいのではなく、参加者をその気にさせる仕掛けをたくさん作って実施し、終了後はきちんと振り返って評価し、よりよい仕掛けを組み込んだリハプログラムを作り上げていく姿勢が大切です。

15-1　情報収集

脳活性化リハをうまく実施するためには、しっかりと準備をして臨む必要があります。脳活性化リハの原則である快刺激、コミュニケーション、役割や生きがいは人それぞれです。何を楽しい、嬉しいと感じるかはその人次第ですし、コミュニケーションのとり方も、積極的な人、控えめな人などいろいろです。認知症があっても失敗せず役割を発揮してもらうためには、その人が過去に果たした役割や仕事と現在の残された能力を的確に知る必要があります。つまり、脳活性化リハをうまく実施するためには参加者（対象者）の今と過去を知ることが大切です。具体的には、①基本的な医学情報、②現在の生活状況、③過去の生活歴の三つの情報が重要です。

1）基本的な医学情報――疾患名、重症度、認知機能、身体機能、できる ADL

認知症を引き起こしている疾患や重症度によって対応が異なります（**表 3-3、表 3-4** を参照）。また、MMSE や HDS-R などの現在の認知機能テストの結果や麻痺の有無、筋力、関節可動域、バランス能力、歩行能力などの情報も、脳活性化リハの内容を考える際に参考になります。注意すべき点は、机上の認知機能テストの結果や筋力、関節可動域と

表 3-3　認知症の疾患別対応のポイント

疾　患	対応のポイント
アルツハイマー型認知症	○注意障害があるためテンポよく指示を出す。 ○快か不快かの判断で治療への協力が決まったり、周囲の人と過同調する心理特性があるので、小グループで楽しく実施する。
レビー小体型認知症	○症状の変動が大きいので、そのつど本人の状態にあわせて対応する。 ○バランス障害や起立性低血圧により転倒しやすいので安全面への配慮が必要。 ○方向転換や立ち座りなど姿勢の変換時も手間取ることが多い。焦らせず、力まかせに介助せず、「イチ、ニー、イチ、ニー」とリズムをとったり、「サン、ハイ」と動作の開始を助け、本人のペースにあわせる。 ○幻視があると、集団でのコミュニケーションに難渋する場合もある。
行動障害型前頭側頭型認知症（ピック病など）	○マイペースでゴーイングマイウェイのため、個別対応が基本である。自分のやりたいことには一生懸命であるが、興味のないことには協力が得られない。
血管性認知症	○残存認知機能も多い。思考の鈍麻や遂行（実行）機能障害が主症状であり、個別にゆっくりと本人のペースにあわせて、きちんと説明し了解を得ながら進めればリハの効果が期待できる。 ○自発性低下が多く、個別の声かけやほめるなどやる気を引き出す工夫が必要。 ○動作の目的は理解できるが、巧緻性の低下や遂行（実行）機能障害によりADLの動作が緩慢になるので、自助具や環境設定により、自分のペースで落ち着いて動作が自立できるよう工夫する。

表 3-4　重症度別の目標設定

病　期	目　　標
MCI～軽度	参加者本人が生活で困っていることを意思表示することが可能であり、その対応を一緒に考える。この時期であれば環境を整え、生活を活発にすることで、認知機能そのものの改善も期待できる。
中等度	参加者の指示理解も乏しくなるので、非言語的な指示入力や残存している手続き記憶などを活用しながら廃用を防ぎ、進行の予防をめざすと同時に、今、その時を安心して楽しく過ごせることが目標となる。
重　度	意思疎通が困難になり、身体的にも随意運動が乏しくなるので、少しでも快適な環境設定が目標となる。

いった各機能と参加者の実際の生活能力が必ずしも一致しないことです。また、このような情報を得る際、認知症になってできなくなったことより、今でもできること（残存能力）に注目します。

2）現在の生活状況――起床時間、家事の実施、日中の活動状況、しているADLなど

朝何時頃に起きて、朝食は誰が作り、何時頃に食べ、日中は寝ているのか、起きて何をしているか‥‥といった、朝起きてから夜寝るまでの生活状況を具体的に把握します。「できるADL」と「しているADL」が異なる場合も少なくありません。家族など参加者をよく知る人から情報収集するとよいでしょう。またその際、認知症の行動・心理症状を確認しておきます。脳活性化リハの目標は「たとえ認知症があっても楽しく豊かな生活を送ること」であり、脳活性化リハの効果が生活に反映されれば、穏やかに生活できるでしょう。

3）過去の生活歴――出身地、家族、兄弟姉妹、教育歴、職歴、結婚、子育て、趣味、特技など

参加者がどんな人生を歩んできたか、ライフステージに沿って情報収集します。特に参加者が過去に輝いていた時間を知ることが脳活性化リハの内容を考える際のヒントとなります。逆にスタッフは事前に参加者の生きた時代や文化（当時の流行歌、流行った映画、重大事件など）を勉強しておくことも必要です。ただし、参加者が当時流行ったものを好きとは限りません。勉強したことを押しつけるのではなく、共感のために勉強するのです。

情報収集は、家族やスタッフからだけではなく、本人に直接尋ねて聞き出すことが大切です。

15-2　準備

実践に向けて、①グループメンバー、②実施場所、③実施内容や時間、頻度を決めていきます。

1）グループメンバーの決定

一般的に、参加者の病期、年齢（世代）、生活歴（田舎育ち、都会育ち、経済状況）などに共通点が多いグループはコミュニケーションが弾みます。男女の比率に関してはバランスよく組むほうがよいでしょう。ゲームなどでは男女の対戦や交流を含むものが盛り上がります。少人数の同一メンバーで継続して実施するとなじみの関係ができ、認知症があっても安心して楽しめる雰囲気ができてきます。脳活性化リハを個別に実施することも可能ですが、参加者同士には対スタッフにはない共感的なコミュニケーションがあると感じています。

グループ分けと一緒にスタッフの役割分担も決めます。通常、3〜5名の参加者に一人の割合でスタッフが入ります。参加者の病期に応じて、重度であればスタッフを増やす必要があるでしょう。また軽度な人が対象の場合、慣れてくれば徐々にスタッフは減らし、

参加者が中心になってリハを進めてもらうのもよいでしょう。スタッフが複数名いる場合は、グループの司会役である「リーダー」と、参加者の間に入って相互交流を促し、リーダーを助ける「コ・リーダー」に分かれます。

2）実施場所・使用する道具の決定

認知症により注意の集中や分割がうまくできなくなるため、なるべく静かな場所で、適度な広さ・明るさの環境で実施することが望まれます。席の配置も円形にするなど、互いの顔が見え参加者同士の相互交流が生まれるよう考慮します。使用する道具の種類や量も参加者の認知機能や身体機能に合っているか考慮します。例えば、回想法の小道具は多すぎても回想が深まらない場合があり、参加者の認知機能や反応にあわせて使用する小道具の数や小道具を出すタイミングを調節する必要があります。

実施場所の環境設定も大切です。私たちは自分の意思で行動を決定していると考えていますが、実は環境からの働きかけによって行動を変えています。例えばおなかが空いていなくても、焼き肉屋の看板を見たり、近くを通っていい匂いがすれば焼き肉を食べたくなります。認知症になっても、その時々の状況判断やその場の空気を読む能力は保たれます。例えば、調理であれば割烹着を着てもらい、台所に包丁・まな板を用意しておくことで、これから調理を行うことが理解でき、スムーズに調理活動を始められます。このように、認知症の人が自ら動き、能力を発揮したくなるような環境設定や場面設定が大切です。

3）テーマの決定

ここが脳活性化リハのポイントです。脳活性化リハの原則に当てはまるテーマを考えます。具体的には、事前に収集した個々の参加者の情報に基づき参加者が慣れ親しんだ特技や趣味を取り入れることで、「これから何が始まるのだろう」という不安を軽減でき安心感を生みます。また「わかる」ことが喜びとなります。例えば、裁縫が趣味の人には裁縫を教えてもらう、詩吟が趣味の人がいれば披露してもらうなど、**昔取った杵柄**を利用し、スタッフや他のメンバーに教える教師役になってもらうことで、参加者の自信や意欲を生みます。また一緒に散歩し綺麗な花を見る、すがすがしい風を感じる、楽器を演奏して心地よい音を耳にする、料理をして季節の食材の香りを楽しみ、味わうなど、五感を刺激する楽しいことを考えます。その際、季節感を取り入れることで、現実見当識訓練にもなります。慣れてきたら新しいことに挑戦すると達成感が得られます。

スタッフはテーマを決めたら、必ず自分でやってみるとよいでしょう。例えば味噌汁を作るという一連の活動を各工程に分け、参加者の病期や身体機能にあわせて、具を切るのはこの参加者にお願いしよう、味噌を溶くのは別の参加者にお願いしようなどと検討します。

以上のように疾患の特徴や病期を理解したうえで、個々の参加者の生活歴や性格を考慮し、興味や意欲を引き出しやすく、実施可能な内容のテーマで、個別、集団対応をうまく組み合わせて実施していきます。集団の場合でも個性に配慮した対応が大切です。また既成概念にとらわれず、参加者とのやり取りの中で、ちょっとした一言（例えば「暑いからアイスキャンデーが食べたい。昔は家で作ったものだ」→「皆で作ってみよう」）を聞き逃さず、取り入れていくと効果的な脳活性化リハが可能となります。

15-3　実践にあたっての注意点

実践中は参加者のペースにあわせ、ともに楽しみながら実施します。スタッフは参加者とグループ全体に働きかけます。参加者本人には受容的な態度で接し、話を傾聴します。決して参加者の発言や行為を否定しません。また参加者に「どうやったらいいのですかね？」「教えてくれませんか？」とお願いすると、役割の発揮につながります。参加者のちょっとした反応に目を配り、反応を引き出します（**表 3-5** を参照）。また、参加者が上手にできるよううまく手助けします。そして積極的に賞賛します。賞賛する際は「すごいですねー、上手ですね」ではなく、「手つきが滑らかですね」などと具体的に言葉にします。またグループ全体に対して相互交流が生まれるよう、参加者の思いを他の参加者に伝えます。最後は「ありがとうございます」と感謝を示して終わります。

脳活性化リハは、リハとして行うだけでなく、家族とともに認知症の人の生活を豊かに

表 3-5　声かけの工夫点

＊指示は簡単・明瞭に、必要な情報のみを繰り返し行う。 ＊言語のみに頼らず、音や匂い、肌触りなど、五感を刺激するように様々な感覚刺激を活用する。 ＊表情やスキンシップ、ジェスチャー、スタッフの実演をまねしてもらうなど、非言語コミュニケーションを取り入れる。 ＊細かい運動の指示より、動作の目的を指示する。「歩きましょう」より、「あそこへ行きましょう」、「○○さんのお部屋へ案内してください」と言う。 ＊否定語より肯定語で指示する。「歩きませんか？」、「座りませんか？」より、「歩きましょう」、「座りましょう」と言う。 ＊認知症の参加者に選択を迫る言葉は混乱を招くので、これからどうするか明確に指示する。「どちらに行きますか？」より、「あっちへ行きましょう」と言う。 ＊参加者が以前用いた言葉を用い、本人のペースにあわせて使う。

することを考え、生活の一部として行うことが必要です。

15-4　介入効果の検証からわかった直接効果と間接効果

筆者らはこれまで様々な場所で脳活性化リハを実践してきました。まず短期的な介入効果の検討をいくつか紹介します。無作為化比較試験という介入群と比較対照群をランダムに群分けする信頼性の高い研究デザインを用いた研究では、認知症グループホームを利用する軽度認知障害～中等度認知症高齢者 54 名を対象に、介入群には脳活性化リハとして作業回想法と現実見当識訓練を組み合わせた介入を週 2 回・3 か月間実施し、対照群は通常のケアを継続しました。その結果、介入群では認知症の全般的な重症度と高齢者用多元観察尺度（Multidimentional Observation Scale for Eldelry Subject：MOSES）の合計値（特に下位項目の見当識、引きこもり）が下げ止まり、生活障害の軽減や進行予防効果を示しました[49]。また、介護老人保健施設に入所中の健常～認知症高齢者 23 名を対象に同様の研究デザインで週 1 回・3 か月間の介入を実施したところ、介入群では認知症の全般的な重症度と主観的 QOL が改善しました[50]。介護老人保健施設の認知症専門棟で、中等度の認知症高齢者 16 名中 10 名に脳活性化リハとして個別にパソコン回想法を週 1 回・3 か月間実施し、実施しなかった 6 名と比較した研究では、NM スケール（認知機能）と DBD スケール（行動・心理症状）が有意に改善しました。特に行動・心理症状の中でも徘徊や暴言・暴力が減り、人当たりがよくなり、他者と会話するようになるなど穏やかな生活が可能となりました[51]。デイサービスもしくは認知症グループホームを利用する健常～認知症高齢者 18 名に週 1 回・3 か月間、作業回想法と現実見当識訓練を組み合わせた脳活性化リハを実施した研究では、CDR 0 と 0.5 の 6 名では WMS-R（記憶検査）の遅延再生が、CDR 1 と 2 の 12 名では WMS-R の直後再生が有意に改善しました[52]。介護老人保健施設に入所中の軽度～中等度認知症高齢者 11 名に脳活性化リハとして全 8 回の作業回想法を行い、セッション中の様子と介入効果の関係を検討した研究では、セッション中の発言内容が充実していた対象者や楽しく意欲的に参加していた対象者ほど介入期間終了時に意欲が高まり、介入期間中に徐々に発言内容などが充実した参加者ほど認知機能の改善率が高く、充実したセッションになるほど高い効果が期待できる可能性が示されました[53]。デイケアを利用する高齢者 27 名にモグラ叩きゲームを使った運動を実施した研究では、前頭葉機能検査の得点と歩数と運動量が有意に増加し、外出の機会が増え、生活範囲が広がり、活動性が高まりました[54]。これらの研究に参加したスタッフからの聞き取り調査の結果、笑顔やコミュニケーションの増加、介護拒否の減少などの参加者の様子の変化を認めました。また、スタッフが利用者の残存能力に気づき、昔の話を聞くようになり、「教えてもらう」という気持ちで接し、利用者をほめたり、感謝の言葉を伝えるよう

表 3-6　みどり市で実施した脳活性化リハによる認知症予防教室のテーマ一覧

	テーマ	使用道具	具体的の内容（特技披露）
第１回	初期評価		
第２回	お国自慢	日本地図	地域自慢、職業などの話
第３回	祭り	半被、楽器	地域の祭りの踊りの教授
第４回	お手伝い	手ぬぐい、ハタキ、雑巾	掃除のコツを教授
第５回	冬の仕度	だるまストーブ、あんか	炭火の管理方法を教授
第６回	お正月	しめ縄	正月のしきたりを教授
第７回	娯楽	ブロマイド	生活の楽しみの話と歌の披露
第８回	学校の思い出	教科書、教育勅語	得意科目、教育勅語の暗記披露
第９回	お出かけ回想法	地域の歴史民俗資料館へ	様々な道具の使用方法を教授
第 10 回	子どもの頃の遊び	お手玉、剣玉、おはじき	得意な遊びの披露
第 11 回	最終評価		
第 12 回	修了式		

に心がけるなど、参加者に対する接し方の変化を認めました。

筆者らは、地域の介護予防事業として群馬県みどり市で、地域包括支援センターのスタッフや介護予防サポーター（地域の住民ボランティア）らと、1 回 90 分・月 2 回・6 か月間の介護予防教室を開催しました。地域の歴史をよく知る住民ボランティアの意見も取り入れて、作業回想法のテーマを地域密着に深化させました（**表 3-6**）。その結果、参加者の意欲（やる気スコア）と高次生活機能（老研式活動能力指標）が有意に改善しました[55]。

次に長期的な介入効果の検討です。もの忘れ外来に通院中の認知症高齢者を対象に、家族にも参加・見学してもらいながら脳活性化リハを 15 か月以上実施できた 5 名中、2 名は認知機能や生活能力を維持できましたが、3 名は症状が進行しました。維持できた 2 名は行動・心理症状が少なく、明るい性格でした。逆に進行した 3 名は行動・心理症状が多く、ぼんやりしていて元気がなく、細かいことを気にする性格でした。またアンケートから、症状が進行しても参加者の満足度は高く、家族からは「元気になった、笑顔が増えた、しっかりした」「接し方がわかった」「何か頼むときの反応がよくなった」などの感想が寄せられました[56]。

以上の介入研究の経験から、脳活性化リハの効果として、参加者本人への直接効果と、周囲の人が参加者を理解することによる間接効果が示されました。直接効果としては、廃用を防ぎ、役割をもち能力を発揮することで、短期的に認知機能の一部や行動・心理症状の改善効果が期待できます。間接効果としては、脳活性化リハ場面を通じて周囲の人が参加者の新たな能力を知ったり、正しい接し方を理解することで参加者と周囲の人の信頼関係が再構築され、「たとえ認知症があっても楽しく豊かな生活が送れる」と理解できるのです。これらの効果が相まって、長期的な効果としては認知症の進行を遅らせると考えています。もの忘れ外来で脳活性化リハに参加した人の中には、約３年間にわたって症状を維持し、家族のサポートを受けながら一人暮らしを継続した人もいました。つまり、脳活性化リハの効果を最大限に得るには、スタッフや家族の協力・参加が必要です。デイサービスでの介入で、連絡帳に脳活性化リハ中の様子の写真やコメントを記入するアルバム式連絡帳を導入したところ、自宅で参加者と家族がコミュニケーションの材料として活用され、家族から「自宅では見られない表情が見えた」「真剣な様子が見えて微笑ましく思った」などの感想が得られました[57)]。このように積極的に周囲のスタッフや家族を巻き込む工夫も必要です。

脳活性化リハは、認知機能の向上を主目的とする認知リハとは異なり、生活能力の向上をめざしたものです。研究では認知指標を使いますが、基本的には悪化していないことを確認するための指標です。生活の中で、一日のうちに笑顔でいる時間の割合を、いわば「笑顔度」として計測できれば、その向上をめざしたいですね。

16 各論：介護保険の認知症リハビリテーション

16-1　生活機能向上をめざしたリハビリテーション

認知機能向上をめざして計算やパソコンを用いた学習を行う認知リハは、楽しく行えれば害にはなりませんが、生活機能向上には直接結びつきません。トレーニングした認知機能が向上しても、生活の改善にはあまり役には立たないのです。

認知症施策推進大綱では、「認知症の人に対するリハビリテーションについては、実際に生活する場面を念頭に置きつつ、各人が有する認知機能等の能力を見極め、最大限に活かしながら日常の生活を継続できるようすることが重要である」としています[58)]。実生活場面を念頭に置いて日常生活の自立をめざした「生活機能向上リハ」が、認知症のリハとして望まれます。

16-2　認知症短期集中リハビリテーション実施加算

介護老人保健施設（老健）での認知症短期集中リハは、MMSE または HDS-R で５～25点の認知症者を対象に、入所から３か月間・週３回までの期間と回数限定で、認知機能や生活機能などの向上をめざした個別（セラピスト：利用者＝１：1）のリハを 20 分以上行うものです。筆者らのグループは、122 名を対象に、脳活性化リハ５原則に基づいた認知症短期集中リハを行い、認知機能（MMSE）、行動障害（DBD スケール）、意欲（Vitality Index）、抑うつ（GDS）の改善を示しました[59)]。認知症短期集中リハは個別で実施するとされていますが、アルツハイマー型認知症ではむしろ小グループで実施したほうが社会脳機能向上に有用なので、３名で１時間というように運用するほうが有効でしょう。

筆者らは、老健での認知症短期集中リハをより有効に実施するための実施方法を研究しました。以下にその三つの研究を示します。

老健入所者 60 名を、①小グループ介入群、②個別介入群、③対照群の３群にランダムに分けて、週２回・12週間の脳活性化リハ５原則に基づくリハの効果を検証したところ、小グループ介入群のみで認知機能が有意に向上しました[60]。小グループで楽しく実施するのが基本だと、ランダム化比較対照試験で示すことができたわけです。

また、老健入所者31名をランダムに２群に分けて、週２回・45分で８週間、小グループで運動と参加者同士の交流を促すアクティビティーを行いました[61]。その結果、日常生活場面で他者への関心が高まり、他の利用者を助けるなどの社会交流が増え、笑顔が増えるなどQOLが向上しました。

さらに、老健入所者36名をランダムに２群に分けて、週１回・90分で12週間、小グループでの脳活性化リハ５原則に基づくクッキングプログラムを行いました[62]。その結果、老健入所者の遂行（実行）機能の向上やうつの改善効果を示しました。老健では入所者が包丁やはさみを使う機会を奪われますが、主婦であれば当たり前にできることをしてもらう、そして、できた食事を仲間と美味しく食べることが効果をもたらすと考えられます。

通所リハ（デイケア）での認知症短期集中リハビリテーション実施加算については、2015年の介護報酬改定から、①上記の老健入所と同様の１回20分以上の個別リハごとに週２回まで算定か、②集団も可能で生活力向上に力点を置いたリハを実施して月全体で算定か（居宅を訪問し、応用的動作能力や社会適応能力の評価を行うなどの要件を満たせば）、を選択できるようになりました。よって通所リハでは、従来の個別リハから脱却して、生活に根ざした小集団のリハも可能になりました。

17 各論：認知症の人が脳卒中を合併した場合や骨折した場合のリハビリテーションの諸問題

「認知症があるとリハの対象にならない」、「認知症があるとリハをやっても無駄」という声がしばしば聞かれます。でも、これでよいのでしょうか？ 回復期リハ病棟でも認知症患者が約 1/3 を占める時代、認知症があってもどう対応したらリハ効果を引き出せるかを考えることが重要になっています。

認知症の人が脳卒中で片麻痺になった場合や転倒して骨折した場合、あるいは内科的な疾患（肺炎、心臓病）の治療後に体力や身体能力が低下した場合（廃用症候群）など、複数の病気や障害を抱えた認知症の人が増えています。この場合、治療についての理解や協力が得にくいという理由から、積極的なリハはおろか、もともとの病気や怪我の治療ですら消極的に終わることが少なくありません。脳卒中治療後や骨折治療後の機能回復をめざしたリハの目標は、身体機能の改善を通して生活能力を高めることであるため、機能訓練に際しては認知能力や記憶力が保たれていることが前提条件になります。その意味で、認知症が重度であればあるほど、リハが困難になるわけです。また、リハ場面では心的状況（精神的に落ち着いている）や身体状態（熱がない、血圧が安定している）が安定している、つまり心と体が比較的落ち着いている必要があります。過度の興奮や不安を抱えやすく精神的に不安定な人では、リハが中止になる場合が少なくありません。以上が、従来、認知症の人が脳卒中や骨折、内科的疾患治療後の廃用症候群を合併した場合にリハの対象になりにくかった理由です。

しかし、アルツハイマー型認知症でも血管性認知症でも、身体機能の低下は廃用を招き、認知症状をさらに悪化させる最大原因と考えられます。その意味では、認知症の人が脳卒中を合併した場合や骨折した場合、また廃用症候群になった場合でも、早期に離床を

表 3-7　回復期リハ病棟の認知症者で FIM 大幅改善例に実施された工夫

医学・生活管理	生活の活動性向上、生活リズム、交流、院内デイ、合併症の管理
関わりの工夫	役割をもってもらう、慣れ親しんだ活動、自己決定、制限しない、エラーレス、メモ、予定表、メモリーブック、快刺激、排泄の早期自立
コミュニケーション	訴えを傾聴、頻回な声かけ、わかりやすく伝える、対応の統一、なじみの関係、否定しない、お礼・感謝を伝える、生活歴に沿った声かけ
環境調整	混乱を防ぐ、快適、安全、センサーの活用

（山上ら 2018[64]より作成）

促すことを初期目標にして積極的なリハを考えるべきです。

さらに、日本リハビリテーション医学会の回復期リハ 1,911 例のデータベースを解析した曽川[63]によって、脳血管疾患のリハにおける functional independence measure（FIM）は、認知症のある群が認知症のない群と同等に改善することが示されています。山上ら[64]による追試でも、回復期リハビリテーション病棟に入院した認知症合併例に対して認知症に配慮した回復期リハ・ケア（**表 3-7**）を行ったところ、FIM は改善し、軽度であれば認知症のない場合と同等の効果が得られることが示されています。

認知症で指示が入りにくい点については、応用行動分析学の手法を用いて、一つ一つのステップを、①口頭命令、それでダメなら②視覚刺激（「押す」などの文字や赤テープで握る場所を示すなどの工夫）、それでもダメなら③手取り足取りの指導、と段階を踏まえつつ、ほめながら繰り返して練習することで、認知症があってもトイレなどの生活動作の獲得が可能なことが示されています[65]。

筆者の勤務する回復期リハビリテーション病院（199 床）では、脳卒中、大腿骨頸部骨折、心臓疾患、腎不全などで認知症を合併している患者が、軽症を含めると全体の 8 割を占めます。医療制度上、回復期リハ病棟が誕生して 20 年以上が過ぎ、疾病構造は大きく様変わりしており、認知症合併例も増加しています。急性期治療後の受け皿として亜急性期機能を担う回復期リハ病棟は地域包括ケアシステムの要（かなめ）であり、認知症を避けては適切な医療サービスを提供できません。

また、筆者らが企画して日本リハビリテーション病院・施設協会が 2013 年に行った全国調査では、回復期リハ 112 病棟の入院リハ患者 6,946 名中の 2,265 名（32.6％）が認知症でした[66]。9 割が認知症という病棟もありました。リハ対象者に認知症があるのは当たり前の時代です。

17-1　回復期病棟でのリハビリテーションのポイント

回復期病棟のリハでは、以下のことがポイントとして挙げられます。

⑴ 脳卒中後や骨折治療後に生じやすい拘縮による疼痛を軽減することは、認知症であってもリハの最低限の目標になります。これは、疼痛除去があらゆる治療の中で最優先に取り組む課題であるのみならず、今後痛みにより引き起こされる身体機能のさらなる低下を防止する点からも必要だからです。特に認知症の場合、身体機能の低下は認知症の悪化のみならず、介護者の物理的心理的な負担を増大させる原因になります。

⑵ 認知症高齢者のリハ目標は、身体機能の改善が達成できればゴールとは限りません。例えば、リハによる歩行能力の獲得がさらなる転倒事故や骨折事故を引き起こす場合や、ケアが不適切な環境ではかえって徘徊行動が出現してしまう場合など、新たな問題が発生する可能性があるからです。一般に、認知症で脳卒中を合併した場合や骨折を起こしたケースでは、すでに歩行障害などの身体機能の低下と認知症自体が重症化している場合が多く、身体機能自体の有効な改善が得にくいのが実情です。したがって、本人と介護者のニーズを勘案しながら、認知症の悪化防止と身体機能の改善を通して、ADLや行動・心理症状/アンメットニーズサインの改善を目的にリハを行う必要があります。

⑶ 認知症が重度な場合、認知症状自体によりリハ目標の理解とリハに対する協力が得にくいことに加えて、自ら起き上がろう・歩こうとする離床意欲が低下していることが問題になります。精神的にも身体機能的にもすでに廃用症候群が発生していることも多いため、離床と座位を維持できる耐久力の獲得が初期の目標になります。基本的な生活動作である起居動作、座位保持姿勢の維持、車椅子などへの移乗動作など、幼少期に獲得した身体動作を中心にリハ内容を組み立てる必要があります。いわゆる「習うより慣れろ」です。背筋、腹筋など体幹筋の筋力改善は、介護負担の軽減のみならず、離床時間を確保するにも必要で、心肺機能の低下を防止する利点もあります。

⑷ また認知症が重度な例では、リハを実施するにあたり、本人の了解や理解が十分得られないため、リハ自体が本人に過度の不安を与えやすいことを常に念頭に置くべきです。リハは、治療者側のペースではなく、あくまで当事者側のペースで進めるべきで、拒否的な反応が見られたら一時中止も考慮すべきです。

⑸ 認知症が軽度な場合の問題点は、リハ意欲の低下と自発性の低下が顕著な点、認知機能の低下のために個々のリハ内容の確認と学習理解が困難な点、注意力の低下から転倒が起きやすいという点などです。この場合、リハスタッフ以外に病棟スタッフの関わりが大切で、転倒の防止と病棟リハの工夫が必要です。従来の回復期リハは個別リハですが、介護施設で行っているようなレクリエーションを中心とした集団リハの導入で、発動性や意欲の改善を図れる場合があります。

⑹ 退院後の生活に不安を抱える本人や家族も多く、移動時の見守りや介助の必要性とADLである食事、排泄動作、更衣は、介護負担を左右する重要な点であり、退院後の生活場面をあらかじめ想定して共有化する必要性があります。

17-2 生活期でのリハビリテーション

回復期でのリハを終了したあとは、自宅ないし介護療養施設へ退院するわけですが、回復期と同様、生活期のリハでも、認知症を合併していても、その精神機能を評価し、身体機能だけでなく精神機能の維持、向上を踏まえた治療プログラムの立案が望まれます。例えば、リハ室で平行棒内歩行を行って歩行能力の維持・改善をめざすという消極的な治療目標ではなく、精神機能の活性化をめざして、屋外(介助)歩行を行い、季節の花を見て、話しかけ、そして徘徊しても転倒しないくらい歩行を安定させるなど、積極的なアプローチが必要です。また、作業療法では、生活史を聞き取り、生活に生きがいを感じるようなアクティビティーの選択も必要です。本書を読んだスタッフが、身体機能のみではなく、精神機能を含めた、その人の全体像を捉え、生活期でも積極的なリハを提供することを望んでいます。

一般に生活期でのリハに求められる役割は、①退院後の移動能力、生活能力の定着と安定、維持向上、②自立した生活支援と介護負担の軽減、③本人ならびに家族の生活場面での活動性の向上と社会的活動性の確立、が挙げられます。この中でも、認知症を合併した場合、長期入院生活を終え、居宅ないし在宅生活へ移った際の環境適応が生活期リハの課題となります。具体的には、移動面での転倒リスクとADL場面での行動・心理症状/アンメットニーズサインがしばしば問題となります。とりわけ歩行時の転倒や車椅子ないしベッドからの転落は、事故例として取り上げられることもあり、社会的な課題です。回復期リハと同様、リハによって活動性が向上するとかえって転倒する機会が増える場合がありますが、それをもってリハをしない理由にはなりません。介護場面での転倒防止に努めることはもちろんですが、転倒リスクを一概に事故と捉えるのではなく、老化に伴う症状(老年症候群)として考える姿勢が大切です。これについては、日本老年医学会と全国老人保健施設協会が共同で「介護施設内での転倒に関するステートメント」[67]を出しています。このステートメントでは、『転倒リスクが極めて高い高齢者において、施設入所であれ、自宅であれ、活動を行っている以上は一定の確率で転倒は発生し、一定の確率で骨折や死亡の転帰をとりうると考える必要がある』と、高齢者の転倒は必然だと記載されています。自宅での転倒では家族の責任を追及しないのに、病院・施設での転倒では施設・スタッフの責任を追及して賠償金を求めることへの警鐘と受け取れます。また、『本ステートメントのために実施したシステマティックレビューの総括として、運動介入によって転倒の発生が必ずしも増えなかったことは科学的エビデンスとして重要である。このことからも、個人の生活機能や活動性維持に必要な運動介入は積極的に実践するべきであると考える』と記載されています。転倒を恐れて廃用を招くよりは、リハ（運動）を行うほうがよいとの指摘です。転倒予防についても解説があるので参考になると思います。

これまでの「認知症があるからリハにならない」という考え方を、「認知症があってもリハができる」方法を開発するという前向きな姿勢に転換することが大切です。

最後に、二つの症例を紹介します。

●症例１（大腿骨頸部骨折を併発した重度認知症）

83歳の女性で、基礎疾患は、アルツハイマー型認知症（重度）、高血圧、骨粗鬆症です。自宅で早朝トイレへ起きた際にバランスを崩して転倒、左大腿骨を骨折し、人工骨頭置換術後に回復期リハ病棟へ入院しました。骨折後の足の痛みから臥床がちで、機能訓練に対しては理解を得られず、リハ室でのリハは断念しました。当初目標としたポイントは、①患肢の拘縮の軽減と創部痛の改善、②体幹機能の改善による移乗動作の自立と立位保持であり、術後の廃用性機能低下の防止と自宅介護での介護負担の軽減を目標としました。幸い、日常生活での食事、更衣、車椅子への移乗といった生活動作に関しては、機嫌のよいときは積極的に参加してくれるため、まずなじみの関係をつくって機嫌の良し悪しをスタッフが察知する努力を行いました。歩行に関しては、バランスの不安定さから恐怖心があり、歩行の確立は当初から断念しました。日常生活の動作（洗面、食事、排泄など）は、記憶の中で比較的失われにくい手続き記憶であるために本人の参加、協力を得やすく、これを繰り返すことで結果として患肢の痛みが軽減され、当初の目標は達成されました。この例では、認知症があっても残存する手続き記憶を活用し、ADLに積極的に働きかけることで、廃用を防止し介護負担の軽減にもつなげることができたものと思われます。

●症例２（不全片麻痺を併発した軽度認知症）

78歳の女性で、基礎疾患は、血管性認知症（軽度）、高血圧、左ラクナ梗塞です。左ラクナ梗塞による右不全片麻痺のため、回復期リハ病棟へ入院しました。もともと多発性脳梗塞のため、日常生活に際しては受身的であり、やや抑うつ的な性格から、歩行獲得の動機づけが困難でした。入院後、徐々に他の患者さんとのなじみの関係が確立することで、親しくなった患者さんとリハに対する意欲を共有することができたため、以前と比較して歩行リハに前向きに参加してもらえました。この例では、患者さん同士の**なじみの関係づくり**から生きがいを導くアプローチが功を奏したと思われます。

平行線歩行の勧め

転倒・骨折による臥床は、認知症発症・悪化の大きな要因であり、転倒予防は認知症予防の観点からも重要です。高齢の女性は、和服でしとやかに歩くよう教育を受けており、高齢になって歩行が不安定になってもしとやかな歩き方を続ける傾向があります。この「しとやかな歩行」は、足を次々と軸足の真ん前に出して歩き、足跡が一直線になる「一直線歩行」です。しかし、バランスの悪くなった高齢者が安全に歩くには、「平行線歩行」がお勧めです。これは、右足は右側の線の上を、左足は左側の線の上を進み、常に左右の足の間隔を 10〜20 cm 広げて歩く方法です。ちょうど幅の狭い線路の上を歩くように。今どきの若い女性ではこのような威風堂々の歩き方をする人が多くなってきていますが、高齢の女性はこのような「はしたない」歩き方に抵抗があり、なかなか受け入れてもらえません。しかし、転倒・骨折に至っては大事態ですので、何度か繰り返して指導します。歩行時・ターン時に必ず左右の足を広げたままにする習慣がつくと、歩きやすくなったと感謝されます。杖をつくのは格好悪いとか、足を広げて歩くのは恥ずかしいという考え方に対し、「杖は長年生きてきた証、勲章と思って、堂々と使ってください。そして勲章を胸に着けたつもりで、堂々と平行線歩行してください」と言うと、結構素直に受け入れてもらえます。

第３部の引用文献

1） 山口晴保：消えゆく老人斑．医学の歩み 189（1）：28-32，1999．
2） 山口晴保，高橋えりか，丸岡君子，他：廃用による痴呆化．老年精神医学雑誌 6：195-201，1995．
3） 有田秀穂：脳内物質のシステム神経生理学―精神精気のニューロサイエンス―．中外医学社，東京，2006，pp.132-171．
4） 山口晴保：認知症ポジティブ！―脳科学でひもとく笑顔の暮らしとケアのコツ―．協同医書出版社，東京，2019，pp.54-58．
5） Stern Y, Arenaza-Urquijo EM, Bartrés-Faz D, et al, the Reserve, Resilience and Protective Factors PIA Empirical Definitions and Conceptual Frameworks Workgroup：Whitepaper；Defining and investigating cognitive reserve, brain reserve, and brain maintenance. Alzheimers Dement 16（9）：1305-1311, 2020.
6） 山田規畝子：壊れた脳 生存する知．講談社，東京，2004．
7） 山口晴保：認知症ポジティブ！―脳科学でひもとく笑顔の暮らしとケアのコツ―．協同医書出版社，東京，2019，pp.161-188．
8） Dobkin BH, Plummer-D'Amato P, Elashoff R, et al；SIRROWS Group：International randomized clinical trial, stroke inpatient rehabilitation with reinforcement of walking speed（SIRROWS）, improves outcomes. Neurorehabil Neural Repair 24（3）：235-242, 2010.
9） バーバラ・フレドリクソン：ポジティブな人だけがうまくいく 3:1 の法則．日本実業出版社，東京，2010．
10） Aberman JE, Salamone JD：Nucleus accumbens dopamine depletions make rats more sensitive to high ratio requirements but do not impair primary food reinforcement. Neuroscience 92（2）：545-552, 1999.
11） Bayles KA，Tomoeda CK：痴呆症のケア入門．協同医書出版社，東京，2002，p.114．
12） Fratiglioni L, Wang HX, Ericsson K, et al：Influence of social network on occurrence of dementia；a community-based longitudinal study. Lancet 355（9212）：1315-1319, 2000.
13） 社会福祉法人「夢のみずうみ村」ホームページ（http://www.yumenomizuumi.com/）．
14） 厚生労働省老健局：「若年性認知症の方を中心とした介護サービス事業所における地域での社会参加活動の実施について」（2018 年 7 月 27 日付事務連絡）（https://www.mhlw.go.jp/content/12601000/000340865.pdf）．
15） 多湖光宗：認知症のリハビリテーション―能力活用セラピー―．MB Med Reha 164：31-37，2013．
16） 山口晴保：誰でもなれる!? 認知症―笑いで楽しく，予防とケアのコツ―．〈第 10 回〉役割が生きがいを生み，尊厳が守られる．おはよう 21（10 月号）：38-39，2015．
17） 稲田秀樹：地域貢献を行うデイサービス「ワーキイングデイわかば」の取り組み．第 5 回かながわ福祉サービス大賞～福祉の未来を拓く先進事例発表会～，公益社団法人かながわ福祉サービス振興会，2017（https://www.kanafuku.jp/images/taishou/05_2/3.pdf）．
18） 和田行男：大逆転の痴呆ケア．中央法規出版，東京，2003，pp.178-179．
19） 金子満雄：地域における痴呆健診と対策―早期なら痴呆は防げる，治せる―．真興交易医書出版部，東京，2002，pp.23-26，p.51，pp.134-141．
20） 志水 彰，角辻 豊，中村 真：人はなぜ笑うのか―笑いの精神生理学―．講談社ブルーバックス（B1021），講談社，東京，1994，pp.44-66．
21） 山口晴保，清水 一，吉川ひろみ，他：特別養護老人ホーム入所老人の寝たきり化の原因調査―痴呆の進行を防ぐために―．総合リハ 20（11）：1171-1175，1992．
22） Maki Y, Yoshida H, Yamaguchi T, et al：Relative preservation of the recognition of positive facial expression "happiness" in Alzheimer disease. Int Psychogeriatr 25（1）：105-110, 2013.
23） Woods B, O'Philbin L, Farrell EM, et al：Reminiscence therapy for dementia. Cochrane Database Syst Rev 3（3）：CD001120, 2018.
24） 北名古屋市「回想法事業（思い出ふれあい事業）」ホームページ（http://www.city.kitanagoya.lg.jp/fukushi/3000067.php）．

25） 来島修志：連載・回想法の効果的な進め方—第 1 回「作業を用いた回想法」を始めるための準備—．高齢者ケア 7（1）：116-119，2003.
26） 山上徹也，山口晴保：認知症の人への脳活性化リハビリテーション．認知症ケア最前線 36：22-26，2012.
27） ウナ・ホールデン，ロバート・ウッズ：痴呆老人のアセスメントとケア—リアリティ・オリエンテーションによるアプローチ—．医学書院，東京，1994，pp.107-112，pp.142-144.
28） Chiu HY, Chen PY, Chen YT, et al：Reality orientation therapy benefits cognition in older people with dementia；a meta-analysis. Int J Nurs Stud 86：20-28, 2018.
29） Saragih ID, Tonapa SI, Saragih IS, et al：Effects of cognitive stimulation therapy for people with dementia；a systematic review and meta-analysis of randomized controlled studies. Int J Nurs Stud 128：104181, 2022.
30） Yamaguchi H, Maki Y, Takahashi K：Rehabilitation for dementia using enjoyable video-sports games. Int Psychogeriatr 23（4）：674-676, 2011.
31） 中川龍治：芸術療法．日本臨床 61（増刊号）：557-561，2003.
32） Murabayashi N, Akahoshi T, Ishimine R, et al：Effects of music therapy in frail elderlies；controlled crossover study. Dement Geriatr Cogn Disord Extra 9：87-99, 2019（doi:10.1159/000496456）.
33） Montine TJ, Cholerton BA, Corrada MM, et al：Concepts for brain aging；resistance, resilience, reserve, and compensation. Alzheimers Res Ther 11（1）：22, 2019.
34） 山上徹也，山口晴保：痴呆発症期における視覚入力認知機能テストの得点低下とその背景．老年精神医学雑誌 14：1125-1132，2003.
35） 竹田徳則，近藤克則，平井 寛，他：地域在住高齢者の認知症発症と心理・社会的側面との関連．作業療法 26（1）：55-65，2007.
36） Moored KD, Bandeen-Roche K, Snitz BE, et al：Risk of dementia differs across lifestyle engagement subgroups；a latent class and time-to-event analysis in community-dwelling older adults. J Gerontol B Psychol Sci Soc Sci 77（5）：872-884, 2022.
37） LING L，辻 大士，長嶺由衣子，他：高齢者の趣味の種類および数と認知症発症—JAGES 6 年縦断研究—．日本公衆衛生雑誌 67（11）：800-810，2020.
38） Lindstrom HA, Fritsch T, Petot G, et al：The relationships between television viewing in midlife and the development of Alzheimer's disease in a case-control study. Brain Cogn 58（2）：157-165, 2005.
39） 芹澤隆子：ダイバージョナルセラピー．認知症ケア研究誌 6：68-79，2022.
40） Wu CW, Chang YT, Yu L, et al：Exercise enhances the proliferation of neural stem cells and neurite growth and survival of neuronal progenitor cells in dentate gyrus of middle-aged mice. J Appl Physiol 105（5）：1585-1594, 2008.
41） World Health Organization：Risk reduction of cognitive decline and dementia；WHO guidelines. World Health Organization, Geneva, 2019（https://apps.who.int/iris/bitstream/handle/10665/312180/9789241550543-eng.pdf?ua=1）.
42） Hörder H, Johansson L, Guo X, et al：Midlife cardiovascular fitness and dementia；a 44-year longitudinal population study in women. Neurology 90（15）：e1298-e1305, 2018.
43） Guure CB, Ibrahim NA, Adam MB, et al：Impact of physical activity on cognitive decline, dementia, and its subtypes；meta-analysis of prospective studies. Biomed Res Int 2017：9016924, 2017（doi:10.1155/2017/9016924）.
44） Lam FM, Huang MZ, Liao LR, et al：Physical exercise improves strength, balance, mobility, and endurance in people with cognitive impairment and dementia；a systematic review. J Physiother 64（1）：4-15, 2018.
45） Heyn PC, Johnson KE, Kramer AF：Endurance and strength training outcomes on cognitively impaired and cognitively intact older adults；a meta-analysis. J Nutr Health Aging 12（6）：401-409, 2008.
46） Fujisawa C, Umegaki H, Okamoto K, et al：Physical function differences between the stages from normal cognition to moderate Alzheimer disease. J Am Med Dir Assoc 18（4）：368.e9-368.e15,

2017.
47）Ogawa Y, Kaneko Y, Sato T, et al：Sarcopenia and muscle functions at various stages of Alzheimer disease. Front Neurol 9：710, 2018.
48）Thuné-Boyle IC, Iliffe S, Cerga-Pashoja A, et al：The effect of exercise on behavioral and psychological symptoms of dementia；towards a research agenda. Int Psychogeriatr 24（7）：1046-1057, 2012.
49）Yamagami T, Takayama Y, Maki Y, et al：A randomized controlled trial of brain-activating rehabilitation for elderly participants with dementia in residential care homes. Dement Geriatr Cogn Dis Extra 2（1）：372-380, 2012.
50）山上徹也，堀越亮平，田中壮佶，他：老健における脳活性化リハビリテーションの有効性に関するRCT研究—集団リハで認知症重症度改善と主観的QOL保持—．Dementia Japan 29（4）：622-633，2015.
51）山上徹也，吉野 聡，前原奈美，他：老人保健施設の中～重度認知症に対する脳活性化リハビリテーションの行動障害低減効果—作業回想法とパソコン回想法による個別介入—．日本認知症ケア学会誌 7（2）：333，2008.
52）Yamagami T, Oosawa M, Ito S, et al：Effect of activity reminiscence therapy as brain-activating rehabilitation for elderly people with and without dementia. Psychogeriatrics 7（2）：69-75, 2007.
53）藤生大我，須田昇司，山田早綾香，他：介護老人保健施設利用者に対する脳活性化リハ５原則に基づいた回想法実施充実度と効果の関係—効果的なグループ回想法を実施するために—．認知症ケア研究誌 2：85-92，2018.
54）久保達郎：ゲーム機を用いた運動療法効果による高齢者の活動量と認知機能の変化に関する研究．群馬大学大学院医学系研究科保健学専攻修士（保健学）学位論文，2005.
55）山上徹也，藤田久美，小岩井あさみ，他：地域における認知症発症・進行予防プログラムとしての脳活性化リハビリテーションの有効性．老年精神医学雑誌 21：893-898，2010.
56）山上徹也，細井順子，妹尾陽子，他：脳活性化リハビリテーションによる認知症の進行予防の可能性—長期介入例の検討—．老年精神医学雑誌 18：1001-1008，2007.
57）小岩井あさみ：認知症への脳活性化リハビリテーションの効果—デイサービスにおける家族を含めた包括的介入—．群馬大学大学院医学系研究科保健学専攻修士（保健学）学位論文，2006.
58）認知症施策推進関係閣僚会議：「認知症施策推進大綱」（令和元年６月 18 日）（https://www.mhlw.go.jp/content/000522832.pdf）.
59）関根麻子，永塩杏奈，高橋久美子，他：老健における認知症短期集中リハビリテーション—脳活性化リハビリテーション５原則に基づく介入効果—．Dementia Japan 27（3）：360-366，2013.
60）Tanaka S, Honda S, Nakano H, et al：Comparison between group and personal intervention based on brain-activation rehabilitation in a geriatric health service facility；single-blinded randomized controlled study. Psychogeriatrics 17（3）：177-185, 2017.
61）Tanaka S, Yamagami T, Yamaguchi H：Effects of a group-based physical and cognitive intervention on social activity and quality of life for elderly people with dementia in a geriatric health service facility；a quasi-randomised controlled trial. Psychogeriatrics 21（1）：71-79, 2021.
62）Murai T, Yamaguchi H：Effects of a cooking program based on Brain-activating rehabilitation for elderly residents with dementia in a Roken facility；a randomized controlled trial. Prog Rehab Med 2：20170004, 2017.
63）曽川裕一郎：認知症患者の日常生活動作，認知機能，退院後転帰に対するリハビリテーション効果について—日本リハビリテーション医学会患者データベースの分析—．臨床リハ 21（7）：716-720，2012.
64）山上徹也，岡 光孝，砂川直美，他：認知症合併が回復期リハビリテーションのFIM利得に及ぼす影響—認知症合併者へのリハ提供時の工夫—．Jpn J Compr Rehabil Sci 9：52-58，2018.
65）山崎裕司，山本淳一・編：リハビリテーション効果を最大限に引き出すコツ—応用行動分析で運動療法とADL訓練は変わる—．三輪書店，東京，2012.
66）山口晴保，中間浩一，西千亜紀，他：回復期リハビリテーション病棟における認知症の実態と対応―日本リハビリテーション病院・施設協会認知症対策検討委員会の調査―．地域リハビリテーション 9(8)：662-668，2014．

67） 一般社団法人日本老年医学会，公益社団法人全国老人保健施設協会：介護施設内での転倒に関するステートメント(2021.6.11)(https://www.jpn-geriat-soc.or.jp/info/important_info/pdf/20210803_01_01.pdf ／https://www.roken.or.jp/wp/wp-content/uploads/2021/06/20210803_01_01.pdf)．

第4部 認知症の評価・診断と治療

このセクションは、さらに知識を深めるためのページです。認知症の評価法（介入効果判定を含む）、診断方法、各種認知症疾患の病態や特徴、うつ・アパシーやせん妄を含めた薬物療法、開発中の治療薬、認知症を防ぐのに有効な食事など、第１部～第３部で書ききれなかった項目について解説します。

第４部は、専門職に必要な情報をオムニバス（各項目読み切り）で載せています。最後まで読み通したら認知症に関する知識を一通り得ることができ、認知症医療・リハ・ケアチームの一員として必要な知識が身につくはずです。しかし、第１部～第３部に比較して若干難解なところがあると思いますので、必要な項目や興味のある項目のみを読んでいただいても構いません。

認知症では医療・リハ・ケアの包括的な取り組みが必須です。ですから医療職がケアを、ケア職が医療を理解し、お互いにコミュニケーションをとることが大切です。そして、現場で認知症の人の状況を一番正確に把握しているのはケア職で、最も遠いのが医師です。その医師が薬を処方するのですから、医師に適切な情報を伝えることが大切です。そのためにも、ケア職が医療のことを知っておくことはとても役立ちます。例えば、薬の副作用をケア職が知っていれば、副作用のサインに敏感に気づき、現場からの情報提供が適切な処方につながり、医師がスキルアップします。ケア職は医師の教育担当です。

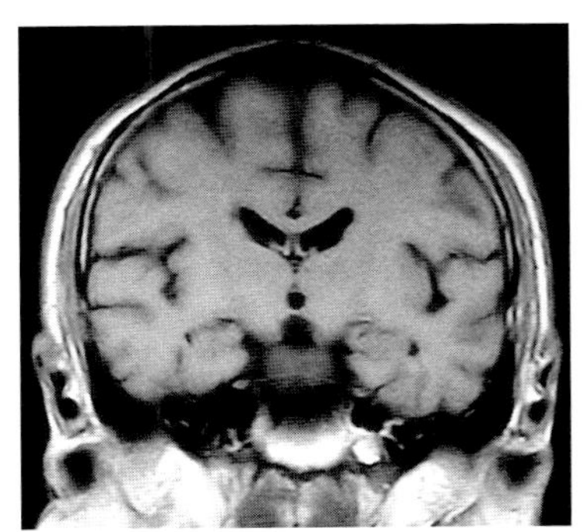

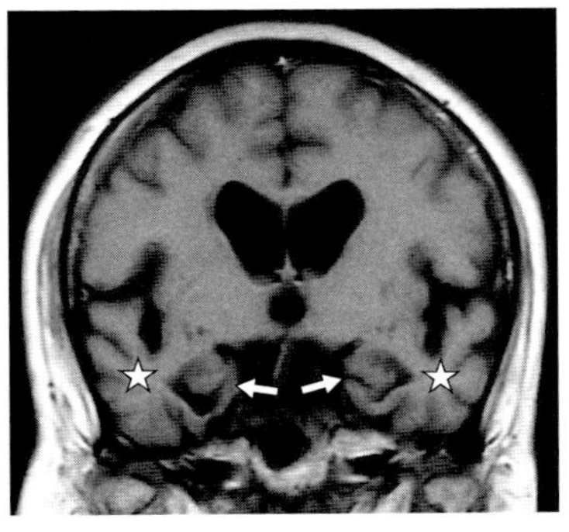

健常者とアルツハイマー型認知症の MRI 画像

アルツハイマー型認知症（右）では、同年代の健常者（左）に比べて、海馬（矢印）や側頭葉（☆）の萎縮が強い。

1 認知症の評価尺度

認知症の人の状態を評価するには、認知機能に加えて、生活機能、行動と心理の状態、全身疾患（合併症）や全身状態と内服薬、神経症状（運動麻痺やパーキンソン症状など）、さらには環境要因と、六つの視点で全人的に評価することが大切と述べました（第２部・58 ページ）。

認知症の評価尺度には、HDS-R のような本人の回答や作業結果から認知機能を評価する**認知テスト**と、行動観察に基づいて認知症の程度や I-ADL/ADL、行動・心理症状、QOL などを評価する**行動観察尺度**があります。認知症の全体像を捉えて対応するには、一方の評価だけではなく、認知テストと行動観察尺度を組み合わせて評価することが望まれます。代表的な尺度を**表 4-1** に示します。

1-1　認知テスト

知能評価の国際基準は、ウェクスラー成人知能検査（Wechsler Adult Intelligence Scale：WAIS）ですが、認知症の人にこのような 1 時間以上かかる検査を行うことは酷なことから、10 分程度でできる簡便なスケールである HDS-R や MMSE がよく使われています（これでさえ、認知症の人にとってはストレスが大きいので、支持的態度でほめながら上手に行う必要があります）。HDS-R や MMSE は本来、高齢者の中から認知症の人を検出する**スクリーニング**を目的として開発されたものですが、診断や経過観察にも使われています。認知症のケアには介護保険関係を含めて多くのスタッフがチームとして関わるので、認知症の程度を大まかに示す指標として HDS-R や MMSE の点数を示すことは、認知症の程度についてスタッフ間で共通認識をもつうえで有用です。また、薬剤を投与した場合や急に症状が変化した場合に、以前の点数がわかっていると、状態の変化を的確に捉える指標になります。ただし、このような認知テストは**教育歴**（学校などで学んだ年数）の影響を受けるので、評価には配慮が必要です。そして、認知テストを受けるほうは決して気分のよいものではないので、施行は最小限にとどめるべきです。また、1 点 2 点の違

表 4-1　現場で役立つ認知症の評価尺度一覧

認知テスト	行動観察尺度
1. 全般的認知機能 ＊HDS-R ＊MMSE 2. 主に前頭葉機能 ＊FAB ＊Trail Making Test ＊Stroop テスト ＊山口漢字符号変換テスト ＊比喩的ことわざテスト 3. 主に頭頂葉機能 ＊立方体模写 ＊時計描画テスト ＊山口キツネ・ハト模倣テスト 4. 記憶 ＊WMS-R ＊リバーミード行動記憶検査	1. 全般的評価 ＊CDR ＊MOSES ＊DASC-21 ＊FAST 2. 行動・心理症状 ＊DBD スケール ＊Neuropsychiatric Inventory（NPI） ＊BPSD＋Q/BPSD13Q 3. 介護負担・介護肯定感 ＊Zarit 介護負担尺度 ＊認知症介護肯定感尺度 21 項目版 4. うつ ＊CSDD ＊GDS 5. QOL ＊QOL-D ＊生活安寧指標

いに一喜一憂するようなものでもありません。

1）改訂長谷川式簡易知能評価スケール（HDS-R）

長谷川らによって開発され、1991 年に改訂されました。HDS-R は、時間や場所の見当識、記銘、計算、語想起などの 9 項目からなり、すべて口答問題（言語性）で、動作性の設問は含まれていません（**表 4-2**）。総得点は 30 点で、20 点以下は認知症が疑われます。しかし、教育歴が長い人では軽度のアルツハイマー型認知症でも 25 点くらいのことが稀にあります。前頭側頭型認知症（ピック病）（330 ページの「7．他の変性型認知症」を参照）のように、初期には満点近い認知症のタイプもあります。20 点という絶対値で線を引くのでなく、年齢や教育歴も考慮する必要があります。筆者の場合、早期診断の観点から 25 点くらいでも認知症と診断する例があります。認知症かどうかは、HDS-R や MMSE の得点だけから決めることはできません。生活状況（管理能力）の把握が必須です。

20 点以下を陽性としたときの感度は 90%、特異度は 82% と報告されています。このテストの特徴は何よりその簡便さにあり、本邦ではスタンダードとして多用されています。動作性の設問を含まない偏ったテストですが、逆に血管性認知症やパーキンソン病など運動機能に障害があっても使える利点があります。記憶に関する配点が高く、アルツハイマー型認知症の検出に優れます。

表 4-2　改訂長谷川式簡易知能評価スケール（HDS-R）

（検査日：　　年　　月　　日）　　　　　　　　　（検査者：　　　　　　　）

氏名：		生年月日：　年　月　日	年齢：　歳
性別：男／女	教育年数（年数で記入）：　年	検査場所	
診断	（備考）		

1	お歳はいくつですか？（2 年までの誤差は正解）		0　1
2	今日は何年の何月何日ですか？　何曜日ですか？ （年月日、曜日が正解でそれぞれ 1 点ずつ）	年 月 日 曜日	0　1 0　1 0　1 0　1
3	私たちが今いるところはどこですか？ （自発的に出れば 2 点、5 秒おいて家ですか？　病院ですか？　施設ですか？　の中から正しい選択をすれば 1 点）		0　1　2
4	これから言う三つの言葉を言ってみてください。あとでまた聞きますのでよく覚えておいてください。 （以下の系列のいずれか一つで、採用した系列に○印をつけておく） 1：a）桜　b）猫　c）電車　2：a）梅　b）犬　c）自動車		0　1 0　1 0　1
5	100 から 7 を順番に引いてください。（100－7 は？、それからまた 7 を引くと？　と質問する。最初の答が不正解の場合、打ち切る）	(93) (86)	0　1 0　1
6	私がこれから言う数字を逆から言ってください。 （6-8-2、3-5-2-9 を逆に言ってもらう。3 桁逆唱に失敗したら、打ち切る）	2-8-6 9-2-5-3	0　1 0　1
7	先ほど覚えてもらった言葉をもう一度言ってみてください。（自発的に回答があれば各 2 点、もし回答がない場合以下のヒントを与え正解であれば 1 点）　a）植物　b）動物　c）乗り物		a：0 1 2 b：0 1 2 c：0 1 2
8	これから五つの品物を見せます。それを隠しますので何があったか言ってください。 （時計、鍵、タバコ、ペン、硬貨など必ず相互に無関係なもの）		0　1　2 3　4　5
9	知っている野菜の名前をできるだけ多く言ってください。（答えた野菜の名前を右欄に記入する。途中で詰まり、約 10 秒間待っても答えない場合にはそこで打ち切る） 0～5＝0 点、6＝1 点、7＝2 点、 8＝3 点、9＝4 点、10＝5 点		0　1　2 3　4　5
		合計得点	

（加藤ら 1991[1)]）

３単語の遅延再生は、アルツハイマー型認知症の初期から低下します。年齢よりも誕生日のほうをよく覚えているので、誕生日を聞いてから年齢を聞くほうが、年齢を素直に答えてくれます（年齢を尋ねているのに誕生日を答えるのは「取り繕い」で、アルツハイマー型認知症に多い症状です）。認知症が進むほど年齢が若返ります。野菜の名前を次々と挙げる課題では、「ニンジン、ゴボウ、‥‥」などと答えたあと、答えたことを忘れてもう一度「ゴボウ」と繰り返すと、短期記憶（作業記憶）障害・注意障害が明らかになります。

2）Mini-Mental State Examination（MMSE）

欧米では標準的な認知症スクリーニング検査であるMMSEは、HDS-Rに類似の言語性設問に加え、紙を折る課題や、文章や図形を書く課題など動作性の設問があり、総計11問で30点満点となっています[2)]。日本語版の訳者によって設問の翻訳が少しずつ異なります。３段階の命令の設問が、原文では「Take the paper in your right hand, fold it in half, and put it on the floor」と、３段の命令を一度に命じて、できるかを見る項目なのに、命令を細切れに三つに区切っている誤訳が出回っているので注意が必要です。また、「右手に持って‥‥‥机に置く」という訳では、命令を覚えていなくてもできてしまいます（原文は「床に置く」）。原文を意訳し、「この紙を左手で受け取って、両手で二つに折って、膝の上に置いてください」と命じるのがよいでしょう。23/24点を健常と認知症の境界値としますが、教育歴の影響を受けるので、高等教育を受けた人では27/26点を境界値とする考えもあります[3)]。最近はHDS-RよりもMMSEが多用される傾向にありますが、HDS-Rのほうが、①記憶を重視し、②被験者の負担が少なく、③教育歴の影響を受けにくいので、日常臨床ではMMSEよりもHDS-Rのほうが有用と考えます。また、MMSEは米国で版権が設定されており、版権設定がなく自由に使えるという点でもHDS-Rが優れています。

MMSEのダブルペンタゴン（二つの五角形）の模写課題は、レビー小体型認知症で失敗することが多いので、この点で有用です。また、HDS-Rと同時に行うと、アルツハイマー型認知症では、記憶項目の配点が多いHDS-Rが数点以上低くなります（HDS-R＜MMSE）。一方、レビー小体型認知症では、動作性項目の配点が多いMMSEのほうが、同点程度か数点低くなります（HDS-R≧MMSE）。MMSEとHDS-Rを二つ同時に行うだけで、レビー小体型認知症らしさを見いだせます。

3）立方体の模写と時計描画テスト

筆者は認知症の初診時に必ずこの検査を実施しています。立方体は透視図を模写します。見えない部分の線を点線で書いた図版と実線で書いた図版がありますが、筆者は実線

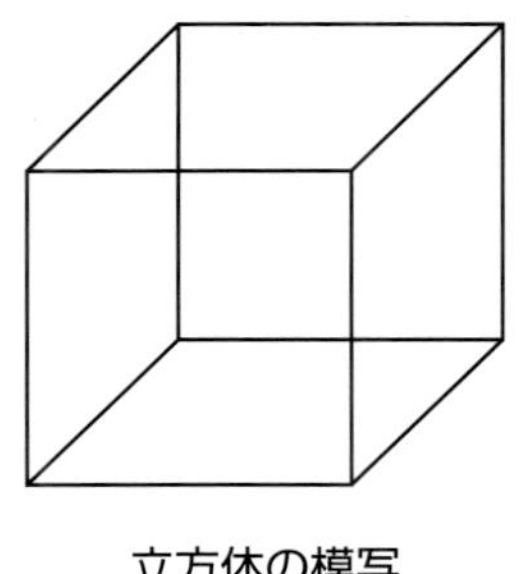

立方体の模写

のもの（ネッカーキューブ）を使っています。

時計描画テストは「時計の文字盤を描いてください」と指示します。文字盤が描けたら「11時10分となるように時計を作ってください」と次の指示をします。「針」という単語はヒントになるので言いません（11時－10分や11：10などとデジタル表記で書く人もいるので）。白紙を渡して輪郭の円から本人に書いてもらうのが正式です。白紙を渡すと、文字を入れきらないような小さな円を描く点などに認知症の特徴が現れます。①文字盤が描けるか、②針を正しく描けるか、だけを評価するのであれば、あらかじめ円を描いて渡す方法もあります。高度の認知症ではこのほうが取り組みやすいからです。

HDS-Rで概ね20点くらいからこれらの検査で間違いが出るようになりますが、立方体模写のほうが時計描画よりも認知症検出感度が高いです。教育歴が長い人ではHDS-Rで27点くらいと高得点なのにこれらのどちらかができなくなる人がいて、認知症診断に有用です。時計描画テストは認知症でもうまく描ける人がいますが、失敗すれば確実に認知症といえる点に意義があります。HDS-Rが18点くらいになるとこれらのテストがうまくできず、確かに認知症だと確信するのに有用です。ただし、HDS-Rが18点以下なのにこれらのテストができる人がいて、一人暮らしを続ける生活能力（I-ADL）が高い傾向があります。

認知症の大多数を占めるアルツハイマー型認知症やレビー小体型認知症では頭頂・後頭連合野の働きが悪くなるので、これらの検査で間違いが出て、検出しやすいです。HDS-RやMMSEのような全般的な認知機能を見るだけでなく、視覚イメージを描き表す検査を併用することが望まれます。

4）前頭葉機能の検査

ベッドサイド前頭葉機能検査（Frontal Assessment Battery at Bedside：FAB）は、概念化課題（「バナナ」と「リンゴ」はどこが似ているか）、知的柔軟性課題（「か」で始まる言葉を列挙）、GO/NO-GO課題などの8項目からなり、思考の柔軟性などを評価します[4]。

このほか注意力を評価するTrail Making Testや、字の意味でなく色を言わせるStroopテスト（例えば、青という漢字が赤色で印刷してあり、「あお」と読むのを抑制して「あか」と答えれば正解）などがあります。文字を読もうとする機能を抑制する前頭葉機能（我慢力）を測定します。

山口漢字符号変換テスト（Yamaguchi kanji symbol substitution test：YKSST）は、見本欄に示された色を表す漢字とそれに対応する符号の組み合わせをもとにして、漢字に対応した符号を下の空欄に書き込んでいく課題です（**図4-1**）[5]。2枚の評価用紙から構成され

	赤	青	黄	緑	黒	白	茶
本番	＝	▽	◇	＜	△	○	＋

こちらから一つずつ右方向に答えてください。一列終わったら、次の列へ。

緑	赤	白	青	黒	茶	黄	赤	茶

図 4-1　山口漢字符号変換テスト（解答用紙の一部）

ており、1 枚目はこの評価のルールを理解して練習を行うための用紙です。2 枚目が実際のテストです。2 分間実施し、正解数が得点となり、高齢者用は 75 点満点です。健常高齢者では、60 歳代後半で平均 52 点、70 歳代前半で 46 点、70 歳代後半で 42 点と、年齢とともに正解数が減ります（作業スピードが遅くなる）。このテストは前頭葉を中心とした“注意・遂行（実行）機能”を評価します。山口晴保研究室ホームページから評価用紙を無料ダウンロードできます。

5）物語の記憶（論理記憶）検査

MCI の診断には、ウェクスラー記憶検査改訂版（Wechsler Memory Scale-Revised：WMS-R）の**論理記憶**が標準的に用いられます。これは、検者が話す短い物語を聞いて、直後にそのまま再生する即時再生と、30 分経過してから再度再生してもらう遅延再生があります。「会社の食堂で／調理師として／働いている／北九州の／上田恵子さんは、／‥‥」と 25 の部分に分かれている文章を聞きながら暗記してもらい、被検者が再生した文章を 25 点満点で採点します。二つの物語で合計 50 点になります。日本語版で標準化が行われ、検査キットが市販されています。

リバーミード行動記憶検査（Rivermead Behavioral Memory Test：RBMT）にも、「物語の記憶」検査が含まれています。25 の要素を含む文章を、直後（即時）と 30 分後（遅延）に再生してもらいます。そして各 25 点満点で評価します。物語が 4 バージョンあるので、経過観察で学習効果を排除できます（例えば半年後に別バージョンで検査できる）。筆者のもの忘れ外来では、WMS-R の論理記憶ではなく、RBMT を使っています。日本語版の検査キットが市販されています。

MCI の記憶障害の評価にはどちらかが必要です。

6）山口キツネ・ハト模倣テスト

手指の形を見て模倣する検査です。指示は「私の手をよく見て同じ形を作ってくださ

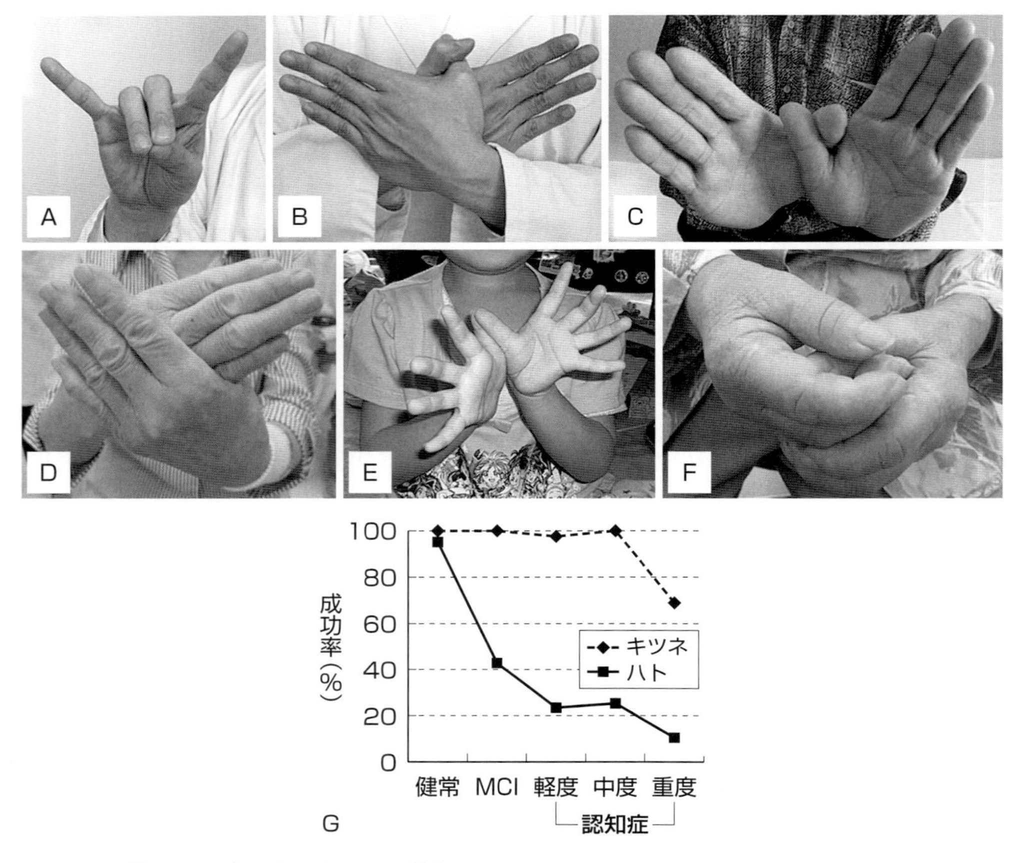

図 4-2　山口キツネ・ハト模倣テスト

A：キツネの提示、B：ハトの提示、C：アルツハイマー型認知症に多いハト失敗、D：レビー小体型認知症に多いハト失敗、E：3 歳児はアルツハイマー型認知症のパターン、F：重度認知症で多いハトの失敗、G：キツネの模倣は重度で失敗が増える。ハトの模倣は MCI から失敗が増え、認知症では 8 割が失敗する。

い」と一度だけ言います。模倣の途中で指示を繰り返すと「あなたの作った形は誤っています」という指摘になってしまうので、模倣開始前しか指示を言いません（模倣開始前なら指示を繰り返してもよい）。最初に、片手で影絵のキツネを作ってもらいます。片手のⅠ・Ⅲ・Ⅳ指を屈曲して先端をあわせ、Ⅱ・Ⅴ指を伸展した見本（**図 4-2A**）を 10 秒間提示し、この間にできれば○です。これは中等度の認知症までほぼ全員ができます（重度認知症では不能に）。これができることで、指示を理解していることや視覚に問題がないことがわかります。次に両手で作ったハト（**図 4-2B**）を 10 秒間提示します。胸の前で両手掌が自分のほうに向き、母指が組み合わさった形です。提示している 10 秒間のうちにできなければ × とします。非言語性模倣テストなので、形を見せながら「キツネ」や「ハト」と言ってはいけません。これだけの簡単なテストですが、軽度認知症で 8 割近くができなくなります（**図 4-2G**）。MCI でも約５割が間違えます。MCI～軽度認知症では、両手背を自分のほうに向ける逆向きのパターン（**図 4-2C**）を示す誤りが多いのが特徴です。この場合は本人が誤りに気づかないので、本人の気持ちを傷つけないで済みます。本テストは、テストらしくなく、ゲーム感覚で気軽にやってもらえて、１分間で認知症を高感度に検出する優れた方法です[6]。

本テストの実施方法（プロトコル）は、山口晴保研究室ホームページから無料ダウンロードできますので、プロトコル通りに実施してください。

アルツハイマー型認知症では、被検者が両手掌を外に向ける誤りパターン（**図 4-2C**）を示すことが多いです[7]。これは、被検者の目には、手の形を提示している検者の両手背が見えていて、自分が両手掌を外に向けると自分の両手背が見えるので「できた！」と被検者は思っています。正解は、他人からどう見えるだろうかと視点を 180 度反対にしてみたときの正解の手の形（両手掌が内向き）です。この“第三者視点取得”の機能は頭頂葉機能で、この機能がアルツハイマー型認知症では早期から低下するので、両手掌が外に向くパターンを示しやすいと考えています。この機能は５歳頃までに発達するので、３歳児はアルツハイマー型認知症と同じく両手掌が外に向くパターンを示します（**図 4-2E**）。

レビー小体型認知症は、両手掌の向きは内向きで合っているのですが、手の組み合わせの形自体がおかしいという特徴を示す傾向があります（**図 4-2D**）[7]。また、大きく異なる形は重度認知症を示しています（**図 4-2F**）。

筆者は二つの論文でこのテストの有用性を示し、筆者のプロトコルが多くの医療機関で使われるようになっています。

7）比喩的ことわざテスト「猿も木から落ちる」

「猿も木から落ちるってどんな意味ですか？」と、ことわざの意味を尋ねて回答を得るシンプルなテストです。評価は、５要素・各１点の５点満点で行います。①上手（猿のもつ意味＝木登りが上手）、②人間（主語を猿→人に置換）、③時々（‥することがある）、④失敗（落ちる→失敗するに置換）、⑤全体として注意・油断のニュアンス、の５要素が入っているかを確認します。５点満点の回答例は「上手な人（その道の達人）でも油断すると失敗することがある」です。筆者らの検討結果では、MCI の段階から有意に得点が低下し、認知症の進行とともにさらに低下しました（**図 4-3**）[8]。軽度～中等度の認知症では比喩の理解に欠け、字義通りに表現する傾向があります。例え

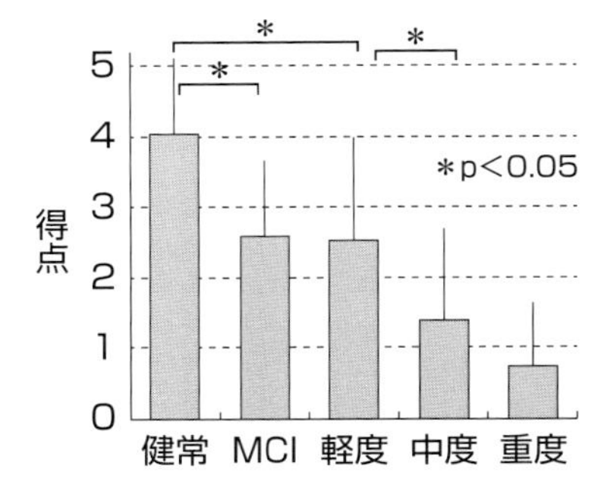

図 4-3　認知症重症度と得点の関係

ば、「猿はすばしっこくて木登りが上手だけど、油断して落ちるんさ」「猿は木登りが上手なはずだが、上手な猿もうっかりすると落ちる」など、「猿→人」や「落ちる→失敗」の言い換え（比喩の解釈）ができません。重度の認知症では、「猿を飼っていたがちゃんと見ていなかったんじゃあないですか。私に言われても猿を飼っていないからわからない」「猿も木から落ちる、先生いきなりおっしゃるからわからない。びっくりした。ところでお背が高くて先生素敵だわ」など、脱線や言い訳となります。このテストは、山口キツネ・ハト模倣テストと同様に、簡便な認知症スクリーニングとして使えます。

8）認知テスト施行上の注意点

これらの認知テストを施行するときの主な注意点を示します。

⑴ 被検者との**信頼関係**が得点に影響します。初対面でいきなり始めたのでは被検者が非協力的で正しい評価ができません。まずは日常会話から始め、コミュニケーションが成立してからテストの必要性を説明し、了解を得たうえで施行します。患者への心理的負荷が大きいので、検査前に「誰でも知っているようなことを聞いたりして申し訳ありませんが、皆さんに答えてもらうことになっていますので、すみませんがおつき合いください」などと伝えましょう。

⑵ 試験として厳しい雰囲気で次から次へと質問を浴びせるのではなく、雑談を交えながら**笑顔**で行います。被検者が設問に答えられない場合、テストを途中で投げ出すことがあります。このようなことを避けるには、答えられない場合に「この問題はあなたくらいの年齢だと皆さんできないですよ」などと元気づけながら行うとよいでしょう。高圧的な態度でなく、支持的な態度が必須です。

⑶ 高齢者は**視力**や**聴力**が低下していることが多いので、必要ならメガネや補聴器を用意します。また、風邪などで体調が悪いときは、注意力の低下に伴って点数が低下します。行動・心理症状に対する抗精神病薬や抗不安薬の投与、抗痙攣剤など認知機能を低下させる薬剤投与のチェックも必要です。

1-2　認知症の病期や程度を推測する行動観察尺度：CDR、FAST、DASC-21

認知機能を直接調べるのではなく、日常生活における言動や態度、作業遂行能力など行動面の観察から、高齢者の知的機能を判断しようとするものです。認知尺度に比べると大まかな判定になりますが、言語機能に左右されないので比較的客観的に認知症の程度を捉えられる利点や、観察するだけなので、課題や質問を浴びせて被検者に負担を与えることがない点などが優れています。教育歴の影響を受けない点も優れています。

認知機能の評価を含む行動観察尺度には、①本邦で開発され日常生活能力と日常会話・意思疎通能力をもとにした**柄澤式老人知能の臨床的判定基準**、②記憶、見当識、判断力と問題解決、社会適応、家庭状況と趣味・関心、介護状況をもとにした**CDR**（**表 4-11**（301 ページ））、③ ADL などの運動機能、記憶や見当識などの知的機能、感情機能、錯乱・抑うつなどの精神症状をもとにした**GBS スケール**、④アルツハイマー型認知症の進行状況に沿った重症度を示す**FAST**（82 ページの［Step Up 行動観察による進行度評価：FAST］を参照）などがあります。これらの尺度の項目を覚えておくと、日常の診療や訓練の際に、認知症の有無や程度、アルツハイマー型認知症らしいかなどを推測するうえで有用です。

認知症初期集中支援チーム（179 ページ）は、粟田ら[9]が作成した「地域包括ケアシステムにおける認知症アセスメントシート」（Dementia Assessment Sheet in Community-based Integrated Care System：DASC）を生活機能評価に使い、認知機能を推測しています。DASC-21（21 項目版）は、認知機能 9 項目、I-ADL6 項目、ADL（基本的 ADL）6 項目で構成され、認知機能と生活機能を総合的に評価できる観察式尺度です。各項目を 4 段階で評価し、合計点が 31 点以上だと認知症が疑われます。前橋市の認知症初期集中支援チームの実践例を分析すると、この基準で認知症の臨床診断と概ね合致しました[10]。また、得点が高いほど認知症が重度であることも、臨床と合致します。訪問調査などで認知機能を推定するのに有用な評価票です。最新版シートは DASC-21 のサイト（https://dasc.jp/about）からダウンロードできます。

項目の一部（I-ADL の 6 項目）については、第 1 部の「1-1「認知症とは？」の問いに答えよう」（4 ページ）で紹介しました。

1-3　観察式の行動・心理症状の評価尺度：DBD スケール、NPI と BPSD＋Q/BPSD13Q

認知症の行動・心理症状のうちの行動症状を評価する指標として、Dementia Behavior Disturbance Scale（DBD スケール）があります（**表 4-3**）。介護者の負担となるような行動症状の 28 項目について、「なし」（0 点）～「常にある」（4 点）まで各項目を 5 段階で評価し総得点を出します。行動症状がまったくなければ 0 点で、最高は 112 点になります[11]。この 13 項目版である DBD13 が、介護保険の科学的介護情報システム（Long-term care Information system For Evidence：LIFE）の指標として用いられています。しかし、DBD スケールは、妄想などの心理症状が含まれていませんので、行動・心理症状の全体的な評価尺度にはなりません。

臨床試験では Neuropsychiatric Inventory（NPI）日本語版がしばしば用いられます。妄想、幻覚、興奮、うつ・不快、不安、多幸、無為・無関心、脱抑制、易刺激性・不安定

表 4-3　DBD スケールの 28 項目

評価	行動症状項目
____	同じことを何度も何度も聞く※
____	よく物をなくしたり、置き場所を間違えたり、隠したりする※
____	日常的な物事に関心を示さない※
____	特別な理由がないのに夜中に起き出す※
____	根拠なしに人に言いがかりをつける※
____	昼間、寝てばかりいる※
____	やたらに歩き回る※
____	同じ動作をいつまでも繰り返す※
____	口汚くののしる※
____	場違いあるいは季節にあわない不適切な服装をする※
____	不適切に泣いたり笑ったりする
____	世話をされるのを拒否する※
____	明らかな理由なしに物をため込む※
____	落ち着きなくあるいは興奮してやたらに手足を動かす
____	引き出しやタンスの中身をみんな出してしまう※
____	夜中に家の中を歩き回る
____	家の外に出て行ってしまう
____	食事を拒否する
____	食べすぎる
____	尿失禁する
____	日中、目的なく屋外や屋内を歩き回る
____	暴力をふるう（殴る、噛みつく、ひっかく、蹴る、唾を吐きかける）
____	理由もなく金切り声をあげる
____	不適当な性的関係をもとうとする
____	陰部を露出する
____	衣服を破ったり、器物を壊したりする
____	大便を失禁する
____	食べ物を投げる
合計 ______ 点	

「まったくない」0 点、「ほとんどない」1 点、「時々ある」2 点、「よくある」3 点、「常にある」4 点の 5 段階評価。※は DBD13 の項目。

（溝口ら 1993[11] より、一部改変）

性、異常行動の 10 項目と、あとから追加された夜間帯行動、食欲と食行動の変化の計 12 項目を、状況のよくわかる介護者に質問して聞き取りながら記入します（構造化面接、インタビュー形式）。さらに、頻度と重症度を聞きます。NPI は、頻度と重症度をかける（乗算する）ので、介入によって点数が大きく変化しやすい指標です。介護施設

認知症介護研究・研修東京センター, 2021

BPSD13Q

認知症の行動・心理症状質問票 13 項目版

記入日　　　年　　月　　日（　　）評価者　　　　　（関係　　　　）

ID　　　　　対象者　　　　　　年齢　　歳　性別　男・女

過去 1 週間について、下記の全質問 13 項目に答えてください。
認められなければ 0 に○をつけ、認められれば重症度と負担度に点数をつけます。

重症度　1：見守りの範囲　2：対応したケアが可能で毎日ではない
3：対応したケアが可能だが毎日ある　4：対応に困難を伴うが毎日ではない
5：対応に困難が伴いかつ毎日継続する

負担度　0：なし　1：僅かな負担　2：軽度の負担　3：中度の負担　4：大きな負担　5：極度の負担

例：「ものをため込む」が毎日あるが対応できているので重症度は 3。しかし負担は大きいので負担度は 4。「食べられないものを食べてしまう」はないのでゼロに○。		認められない	認められる 重症度 1～5	負担度 0～5	
例	ものをためこむ	0	3	4	記入見本
例	食べられないものを食べてしまう	⓪			記入見本
1	実際にないものが見えたり、聞こえたりする	0			幻視・幻聴
2	盗られたという、嫉妬する、別人という（選択して○：盗害、嫉妬、誤認、他）	0			妄想
3	うろうろする、不安そうに動き回る	0			徘徊・不穏
4	こだわって同じ行為を何度も繰り返す	0			常同行動
5	我慢ができない、衝動的に行動する	0			脱抑制
6	怒りっぽい	0			易怒性
7	忘れて同じことを何度も尋ねる	0			繰り返し質問
8	悲観的で気分が落ち込んでいる	0			うつ
9	やる気がない、自分からは動かない	0			アパシー
10	心配ばかりする	0			不安
11	日中うとうとする	0			傾眠傾向
12	夜間寝ないで活動する	0			昼夜逆転
13	介護されることを拒否する（選択して○：更衣、整容、入浴、食事、他）	0			介護への抵抗
BPSD13Q（1～13）合計点					

自由回答欄：

図 4-4　認知症の行動・心理症状質問票 13 項目版（BPSD13Q）
記入にあたっては、DCnet からマニュアルと用紙をダウンロードして使用する。

（nursing home）向けの NPI-NH（インタビュー形式）もあります。さらに、介護者自身が質問票（questionnaire）に記入する形式の NPI-Q もあります。これらは、NPI-D として介護負担（distress）も同時に測定できます。なお、NPI 日本語版 3 種は、マイクロン社からの販売となっています。

筆者らは、日本で自由に使える質問紙形式の認知症の行動・心理症状（BPSD）評価尺度として BPSD+Q を開発しました[12]。BPSD 25 項目（BPSD25Q）とせん妄 2 項目の計 27 項目で構成されています。過活動性 BPSD 13 項目、低活動性 BPSD 6 項目、生活関連 BPSD 6 項目に分けて評価できるので、対応法の検討に役立ちます。また、介護保険主治医意見書の周辺症状項目を網羅しています。認知症介護情報ネットワーク（DCnet）からダウンロードして利用可能です。そして、臨床の場で使いやすいよう、13 項目版の BPSD13Q も作り[13]、DCnet で公開しています（**図 4-4**）。質問紙をチェックするだけで、簡便に BPSD の重症度と負担度を評価できます。

2 認知症の診断と鑑別診断手順

ここでは診察室における認知症診断の手順を解説します。認知症の場合は、本人が障害の自覚に乏しく(病識低下)、受診を拒否することがしばしばあるので、どうやって診察室に連れて行こうかというところから始まります。よって、家族など周囲の人や医療・介護スタッフが「おかしいな、認知症かな?」と気づく必要があります。

認知症の疑いのある人の診断を進める手順は、形式的には**図 4-5** にある 1〜3 の順に進みます。しかし、実際の診察室では、臨機応変に、高齢者の負担をなるべく軽くする方法で診断を進めます。例えば、しっかりした足どりの元気な高齢者が、健忘の病識を欠き多幸的な態度を示せば、アルツハイマー型認知症らしいと直感的に診断できます。このような場合も、アルツハイマー型認知症の臨床診断を確定するには、他の認知症疾患を除外する必要があるので、診断確定のために必要な検査を進めます。

より詳細な診療技術や鑑別診断の実際については、医療職向けのテキストである、山口晴保・著『紙とペンでできる認知症診療術—笑顔の生活を支えよう—』(協同医書出版社、2016 年)を参照してください。

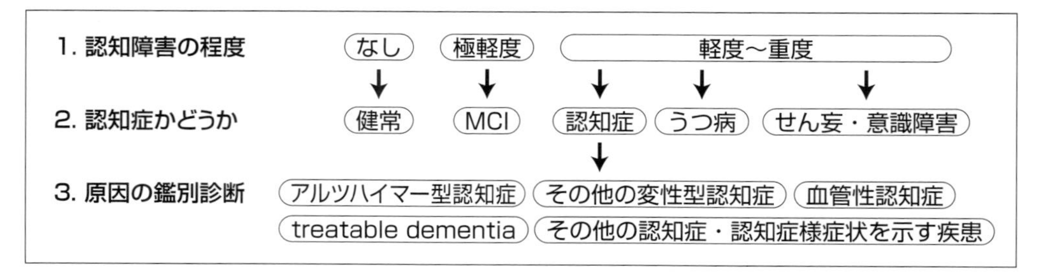

図 4-5　認知症診断の流れ

2-1　認知症の気づき

認知症の気づきに有効な質問票を紹介します。**認知症初期症状11項目質問票（SED-11Q／表4-4）**を本人ではなく介護者がチェックし、11項目のうち３項目以上にチェックがつけば認知症が疑われます[14]。４項目以上だと強く疑われます。SED11-Qには幻覚と妄想の追加２項目があり、この２項目のいずれかにチェックがつけば受診を勧めます。用紙は山口晴保研究室ホームページからダウンロードできます。

SED-11Qには本人用もあり、介護者用と同じ11項目にチェックをつけてもらいま

表4-4　認知症初期症状11項目質問票（介護者用）

介護者記入

認知症初期症状11質問票

記入日 :　　　年　　　月　　　日

患者様お名前　　　　　　　ID

記入者お名前　　　　　　　関係

記入方法　家族等　・　家族等から聞き書き

最近1か月の状態について、日々の生活の様子から判断して、あてはまるものに〇を付けてください(ただし、原因が痛みなど身体にあるものは除きます)。

	同じことを何回も話したり、尋ねたりする
	出来事の前後関係がわからなくなった
	服装など身の回りに無頓着になった
	水道栓やドアを閉め忘れたり、後かたづけがきちんとできなくなった
	同時に二つの作業を行うと、一つを忘れる
	薬を管理してきちんと内服することができなくなった
	以前はてきぱきできた家事や作業に手間取るようになった
	計画を立てられなくなった
	複雑な話を理解できない
	興味が薄れ、意欲がなくなり、趣味活動などを止めてしまった
	前よりも怒りっぽくなったり、疑い深くなった
	認知症初期症状11質問票　合計項目数

次の2項目も、あてはまるものに〇をつけてください。

	被害妄想(お金を取られる)がありますか
	幻視(ないものが見える)がありますか

山口晴保研究室©

す。そして、介護者のチェック数と本人のチェック数を比較すると、病識の程度がわかり、診断に有用です（6ページの「1-2 認知症の本質は病識低下」を参照）。アルツハイマー型認知症と前頭側頭型認知症では「介護者＞本人」となり、血管性認知症やレビー小体型認知症では「本人＞家族」、うつ病では本人のみチェックとなる傾向があります。

以下に、SED-11Qとの重複もありますが、認知症を疑わせる変化を列挙します。一言でまとめると「生活管理能力の低下・意欲の低下・不注意」です。これらの変化に敏感になるためにも、日頃からこれらの点を頭に入れておき、変だなと気づいたら、認知症の早期発見に結びつけましょう。

＊薬がたくさん余る・不足する――服薬管理は、健常高齢者の9割ができます。一方、認知症者の8割以上ができません。服薬管理ができなければ、認知症の疑い濃厚ということです。薬を袋ごとしまい忘れて、見つからなくなる。これもアルツハイマー型認知症の特徴です。

＊約束の日や受診日・利用日などを忘れる――大切な約束自体を忘れたり、受診や介護予防教室などを忘れてしまうようになります。

＊同じ質問を何度も繰り返す――少し前に尋ねた質問を繰り返すことが見られます。これは、家族が変だなと気づく一番多い症状で、SED-11Qに含まれています。

＊身だしなみの変化――TPOにあわない服装をしていたり、以前と比べて服装がだらしない印象になっていたら、認知機能低下が疑われます。ボタンのかけ違い、靴下が左右で異なる、セーターが裏返しなど、不自然と思われることに注意を向けてください。

＊趣味や外出をやめた――意欲が低下し、趣味をやめたり、コーラスなどのサークル活動をやめ、出不精になったら、認知機能低下を疑ってください。

＊活気がない――以前よりも活力がないように感じられ、笑顔も乏しくなります。うつも含めての気づきとなります。

＊1万円札――買い物などで支払いに大きなお札を出します。そして、財布の中は小銭でいっぱいです。

＊忘れ物――バッグや財布など大切な物を置き忘れることが頻回になります。

2-2　記憶を含めた認知障害の有無

介護者から、これまでの経過や現在の生活状況を、本人のいないところで聴取します。本人の前で「最近ぼけてきて困ります。もの忘れはひどいし、買い物もできなくなりました」などと介護者がネガティブなことを並べ立てた途端に、本人の顔が曇ります。注意しましょう。「認知障害によって独居生活に支障をきたすレベルの生活管理能力の低下」があると認知症なので、生活状況の把握は必須です。診察前に、SED-11Qを家族に記入してもらうと、認知症が疑われるかどうか見当がつきますので有用です。家庭や仕事場での状況について、介護者からの聴取内容と「あまり困っていない」というような本人の話す内容の間で食い違いが大きいと（病識が低下していると）、認知症が疑われます。

このときとばかりにまくしたてる介護者
本人の前では発言に注意！

認知障害の確認にはHDS-RやMMSEのような認知テストを行いますが、認知症があっても高得点のことがあります。教育レベルが高い場合や知的な仕事に就いていた場合などです。

高齢者では加齢に伴い記憶力が徐々に低下するので、歳相応の変化なのか、それとも正常範囲を超えた病的な低下（認知症）なのか、判断は容易ではありません（しばしば、進行性かどうかという経過を見ることによって認知症を明らかにできます）。**表1-1**には老化に伴う健忘と病的健忘の比較を示しましたが、高齢者では加齢とともに記憶力や創造性が徐々に低下していき、高齢になるほど認知症（病的）と老化に伴う記憶・認知障害（生理的）との区別が困難になります。高齢者の場合、認知症の有無という白黒はっきりした区別はなく、白から徐々に灰色になりさらに徐々に黒へと連続的に変化していくので、境界が不鮮明です。また、認知症の診断基準にある「社会生活あるいは職業上に支障をきたす程度の認知障害」が、家族の介護状況などの影響を受けるので、認知症の診断基準自体が絶対普遍的なものではありません。認知障害が同程度でも、一人暮らしで生活に支障があれば認知症と診断されるし、面倒見のよい家族やご近所さんに囲まれて生活に支障がなければ認知症が見逃されやすくなります。

MCIの診断には記憶機能をWMS-RやRBMTで精査します。認知症と健常の境界については、「3. 軽度認知障害（MCI）の診断」（298ページ）を参照してください。

2-3　うつ病やせん妄の除外

HDS-RやMMSEといった認知テストは、うつ病や統合失調症、せん妄、意識障害、失語症、無言症（mutism／会話能力があるのにしゃべろうとしない）などによって低得点（認知症を疑わせる点数）となる場合があります。このため、これらの疾患を除外することで認知症の診断が確定します（**図4-5**）。うつ病やせん妄の鑑別については、それぞれ

「9．認知症とうつとアパシー（自発性低下）」（344 ページ）、「10．認知症とせん妄」（349 ページ）で詳しく述べていますので参照してください。認知症にはうつ状態がよく伴いますが、ここでは**うつ病**により認知症様症状（記憶障害など）を呈する**偽性認知症**（346 ページ）を区別します。意識障害の判断には経過観察が必要ですが、毎日の生活状況を詳しく聞き取ることで、意識障害の有無を判断できます。意識障害が急性の経過（変動）をたどるのに対して、認知症疾患は一般的に月～年単位で徐々に進行するので、どのような経過をたどっているかが大切です。急激に症状が進行した場合は、慢性硬膜下血腫（337 ページの「8．認知症様症状を示す様々な疾患」を参照）や脳血管疾患を併発して意識障害・**せん妄**を生じている可能性があります。

2-4　認知症の鑑別診断

認知症と診断したら、**表 1-8**（20 ページ）にある多様な病型・疾患の中から認知症をきたした原因を同定します。

筆者は、主要な認知症病型を臨床症状から推測するための質問票として、**認知症病型分類質問票 43 項目版**（Dementia Differentiation Questionnaire-43 items version：**DDQ43**／**表 4-5**）を開発しました。この質問票のもとになる 41 項目版の有用性を論文化しています[15)]。アルツハイマー型認知症らしさ、レビー小体型認知症らしさなど、代表的な症状を集めてあり、介護者がチェックすることで、どんな認知症病型かを推測するのに役立ちます。また、REM 睡眠行動障害など、医療者側から質問しないと介護者から情報提供されにくい項目を含んでいるので、症状の見落としを防ぐことができます。

認知症の原因としては低頻度ですが、認知症を後遺障害として残すような疾患や外傷の既往歴を聞き、血液検査により甲状腺機能低下症などの内分泌異常、低カルシウム血症などの電解質異常、肝障害や糖代謝異常、ビタミン B_{12} 欠乏など、認知症様症状を示す疾患を鑑別します（337 ページの「8．認知症様症状を示す様々な疾患」を参照）。病歴からてんかんが疑われる場合は脳波検査を行います。また、脳の画像検査や必要な場合には脳脊髄液検査などを行い、症状や経過の特徴と併せて病型・疾患を診断します（**図 4-4**）。今後は血液を用いたバイオマーカー診断（310 ページを参照）が実用化されるでしょう。

病型別の特徴を**表 4-6** に示しました。特徴を知っていると、典型的な例は診断が容易です。

2-5　鑑別診断の実際

ここでは、軽度～中等度の初診患者を想定して話を進めます。今、一人の認知症の人が

表 4-5　認知症病型分類質問票 43 項目版（DDQ43）

患者様お名前　　　　　　　　　　　　　記入日 ：　　　年　　月　　日

記入者お名前　　　　　　　　　　　　　患者様との関係

ご本人の日々の生活の様子から、あてはまるものに○を付けてください。

	しっかりしていて、一人暮らしをするに、手助けはほぼ不要	MCI
	買い物に行けば、必要なものを必要なだけ買える	MCI
	薬を自分で管理して飲む能力が保たれている	MCI
	この1週間～数か月の間に症状が急に進んでいる	Delirium
	お金など大切なものが見つからないと、盗られたと言う	ADD
	最初の症状は物忘れだ	ADD
	物忘れが主な症状だ	ADD
	置き忘れやしまい忘れが目立つ	ADD
	日時がわからなくなった	ADD
	できないことに言い訳をする	ADD
	他人の前では取り繕う	ADD
	頭がはっきりとしている時と、そうでない時の差が激しい	DLB & PDD
	実際には居ない人や動物や物が見える	DLB & PDD
	見えたものに対して、話しかける・追い払うなど反応する	DLB & PDD
	誰かが家の中に居るという	DLB & PDD
	介護者など身近な人を別人と間違える	DLB & PDD
	小股で歩く	DLB & PDD
	睡眠中に大声や異常な行動をとる	DLB & PDD
	失神（短時間気を失う）や立ちくらみがある	DLB & PDD
	便秘がある	DLB & PDD
	動作が緩慢になった	DLB & PDD / VD
	悲観的である	DLB & PDD / VD
	やる気がない	VD
	しゃべるのが遅く、言葉が不明瞭	VD
	手足に麻痺がある	VD
	飲み込みにくく、むせることがある	VD
	感情がもろくなった（涙もろい）	VD
	思考が鈍く、返答が遅い	VD
	最近嗜好の変化があり、甘いものが好きになった	FTD-bv（Fr-ADD）
	以前よりも怒りっぽくなった	FTD-bv（Fr-ADD）
	同じ経路でぐるぐると歩きまわることがある	FTD-bv（Fr-ADD）
	我慢できず、些細なことで激高する	FTD-bv（Fr-ADD）
	些細なことで、いきなり怒り出す	FTD-bv（Fr-ADD）
	こだわりがある、または、まとめ買いをする	FTD-bv（Fr-ADD）
	決まった時間に決まったことをしないと気が済まない	FTD-bv（Fr-ADD）
	コロコロと気が変わりやすい	FTD-bv（Fr-ADD）
	店からものを持ち去る（万引き）などの反社会的行動がある	FTD-bv（Fr-ADD）
	じっとしていられない	Akathisia
	尿失禁がある	NPH
	ボーッとしている	NPH
	摺り足で歩く	NPH
	言葉が減った	Aphasia
	ものの名前が出ない	Aphasia

DDQ43 の評価用紙は山口晴保研究室のホームページからダウンロード可能。

歩いて診察に初めて訪れたとしましょう。診察前に、本人の生活状況がわかる人にDDQ43（**表 4-5**）を記入してもらっておくと参考になります。

1）表情や動作・歩行の観察

診察は、①診察室に入ってから椅子に座るまでの動作、②挨拶ができるかどうか、声の感じはどうか、③表情が明るいか暗いか、豊かか乏しいかの観察から始まります。ここまでで、パーキンソン病らしさ、アルツハイマー型認知症らしさ、血管性認知症らしさが、感じられます（**表 4-7**）。アルツハイマー型認知症ではしっかりと歩いて入ってきます。挨拶もでき表情は豊かでニコニコと応対し、多幸的な印象を受けます。行動障害型前頭側頭型認知症では挨拶ができませんし（「お世話になります」といった言葉を常同的に繰り返すこともありますが）、診察に非協力的です（**表 4-6**）。パーキンソン症状では前屈前傾姿勢や手の振りが少なく歩隔が狭い（足を左右に広げない）小刻み歩行（**図 4-6**）、表情が乏しいなど特有の徴候が見られます。認知症とともにパーキンソン症状が見られたら、レビー小体型認知症、パーキンソン病の認知症、進行性核上性麻痺、大脳皮質基底核変性症などを疑って検査を進めます。血管性認知症では杖歩行や車椅子で入室したり、動作が緩慢であったりします。表情はどちらかというと悲観的で、強制泣き・笑いを示すこともあります（**図 2-15 を参照**）。特発性正常圧水頭症（iNPH）では歩隔が広く（足を左右に広げて）、小刻みで、すり足歩行が特徴です（**図 4-6**）。

2）本人への問診と神経学的診察

まずは、笑顔で挨拶します。次に主訴や現病歴を聞きますが、介護者に症状を列記したSED-11QやDDQ43（291ページを参照）にあらかじめ記入しておいてもらうと、聞くべきことに見当がつきます。そして、症状の見落としを防げます。

アルツハイマー型認知症では自分の病態に無関心で、病識がないことが特徴ですから、「何か困ることはありませんか？」と尋ねると、大部分の人が「何も困りません」と答えます。「どこも悪くない、なんで診察に連れてこられたのかわからない」などと平然と答え、周囲が迷惑していることに**無頓着**です。それでも「何か生活で困ることは？」とか「もの忘れは？」と質問すると、ようやく「そりゃあるけど歳だから」などとはぐらかして答えます。このように言い訳をするのはアルツハイマー型認知症の特徴です（**取り繕い反応／表 4-6**）。「どんなものを忘れるの？」と突っ込んで聞くと「いろいろさ」などとはぐらかし、具体的には答えられません（よい関係ができるまでは、あまり突っ込まないように気をつけましょう）。初めから「もの忘れで困ります」というような答えはMCI～発症早期のアルツハイマー型認知症です。一方、血管性認知症では、症状を実態より重症に受け止めて、困ったと悲観的な態度を示すことが多く、実態以上に周囲に迷惑をかけてい

表 4-6　認知症の病型と特徴的なサイン

病　型	サイン	主な病変・機能低下部位
アルツハイマー型認知症	振り向き現象、再認不能な記憶障害、取り繕いや病識低下	海馬、頭頂葉、側頭葉、前頭前野、マイネルト核
レビー小体型認知症	幻視、症状変動、パーキンソン症状、転倒、便秘（早期から）、REM 睡眠行動障害	後頭葉、皮質下諸核、マイネルト核
行動障害型前頭側頭型認知症 （ピック病など）	立ち去り、わが道を行く行動、周徊、強制把握（初期から）	前頭前野、側頭葉
血管性認知症	自発性低下、思考鈍麻、強制泣き笑い、偽性球麻痺（他の認知症では終末期に）	両側大脳白質、大脳基底核

表 4-7　表情と歩行からの認知症病型推定

	表情が明るい・多弁	表情が暗い・緘黙
正常歩行	アルツハイマー型認知症 行動障害型前頭側頭型認知症	うつ病
歩行障害		血管性認知症 レビー小体型認知症 パーキンソン病の認知症 特発性正常圧水頭症

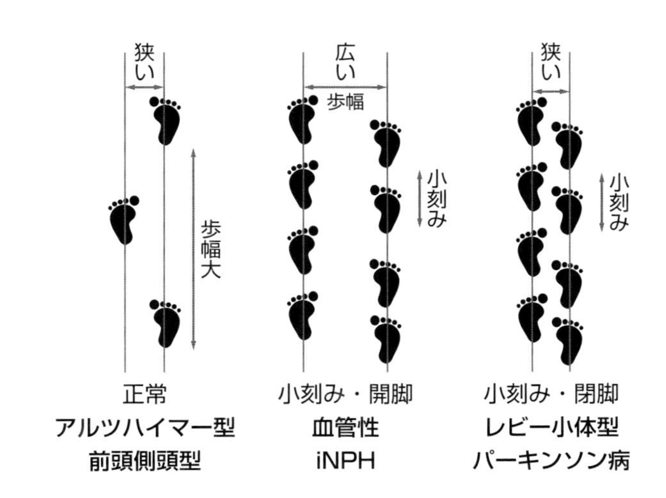

図 4-6　歩容と認知症病型
どの病型でも初期には正常なことも多い。iNPH は特発性正常圧水頭症。

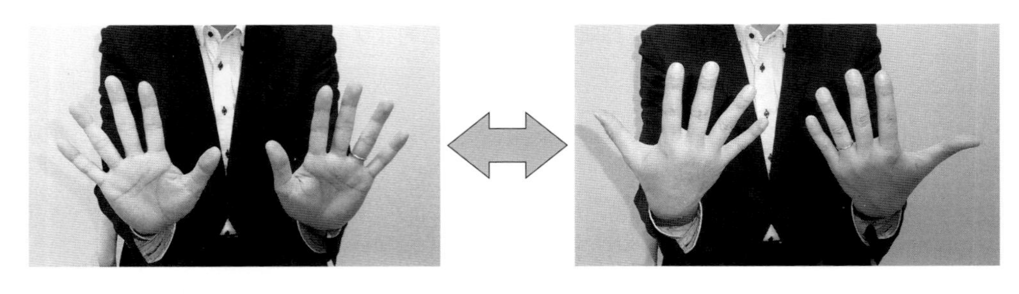

図 4-7　交互変換運動
パーキンソニズムでは、動き（回内・回外の角度）が小さくなる。途中で止まる傾向もある。

ると認識しています。行動障害型前頭側頭型認知症では、「なんでそんな質問をするんだ！」と怒り出すこともあります。診察中にふいっと立ち上がり、出て行ってしまうこともあります（立ち去り）。「わが道を行く行動」です。

次いで、記憶や認知機能を調べるのですが、いきなり「お歳は？」や「今日は何月何日？」というようなHDS-Rの質問をしてはいけません。まずは、「外は暑かったですか？」など相手が間違えずに答えられる質問（暑いと言っても暑くないと言ってもどちらも正解）から始めます。ここで失語症の有無がチェックできます（初期から失語症を示すタイプの認知症が稀にあります）。質問を理解して受け答えができることを確認してから、「きれいな服ですね。どこで買いましたか？」など、ほめながら記憶を試す意地悪な質問を混ぜて反応を見ます。

この辺で神経学的診察を始め、脳神経、四肢の腱反射や病的反射、筋トーヌス、表在感覚と深部感覚、片足立ち、歩行などの所見を診ます。手の交互変換運動（キラキラ星のように前腕の回内・回外を素早く繰り返す運動／**図 4-7**）と、肘・手関節の他動運動で固縮を診る診察は、パーキンソン症状を見落とさないために必須です。開眼片足立ちの時間を計測しておくと、杖などの必要性を判定したり、薬の副作用でふらつきや歩行障害が出たときに比較できるので有用です。上下左右方向の眼球運動制限を診ると進行性核上性麻痺や大脳皮質基底核変性症の鑑別に、瞳孔径や対光反射のチェックは神経梅毒の鑑別に有用です。

神経学的診察には時間がかかるので、診察しながら、「お盆はまだでしたっけ？」などと季節感を問いつつ、会話を弾ませて和んだ雰囲気をつくります。それからいよいよ、HDS-R（またはMMSE）にとりかかります（検査を担当するスタッフが実施する場合もあります）。「お歳はいくつですか？」と聞くと、「82だったかな」と少し自信なさげに答えながら配偶者（介護者）のほうを振り向いて確認を求めます。自分の記憶や見当識が衰えていることを自覚していて、同意や補足を求めます。これは**振り向き**（首振り）**兆候**で、認知症を示すサインです。「お歳はいくつですか？」に対して、「いい歳です」や「あら、恥ずかしい」などと数字をあげないで取り繕い的な答えが返ってくると、すでに進行した認知症（大部分はアルツハイマー型認知症）です。また、歳ではなく「私は大正○年△月□日生まれです」と答える人は、①歳という毎年変わるものは覚えていないが、自分の生年月日という意味記憶は保たれていて、②歳を答えられない失点を、生年月日をアピールして取り戻そうという取り繕いであり、アルツハイマー型認知症らしさを示すサインです。「**テレビや新聞で最近どんなニュースがありましたか？**」と質問し、具体的なイベントを答えられれば認知症の可能性は低いのですが、「私は夜早く寝るので‥‥」「いろいろありますね、アッハッハ」のように具体性がなかったり、文脈が変な回答の場合は認知症が疑われます。藤澤ら[16]は、この質問「ワンフレーズ」がアルツハイマー型認知症のスクリーニングに役立つかについて、健常者54名、MCI 116名、アルツハイマー型認知症133名を対象に検討しました。すると、具体的なニュースを答えられた者の割合（正解率）は、健常者の94％に対して、MCIでは31％、軽度アルツハイマー型認知症では14％、中等度では8％、やや重度では7％で、この質問がMCIとアルツハイマー型認知症のスクリーニングに役立つことが示されました。

「食事のおかずはどんなものを作りますか？」の問いには、「あるもので何でも作ります」などと答えるのですが、実際は遂行（実行）機能障害があり食事の準備はできません。このように取り繕うだけでなく、実際に行っていないことを平然と「している」と答えます。本人は意識的にごまかしているとか故意に嘘をついているわけではありません。無意識に生じる心の防衛策です。とても自然に答えるのでつい信じてしまいます。ニコニコしていて、ためらいなくスラスラと答えるからです。このようなサインの背景には、「**病識低下**」が隠れています。自分が何を知っていて何を知らないかをわかっているメタ記憶が障害され、「自分がもの忘れすること」を忘れるようになります（これも嫌なことから逃避したいという心の防衛策かもしれません）。そして、その場その場でボロを出さないように受け答えをする取り繕いが現れます。「何か困ることはありませんか？」と尋ねると「何もありません」との答えが返ってきて、家族が困っている現実の生活との乖離が大きいことが特徴です（病識低下）。他人の前では精いっぱい取り繕う姿の裏には、本人の悲しみが隠れています。

認知症の行動・心理症状については、もの盗られ妄想はアルツハイマー型認知症を、幻視や幻視に基づく妄想はレビー小体型認知症を、脱抑制や易怒、繰り返し行動は前頭葉症状を疑わせます。無断外出・徘徊がある場合、遠くまで歩き続けて迷子になるのはアルツハイマー型認知症を、いつも同じ経路を回って迷わずに戻ってくる周徊は行動障害型前頭側頭型認知症を疑います。

さらに、認知症をきたす諸疾患を鑑別するために血液検査やMRI/CT、脳波など必要な検査の指示を出します（305ページの「4-2 アルツハイマー型認知症の補助診断」を参照)。初回の診察時、または、何回か診察して経過を見ながら検査を進めて診断を確定します。

認知症の告知

認知症の告知は、①告知を受けた人の悲しみを受け止められる医療関係者が、②認知症とともに生きていこうという意識を本人がもてるように、③「私があなたをこれから支えます」という意思表示として行うのが原則です。筆者は、認知症が重度でなければ基本的に全例に告知しています。治療法やケアの開発とともに早期診断が進み、告知する方向になってきています。

発症早期で判断力があるうちに、終末期の延命について意思表示しておくために、告知は有効です。本人をしっかりと支えられる家族や医療・ケアスタッフがいれば、**事前指示書**(185ページを参照)を書いたり、人生設計をやり直すことができます。特に若年性(65歳未満の発症)の場合に有効です。しかし、本人にとってはなかなか受け入れがたいことなので、時間をかけて信頼関係を築いてから、少しずつ納得してもらいながら告げるのがよいでしょう。初診時に「あなたは認知症です」とだけ告げれば、再診を嫌がるかもしれません。筆者の場合、相手の反応を見ながら、しっかり認知症と伝えたり、「認知機能が少し落ちています」というように認知症という言葉を使わず曖昧に伝えたりします。また、「残念ながらテスト結果は不合格(認知症)でした。でも、まだまだやれることはたくさんあります。楽しく前向きに生活することで、進行を遅らせることができます」と前向きな表現で伝えます。まだまだ認知症への偏見が根強いですが、85歳超えの高齢者では、「長生きしたのでアルツハイマー型認知症になりました。今日、診断が

表4-8　早期診断・告知の重要性

適切な時期に行われる認知症診断であなたができることは——
*(あなたが)情報・資源・支援を自分で得る
*(あなたが)自身の状態の謎を解く(認知症の理解)、偏見を打破する
*(あなたが)自分のQOLを最大化する
*治療の利益を受ける
*(あなたが)将来を考える
*あなたの人生に何が生じたかを、家族・友人・仲間に説明する

(Alzheimer's Disease International[17] より作成)

ついたので、よいことがあります。これからは堂々ともの忘れできます。もう、もの忘れの心配は不要です。周りの人にも認知症になったことを伝えておくと親切にしてくれますよ」というようなポジティブな告知に拒否的な反応を示す事例はほとんどありません。

早期診断・早期告知は何のために行うのか？ 欧米では、本人のため、本人が自覚してこの問題に対処するためと示されています（**表 4-8**）。判断能力が保たれている早期の段階で本人に告知することで、本人が自分の状態を家族に説明し、必要な医療やサービスを受ける手続きを本人が行い、本人が将来に備えることができるという考え方です。わが国では、「早期診断・早期絶望」という当事者からの発信があり、診断後の空白期間を埋めるため、認知症カフェ、若年性認知症コーディネーター、認知症初期集中支援チーム（179 ページを参照）、チームオレンジ、認知症伴走型支援などの施策が進められています。

3 軽度認知障害(MCI)の診断

3-1 軽度認知障害(MCI)の臨床所見の特徴

健常と認知症の中間(白黒の中間である灰色)にあたるMCIの特徴を**表4-9**に示しました。もの忘れを感じて不安になり、医療機関のもの忘れ外来などを受診しますが、生活管理に支障がないので認知症ではありません。出来事の前後関係(例えば三日前の出来事と五日前の出来事のどちらが先であったか)がわからなくなるような軽度の時間の見当識障害も出現し始めます。複雑な会話だと内容を取り違えるような理解力の低下が見られます。猜疑的になる、怒りっぽいなど性格の変化が現れてきて、もの盗られ妄想が見られる場合もあります。また、自発性が低下し、趣味活動などをやめてしまう傾向があります。このような自発性が低下する例では認知症への移行頻度が高くなります。症状は原因疾患により異なります。アルツハイマー病が原因の場合は記憶障害ですが、他の認知領域にも軽い障害が見られるようになると、認知症期への移行が多くなります。

健常高齢者は、買い物をする、服薬を管理する、電話を使う、献立を考えて料理をするなどの手段的ADL(instrumental ADL:I-ADL)が自立していますが、MCIでこれらI-ADLの障害が出始めます(119ページを参照)。そして、さらにI-ADL障害が進行して

表4-9 健忘症と軽度認知障害(MCI)、認知症の鑑別

		健忘症	MCI	認知症
もの忘れ報告者		本人	家族 or 本人	家族
基本的ADL障害		−	−	+
手段的ADL(I-ADL)障害		−	±	+
行動症状(徘徊など)		−	−	+
認知テスト異常	HDS-RやMMSE	−	±	+
	WMS-R論理記憶	−	+	+

生活に支障を生じると、認知症を発症したと判断します。I-ADL障害を伴うMCIは、認知症期へ移行する確率が高いといわれます。I-ADL障害が出ることが認知症の定義を満たすことになるので、I-ADLの状況をできれば家族から詳しく聞き取り正確にI-ADL障害を評価することが、MCIの診断や予後予測、さらには認知症の診断に役立ちます。ですから、I-ADLの評価を含むDASC-21（4ページを参照）が診断に有用です。

一方、食事や更衣など身の回りのことを行う基本的ADLは、MCIでは保たれています。

3-2　MCIの診断

認知症の診断には「生活管理に支障をきたす程度」の障害が必要なので、それより軽い障害だと認知症とは診断できず、MCIと診断されます（**表4-10A**）。2003年に、MCIは「認知症発症の一歩手前」または「健常と認知症の中間」という概念が示され（**表**

表4-10　MCIの診断基準

A. 1999年のPetersenの基準
1. 記憶障害の愁訴がある。家族によって確認されることが望ましい。
2. 年齢から見て異常な記憶障害（その年齢の平均値－1.5 SD以下の点数）。
3. 記憶以外の全般的認知機能は正常。
4. 車の運転や小切手での支払いなど日常生活実行能力は保たれている。
5. 認知症でないこと。

B. 2003年に合意された基準
1. 正常ではないが認知症の基準を満たさない中間の状態（Not normal, not demented）。
2. 身の回りのADLは保たれていて、道具を使うADL（instrumental-ADL）はわずかな障害にとどまる。
3. ①自身あるいは他者から示される認知機能低下の証拠があり、または/さらに、②神経心理テストで以前より明らかに低下している。

C. 2013年の米国精神医学会のDSM-5による基準
次のa～dをすべて満たす。
a. 以前に比べて、一つ以上の認知領域※1でわずかな低下※2が、下記のいずれかに基づいて明らかである。
　（1）本人の訴え、よく知る介護者やかかりつけ医などからの情報
　（2）標準化された認知テストの成績
b. 認知障害は、**日々の生活の独立性**を妨げるものではない。
（支払い、内服管理などが可能で、手助けなしに独居できるレベル）
c. せん妄によるものではない。
d. うつ病や統合失調症などの精神疾患ではうまく説明できない。

※1…認知6領域は、注意、記憶学習、実行、言語、運動-感覚、社会脳である。
※2…わずかな低下が、認知テストで－1 SD以下なのか－1.5 SD以下なのか記載がない。

（A：Petersen et al 1999[18]／B：Winblad et al 2004[19]
C：American Psychiatric Association 2013[20]より、筆者訳）

4-10B)、2013年のDSM-5（**表4-10C**）でもこの考え方が継承されています。

つまり、日常生活が自立していて生活管理が妨げられていないことが前提になります。認知機能低下について、DSM-5では、以前に比べて認知機能が年齢相応以上に低下していることが、①本人の訴え・よく知る介護者やかかりつけ医などからの情報、**または**、②標準化された認知テストの成績から明らかにされることとなっていますが、ICD-11では、この2条件が「①**かつ**②」とされました。よって、ICD-11では、認知機能低下の症状に加えて、定量的臨床指標または標準的認知テストで機能低下が客観的に示されていることが診断に必要です。加えて、③個人・家族・社会・教育・職業機能または他の大切な機能領域を明らかに妨げるほど、認知機能低下は重度ではない（つまり、生活機能がほぼ保たれている）、④認知機能低下は正常な老化に帰すことができず、様々な病因がある、という要件があります。

ピーターセン（Petersen）らの1999年の診断基準（**表4-10A**を参照）は、記憶力がその年齢の平均より1.5 SD（標準偏差）を超えて低下していることを重視しています。この記憶の評価にはWMS-RやRBMTの物語の記憶（論理記憶）検査が用いられます（274ページの「1-1 認知テスト」を参照）。以前よりは明らかに認知機能が低下しているが、認知症というほどではない状態がMCIです。認知テストでは、HDS-RやMMSEで軽度の低下（26点前後）を示しますが、MCIの検出には、これらの認知テストより難易度が高くてより鋭敏なMontreal Cognitive Assessment日本語版（MOCA-J）が望まれます。

認知機能そのものではなく、生活状況を観察して評価する行動尺度の**Clinical Dementia Rating**（**CDR**）は別の評価尺度ですが、認知症の疑いレベル（CDR 0.5）が、MCIにほぼ相当します（**表4-11**）。しかし、CDRは、評価者の技量により評価結果に差が出ます。評価者のためのガイドブックの邦訳（文献21を参照）が出版されていますので、このガイドブックに則って的確に評価することが肝要です。

脳脊髄液のタウタンパク濃度を測定し、この値が高い症例はアルツハイマー型認知症に移行することや、MRIのT2強調画像で脳室周囲に高信号域を示す症例ではMCIにとどまる例が多いという報告もあります[22]。また、脳血流・代謝を見るPETや単一光子放出型コンピュータ断層撮影法（single photon emission computed tomography：SPECT）では、後部帯状回や楔（せつ）前部、頭頂葉の血流低下がMCI～超早期アルツハイマー型認知症の段階で特徴的な所見であるといわれています。すなわち、無症状期～認知症を発症していないMCIの段階でアルツハイマー病の診断をつけられるところまで技術が進歩しています。血液検査によるバイオマーカー診断（310ページを参照）に基づいて治療が行われる未来が近づいています。

バイオマーカー診断によりMCIの段階で原因疾患（脳病変）を把握できるようになれば、認知症に進行する症例と進行しない症例を見極められるようになるでしょう。

表 4-11　Clinical Dementia Rating（CDR）

<table>
<tr><th></th><th>障害なし
（CDR 0）</th><th>障害の疑い
（CDR 0.5）</th><th>軽度障害
（CDR 1）</th><th>中等度障害
（CDR 2）</th><th>重度障害
（CDR 3）</th></tr>
<tr><td>記　憶</td><td>記憶障害なし
軽度の一貫しないもの忘れ</td><td>一貫した軽いもの忘れ
出来事を部分的に思い出す良性健忘</td><td>中程度記憶障害
特に最近の出来事に対するもの
日常生活に支障</td><td>重度記憶障害
高度に学習したもののみ保持、新しいものはすぐに忘れる</td><td>重度記憶障害
断片的記憶のみ残存する程度</td></tr>
<tr><td>見当識</td><td>見当識障害なし</td><td>時間的関連の軽度の困難さ以外は障害なし</td><td>時間的関連の障害中程度あり、検査では場所の見当識良好、他の場所でときに地誌的失見当</td><td>時間的関連の障害重度、通常時間の失見当、しばしば場所の失見当</td><td>人物への見当識のみ</td></tr>
<tr><td rowspan="2">判断力と問題解決</td><td rowspan="2">日常の問題を解決
仕事をこなす
金銭管理良好
過去の行動と関連した良好な判断</td><td rowspan="2">問題解決、類似性差異の指摘における軽度障害</td><td>問題解決、類似性差異の指摘の中程度障害</td><td>問題解決、類似性差異の指摘における重度障害</td><td>問題解決不能</td></tr>
<tr><td>社会的判断は通常、保持される</td><td>社会的判断は通常、障害される</td><td>判断不能</td></tr>
<tr><td rowspan="2">地域社会活動</td><td rowspan="2">通常の仕事、買い物、ボランティア、社会的グループで通常の自立した機能</td><td rowspan="2">左記の活動の軽度の障害</td><td rowspan="2">左記の活動のいくつかに関わっていても、自立できない
一見正常</td><td colspan="2">家庭外では自立不可能</td></tr>
<tr><td>家族のいる家の外に連れ出しても他人の目には一見活動可能に見える</td><td>家族のいる家の外に連れ出した場合生活不可能</td></tr>
<tr><td>家庭生活および趣味・関心</td><td>家での生活、趣味、知的関心が十分保持されている</td><td>家での生活、趣味、知的関心が軽度障害されている</td><td>軽度しかし確実な家庭生活の障害
複雑な家事の障害、複雑な趣味や関心の喪失</td><td>単純な家事手伝いのみ可能
限定された関心</td><td>家庭内における意味のある生活活動困難</td></tr>
<tr><td>介護状況</td><td colspan="2">セルフケア完全</td><td>奨励が必要</td><td>着衣、衛生管理などの身の回りのことに介助が必要</td><td>日常生活に十分な介護を要する
頻回な失禁</td></tr>
</table>

注）CDR 0.5 をグレーで示した。

（目黒 2008[21] より、一部改変）

3-3　MCI の治療と今後の展望

動脈硬化の進行や脳血管疾患の併発は認知症への進行を加速する因子なので、高血圧症、糖尿病、脂質異常症などをきちんと治療し、脳 MRI で大脳白質の虚血性変化や小梗塞巣があれば、抗血小板剤を投与したほうがよいでしょう。また、この時期に自発性の低下やうつ症状が見られると認知症へと進行しやすいので、抗うつ剤の SSRI（348 ページを参照）が有効な場合もあります。実際、うつが原因で MCI になっている症例をしばしば経験します。そして、運動や抗うつ剤で記憶障害が改善して、MCI から健常に戻ります。

MCI の時期であれば、脳活性化リハの効果が最も期待されます。アルツハイマー型認知症では軽症の時期までであれば、脳活性化により軽快あるいは進行が遅延する可能性があります。

愛知県大府市の高齢住民 4,153 名を 4 年間追跡調査したところ、最初に MCI と判定された 743 名中の 14% が認知症に進んだ一方で、46% は健常に戻ったという衝撃的な記事が、2017 年に新聞に載りました[23]。従来の研究は、逆に半分くらいが認知症に移行し、MCI から健常に回復するのは 1 ～2 割程度だったので、この研究はとても高い回復率を見せています。大府市は認知症予防に力を入れており、おそらく、MCI と判定された人たちは認知症予防教室に通うなどライフスタイルに気をつけていたと思われます。とはいえ、ライフスタイルを変えれば MCI から健常に回復できる可能性を示した研究ではあります。

MCI の段階で早期診断して、発症予防のライフスタイルに切り替えることが大切です。認知症の予防については、山口晴保・著『認知症予防—読めば納得！脳を守るライフスタイルの秘訣—：第 3 版』（協同医書出版社、2020 年）に詳しく書きましたのでお読みください。高齢者の生活指導に役立ちます。

すぐに実践できる予防法が満載！

4 アルツハイマー型認知症の診断

4-1　アルツハイマー型認知症の臨床診断基準

アルツハイマー型認知症は、死後に脳の切片を染色して、顕微鏡で老人斑（βアミロイド沈着）と神経原線維変化（タウ蓄積）の出現範囲や程度を調べることでその診断が確定します。これを病理診断といいます。でも、これでは治療できませんね。そこで、脳のβアミロイド沈着とタウ蓄積を生前に評価して診断しようというバイオマーカー診断が、正確な診断を必要とする臨床試験などで使われるようになってきています。血液や脳脊髄液の検査と特殊な機能画像診断で、脳病変を高い確率で推定して診断します。脳脊髄液のタウ測定（保険収載検査）に加えて、脳βアミロイド沈着の画像化（309 ページの PIB-PET）が実用になりつつあるので、大学病院など一部の医療機関ではアルツハイマー病のバイオマーカー診断が可能です（305 ページの「4-2 アルツハイマー型認知症の補助診断」を参照）。なお、バイオマーカー診断は、アルツハイマー病の無症状期や MCI 期でも可能です。

表 4-12　DSM-5 のアルツハイマー型認知症臨床診断基準（要約）

A. 認知症の診断基準を満たす。
B. いつの間にか発症し、二つ以上の認知領域※で認知障害が徐々に進行する。
C. 以下の１または２のいずれかを満たす。
　1. アルツハイマー病の遺伝子変異がある。
　2. 下記３条項を満たす。
　　1）記憶・学習の障害が明らかで、他の少なくとも１領域の認知障害を伴う。
　　2）認知機能低下が徐々に進行し続ける。
　　3）他の併発要因（脳血管疾患や他の神経変性疾患、有害物質、他の精神疾患）の確証がない。
D. 障害は脳血管疾患や他の神経変性疾患、有害物質、他の精神疾患で説明できない。

※…注意、記憶・学習、言語、実行機能、運動-知覚、社会的認知の６領域

（American Psychiatric Association 2013[24] より作成）

表 4-13　アルツハイマー型認知症らしさ（初期の特徴）

1. 記憶障害——新しい出来事を覚えることが困難な近時記憶障害が強い。出来事の細部（例：食事の内容）ではなく、出来事全体（例：食事したこと）を覚えていない。記憶テストでは遅延再生が著しく不良。
2. 失見当——季節感がなくなったり、どちらが先の出来事かという時間の前後関係があやふやになる。
3. 認知機能テスト——HDS-R では 3 単語の遅延再生や 5 品目の記銘が低得点となる。頭頂葉の視空間認知機能やワーキングメモリーを評価する課題で、早期から失敗や得点低下が見られる。
4. 取り繕い——質問や HDS-R で答えられないときに、もっともな言い訳をする。また、具体名を尋ねる質問には、「いろいろだよ」などと代名詞で言い逃れる。
5. 病識低下——「困ることはない」など、病識を示さない（ただし発症期にはもの忘れを不安がることもある）。
6. 笑顔——挨拶ができ、多幸的で、笑顔の場合が多い（表情が硬く興奮気味なら、せん妄を疑う）。
7. 出現しない巣症状——強制把握、強制泣き・笑い（血管性認知症に多い）、失語症（語健忘を除く）は、初期には出現しない。
8. 運動——運動麻痺や失調、パーキンソン症状がなく、歩行はスムーズである。ただし、脳血管疾患を合併して片麻痺などを示すこともある。

一般の臨床では、臨床診断基準を用いて診断を行います。その基準の一つである米国精神医学会診断・統計マニュアル第 5 版（DSM-5）のアルツハイマー型認知症臨床診断基準の要約を**表 4-12** に示します。この表にあるように、基本的にはアルツハイマー型認知症の診断は他疾患の除外診断です。**表 1-8**（20 ページ）に掲げた認知症や認知症様症状を示す疾患をすべて否定して、さらに、せん妄に代表される意識障害やうつ病・統合失調症などの精神疾患を除外できればアルツハイマー型認知症と診断されます。しかし実際の臨床場面では、認知症があり、脳形態画像検査（MRI/CT）で血管性認知症が否定されると、残りはアルツハイマー型認知症という診断になり、実際より過剰に診断されているのが現状です（ただし、脳血管疾患を伴ったアルツハイマー型認知症が、脳画像検査で血管性認知症とされることが相当あり、この点では過少診断されています）。

臨床診断には、緩徐進行性を示す病歴や臨床症状の特徴が最も大切です。初期～中期に見られるアルツハイマー型認知症らしさを示す所見を**表 4-13** に示します。実践医療では除外診断ではなく、臨床的なアルツハイマー型認知症らしさから積極的にアルツハイマー型認知症の診断をつけてよいと思います。アルツハイマー型認知症の特徴は、流暢で当意即妙な**言い訳**の多さ（取り繕い）です。例えば HDS-R を行うと、年齢が言えなければ「もういい歳だから」、日付が言えなければ「仕事をしていないから」、場所がわからなければ「連れてこられたから」、計算ができなければ「買い物に行かないから」、野菜の名前が言えないと「台所仕事をしていないから」などと、間髪を入れずに言い訳します。また、買い物のことを質問すると、実際はできないのに「私が買い物に行っています」とあたかも自分で行っているようにとまどいなく答えます。この点が、反応が遅くて悲観的な答えが返ってくる血管性認知症との違いです。「猿も木から落ちる」ということわざの意味を尋ねると、「私は猿を飼っていないので、そんなことを聞かれても困ります」などと言い訳をするのがアルツハイマー型認知症らしさです（281 ページを参照）。「知らない」「わからない」とは決して答えません。奥さんに「ちゃんと私の名前で呼んでよ」と言われて、奥さんの名前を言えずに「俺がお前の名前をつけたのではない」と言い訳するのです。このような症状と MRI 所見で海馬や大脳皮質の萎縮があり、血管性病変が軽度であれば、アルツハイマー型認知症の確率が高いわけです。画像診断については次項「4-2 アルツハイマー型認知症の補助診断」で述べます。

ただし、レビー小体型認知症を除外するために、レビー小体型認知症の特徴である、①幻視、②症状の変動、③パーキンソン症状、④転倒や失神、⑤ REM 睡眠行動障害の有無については、介護者から情報を得る必要があります。

DDQ43（291 ページ）では、アルツハイマー型認知症の項目にチェックがついて、他の病型にはチェックがあまりつかないのが、アルツハイマー型認知症の特徴です。

4-2　アルツハイマー型認知症の補助診断

機器を用いた診断などを補助診断といいますが、アルツハイマー型認知症の臨床診断は、他の認知症疾患を除外することなので、画像診断などの補助診断が大切です。**表 4-14** に主要な変性型認知症との鑑別点を示します。

形態画像検査などは現時点では補助診断ですが、脳病変を検出する PET 検査や脳脊髄

表 4-14　主要な変性型認知症の特徴

病　型	臨床的特徴	画　像　所　見	
		MRI	脳血流 SPECT
アルツハイマー型認知症	記憶障害と失見当 病識低下、多幸的	海馬領域・頭頂葉の萎縮	後部帯状回・頭頂葉・海馬の血流低下
レビー小体型認知症	生々しい幻視 パーキンソン症状	アルツハイマー型認知症類似や前頭葉萎縮	後頭葉の血流低下
行動障害型前頭側頭型認知症 （ピック病など）	常同行動や脱抑制 記憶障害は軽度	前頭葉・側頭葉・海馬の限局性萎縮	前頭葉・側頭葉の血流低下
進行性核上性麻痺	パーキンソン症状 上下注視麻痺	中脳被蓋の萎縮 第三脳室の拡大	前頭葉の血流低下

液・血液検査が実用化の途上にあり、認知症の鑑別診断はこれらを用いたバイオマーカー診断の時代になっていくでしょう。

1）画像診断

(1) 形態画像（MRI/CT）

認知症を鑑別診断するとき、一度はCTではなくMRIを実施することを勧めます。CTよりも鋭敏に血管性病変の程度を詳しく知ることができるからです（ただし、鋭敏すぎて、血管性認知症を過剰診断するきらいがあります）。さらに、MRIでは冠状断面（前額断）を得られますので、海馬や側頭葉下面の萎縮の状況がよくわかります（**図4-8**、また273ページの「健常者とアルツハイマー型認知症のMRI画像」を参照）。アルツハイマー型認知症では、初期からこの領域の萎縮が始まります（しばしば例外がある）。CTではこの萎縮を詳しく評価できません。冠状断面撮影は、特発性正常圧水頭症の見逃しを防ぐこ

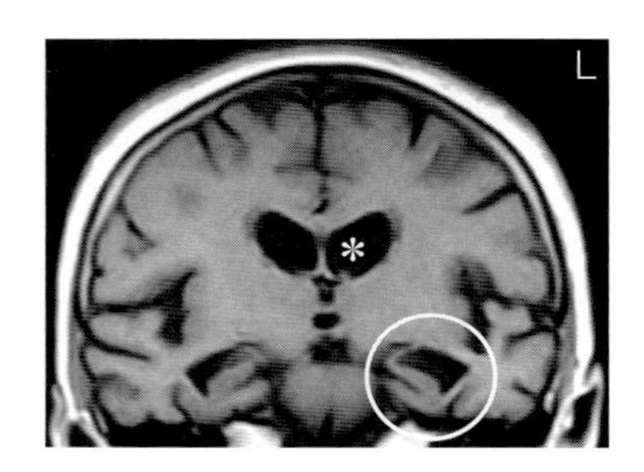

図4-8　アルツハイマー型認知症のMRI画像
前額断で、海馬領域（○で囲んだ部分）に萎縮が見られる。側脳室（＊）も拡大している。

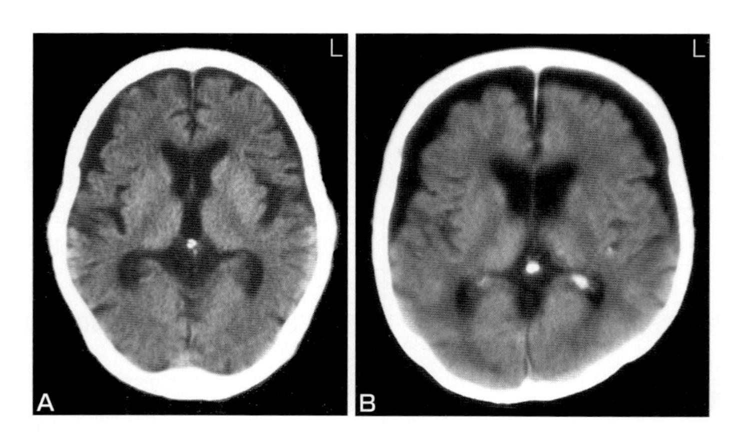

図4-9　どちらが認知症か？（脳のCT像）
A：52歳のアルツハイマー型認知症中期で、一日中徘徊している。
B：94歳の矍鑠(かくしゃく)とした高齢者である。脳萎縮があるが、元大学教授でワープロを使って本の執筆を続けている。

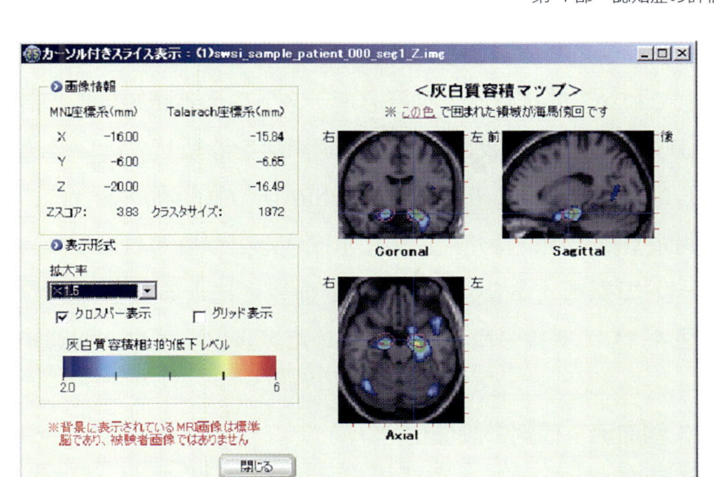

図 4-10　脳 MRI 画像解析で萎縮の程度をカラー化する VSRAD
（松田 2006[25]）

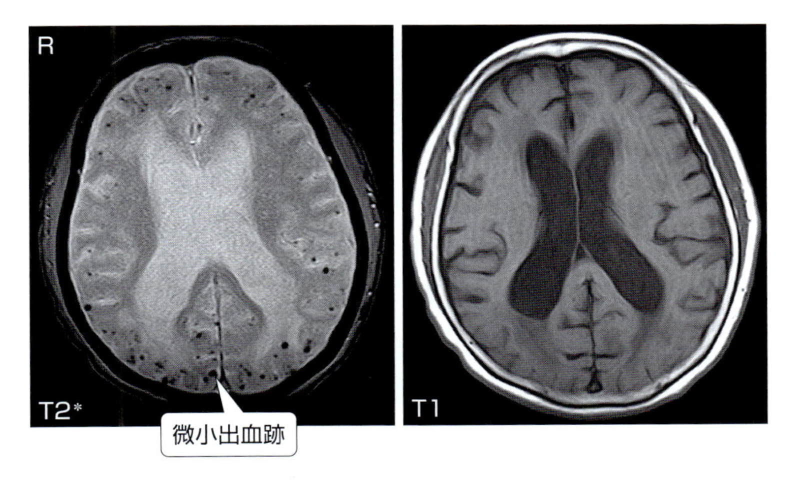

図 4-11　MRI・T2*による微小出血巣の検出
T2*でアミロイド血管症による微小出血跡（黒点状）を多数発見できるが、
T1 では検出できない（アルツハイマー型認知症例）。

とにも有用です。なお、MRI は認知症を引き起こす各種疾患を除外するのに役立ちますが、残念ながら CT や MRI の所見だけではアルツハイマー型認知症の確定診断には至りません（**図 4-9**）。

MRI 画像をコンピュータで解析し、標準脳の画像と対比して海馬領域の萎縮の程度を表示する方法である VSRAD が開発されました（**図 4-10**）。肉眼で画像を見たのではわからない程度の海馬領域のわずかな萎縮を画像解析で見つけ出し、その程度を数値で表します。この方法によって、アルツハイマー型認知症で萎縮をきたしやすい海馬領域の萎縮の程度を示せるので、アルツハイマー型認知症の早期診断に有用です。しかし、健常者でも萎縮が見つかり過剰診断になることもあるので、あくまでも参考にする検査です。生活状況を聞き取ることでわかる臨床症状と神経心理テストによる認知機能の評価が臨床診断の基本です。VSRADの数値でアルツハイマー型認知症を診断してはいけません。萎縮の程度と症状はしばしば乖離します。初期なのにVSRADの値が高い場合は、むしろ嗜銀顆粒性認知症や前頭側頭型認知症、特発性正常圧水頭症などが疑われます。

MRIのT2*モードで撮影すると、アミロイド血管症による微小出血の跡を見つけることが可能です。**図4-11**に多数の微小出血を認めたアルツハイマー型認知症の例を示しました。

（2）機能画像：脳血流・代謝の画像化

脳血流SPECTが認知症の診断に有用です。コンピュータ処理して標準化した脳に2SD以上血流が低下した部位をカラーでわかりやすく表示できます。ECD-SPECTではeZIS、IMP-SPECTでは3D-SSPという方法です。これによって、アルツハイマー病では、MCI期に後部帯状回と楔前部（頭頂葉内側面）や頭頂葉外側面の血流低下が示されます（**図4-12**）。レビー小体型認知症では後頭葉の血流低下が特徴的です（感度は60〜80％といわれます）。また、脳血流が低下していても梗塞には至っていない灌流不全の領域を描出しますので、血管性認知症の診断にも有用です。脳の糖代謝を見るFDG-PETは、認知症診断に有効で、研究目的に使われますが、保険適用になっていません。

（3）脳病変の画像化（PET／バイオマーカー診断）

アミロイドイメージング（アミロイドPET）は脳のβアミロイド沈着を画像化する方法です。①βアミロイドと特異的に結合し、②血液脳幹門を通る物質を、③放射性同位元素（^{11}Cなど）で標識し、静脈注射すると脳のβアミロイド沈着に特異的に結合します。それをPETで画像化するアミロイドイメージングが、いくつかの化合物で行われていま

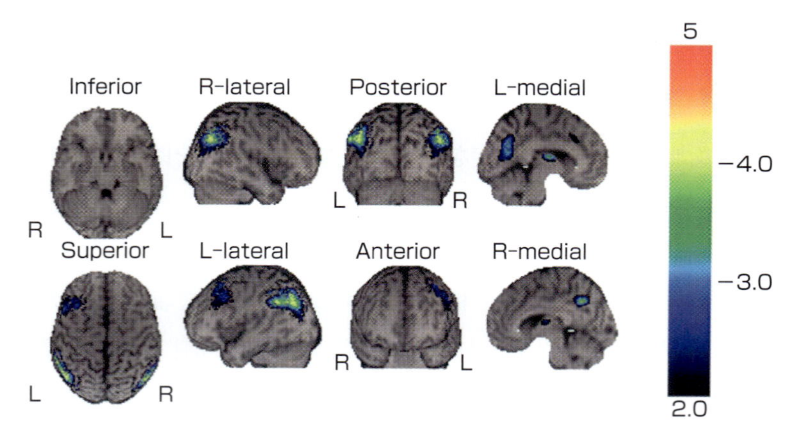

図4-12　アルツハイマー型認知症のECD脳血流SPECTの3次元画像解析eZISで見られる頭頂葉の血流低下

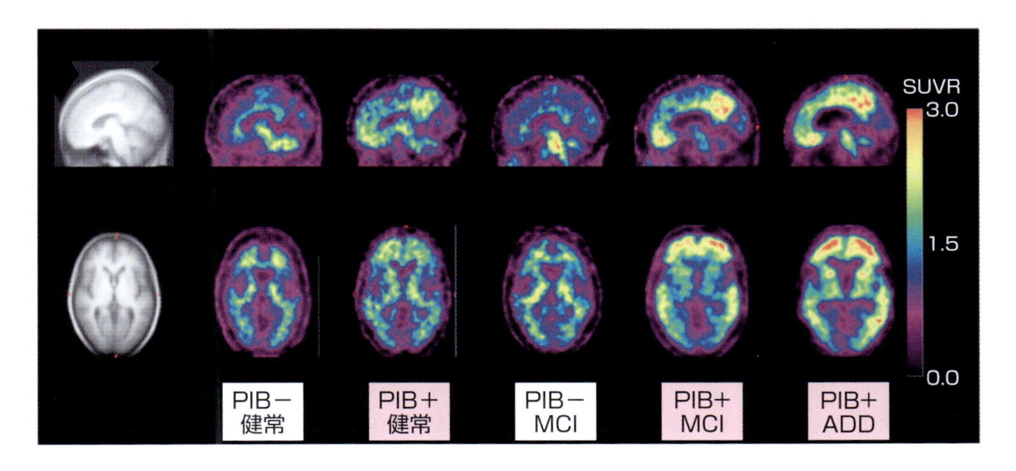

図 4-13　PIB-PET による脳 β アミロイド沈着の検出
PIB-PET 検査により、アルツハイマー型認知症（ADD）の 97%、MCI の 61%、健常の 22% が陽性（PIB＋）になった。ADD では診断が確認でき、健常者でも陽性例がありアルツハイマー型認知症予備軍と考えられる。各群平均 71～75 歳である。
（Pike et al 2007[26]）

す。Pittsburgh Compound-B（**PIB**）を用いる方法が進んでいます（**図 4-13**）。2022 年現在、保険収載をめざしています。

これまでのところ、アルツハイマー型認知症では高度の β アミロイド沈着が見られ（赤～黄の部分が多い）、診断に有効なことがわかっています。また、脳 β アミロイド沈着を高率に伴うレビー小体型認知症も、陽性になる率が高いと報告されています。31 例の MCI を 3 年弱フォローした研究では、PIB-PET 陽性の 17 例中の 14 例（82%）がフォロー中にアルツハイマー型認知症に進行し、一方、PIB-PET 陰性の 14 例では 1 例のみがアルツハイマー型認知症に進行しました[27]。MCI では、この検査の意義が高いと思われます。しかし、高齢の健常者では、認知症がなくても陽性になるケースが 2～3 割程度出てきます。アルツハイマー型認知症を発症する 20 年以上前から脳 β アミロイド沈着が始まっているので（**図 1-22**）、ある程度蓄積した人では、PIB-PET 陽性になります。この場合、数年～十数年後にはアルツハイマー型認知症を発症する可能性があるわけで、発症前診断に倫理的な問題が生じます（根本的な治療法がないので不安を煽るばかりとなる）。

アミロイドイメージング以外にも、タウ沈着のイメージング（tau-PET）などが研究施設では使われていますし、レビー小体型認知症で蓄積する α シヌクレインのイメージングも開発されました。

2）脳脊髄液検査による脳病変の検討（バイオマーカー診断）

アルツハイマー病では、MCI 期から脳脊髄液中のタウタンパク濃度が上昇します。しかし、脳脊髄液中のタウは神経細胞が壊れると高値になるので、頭部外傷後などは著しく高値になります。アルツハイマー型認知症以外の変性疾患でもタウの濃度が上昇します。そこで、アルツハイマー病ではタウが異常にリン酸化されていることに着目し、脳脊髄液中の**リン酸化タウ**を測る技術も開発され、アルツハイマー病の確定診断に有用なことが示されました（**図 4-14**）[28]。ただし、他の認知症疾患でも上昇します。さらに、アルツハイマー病では MCI 期から脳脊髄液中の ***β* タンパク**で C 末端が 42 までの分子種 A*β*42 の濃度が低下します（Step Up を参照）。よって、タウの値を A*β*42 の値で割った数値を用いると、さらに特異性を上げて MCI の時期からアルツハイマー型認知症への進行予測ができると報告されています。脳脊髄液のタウタンパク測定は保険収載されました。

3）血液を用いたバイオマーカー診断

脳脊髄液採取には患者さんの苦痛が伴います。そこで、血液を用いたバイオマーカーで認知症の原因疾患を正確に鑑別診断しようという流れがあります。例えばアルツハイマー病のバイオマーカー診断であれば、脳の *β* アミロイド沈着（*β* タンパクの分子種の比率など）とタウ蓄積（リン酸化タウの濃度など）と神経変性（ニューロフィラメント L 鎖の濃度）の程度を血液検査で明らかにします。今後、精度が向上すれば、実用化に至るでしょう。

今後、疾患修飾薬が開発されると、この流れは急加速します。2030 年頃には血液検査

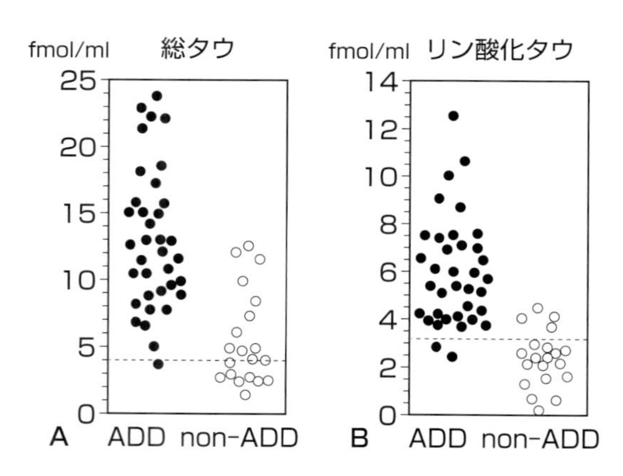

図 4-14　脳脊髄液リン酸化タウ測定はアルツハイマー型認知症の診断に有用

脳脊髄液中の総タウ濃度（A）は、アルツハイマー型認知症群（ADD）と非アルツハイマー型認知症群（non-ADD）とで差があるが、リン酸化タウ（B）を指標にすると、差がより明瞭になる。
（Ishiguro et al 1999[28]）

で脳にどんなタイプの病変があるのかを調べられる時代が来ると想像しています。

4）脳波検査

脳波検査は、肝性脳症などの意識障害やプリオン病などの認知症を引き起こす各種疾患の除外に有用ですが、アルツハイマー型認知症の診断に必須ではありません。ただし、健忘が一過性に何度も出現する場合は、側頭葉てんかんの鑑別診断に脳波検査が必要です。脳波を人工知能で分析して認知症診断に役立てる研究が始まっています。

5）一般血液検査

侵襲の少ない血液検査は、認知症様症状を示す各種疾患の除外のために必要です。通常、カルシウムなどの電解質や甲状腺ホルモンなどを検査し、必要によりビタミン B_{12} や葉酸、ホモシステイン、梅毒血清反応などを追加します。

4-3　アルツハイマー型認知症と血管性認知症との関係

高齢になると脳の動脈硬化が進むので、小梗塞巣や脳室周囲白質の虚血性変化がアルツハイマー型認知症でも出現します。また、アルツハイマー型認知症に脳梗塞や脳出血の大きな発作を併発して片麻痺になることもあります。高齢になると高頻度に脳βアミロイド沈着が出現するので、逆に、血管性認知症でも、次第に老人斑が出現してきます。したがって、純粋なアルツハイマー型認知症（脳血管疾患をまったく欠く）や純粋な血管性認知症（老人斑をまったく欠く）は少数で、実際には高齢になるほど両病変が種々の割合で混在することが多くなり、スパッとした診断が難しくなります（**図 4-15**）。したがって、実際的な臨床診断においては白黒をつける必要はなく、グレーを認めて、黒に近いグレーなのか（血管性認知症）、白に近いグレーなのか（アルツハイマー型認知症）、それとも中

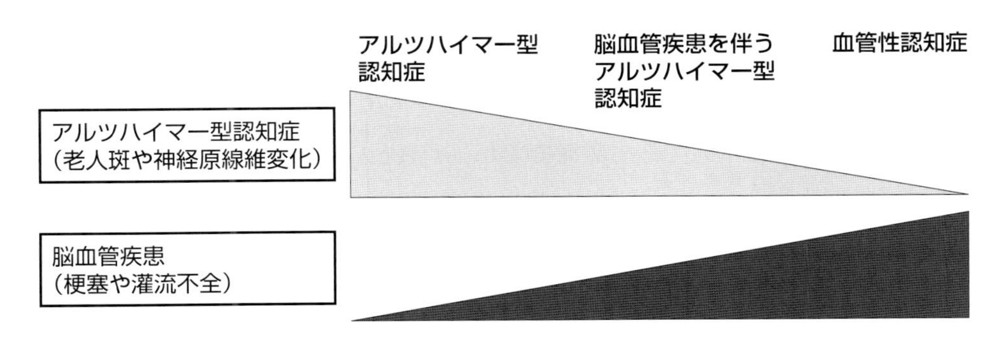

図 4-15　アルツハイマー型認知症の病変と脳血管疾患は高齢になるほど種々の割合で混在する

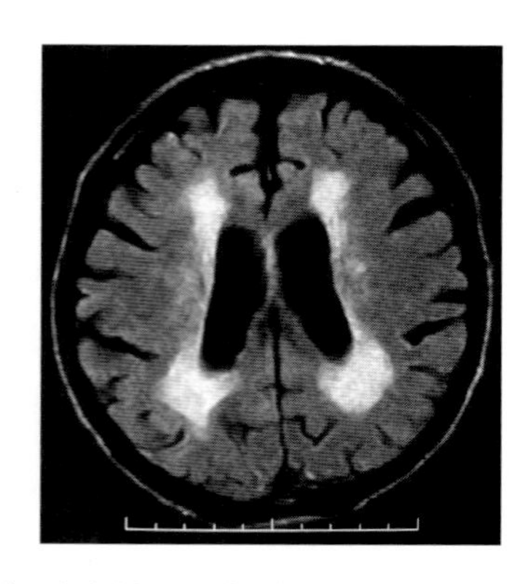

図 4-16　大脳白質の虚血性変化（白色部）を伴うアルツハイマー型認知症のMRI（FLAIR 像）

間（混合型ないしは脳血管疾患を伴うアルツハイマー型認知症）なのかと、おおざっぱな診断で構わないでしょう。

脳卒中発作後に認知症が出現して血管性認知症と診断されている例でも、詳しく問診すると、脳卒中発作の前から記憶障害があり、アルツハイマー型認知症が先行していたことがわかることがあります。このような両者を合併したタイプはリハの効果が出にくく、徐々に進行性の経過をたどります。一方、純粋な血管性認知症は、リハで身体機能の明らかな改善が図れますし、認知機能がしばしば改善します。

大脳白質の慢性虚血性変化を強く伴うアルツハイマー型認知症は、進行が早い傾向があります（**図 4-16**）。

日本ではアルツハイマー病で死なない?

本邦の 2002 年の全国の死亡者総数 98 万人中、死亡診断書に死因としてアルツハイマー病と書かれたのは 1,228 名で 0.13% でした。2019 年では、死亡者総数 138 万人中の 20,730 名で 1.5% です。17 年間で 10 倍以上に増えましたが、死因の 2% 未満を占めているにすぎません。アルツハイマー病は増えても少数派ですが、老衰という死因が増え、2018 年には悪性新生物（がん）、心疾患に次いで老衰が第 3 位となり、脳血管疾患を抜きました。わが国では、認知症で亡くなる人の死因が、死亡診断書には老衰や（誤嚥性）肺炎と記載される傾向があります。一方、WHO は、世界全体でアルツハイマー病などの認知症が増え続けていて、死因の第 7 位となると 2019 年に推定しました[29]。米国やオーストラリアでは、アルツハイマー病は死因の第４・５位を占めています。この違いは何でしょうか。6,800 例を対象とした 13 研究の総説論文には、アルツハイマー型認知症の発症から死亡までの期間は中央値で 7～10 年の研究が多いと記載されています[30)]。

欧米では、アルツハイマー型認知症の診断は 7～10 年後に死亡することを意味します。また、認知症が進行して終末期を迎えたとき、**経管栄養**で命を長らえることには消極的です（フランスでは虐待と捉えられています）。一方、本邦では、認知症の診断が正常老化の延長として気安く行われます。その裏には「認知症と診断しても命に別状はない」という心理が働いていると思われます。アルツハイマー型認知症は終末期には咀嚼・嚥下機能が失われ、誤嚥性肺炎などを併発して死因となりうる病気であることを認識し、適切な終末期の対応（事前指示書など診断直後からの終末期に向けた支援を含む）を行うことが大切です。

認知症の病期（ステージ）ごとに正しい医療とケアを提供し、認知症をもちながらも笑顔で生活できるような包括的な支援をしなければならないのです。認知症との共生です。認知症は死への恐怖を取り去ってくれる病気でもあります。たとえ認知症があっても、認知症と仲良くしながら、楽しく、前向きに、その人らしく生きることができるよう援助しましょう。

5 レビー小体型認知症の診断・治療

病態の説明は第 1 部を、特徴的な症状のケアは第 2 部を参照してください。

5-1　レビー小体型認知症の診断と検査

診断基準（**表 4-15**）では、認知症（生活に支障をきたすほどの進行性認知障害）があり、①認知機能・注意・意識の動揺（日内・日差）、②反復する現実的で詳細な内容の幻視、③ REM 睡眠行動障害、④パーキンソン症状（パーキンソニズム）の 4 中核臨床像のうちの 2 項目以上があると臨床診断されます。中核臨床像 4 項目のうち 1 項目だけでも、MIBG

表 4-15　レビー小体型認知症臨床診断基準 2017

1. 認知症がある
 ＊初期には記憶障害がないこともある
 ＊注意力、遂行機能、視空間認知が侵されやすい
2. 中核臨床像 4 項目中 2 項目または 1 項目＋示唆検査所見で診断
 a. 注意や覚醒レベルの変動を伴う認知機能の動揺
 b. リアルで詳細な内容の幻視が繰り返される
 c. REM 睡眠行動障害
 d. パーキンソニズム（初期にはないことも）
3. 診断を示唆する検査所見
 ＊ MIBG 心筋シンチの取り込み低下
 ＊大脳基底核のドパミントランスポーターSPECT・PET で取り込み低下
4. 診断を支持する臨床像
 ＊抗精神病薬への薬剤過敏性　＊姿勢不安定、繰り返す転倒　＊失神
 ＊起立性低血圧・便秘・尿失禁などの自律神経障害　＊過眠　＊嗅覚障害
 ＊幻視以外の幻覚　＊体系的な妄想　＊アパシー、不安、うつ
5. 診断を支持する検査所見
 ＊後頭葉の血流低下　＊側頭葉内側部の萎縮軽度

（McKeith et al 2017[31]より、筆者抄訳）

所見などの診断示唆検査所見が陽性であれば臨床診断できます。中核臨床像が１項目だけで診断示唆検査所見を欠く場合や、中核臨床像を欠くが診断示唆検査所見が陽性の場合は「疑い」と診断します（possible DLB）。

臨床診断基準を詳しく説明します。まず、進行性の認知障害（認知症）があることが前提になっています。記憶障害が主体のアルツハイマー型認知症に比べると、記憶障害は軽度で初期には記憶障害を示さないこともあります。そして注意障害、遂行（実行）機能障害、視空間認知障害が目立ちます。しかし、病初期では認知機能が正常に近く（MMSE や HDS-R で 25～30 点）、記憶障害も軽く、認知症とはいえない段階で見つかることもあります（レビー小体病の MCI）。認知症の基準を満たさない段階（MCI）でも、以下に述べるレビー小体型認知症の症状があれば、レビー小体型認知症として対処するのが実用的です。

認知テストでは、レビー小体型認知症は「記憶障害＜視覚認知障害」で、アルツハイマー型認知症の「記憶障害＞視覚認知障害」とは異なる傾向を示します。したがって、レビー小体型認知症では、MMSE に比べると記憶障害の配点が高い HDS-R では点数が同等か高く出る傾向があります。視覚認知障害があるので、認知機能テストでは立方体の透視図模写（278 ページを参照）でミスが目立ちます。MMSE では計算（100 から連続して 7 を引く）やダブルペンタゴン（一部が重なった二つの五角形）が苦手になります。

MRI では海馬領域（側頭葉内側面）の萎縮が軽度で、臨床症状でも記憶障害が比較的軽いのが特徴です。

機能画像では、PET や SPECT で後頭葉の血流低下がこの疾患に特徴的です（**図 4-17A**）（支持検査所見）。しかし、この所見の出現率は７割程度なので、この所見がないからといってレビー小体型認知症を否定しては３割を見逃してしまいます。画像は参考所見で、大切なのは臨床症状です。

交感神経の分布を評価する ^{123}I-metaiodobenzylguanidine（MIBG）心筋シンチグラフィを行うと、レビー小体型認知症では心筋での取り込みが減弱～欠損します（**図 4-17B**）。MIBG は、交感神経終末で放出されるノルアドレナリンの類似物質で、静注すると心筋に取り込まれます。この取り込みを、縦隔（mediastimum）に対する心臓（heart）の割合（H/M 比）で表すと、交感神経の末梢線維が減少～消失しているレビー小体型認知症では、この値が低下します。特に静注３時間後の後期像での取り込み低下が特徴的です。MIBG の取り込みが正常なアルツハイマー型認知症と 100％ 近く鑑別できるので、鑑別診断にきわめて有用で、診断を示唆する検査所見です。また、REM 睡眠行動障害のみを示すような前兆期でも、MIBG 所見が陽性になります。核医学診断なので、検査できる施設が限られている点がネックですが。

核医学検査で線条体（大脳基底核）のドパミントランスポーター取り込み低下（シナプス

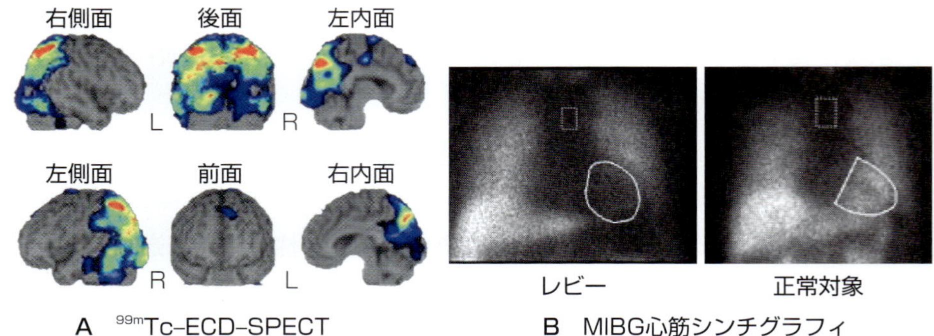

図 4-17 レビー小体型認知症の画像診断
A：SPECT で脳血流を見ると、後頭葉を中心とした脳血流量の低下が明らかとなる。青<緑<黄<赤の順に血流低下度が高い。
B：MIBG 心筋シンチグラフィでは、正常対象（右）では心臓（白線で囲った領域）が白く描出されるのに比べて、交感神経系の働きが悪いレビー小体型認知症（左）では心臓の領域が黒くなり、取り込みが低下していることがわかる。

前線維の変性を意味する）を示す所見は、診断示唆検査所見の一つに挙げられ、日本でも保険適用となりました。

しかし、臨床現場では、リアルな幻視があったらレビー小体型認知症、REM 睡眠行動障害があったらレビー小体型認知症、抑うつ＋認知障害を示したらレビー小体型認知症、脳に働く薬剤に過敏性を示したらレビー小体型認知症、薬剤性せん妄を生じたらレビー小体型認知症と、積極的にレビー小体型認知症を疑って治療することが望まれます。以下に示すように、レビー小体型認知症は適切な治療で著しく改善する場合があるので、見逃さないことが大切だからです。

臨床現場ではアルツハイマー型認知症とレビー小体型認知症の特徴の両者を有する例にしばしば遭遇します（AD-DLB と診断）。記憶障害で発症し、うつを伴うアルツハイマー型認知症と初期診断され、経過とともに幻視などレビー小体型認知症の症状が加わることが多いと感じます。うつを伴う場合は要注意です。

5-2 レビー小体型認知症の治療とケア

後述のアルツハイマー型認知症治療薬ドネペジル（アリセプト®）がレビー小体型認知症にも保険適用で、幻視などの症状によく効きます。ただし、ドネペジルならアルツハイマー型認知症に対して投与する量の 1/5（1 mg）〜1/2（2.5 mg）で有効なことが多い一方で、10 mg でよくなる例があるなど、適量には個人差が大きいという特徴があります。

基本的には少量から慎重に増量していくことがコツです。使いすぎると易怒性などの副作用が出やすいからです。一律に 5 mg ではなく、家族から様子をよく聞いて、適切な量を調節することが大切です。パーキンソン症状を悪化させないという点では、パーキンソン病の認知症に欧米で適応になっているリバスチグミンを少量から用いるほうがよいように思います。いずれにしてもドパミンとアセチルコリンの微妙なバランスをとることが大切です。アセチルコリンを増やしすぎるとパーキンソン症状が悪化し（318 ページの**図 4-18** を参照）、パーキンソン病治療薬でドパミンを増やしすぎると幻視や妄想が悪化します。

また、漢方薬の抑肝散 2.5～5 g が劇的に効く症例があります。幻視・妄想が消失し、穏やかになることで介護がうまくいくようになり、本人と介護者に笑顔が戻り、認知機能が向上する例があります（自験例では HDS-R が 16 点→23 点に向上など）。このような著効例も、いずれ症状が再発してくることがあります。2011 年 6 月に発売された**メマンチン**（メマリー®）は、幻覚・妄想で介護が困難な例を穏やかにする効果があります（適応外処方）。しかし、レビー小体型認知症には薬剤過敏性があるので、使用する場合は少量から慎重に増量することが望まれます。筆者の経験では 5 mg でも幻覚などの副作用で中止例があり、10 mg が適量のケースが多かったです[32)]。

著効例がある一方で、これらの薬剤を組み合わせても症状が改善せず、やむなく抗精神病薬を少量併用してもまだ介護が大変な症例も多くあります。薬物療法により著しく改善する例から、治療に難渋する例まで落差が大きく、医師の技量（上手なさじ加減）が問われるのがレビー小体型認知症の治療だと感じています。

レビー小体型認知症は、中枢神経系に作用する薬剤に過敏という特徴ももっています。ところが、幻視ではなく内臓の痛みといった身体症状を訴える場合があり、いくつかの診療科を受診して鎮痛剤、抗うつ剤、精神安定剤、眠剤、胃酸抑制剤（H_2 ブロッカー）などせん妄の原因となるような薬剤を多種類投薬されている例が時々紹介されてきます。このような例では、まず薬剤を中止すると症状が改善します（急激な中止は避けましょう）。そして、抑肝散単独または抑肝散と少量のドネペジルの組み合わせでよくなる例があります。

治療に難渋する例では非定型抗精神病薬を少量から投与しますが、パーキンソン症状を比較的生じにくいアリピプラゾール（エビリファイ®／血糖上昇作用により糖尿病では要注意）が推奨されます（適応外処方）。リスペリドン（リスパダール®）ではパーキンソン症状の副作用が出やすいです。興奮・暴力の強い例では、少量の抗痙攣剤（パルプロ酸 100 mg）やパニック障害に有効なセロトニン系に効くタンドスピロン（セディール®）を慎重に併用することもあります。診察室に来たときは穏やかに会話しているのですが、施設では時々爆発し、テーブルや椅子を放り投げるというので、どこにそんな力があるのだろうか

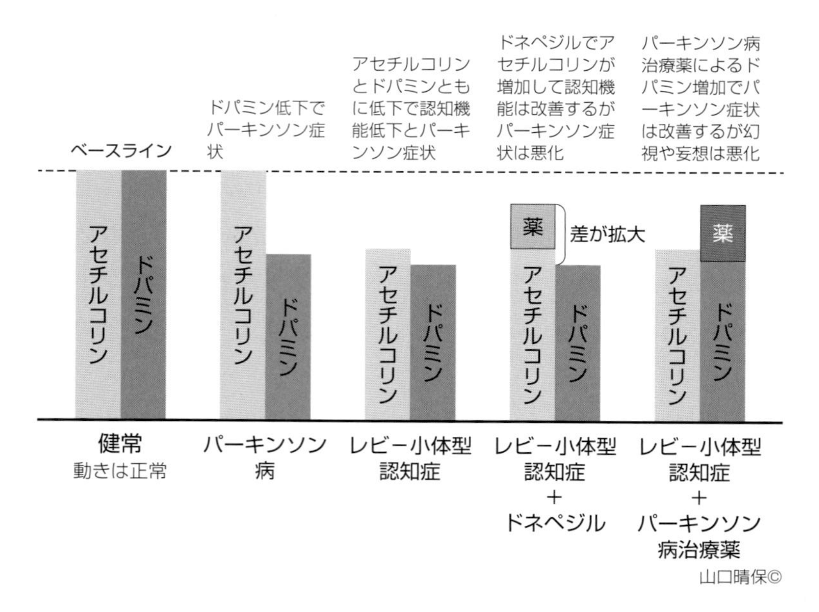

図 4-18　レビー小体型認知症へのドネペジル投与によるパーキンソン症状悪化とパーキンソン病治療薬投与の副作用の考え方

と不思議な人がいますが、やむなくこのような薬剤を投与しています。それでも、基本は少量投与です。通常は 1 錠から始める薬剤なら半錠から始めて注意深く増量し、だらだらと使わないことが肝要です。

ベンゾジアゼピン系の抗不安薬は使わないことが原則です。抗うつ薬も、効かないばかりかせん妄を生じたり、うつ症状が悪化することもあり注意が必要ですが、夜間に活動したり昼夜逆転のケースでは、少量のトラゾドン（デジレル®、レスリン®）が著効してぐっすり眠るようになることをしばしば経験します。食思不振などの抑うつ症状で抗うつ剤（SSRI／346 ページを参照）が必要な場合は、SSRI の中で副作用が少ないセルトラリン（ジェイゾロフト®）を 25 mg 朝 1 回投与しますが、症状を悪化させるリスクもあります。不安焦燥が強くて落ち着かない場合は、ミルタザピン（リフレックス®）15 mg 錠の半錠夕 1 回が有効です。柴胡桂枝乾姜湯（さいこけいしかんきょうとう）が不安に有効なことをしばしば経験します。いろいろ試して、その人にあった薬を見つけるしかありません。

パーキンソン症状に対しては、①ドパミン製剤が効きにくい、②このため身体機能を上げようとドパミン製剤を増量しすぎると幻視やせん妄などの副作用が出現しやすい、③ドネペジルなどを使いすぎると振戦などパーキンソン症状が悪化するので（**図 4-18**）、少量の L-DOPA 製剤（マドパー®やメネシット®など）から試してみることが推奨されます。アマンタジン（シンメトレル®）は幻視を悪化させる恐れがあるので使いません。ドパミン製剤が幻視に有効だったという症例報告もあるので、種々の薬剤を、種々の量で試して、一例一例にあった薬剤と量を調節することが、レビー小体型認知症では大切です。レビー小体型認知症では、経験豊富な医師と連携しながら治療にあたることが望まれます。

ケアに関しては、「幻覚・妄想への対応」(134ページ)を参照してください。幻視は本人にとっては見えているものなので、家族が「見えない」と否定すると暴力をふるうこともあります。しかし、「あなたには見えているのですね。でも私には見えません」などと、本人の訴えを容認したうえで事実を冷静に伝えると、受け入れてもらえる可能性が高いです。「見えたら触ってみてください」と伝えると、触れようと思ったら消えるということが本人にわかり、「幻ですね」と了解してもらえることが多いです。錯視の場合が多いので、部屋を片づけたり、夜間は照明を工夫することで、幻視が出にくくなります。「これで消える、エイ！」と、かけ声とともに目の前でパンと手を叩くと幻視が消えることもあります。覚醒レベルが上がるからでしょう。

転倒については、どんなに注意していても防ぎきれません。転倒による外傷の頻度はアルツハイマー型認知症の10倍近いという報告もあります。あらかじめヘッドギアやヒッププロテクターを着けて骨折を防ぐ工夫や、施設の場合は家族に転倒の可能性が高く、転倒を防ぎきれないことをあらかじめ伝えておき、転倒事故後の家族とのトラブルを防止する対策も必要です。また、レビー小体型認知症を抱える家族は、幻覚・妄想で苦労していることが多く、家族の心のケアも同時に大切です。

長期的な予後については、基本的には緩徐進行性で死に至る疾患ですが、よい状態を保つ症例もあり、進行スピードは個人差が大きいと思います。

自験例を提示します。70歳代の女性で、初診時の主症状はリアルな幻視(暗くなるとネズミなどの小動物が見える)、記憶障害、抑うつ状態でした。認知テストは、MMSEが18/30でHDS-Rが19/30と、HDS-R＞MMSEでした。鑑別診断チェックリストのDDQ43から、症状の変動、REM睡眠行動障害、便秘が明らかになりました。身体機能はほぼ正常で、歩行速度は良好でした。筋固縮を調べると、左上肢にわずかな固縮を認めました(パーキンソン症状のごく初期)。臥位と立位直後の血圧を測定すると、起立性低血圧が認められました。脳MRIではごく軽度の海馬の萎縮を認めました。以上のように、レビー小体型認知症の特徴的な症状・所見が見られました。

抑肝散２包・分２(朝夕)の内服を開始すると幻視の頻度が減りました。次いでドネペジル1.5 mg(朝)を追加し、１か月後に３ mgに増量すると、幻視はほぼ消失し、穏やかに過ごせるようになりました。しかし、４か月後には幻視や幻視に伴う不安と混乱が増強したので、ドネペジルを５ mgに増量して落ち着きました。その後も薬の微調整を続けました。

6 血管性認知症の病型と診断

血管性認知症の概念と症状は、それぞれ第１部の「6. 血管性認知症（脳血管疾患の認知症）とは」（45ページ）と第２部の「11. 血管性認知症の症状とケア」（153ページ）で触れましたので、参照してください。ここでは、臨床診断で大切な点を述べます。

6-1 血管性認知症の診断基準

脳血管性認知症の診断基準は、①認知症が存在すること、②脳血管疾患が存在すること、③認知症の原因が脳血管疾患であること、です。①②に比較して、③の証明は実際、困難な場合が多く、以下の３点から血管性認知症の臨床診断を下します。

⑴ 血管性病変部位は、白質病変や基底核病変が主体。

⑵ 臨床症状は、記憶障害や皮質症状がアルツハイマー型認知症に比べて軽度である反面、**パーキンソン症状**、歩行障害、構音障害、嚥下障害や**遂行（実行）機能障害**（目的をもった行動や動作の遂行が困難な状態）が顕著。

⑶ 経過は、稀に突然発症だが、多くは症状が緩徐に（そして時に階段状に）進行。

このように、症状や経時的変化から診断を推測したうえで、最終的に画像診断などから他の原因疾患を除外して、血管性認知症と診断されます。

6-2 血管性認知症とアルツハイマー型認知症の鑑別

血管性認知症は、たとえ脳血管疾患の既往や、画像診断で確認できる脳血管疾患の病変があっても、即、血管性認知症と診断することはできません。あくまで他の認知症疾患との鑑別が必要です。特にアルツハイマー型認知症との鑑別は、症状とその臨床経過から判断する必要があります。症状の違いや経過については、第２部の「11. 血管性認知症の症状とケア」（153ページ）で詳しく述べましたので参照してください。簡潔にまとめると、アルツハイマー型認知症では、できないことを取り繕って笑顔でごまかし、質問にスラスラと答えてお世辞も言い、多幸的に見えます。一方、血管性認知症では、アルツハイマー型認知症とは対照的に、病識がある程度保たれ、**悲観的・うつ的**な受け答えをします。例えば「どんな料理を作りますか？」に対して、「こんな体になってしまって‥‥」と不自由になって困っていることをゆっくり話します。**理解や会話のスピードが遅いこと（思考鈍麻）**も特徴です。**自発性の低下**が強い点も特徴です。また、血管性認知症ではしばしば**偽性球麻痺**を伴い、嚥下障害が早い時期から出現します。このほか、**強制泣き・笑い**が血管性認知症に特徴的なサインです。

表 4-16　ハチンスキーの虚血スコア

特　　徴	得点
急激な発症	2
段階的な増悪	1
症状の消長	2
夜間せん妄	1
人格が比較的よく保たれている	1
抑うつ	1
身体の訴え	1
感情失禁	1
高血圧の既往	1
脳卒中の既往	2
他のアテローマ硬化の合併	1
神経学的局所症状	2
神経学的局所徴候	2

判定：得点７以上＝血管性認知症
得点４以下＝アルツハイマー型認知症
（Hachinski et al 1975[33]）

鑑別に大切な情報源となる形態画像所見については以下に続く項で述べます。一般的によく知られている診断法は、ハチンスキーの虚血スコア（Hachinski Ischemic Score）（**表 4-16**）ですが、これはあくまで血管性認知症に比較的多い所見と症状を評価したもので、決して血管性認知症とアルツハイマー型認知症を正確に鑑別診断するものではないことに注意すべきです。アルツハイマー型認知症のケースでも脳血管疾患を合併すると急激に認知症が悪化することがあり、このスコアでは血管性認知症に分類されてしまう危険性があります。また逆に、ビンスワンガー型のように発症が急激でなく徐々に進行するような血管性認知症では、スコア上、アルツハイマー型認知症となる可能性があるので注意が必要です。

6-3　血管性認知症の画像診断

血管性認知症の診断のためには、脳血管疾患の病変が存在することが前提であり、この診断には画像診断が必須です。

理想的には、頭の働き、つまり脳機能を直接画像にできればよいのですが、日常臨床で簡便に利用できる検査はありません。したがって、脳の病変部位（脳の損傷部位）の同定のため、CT や MRI を利用した断層写真を撮影します。ただし、断層写真だけでは、得られた病変が真の病変とは限らないため、脳循環(脳血流)と脳代謝をSPECTやPETを利用して評価します。これは、CT、MRIでは完全に壊死に陥った部位のみが評価されるため、広範な脳機能の低下によって生じた血管性認知症の診断では、壊死にまで至っていない機能低下部位(虚血性ペナンブラ)を過小評価してしまう危険があるためです。脳機能の低下は、そのエネルギー源であるブドウ糖と酸素を運ぶ血流の低下(脳循環の低下)およびブドウ糖や酸素の消費量(脳代謝の低下)と一般に相関します。つまり、脳血管が閉塞すると脳血流(脳循環)が低下し、それに応じて脳代謝も低下します。したがって、脳梗塞部位よりも脳循環の評価が、さらに脳循環よりも脳代謝の評価が、脳機能をより正しく評価すると考えられています。このようにPETやSPECTを使うことで、実際の脳機能により近い評価が可能になります。

6-4　血管性認知症をきたしやすい脳血管疾患

すべての脳血管疾患が認知症を引き起こすわけではありません。今まで述べたように、認知症を伴う脳血管疾患の中では脳梗塞が一番多いのですが、脳梗塞のタイプによって認知症を合併する率は異なります。皮質梗塞の中で頻度が高くて症例が多い中大脳動脈領域の梗塞では、片麻痺や失語症になっても認知症になる率は低く、逆に頻度が低くて症例が少ない前大脳動脈領域の梗塞では、前頭前野や帯状回が含まれる確率が高く認知症が生じやすいといえます。とはいっても、このような皮質型の血管性認知症の頻度は高くはありません。以下に頻度が高い、**皮質下性血管性認知症**(多発性ラクナ梗塞型血管性認知症とビンスワンガー型血管性認知症)を中心に示します。

1) 多発性ラクナ梗塞型血管性認知症

穿通枝領域の小梗塞が多発することで生じる皮質下性認知症で、病変部位は、大脳白質、基底核、視床、脳幹など、大脳皮質と線維連絡の多い部位に両側性に認められます(図4-19)。認知症に加えて、**パーキンソン症状**や**偽性球麻痺**(156ページの「5) 巣症状や偽性球麻痺」を参照)などをしばしば伴います。認知症が重度な場合、小梗塞のみならず、前頭葉の萎縮や前頭葉白質を中心に白質変性を示す病巣(MRIのT2強調画像では斑状高信号域として認められる)を認めることが多く、ビンスワンガー型血管性認知症との異同が問題になります。

多発性ラクナ梗塞による血管性認知症の症例を紹介します。82歳の男性で、68歳まで農作業に従事していましたが、75歳頃には年齢を考えて町内会の役員や森林組合の理事などの役職から引退しました。もともと仕事一筋で特に趣味や遊びといった余暇を過ごすものもなかったため、引退後は自宅で庭木の手入れやまかない用の畑仕事をこなす程度の

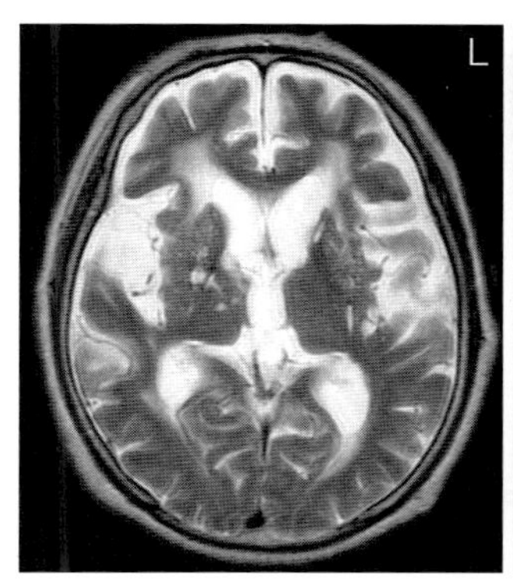

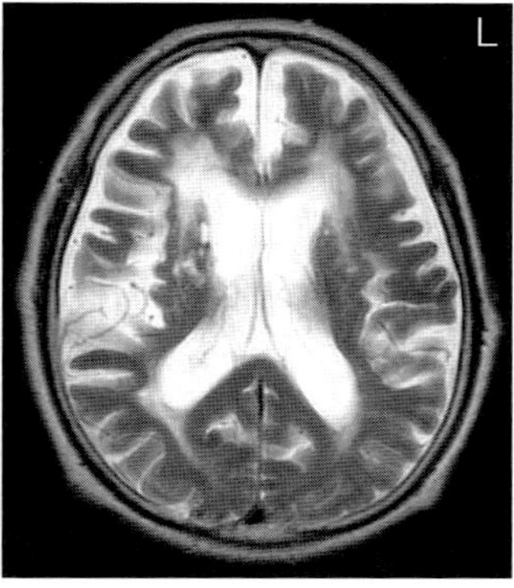

図 4-19　多発性ラクナ梗塞による血管性認知症
大脳前半部の萎縮と脳室前角の軽度拡大が見られる。

生活を送っていました。78 歳頃から、もごもごとしたしゃべり方や歩くときの足取りのもつれが出てきていましたが、家人は年齢と持病の腰痛のせいだと考えていたそうです。ところが最近になり、庭木の剪定で枝をすべて切り払ってしまっても平然としていたり、畑に散布する除草剤の量を間違ってすべて枯らしてしまったり、ちょくちょく転ぶことが多くなったりと、日中の行動を見守る必要が出てきました。

このケースでは「もごもごとしたしゃべり方や歩くときの足取りのもつれ」という症状から、多発性ラクナ梗塞型が考えられました。このように、高齢になり社会的活動の一線から隠退したあとでは、自宅中心の閉じこもり生活を送ることが、血管性認知症ではよく見られます。消極的な生活の原因は、脳梗塞による**意欲低下**や**遂行（実行）機能障害**の結果と考えられます。脳の働きは、社会との関わりのある生活の中で高められます。したがって、社会からかけ離れた生活では生活意欲が低下して、その結果、脳の働きがますます鈍りやすくなり、認知症が進んでしまいます。こうしたことから、他人との交流を増やすような生活環境の変化が大切になるわけです。そこに**脳活性化リハ**のポイントがあります。このケースでは、三世代が同居する農家であったため、ひ孫の誕生が刺激になり、ひ孫を可愛がり世話を焼くうちに少しずつ生活面での意欲が回復してきました。

2）ビンスワンガー型血管性認知症

主に脳室周囲の深部白質が病変の主座になる皮質下性認知症です（白質がダメージを受ける機序は、46 ページの「6-2　血管性認知症の背景」を参照）。病理学的には、脳内部にある細動脈に生じた高血圧性動脈硬化性病変と大脳白質の髄鞘に生じる広範な虚血性白質病変が特徴で、高血圧が長く続いた人に比較的よく見られます。元来は病理形態学的診断名（つまり、死後の病理解剖で脳内に認められた病変）ですが、最近では CT や MRI が汎用されるようになったため、臨床診断名として使われることが多くなりました。CT や

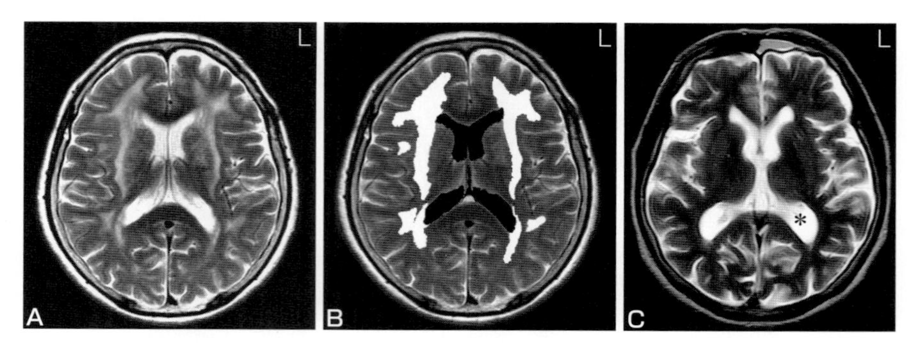

図 4-20　ビンスワンガー型血管性認知症（A、B）とアルツハイマー型認知症（C）の対比（MRI の T2 強調画像）

A：ビンスワンガー型では脳室周囲〜深部白質の高信号域（白）が見られる。
B：画像処理で A の白質病変を白く、側脳室を黒く強調したもの。
C：アルツハイマー型認知症では白質病変を欠き、側脳室後角（＊）の拡大が見られる。

MRI では脳室周辺の白質に虚血性障害を示す病巣が斑状、融合状に認められ、特に側脳室前角周辺では顕著に認められます（**図 4-20**）。この病巣は、MRI の T2 強調画像では高輝度（白）となります。大脳深部白質には大脳皮質各部位の間や大脳皮質と皮質下諸核を結ぶ経路が通っており、こうしたタイプの脳梗塞では、皮質の障害が軽度であっても白質に広範な障害が生じ、結果として認知症をきたすことがあります。臨床症状としては、認知症以外に偽性球麻痺、歩行障害、失禁など多発性ラクナ梗塞型に類似した症状をとり、緩徐進行性です。

注意すべき点として、①**多発性ラクナ梗塞型**のように、基底核、視床、脳幹に小梗塞を合併するものがあることと、②画像は**ビンスワンガー型**の所見であっても無症状のものも少なくないことが挙げられます。高齢になるほど、脳室周囲白質の虚血性障害の発生率が増えるため、この所見は単一の原因で生じたものではなく、加齢も含めた複合原因が想定されます。したがって画像的な解釈を慎重にすべきタイプです。

ビンスワンガー型血管性認知症の症例を紹介します。69 歳の男性で、約 5 年前から症状が出現、徐々に悪化してきています。動作が緩慢で、歩くときのふらつきが目立つためか、最近では昼間から寝ることが多くなっています。時々小便を漏らしてしまうことがありますが、本人はトイレに間に合わなかったと言い訳をしています。介護者である妻を時々妻とはわからず「おばさん」と呼ぶことがあり、妻を悲しがらせています。ただし、これは常時ではなく、多くの場合は妻であることがわかるようです。

このケースのように、妻が妻であることがわかるときとわからないときがあるという認知症状の変動は、自分の身の回りのことが一人でできなくなる重度の認知症で認められやすい症状です。もともと妻と旅行をしたりパークゴルフをすることが好きだったため、妻との散歩を日課にしていました。妻のことがわからないときには、妻との散歩も本人に強い不安を引き起こすため拒否的になりがちですが、それ以外は、穏やかな表情で妻との散歩を楽しんでいます。このように、認知障害が重症化した場合でも、もともと本人が好きなことを安心して続けられるよう支援することが大切です。症状に応じて柔軟に対応する必要があります。

3）皮質梗塞型血管性認知症

脳の表面を走行する皮質動脈の閉塞では、大脳皮質と皮質下白質に梗塞巣が広がりますが、穿通枝動脈の閉塞が少ないため、障害が深部白質に及ぶことが少ない傾向にあります。そのため、初回の発作では巣症状といわれる皮質機能の障害（運動・感覚障害、失語症状、半盲症状、失認症状など）が中心で、認知症を呈する例は多くありません。しかし、内頸動脈閉塞による**分水嶺梗塞（境界領域梗塞）**（46ページの「6-2　血管性認知症の背景」を参照）では、認知症を認めることがあります。分水嶺梗塞の正確な評価には、PETないしはSPECTで脳細胞の代謝障害や血流障害を確認する必要があります（**図4-21**）。

分水嶺梗塞による血管性認知症の症例を紹介します。62歳の男性で、数分間ほど左腕が動かなくなる症状があり病院を受診されました。受診時は意識状態や会話は正常で、明らかな麻痺も認められませんでした。MRIでは右大脳白質に脳梗塞巣を認め、責任血管病変は右内頸動脈閉塞症でした。入院後、治療を開始しましたが、ベッド上で放尿をしたり、自室がわからなくて女性部屋に入って平然としていたりという異常行動が認められました。また日付や場所がわからず、明らかな見当識と記銘力の障害もありました。SPECTでは右大脳半球全体の脳循環が著しく低下しているにもかかわらず、MRIで認められる脳梗塞巣は深部白質の一部に限局していました。このため脳循環障害を改善することを目的に脳血行再建術（バイパス手術）を施行しました。手術後、認知症と考えられていた症状は週を追うごとに改善して、発症から１か月半で自宅に退院され、３か月後には会社員として復職しました。

このケースは、いわゆる治療可能な認知症（treatable dementia）と呼ばれるタイプの一例です。大脳半球の広範囲な部分に血液を流す内頸動脈が閉塞しましたが、他の血管系からの側副血行路が不十分ながら右大脳半球に血液を流していたため、一番虚血になりやすい大脳白質や他の血管系との境界部位に梗塞巣が限局して発生しました。つまり、認知症を生じやすい大脳深部白質や皮質連合野から虚血が進み、梗塞巣が発生してきたことが、認知症の発症原因です（46ページの「6-2　血管性認知症の背景」を参照）。バイパス手術で脳血流を改善することで、あわや脳梗塞に陥りかけた脳組織（虚血性ペナンブラ）を不可逆的な障害から救い出し、脳梗塞の悪化を防いだわけです。

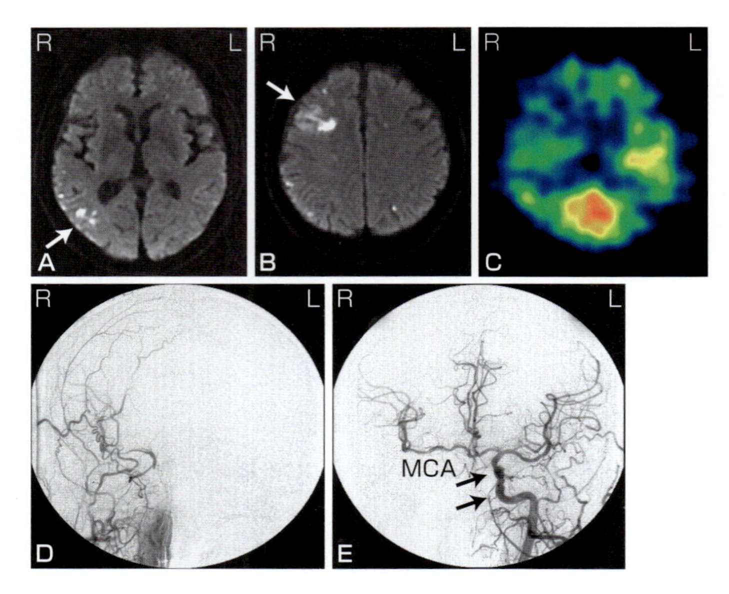

図 4-21　分水嶺梗塞（右内頸動脈閉塞例）

A と B：MRI の拡散強調画像では、右中・後大脳動脈境界領域（A の矢印）や右前・中大脳動脈境界領域（B の矢印）の梗塞を示す。

C：SPECT では右内頸動脈灌流域の広範囲な虚血が見られる。

D：右総頸動脈写正面像では、内頸動脈が描写されず（E に示す矢印参照）、外頸動脈から眼動脈を介する側副血行路が描出される。

E：左総頸動脈写正面像では、内頸動脈（矢印）から側副血行路を経由して右の中大脳動脈（MCA）までもが描写される。つまり、右内頸動脈が閉塞したために、右中大脳動脈領域は不十分ながら反対側の左内頸動脈を経由して血液供給を受けている。このため、SPECT（C）では右半球に広範囲にわたって虚血が見られるが、そのうちの一部分（境界領域）のみが梗塞に陥るにとどまっている。この状態に低血圧などが加わって脳血流量がさらに低下すると梗塞巣が広がってしまう。逆にバイパス手術で血流量を増やすと回復が期待される。

もう一例、左後大脳動脈梗塞による血管性認知症の稀な症例を紹介します。82 歳の女性で、4 年前に左後大脳動脈領域の脳梗塞を発症しましたが、出血性梗塞となって脳圧が亢進したため、外減圧手術を受けました。このため病変のある脳の一部が切除され、その後、著しい記銘障害（新しいエピソードをまったく記憶できない）と失見当が出現し、その状態が継続しています。HDS-R は 5 点で、右の視野欠損と軽度の右半側空間無視傾向があります。アルツハイマー型認知症と異なり、病識はある程度は保たれています。ただ運動麻痺がまったくないため、5 分とじっとしていられずに動き出してしまい、つきっきりの介護が必要で、家族介護者を困らせています。CT では左後頭葉〜側頭葉下面にかけて、脳が欠損状態となっています（**図 4-22**）。

このように一度の脳血管疾患で認知症となることは稀ですが、後大脳動脈が記憶に重要な側頭葉下面から海馬にかけての領域を灌流していること、さらにこのケースでは減圧術で脳を切除してしまったことから、このような著しいエピソード記憶の障害を示したものと考えられます。

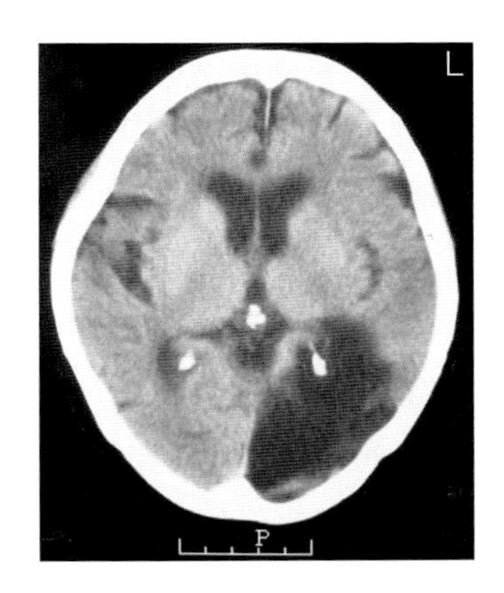

図 4-22　左後大脳動脈梗塞による血管性認知症の例

この人は、レスパイトケア（介護者が休むため）の週末ショートステイから月曜日に自宅に戻ると、他人の家にいるように振る舞っていました。介護者である娘に向かって、「娘が二人いるのに、他人のあなたにお世話になってすみません」と言います。娘の名前を尋ねると「A 子と B 子」としっかり答えますが、ここで面倒を見てくれている人は誰かと問うと、「A 子さん」と他人になってしまいます。「他人に親切にしてもらってすみませんね」とおじゃまモード。そして一晩寝ると翌朝は自宅モードにリセットされ、自宅にいて娘の介護を受けているとわかるようになります。そしてまた、週末まで一日中つきっきりの介護が始まるのです。

こうしたケースで問題となるのが、夜中にごそごそと起き出して夜食をとり、早朝から目覚めて徘徊を始めるなどの生活スタイルです。このため、平日は介護者がゆっくり眠れる余裕もなく、唯一週末に預けている間だけ、ぐっすりと眠って休養をとることができる状況です。それでも週末のショートステイがあるおかげで、また月曜日から優しい気持ちで接する心のゆとりが生まれています。レスパイトケアがきわめて有効な例です。本人にとってショートステイは寂しい所のようですが、介護を破綻させないためにやむを得ず利用しています。

4）アミロイド血管症

アルツハイマー病で見られる老人斑は、アミロイドβの集積が本体です。このアミロイドβは、大脳実質に沈着するだけではなく、脳小血管（2 mm 以下の細動脈や毛細血管）にも沈着することがあります。アミロイドで侵された血管壁は、脆いため出血しやすく、高齢者の皮質下出血の原因になります。このようなアミロイドによる脳小血管病はアミロイド血管症と呼ばれており、アルツハイマー型認知症（8 割以上で合併）だけでなく、健常高齢者でもしばしば認められ、加齢とともに頻度が高くなるといわれています。このようなアミロイド血管症による多発性微小出血の MRI 画像（T2*）を**図 4-11** に示しました。

アミロイド血管症は、脳表面の血管に生じやすく、いったん出血すると大出血になりやすいため、認知症の悪化だけでなく、重篤な身体機能低下も問題となります。またアミロイド血管症は、脳微小出血やビンスワンガー病様の白質病変をしばしば合併しやすく、その２割から３割は、脳出血を発症する前にすでに認知機能の低下が認められます。臨床的には血管性認知症の特徴を有していながら、アミロイドβが原因物質である点で、アミロイド血管症はアルツハイマー型認知症との関連が重要視されています[34)]。

以下に、在宅療養中に皮質下出血を併発したアルツハイマー型認知症の症例を紹介します。91歳の女性です。すでに数年前に中等度の認知症（MMSE 30点満点中20点）と診断され、アルツハイマー型認知症治療薬の投薬を受けて自宅療養中でした。臨床経過は比較的進行が遅く、症状も穏やかでしたが、介護施設でショートステイ中の朝、食事を終えて自室に戻ろうとしたところ、食堂の椅子から崩れるように床に倒れこみました。職員が駆けつけると口から泡を吹いており、声をかけても意識がない状態でした。病院搬入時の頭部CT画像が**図4-23**です。右後頭葉に巨大な皮質下出血を認めました。止血剤や血圧管理などの内科的治療で徐々に意識状態は改善されましたが、左麻痺、体幹機能障害のいずれにも重度な障害が残りました。認知機能も大きく障害され、もはや神経心理検査での評価は困難でした。声かけには大きな声で返答し、嚥下機能自体も保たれていましたが、食欲の低下に加え、食物認知が低いため、モグモグといつまでも口の中で噛み続けるばか

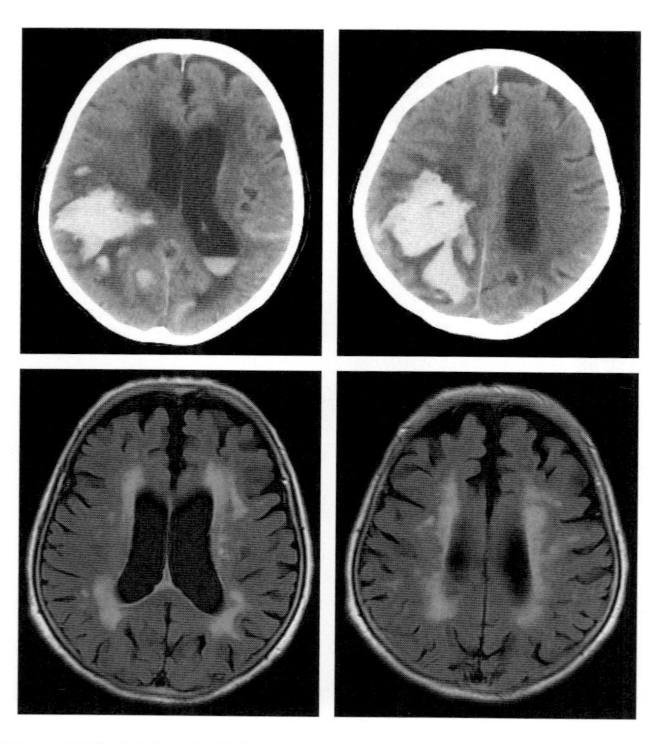

図4-23　皮質下出血を併発したアルツハイマー型認知症の例
上段：病院搬入時の頭部CT画像。アミロイド血管症による右皮質下出血を側頭・頭頂葉に認める。
下段：皮質下出血発症半年前のMRI画像（FLAIR）。大脳深部と脳室周囲白質に病変を認める。

りで、なかなか嚥下には至りません。この点が介護で一番大変でした。アミロイド血管症に限らず、アルツハイマー型認知症高齢者は脳卒中を合併しやすく、いったん発症するとこの例のように一気に症状が悪化することが特徴です。

7 他の変性型認知症

7-1 行動障害型前頭側頭型認知症の診断・治療

行動障害型前頭側頭型認知症の病態の説明は第 1 部の 43 ページを、特徴的な症状（前頭葉症状）とそのケアは第 2 部の 114 ページを参照してください。

特徴的な臨床症状（113 ページの「6-1 前頭葉症状」を参照）を示すので診断は比較的容易ですが、アルツハイマー型認知症で前頭様症状を示す例との鑑別など、厳密には難しい点もあります。記憶障害は進行してから出現するので、初期には MMSE のような認知症のスクリーニング検査で高得点となります。ただし、認知テストに非協力的・拒否的であったり、怒り出す場合は、この病型の可能性があります。脳 MRI では前頭葉と尾状核の萎縮を示し、脳室前角が後角よりも大きくなる点でアルツハイマー型認知症と対照的です（**図 4-24**）。初老期発症例では初期には萎縮が目立たないですが、脳血流 SPECT で前頭葉や側頭葉の血流低下が明らかになり（**図 4-25**）、MRI よりも的確に血流低下部位を同定できます。

元気に動き回り、「わが道を行く行動」で、介護者の言うことに耳を貸さず、介護が最も大変なタイプの認知症です。残念ながら対症療法の薬しかありませんが、新しいタイプの抗うつ剤（SSRI）が脱抑制・常同行動を低減することが示されているので、例えばフルボキサミン 50 mg 程度を試してみます（適応外処方）。一日中動き回る例や目を離すと家を抜け出してしまう例など適切な介護を行ってもあまりに介護が大変な場合は、非定型抗精神病薬や抗痙攣剤（バルプロ酸やカルマバゼピン）を少量投与して興奮を抑えます（適応外処方）。クロルプロマジンの少量投与（5 mg ～10 mg 程度）が著効することがあります。抑肝散やタンドスピロン（セディール®）が有効な例があります。また、筆者の外来には時々アルツハイマー型認知症と診断されてドネペジル（アリセプト®）を投与されている症例が来ますが、ドネペジルを中止すると暴力・暴言・多動が減って家族から感謝されます。基本的にドネペジルを投与してはいけません。

2011 年に発売された**メマンチン**（メマリー®）は、穏やかにする作用があり、行動・心理症状が減弱し、介護負担が少し減ることが多いです（適応外処方）[31]。

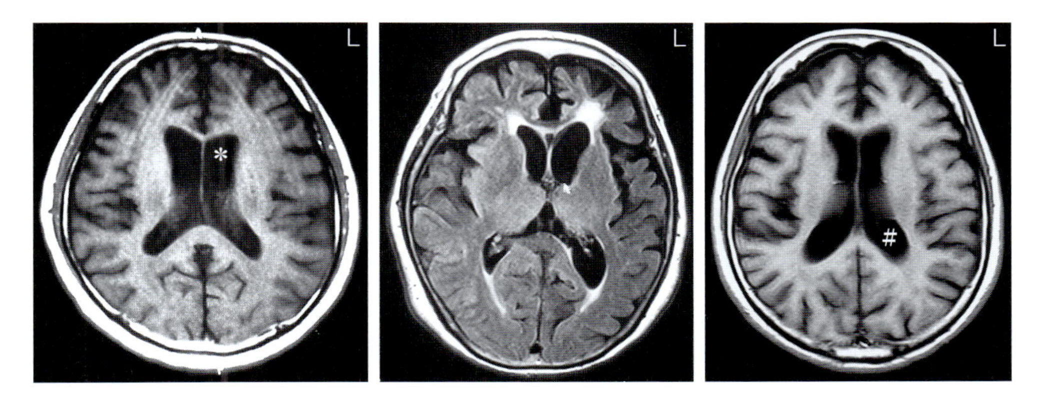

図 4-24　行動障害型前頭側頭型認知症とアルツハイマー型認知症の MRI 対比

左の行動障害型前頭側頭型認知症では、前頭葉の萎縮とともに側脳室の前角（＊）が拡大している。中央の行動障害型前頭側頭型認知症では、左側優位に前頭葉～側頭葉に強い萎縮がある（FLAIR 画像）。このように萎縮に左右差が見られる症例もある。右のアルツハイマー型認知症では、むしろ側脳室後角（#）が拡大している。

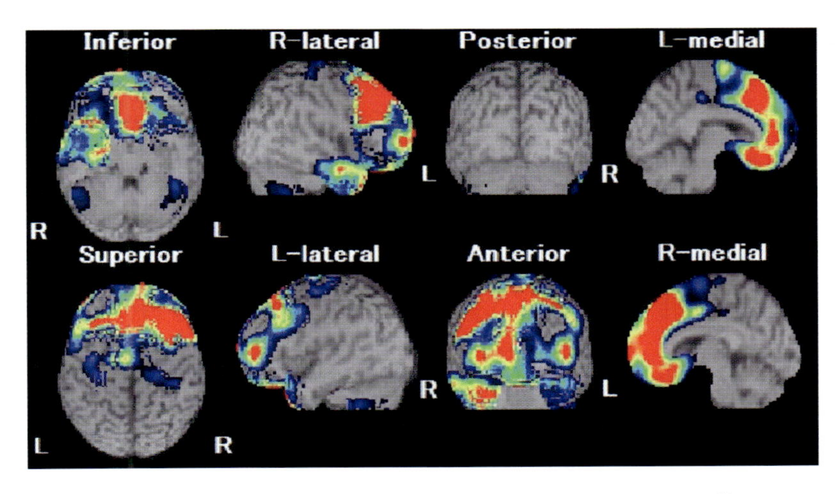

図 4-25　行動障害型前頭側頭型認知症の脳血流 ECD-SPECT 画像

前頭葉の下面（Inferior）、外側面（lateral）、内側面（medial）、上面（Superior）のいずれでも、両側前頭葉前半部で血流が著しく低下している（赤色部）。また、右側頭葉先端部も血流低下が見られる。70 歳代の女性。

ケアでは、常同行動を利用して、適切な行動を習慣づけるルーチン化療法があります（117 ページを参照）。自験例では、GPS 携帯を首からぶら下げることが常同行為となり、肌身離さず携帯をぶら下げていてくれるので、いつでも居場所をキャッチできています（**図 2-13** を参照）。アルツハイマー型認知症でしたら、すぐに外してどこかに置き忘れてくるでしょう。

自験例を紹介します。60歳代の男性で、初発症状は、ネットオークションでカメラを10台くらい購入したことです。必要がないのに短期間で多量に買い込む「こだわり」が特徴的な症状といえます。製造業の仕事をしていましたが、設計図通りに製品を作れなくなって前医を受診し、アルツハイマー型認知症と診断され、ドネペジルが処方されました。

その後2年ほど経過して病状は進行し、常時徘徊して介護が大変になりました。外出すると、行き先は決まっていて一定のパターンがあります（周徊）。時にパンツ一枚で出かけたり、他人の自転車に乗ってきてしまうことがありました（反社会的行動）。自動車を運転したがり、家族が車の鍵を隠すと、家中の鍵という鍵を持ち出してドアを開けようとし、開かないと車を蹴ったり殴ったりするので、車のボディーがボコボコになっています（我慢できない）。診察の時間を待ったり、診察後に窓口で会計を待つことができず、イライラして隣に座っている妻に暴力をふるうことがたびたびありました。2年前から甘いものが好きになり、出せば全部食べてしまいます。そして、糖尿病を併発して治療を受けています。動き回っていないときはボーッとしていて無気力になっています。最近は多動が減って、無気力が増えてきています。

筆者の外来受診時の症状は、上記のように前頭様症状が中心ですが、発語が少なく、ほとんどしゃべらないので、詳細な認知テストは不能でした。発語については、脳内の国語辞典を失って言葉が出ない失語症ではなく、しゃべろうとしない無言症（mutizm）で、言語理解も悪いのですが、自発書字があり、歌を歌うことができました。習字は手本を見て上手に書けます。

MRIで両側の前頭葉皮質と尾状核の萎縮がありますが、年齢が若いので萎縮の程度は強くありません（**図4-24**の左）。側脳室は前角のほうが後角より拡大して、前頭側頭型認知症の特徴を示しています。過去に検査した脳血流SPECTでは両側前頭葉の血流低下があったとのことでした。

ドネペジルを中止して様子を見たところ、周徊が減って、介護が楽になりました。本例は抗精神病薬も中止でき、抑肝散のみで落ち着きました。

7-2　意味性認知症の診断・治療

病態の説明は第1部の43ページを参照してください。

前頭葉ではなく側頭葉が限局性に萎縮すると**意味性認知症**と臨床診断されます（**図4-26**）。左側に萎縮が強いことが多く、物品の名前が言えない、逆に名称を言われても物品がわからない、語義失語という症状になります。例えば、いくつかの物品を並べて「鉛筆を取ってください」と命じても、鉛筆を取れない。逆に鉛筆を見せて名称を尋ねても

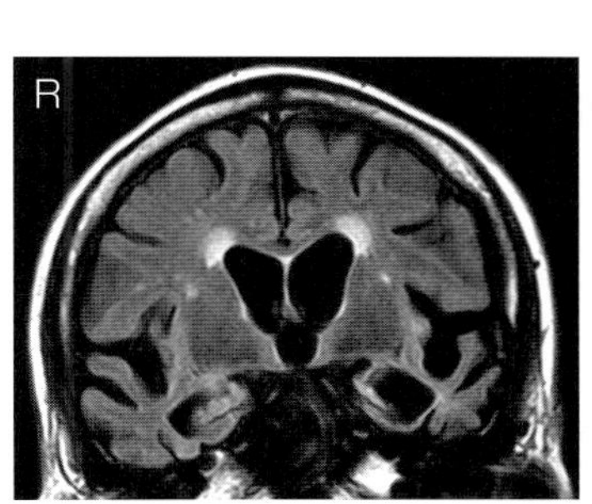

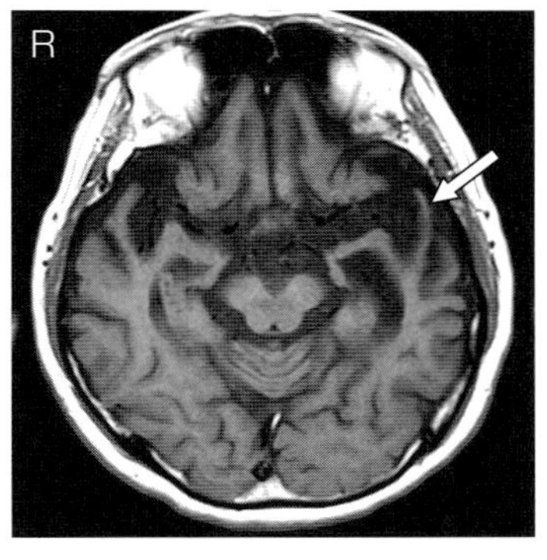

図 4-26　意味性認知症の MRI

「エンピツ」と答えられない。さらに、「エ」や「エン」と語頭音のヒントを与えても「エンピツ」という単語が出てこない特徴があります。また、海老を「カイロウ」、土産を「ドサン」などと文字通りに読む特徴があります。

一方、右側頭葉の萎縮が強い場合は、顔を見ても誰だかわからない相貌失認の症状が初期から出現します。このように物や言葉や顔の「意味」、すなわち意味記憶が失われることが特徴です。その割には、出来事記憶は保たれていますが、意味記憶障害を健忘（出来事記憶の障害）と誤解されて、アルツハイマー型認知症と誤診されることが多いです。

MRI では側頭葉～海馬領域の限局性萎縮があり（**図 4-26**）、アルツハイマー型認知症と誤診される要因となります。アルツハイマー型認知症との違いは、左右差が強く、萎縮の程度も著しいこと、側頭極（先端部）の脳回がナイフのように薄く萎縮していることです（図の矢印）。上側頭回は比較的保たれ、中・下側頭回の萎縮が強いのが特徴です。左右差がしばしば見られます。

似た症状を示し、鑑別を要する病態に、Logopenic progressive aphasia があります。意味性認知症のように名称を言いにくいのですが、復唱ができないことや錯語が多いことが意味性認知症と異なり、その病因はアルツハイマー病であることが多いです。

意味性認知症の治療は、言葉が出ない症状にガランタミンが有効かもしれません。前頭葉症状が強くなれば、アセチルコリンを増やす薬剤は使わず、抗精神病薬など行動障害型前頭側頭型認知症に準じた治療を行います。

7-3　神経原線維変化優位型老年期認知症

高齢者タウオパチーの一つで、**海馬領域**を中心に多数の**神経原線維変化**が出現し、老人斑は欠くか、ごくわずかしか出現しないという特徴をもった疾患です。85 歳以上の高齢者に発症し、進行が緩徐で、記憶障害が主体です。他の認知障害は軽度か伴わないため、軽度のアルツハイマー型認知症または軽度認知障害（MCI）の臨床像を呈します。脳βアミロイド沈着を促進するApoE4型遺伝子がアルツハイマー型認知症の危険因子ですが、この疾患では逆に、脳βアミロイド沈着を防ぐApoE2型をもつ頻度が高いという特徴をもっています。MRIでは海馬領域の萎縮を示しますが、アルツハイマー型認知症との鑑別が困難なため、軽度のアルツハイマー型認知症やMCIと臨床診断されます。今後、脳アミロイドイメージング（PBI-PET）が実施できるようになれば、アルツハイマー型認知症とは鑑別が可能になります。生前には臨床診断が難しいですが、死後脳の病理検索では90歳以上の認知症の20％を占めるという報告があります。

進行しないでMCIにとどまる例や軽度の認知症例の原因疾患として大切だと思われます。進行が緩徐なので、脳活性化リハで回復が期待されます。

自験例は80歳代の女性で、近時記憶障害を示して軽症のアルツハイマー型認知症と診断されていましたが、剖検で海馬領域に限局した多量の神経原線維変化出現が確認され、この診断がつきました。

7-4　嗜銀顆粒性認知症[35)]

1）概念と病態

剖検脳の銀液を用いた組織染色で、嗜銀顆粒（銀が付着した顆粒状構造物）が多数出現するのが特徴です。これはシナプスにタウタンパクが蓄積したもので（**図4-27**）、神経原線維変化優位型老年期認知症や進行性核上性麻痺とともに、**高齢者タウオパチー**といわれる疾患です。加齢に伴って、嗜銀顆粒は迂回回・扁桃核から出現し始めます（ステージⅠ：迂回回ステージ）。次いで、側頭葉内側面から海馬に及び（ステージⅡ：側頭葉ステージ）、さらに島回や前帯状回などへと広がります（ステージⅢ：前頭葉ステージ）。嗜銀顆粒は高齢者脳の約半数に出現し、種々の認知症で併存しますが、ステージⅢになると、この病変単独でも認知症を発症します。

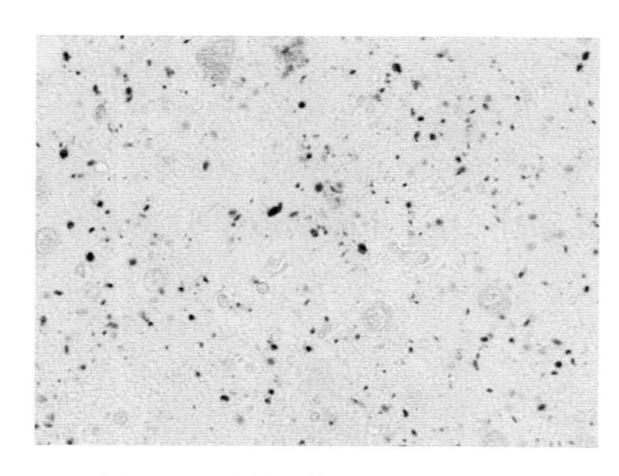

図4-27　嗜銀顆粒のタウ免疫染色
散在する嗜銀顆粒にはリン酸化タウが蓄積しているので、その抗体（AT-8）で染色される。

2）症状

嗜銀顆粒の出現範囲が広がると、この病変単独で認知症が出現します。健忘が中心症状で、軽度認知障害～軽度アルツハイマー型認知症の症状を示すことが多いのですが、一部の症例では行動・性格の変化といった前頭葉症状が出現し、前頭側頭型認知症と臨床診断されます。行動・心理症状（易怒性や妄想）が目立ち、進行が遅い高齢のアルツハイマー型認知症は、嗜銀顆粒性認知症かもしれません。

また、アルツハイマー型認知症などに嗜銀顆粒病変が合併して症状を修飾します。

3）診断

特徴的な診断マーカーを欠いていることから臨床診断が困難なのですが、① 85 歳以降の高齢発症、②妄想や易怒性などの行動・心理症状を伴い、アルツハイマー型認知症と行動障害型前頭側頭型認知症の中間的症状、③ MRI で海馬前方の左右差を伴う萎縮がありVSRAD の Z 値が高い、④進行が緩徐、などの特徴があり、臨床診断をなるべくつけようという流れになっています（なかなか難しいですが）。筆者は、ドネペジルで易怒性が出現する症例は嗜銀顆粒性認知症ではないかと疑ってかかります。

生前はアルツハイマー型認知症や前頭側頭型認知症と診断され、臨床での認知度が低い疾患です。嗜銀顆粒は他のタイプの認知症に併発する率が高いので、他のタイプの認知症の症状を修飾する因子として重要と考えられています。

7-5　進行性核上性麻痺

1）概念と病態

タウが**神経原線維変化**として神経細胞内に多量に出現するだけでなく、グリア細胞の中にもタウが蓄積する**タウオパチー**の一つです。初老期から高齢期に発症する皮質下性認知症の代表です。大脳基底核や脳幹の諸核で神経細胞が減少します。

2）症状

パーキンソン病と似た動作緩慢や歩行障害があり、進行すると認知症に加えて、偽性球麻痺による嚥下困難や構音障害が出現します。上下方向の**注視麻痺**（眼球が垂直方向、特に下方に動かない）が特徴的ですが、進行すると水平方向の動きも悪くなります。開眼失行や眼瞼痙攣などの眼症状もしばしば出現します。進行すると頸部が後屈位で硬直する姿勢異常が特徴的です。認知症には大脳皮質にも出現するタウ蓄積病変が関係していますが、皮質下性認知症なので、記憶障害は想起障害が主で、思考が緩慢となり、無気力、うつ的なことが多く、徐々に進行して 5～10 年で死に至ります。

拍手徴候が陽性になります。「なるべく早く３回だけ拍手してください」と命じて、パンパンパンと拍手の見本を示し、そのあと拍手してもらいます。すると、３回で止まらず４回以上拍手するのが陽性です。

3）診断

MRI で中脳の萎縮を示す徴候として、水平断での前後径の減少と矢状断でのハチドリ徴候（ハミングバードサイン／**図 4-28**）、脳血流 SPECT では前頭葉内側面、特に前部帯状回の血流低下が特徴的といわれています。パーキンソン症状に対して L-DOPA を投与しても効きにくいことが、パーキンソン病と異なることを示す所見ともなります。

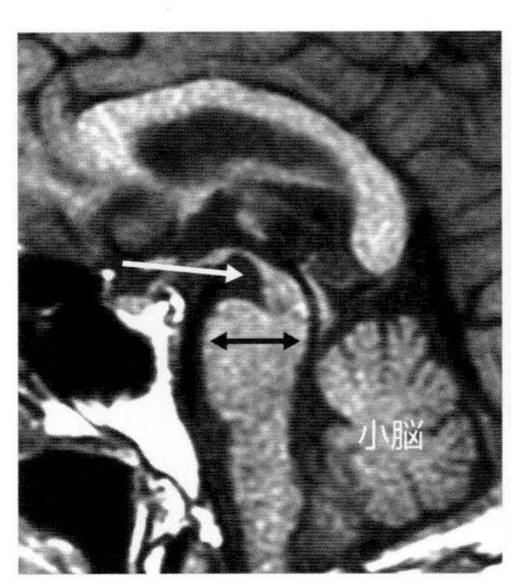

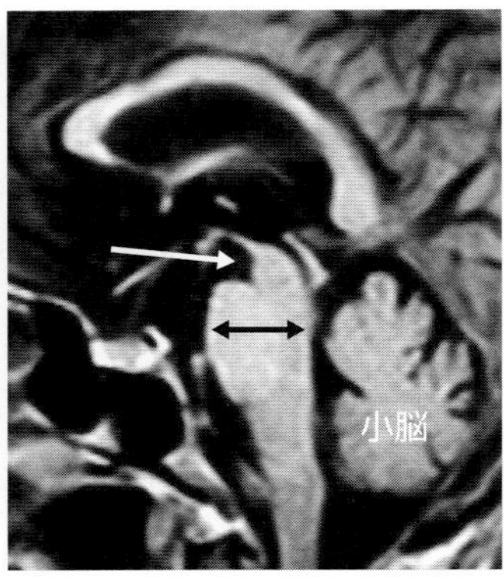

図 4-28　進行性核上性麻痺のハチドリ徴候
MRI で進行性核上性麻痺（左）とアルツハイマー型認知症（右）の対比を示す。正中矢状断で、橋の太さ（黒両矢印）は変わらないが、中脳（白矢印の先）が萎縮して、鳥の頭が痩せてくちばしが長くなり、蜜を吸うハチドリのように見える。

8 認知症様症状を示す様々な疾患

変性型認知症や血管性認知症のほかにも、種々の脳内病変や全身性疾患で認知症ないし認知症様症状を生じます。例えば、肺機能低下、心不全、強い貧血でも脳への酸素供給が低減して、認知症の症状が出現することがあります。低酸素症は急性期には認知症ではなく意識障害を示し、短期間であれば脳機能が回復します。一方、重度の低酸素症が遷延して神経細胞が広範なダメージを受ければ、低酸素症から回復してもその後遺障害として認知症が残ります。このように低酸素症一つを例にとっても、どの領域がどの程度に障害を受けたかということで予後が異なるように、その病態は複雑です。ここでは、変性型認知症と血管性認知症以外の認知症疾患について、中でも頻度の比較的高いものに絞って大別しながら述べます。これらの疾患では、認知症が必ず生じるわけではなく、「認知症または認知症様症状が生じることのある疾患」です。また急性期には治療可能なもの（treatable dementia）がある点で、変性型認知症と異なります。

8-1　脳内病変

1）特発性正常圧水頭症（iNPH：idiopathic normal pressure hydrocephalus）

脳脊髄液は毎日 500 ml ほど脳室内で作られて、脳幹部で脳室外に流れ出たあと、脳表をめぐって頭頂部の髄膜（くも膜顆粒）で吸収されています。この流れや吸収が悪くなり「産生＞吸収」の状態となると、水頭症を発症します。原因不明の特発性と、くも膜下出血や頭部外傷後に二次的に生じる続発性があります。特発性正常圧水頭症は認知症全体の数％を占めているばかりでなく、アルツハイマー型認知症など他の認知症に合併することもあります。

特発性正常圧水頭症の症状は、①認知症状――記憶障害や思考の鈍麻、動作緩慢、意欲低下などで、注意が散漫で反応に時間がかかりボーッとしている、②歩行障害――足を左右に広げて摺り足で小刻みにゆっくり歩き、不安定で転倒しやすい（**図 4-6**）、③排尿障害

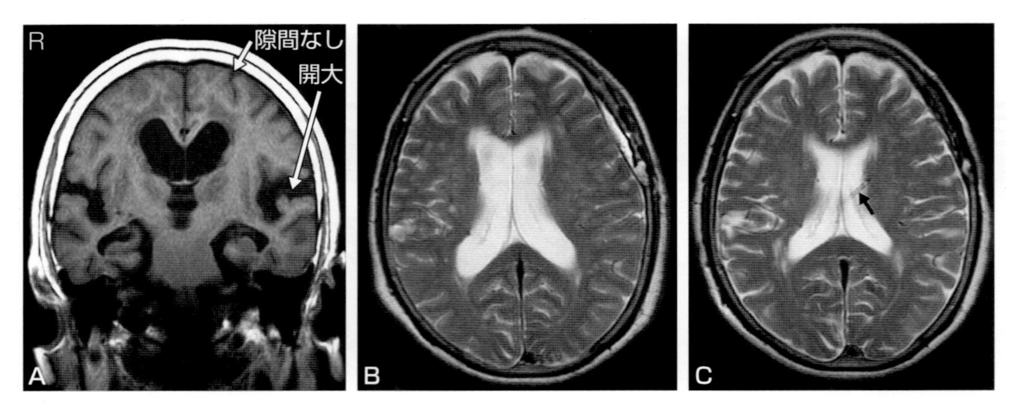

図 4-29　特発性正常圧水頭症の冠状断 MRI とシャント手術の効果
A：冠状断 MRI 画像で特徴的な所見が見られ、診断に有用。
B と C：くも膜下出血 1 か月後に発症した症例で、手術前（B）は大きかった脳室が、シャント手術（矢印で示しているのはシャントの管）により著しく減少し（C：3 年後）、認知機能が改善、歩行障害や尿失禁は消失した。

――頻尿や尿意切迫、尿失禁（初期にはなく遅れて出現する）が三大徴候です。認知症が軽い時期に歩行障害や尿失禁が出てくることも特徴です。MRI などの脳画像では、①側脳室の著しい拡大、②大脳上部（頭頂部）のくも膜下腔や脳溝が狭小化して隙間がなくなる、③シルビウス裂や大脳下半部の脳溝は拡大、④一部の脳溝の卵形拡大（髄液貯留）という特徴的な所見を示し、くも膜下腔の不均衡な拡大を伴う水頭症（disproportionately enlarged subarachnoid-space hydrocephalus：DESH）といいます（**図 4-29**）。VSRAD では 5～10 と異常に大きな Z 値を示します。拡張した側脳室壁が離断して、脳脊髄液を吸収する側副路が形成されるために、圧があまり上昇しませんので、「正常圧」という名がついています。腰椎穿刺で髄液を 30 ml 程度抜いて症状が軽快するかどうかを見る髄液排除試験（髄液タップテスト）が有効（歩行障害などが軽減する）なら、診断根拠になると同時に脳室腹腔シャント手術（側脳室から腹腔内まで細い管で脳脊髄液が流れるようにする）の効果が期待されます（**図 4-29**）。腰椎部に入れて腹腔に流す腰椎腹腔シャント手術もあり、この方法では脳を傷つけません。認知障害の程度が軽いうちに発見して手術を行うと症状の回復率が高いので、treatable dementia の代表疾患です。しかし、進行例や遷延例では手術もあまり効果を示しません。また、アルツハイマー型認知症などに合併する例も多く、その場合はシャント手術をして歩行障害が軽減しても、認知症は徐々に進行していきます。残念ながら treatable な症例は一部にすぎません。手術を行わない（行えない）例では、筆者は、五苓散（ごれいさん）の投与を試みてみますが、有効な症例もあります。

2）慢性硬膜下血腫

頭部外傷をきっかけに硬膜下に生じた血腫が少しずつ体積を増して脳を圧迫し、受傷後

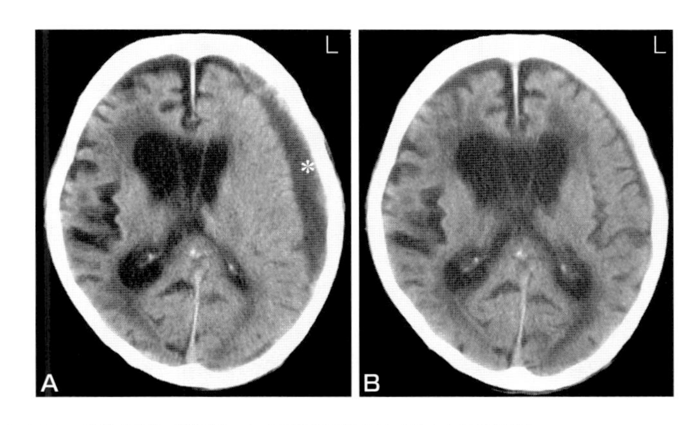

図 4-30　認知症に併発した慢性硬膜下血腫（未手術例）
A：血腫（＊）が発見された。左半球が圧迫されている。
B：この例では家族が手術を望まず、CT でフォローすると４か月後に血腫はほぼ吸収された。

1～3 か月で意識障害や片麻痺、頭痛・嘔吐などの頭蓋内圧亢進症状を引き起こします。脳が萎縮している高齢者では、軽い衝撃でも硬膜下血腫を生じやすいので、はっきりとした頭部外傷がないまま生じることもあります。また、症状も意欲減退などで、典型的なものではありません。高齢者の元気がなくなり、歩行が不安定になる、また、元からあった認知症が急速に悪化する場合などは、この疾患を疑って、CT か MRI をチェックする必要があります（**図 4-30**）。アルツハイマー型認知症の人にもしばしば合併するので注意が必要です。

早期に診断して血腫除去手術をすると、脳の圧迫がとれて、脳機能も元の状態近くまで回復します。一方、発見が遅れたり手術しなかった場合は、圧迫による脳血流の減少（虚血）が神経細胞死を引き起こし、認知障害を残します。血腫の増大が続いて脳ヘルニアを発症して死亡することもあります。

自験例は、アルツハイマー型認知症で徘徊のある介護老人福祉施設（特別養護老人ホーム）入所者でした。ベッド柵に頭部をぶつけてから 2 か月後に、元気がなく、徘徊が減り、動作が緩慢で食事に時間がかかるようになりました。CT で硬膜下血腫が発見され、血腫除去手術を受けて 1 週間ほどで施設へ戻りました。その後、一時的にはほぼ元のレベルに回復しましたが、認知症の進行とともに以前のような元気な姿は見られなくなりました。

3）てんかんと一過性全健忘

認知症と診断されている人の中に、てんかんが隠れている可能性が指摘されています。

一時的に意識が曇るタイプのてんかんである意識減損焦点発作（従来の複雑部分発作に相当）は、週に数回などの頻度で、数十秒～数分間意識が混濁し、呼びかけても反応が鈍く、動作がストップします。そして、発作後もしばらくボーッとした状態が続きます。この間の記憶がなく、しばしばアルツハイマー型認知症と誤診されます。痙攣発作を伴わないので、てんかんとは思われにくい特徴があります。発作時には、口をもぐもぐ・くちゃくちゃ動かす、指を動かすなどの自動症を伴うことが多いです。てんかんの焦点（異常な電気信号の発生場所）は側頭葉、特に海馬に多く、側頭葉てんかんともいわれます。診断には発作時の脳波検査で異常を確認することが必要です。しかし、発作頻度が低いので、発作中に脳波を調べることは困難なことも多く、その場合は抗痙攣剤で治療すると発作が消失することから診断します。このてんかんの重積状態では意識障害が継続します。

一過性全健忘という記憶障害では、ある日の記憶が抜け落ちている状態となります。一時的な海馬の機能不全で新しいことを記憶できなくなりますが、一日以内で回復します。原因は、海馬領域の一時的な血流障害や、精神的なストレスなどが挙げられています。上記の意識減損焦点発作との鑑別が必要です。

4）脳内感染症

単純ヘルペス脳炎では側頭葉病変が強く、急性期を乗り越えて救命されても、後遺障害として記憶障害を中心とした認知症を呈します。このほか、神経梅毒による進行麻痺、AIDS 脳症、プリオン病、脳膿瘍、髄膜炎などでも認知症が見られます。神経梅毒による縮瞳や対光反射消失（Argyll Robertson 瞳孔）を見過ごさないことが大切です。

5）脳腫瘍

徐々に増大する良性の脳腫瘍が、前頭葉など生じる部位によっては、認知症を引き起こします（**図 4-31**）。脳内の悪性腫瘍の場合は、急速に増大するので、意識障害や運動麻

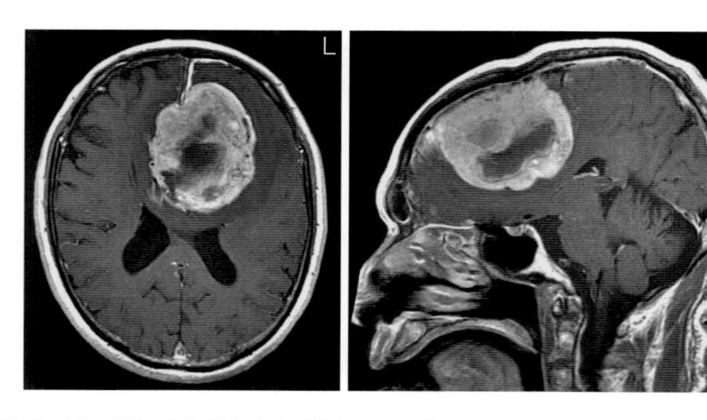

図 4-31　認知症を呈した髄膜種の MRI 像
前頭葉に巨大な髄膜種が形成され、脳を圧迫している。脳を覆う髄膜を発生母地とし、ごく緩徐に増大する髄膜種が前頭葉に形成されると、認知症をきたしやすい。しかし摘出手術で回復する。

痺、痙攣など認知症とは異なる様相を示します。自験例は、前頭葉にできた大きな髄膜腫（脳の外にでき、ゆっくりと大きくなる）でした。アルツハイマー型認知症にしては凶暴だなという印象でした。元気に歩き回り、少々性的な言動の多い男性高齢者でした。介護老人福祉施設（特別養護老人ホーム）に入居していましたが、80歳代後半の妻は手術を望まず、その後２年ほどで昏睡となり亡くなりました。

8-2　内科系疾患

1）内分泌・代謝異常

甲状腺機能低下症では思考が鈍麻します。また、神経細胞の電気的活動にはカルシウムなどの電解質濃度が一定であることが大切で、これらのバランスを崩す副甲状腺疾患や腎疾患などが認知症様症状の原因となりえます。

2）中毒

慢性アルコール中毒、水銀やカドミウムなどの金属中毒、シンナーなどの有機溶媒中毒があります。これらの疾患では徐々に認知症様症状を呈しますが、手足のしびれ感などの末梢神経障害の合併が特徴です。

3）欠乏症

ビタミンB_{12}欠乏に注目することが大切です。現在のように優れた抗潰瘍剤が開発される以前は、胃潰瘍で胃の部分切除手術を受けることが頻繁にありました。ですから、現在の高齢者にはかつて胃切除を受けた人が多いのです。胃はB_{12}の吸収に必要な内因子を分泌しているので、胃の内因子放出部が切り取られると、術後数年以上経過してからB_{12}欠乏をきたします。逆流性胃炎などで胃酸分泌を抑える薬を長期間使うことが原因となる場合もあります。貧血と認知機能低下に加えて、手足のしびれなどの末梢神経障害や下肢の痙性を伴い（亜急性連合変性症）、認知症を呈することがあります。

自験例を紹介します。もの忘れを主訴に来院した70歳代の女性です。初診時のHDS-Rは11点と中等度認知症のレベルでしたが、両足指のしびれと大球性貧血（赤血球のサイズが大きくなるタイプの貧血）からB_{12}欠乏を疑ったところ、血液検査でB_{12}欠乏が明らかになりました。そこでB_{12}を補給する治療を行ったところ、6週後にはHDS-Rが20点と急激に改善し、貧血も改善しました。1年後のHDS-Rは21点でしたが、両足指の軽いしびれは残りました。完治はしませんでしたが、治療可能な認知症（treatable dementia）の典型例です。

葉酸の欠乏は、高ホモシステイン血症をきたして動脈硬化の促進による脳梗塞の危険因子となることや、認知機能低下の危険因子となることが示されています。

また、ビタミン B_1 欠乏のウェルニッケ（Wernicke）脳症もあります。自験例は、妊娠中毒症でつわりが激しくて食事を摂取できず、多量のブドウ糖液の点滴を受けました。このときに B_1 を併用せずに点滴されたため、医療事故による B_1 欠乏のウェルニッケ脳症となりました。そして、軽度の認知症、著しい運動失調による歩行不能、手と体幹の振戦が後遺障害として残りました。

4）低酸素症

呼吸器疾患や心不全などのほか、CO 中毒があります。ちなみに筆者の住む群馬県では、冬に氷上でワカサギ釣りをする際、小さなテントの中に練炭を持ち込んで暖をとることで CO 中毒が発生しました。自験例は、急性期に昏睡状態となった重症例でした。その後、意識障害から回復しましたが、著しく自発性が低下し、麻痺がないのに動こうとしないで寝たきりでいて、話せるのに話そうとしない無言症でほとんど発語がなく、一日中ベッドの上でボーッとしていました。

8-3　薬剤

薬剤の中には認知症様症状を引き起こすものがありますが、多くは中止すると回復するので、認知症ではなく、**せん妄**です。中枢神経系に働く薬剤ばかりでなく、胃酸分泌を抑制する抗潰瘍薬（H_2 ブロッカー）や抗がん剤などにも注意が必要です。

エチゾラムなどの抗不安薬や長時間作用する眠剤（エスタゾラム、クアゼパムなど）で、軽度認知障害〜軽度の認知症レベルに認知機能が低下している例にはしばしば遭遇します。そして、これらの薬剤を中止することで認知機能が向上します。軽度認知症から健常レベルに戻る人もいます。本人は、ずっと以前から内服している薬なのでそんなはずはないと主張して中止に抵抗するのですが、筆者は、加齢によって脳が脆弱化したので影響が出ているのだと説明して中止してもらいます。

薬剤を多剤内服しているために認知症が悪化している例に時々遭遇します。まずはすべての薬剤を中止する勇気が必要です。ただし、中枢神経系に作用する薬は漸増漸減が原則で、いきなり中止してはいけませんが。必須ではない薬剤を中止すると本来の認知症の姿になり、HDS-R の点数が 10 点上昇することも稀ではありません。

treatable dementia は認知症？

認知症疾患の１割程度は **treatable dementia**（治療可能な認知症）だといわれます。前ページまでに認知症様症状を示す疾患として挙げたものの多くは、いずれも何らかの治療法があるので、treatable dementia といわれます。しかし、認知症とは、脳に病変があり、神経細胞が壊れる、神経線維が切れるなどの器質的変化によるものなので、基本的に症状が持続します。ですから、急速に回復する treatable dementia は、dementia（認知症）にあてはまらないわけです。さらに、これらの疾患で治療が遅れると不可逆的な損傷となり、後遺障害として認知症をきたすので treatable ではありません。例えば、前述したように、低酸素症でも治療が遅れると認知症が後遺障害として残ります。

このように treatable dementia の定義は難しく、単純には treatable かどうか白黒をつけられないのですが、treatable dementia は「治療可能な認知症」という意味ではなく、「**認知症のような症状を示すことのある疾患だが治療法があるので、症状発生直後に治療すれば、認知症を残さずに回復も可能な疾患**」と理解しておいたほうが実用的だと考えます。つまり、認知症ではなく意識障害がメインの急性期には treatable ですが、遷延して認知症になってしまうと treatable ではありません（もちろんリハで回復の余地はありますが）。**表 1-8**（20 ページ）のⅢ・Ⅳにある疾患の多くは treatable dementia といわれますが、この観点から本書では、認知症様症状出現時点で治療による効果が期待できるものに限って印をつけてあります。

9 認知症とうつとアパシー(自発性低下)

老化に伴う身体機能の低下とともに、家庭や社会環境の変化に適応する能力が徐々に衰え、高齢者は不安を抱えやすい状況にあります。このため、高齢者の約1割に**うつ状態**が見られますが、認知症ではさらに高頻度にうつ状態が見られます。認知症による失見当が不安と混乱をもたらすことは、すでに述べた通りです(103ページの「5. 各論2:見当識障害とケア」を参照)。しかも、認知症の人では、うつ状態が認知症による性格の変化や思考の変化など認知症状そのものなのか、認知症に伴ううつ状態なのか、うつ病による認知機能低下(偽性認知症)なのか、うつ状態の診断は容易ではありません。うつ病は独立した疾患ですが、うつ状態は認知症に頻繁に見られます。**うつ症状**には、悲しさや不安感、喪失感、希望をなくし悲観的、疲れて元気がないなどの精神症状と、食欲低下や不眠、慢性頭痛などの身体症状があります(**表4-17**)。

認知症では、しばしば自発性が低下します。この、やる気がなく自発性が低下している

表4-17　うつとアパシーの鑑別と治療

	うつ	アパシー
気分	悲哀的、絶望的(生きていてもしょうがない)	無感情(感動しない)、自発性低下(やる気なし)
病識	過多(自分を過小評価)	低下(自分を過大評価)
葛藤	あり	なし
本人の困惑	あり	なし
身体症状	食欲低下や不眠などを伴う	伴わない
非薬物療法	運動が有効	ほめ合う
治療薬	SSRI(抗うつ薬)	コリンエステラーゼ阻害薬 ドパミン作動薬
認知症病型	レビー小体型やアルツハイマー型認知症の初期	血管性認知症、特発性正常圧水頭症

状態はアパシー（apathy）といわれ、悲壮感を伴ううつと区別すべき症状です。「ダメな人間だ」、「もう死んだほうがいい」といった悲観的な訴えがあり、本人が苦痛ならばうつで、ただ意欲がなくて一日中ボーッとして無為・無欲、そして、本人はそのことが苦痛でないのはアパシーです（**表 4-17**）。アルツハイマー型認知症やレビー小体型認知症の初期ではうつが多く、血管性認知症や特発性正常圧水頭症で多いのはアパシーです。

なお、**うつ病**とは、抑うつ気分や興味・喜びの喪失、無力感などの心が落ち込んだ状態が２週間以上続く機能性疾患で、神経細胞減少などの器質障害は見られません。うつ病の脳では、ノルアドレナリン神経系やセロトニン神経系の働きが悪くなっています。

9-1　認知症に見られるうつ症状

アルツハイマー型認知症では注意深く見ると 20〜40％ にうつ状態が出現するといわれますが、自発性の低下（アパシー）をうつと誤解している場合も含まれると考えられます。発症初期には、体の衰えや記憶力減退からくる喪失感をもちやすく、また、記憶障害や失見当から自分の置かれた状況を正しく認識できず、自分を失っていくことに強い不安をもっています。アルツハイマー型認知症では、中脳黒質（ドパミン神経系）や橋背部の青斑核（ノルアドレナリン神経系）など（**図 1-7** を参照）の神経細胞数が減少し、うつ状態を生じるようです[36]。このようなうつ状態も、アルツハイマー型認知症が進行すると、徐々に病識が失われ、むしろいつもニコニコと外観上は多幸的に見えるようになっていきます。しかし、時折みせる「何が何だかわからない」などのつぶやきに不安が垣間見えます。

レビー小体型認知症では、50％ にうつが初発症状として出現しますので、これを見逃さないことが大切です。難治性うつ病とされてきた症例の中にしばしばレビー小体型認知症が見つかるといわれます。

血管性認知症でも、不安を抱える頻度が高く、右大脳半球（特に右前頭葉）に病変があると意欲や自発性が著しく低下します[36]。前頭葉白質や大脳基底核の血管性病変（虚血）が血管性認知症のうつやアパシーと関連するという報告もあります。血管性認知症ではうつの合併が 10％ 程度ですが、アパシーは 80％ と高率に見られます。自発性・発動性の低下が血管性認知症の特徴です。同様な特徴は特発性正常圧水頭症でも見られます。

9-2　アルツハイマー型認知症とうつ病の鑑別

高齢者のうつ病では、頭痛や腹痛など心気的身体的訴えが多く、悲哀感を訴え、自殺率も高いので、的確な診断が必要です。うつ病で注意力低下・思考緩慢、自発性低下などの認知症様症状を示すと**偽性認知症**といわれます。偽性認知症では、考えようとする気力がなく、知能検査の質問に対して考えもせずに「わかりません」と答えるので、得点が認知症レベルになってしまいます。しかし、認知症とは異なり、周囲の状況が見えています。外見上は、発動性がないため認知できていないように見えるのですが、周囲の状況は正しく認識し状況判断ができているのです。また、I-ADLも障害されません。

逆に、アルツハイマー型認知症初期の人が、記憶障害を訴えずに抑うつ症状を強く訴えると、うつ病と誤診されてしまいます。このように、初期アルツハイマー型認知症とうつ病とは鑑別が難しい点があります。しかし、うつ病では症状を実際より強く訴える傾向があり、アルツハイマー型認知症では逆に病識を欠き、症状をより軽く訴える傾向があります。アルツハイマー型認知症では、本人よりも家族が心配していることが多いのです。よって、アルツハイマー型認知症の人の多くは悲観的ではありません。悲観的なアルツハイマー型認知症の人（少数派）の経過を数年間追っていると、幻視などのレビー小体型認知症の症状が加わってきて、アルツハイマー型とレビー小体型の合併例になることをしばしば経験します。レビー小体型認知症の特徴であるうつが見られる場合は要注意です。

うつ病では記憶障害はないか軽度なので、記憶障害の有無を本人に問うだけでなく、生活状況を家族から聴取して客観的に注意深く判断することが大切です。

筆者の経験では、アルツハイマー型認知症でもMRIで前頭葉白質の虚血性変化（T2強調画像で高信号）が強い例では自発性の低下を伴い、数年間で急速に認知機能が低下していくことが多いです（**図4-16**を参照）。

鑑別のポイントをまとめると、できないことを取り繕い、うつ症状を隠して平気を装う場合はアルツハイマー型認知症、やる気のない場合は血管性認知症や特発性正常圧水頭症、うつ症状が前面に出ていればレビー小体型認知症か老年期うつ病と大雑把にいえるでしょう。

筆者はうつ症状の評価に高齢者うつ尺度（Geriatric Depression Scale：GDS）15項目版を用いています。数値化することで経過観察にも役立ちます。

9-3　うつ症状の治療とセロトニン

セロトニンは、脳幹の縫線核（**図1-7**を参照）から大脳皮質に広範囲に投射する神経線維の末端（シナプス前終末）で放出され、皮質の働きをコントロールしています。有田[37]は、セロトニン神経系の働きをオーケストラを束ねる指揮者の役割に譬（たと）えています。セロトニン神経系の働きが悪くなると、「キレる」（平常心を保てない）、「うつ」といった症状が出ます。抗うつ剤であるselective serotonin reuptake inhibitor（SSRI）は、セロトニン神経の軸索末端でセロトニンの再取り込みに携わるセロトニントランスポーターの働きを

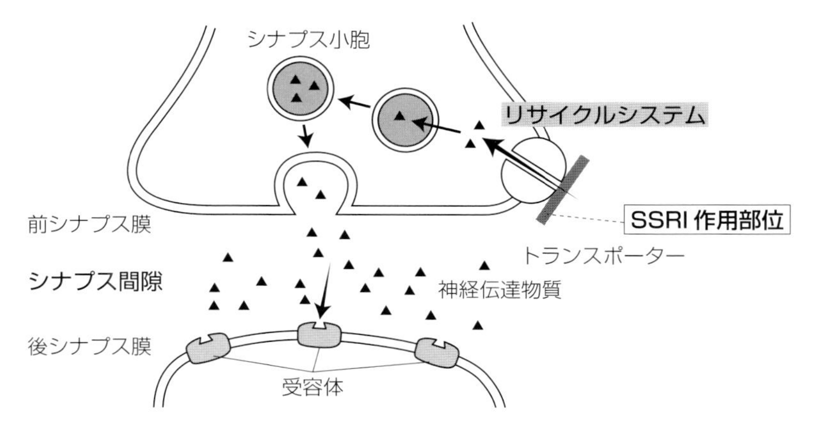

図 4-32　シナプスでの SSRI 作用機序
セロトニン作動線維の軸索終末から放出されたセロトニンは、受容体に結合して情報を伝えたあと、セロトニントランスポーター（セロトニンの運び屋タンパク）によって再吸収され再利用される。SSRI はこのトランスポーターに働いて再吸収を抑制し、シナプス間隙でのセロトニン濃度を上昇させる。

阻止することでシナプス間隙のセロトニン濃度を上昇させるため（**図 4-32**）、気分が安定し、不安が除去されます。

このセロトニントランスポーターやセロトニン受容体はタンパクなので、その遺伝子には多型があり、性格に影響します。そして、これらセロトニン関連遺伝子の特定の型をもつアルツハイマー型認知症の人では、焦燥や攻撃性などの行動・心理症状が出現しやすくなると報告されています。ちなみに、行動・心理症状に有効な漢方の抑肝散（359 ページを参照）は、セロトニン神経系の調節作用をもっていると考えられています。

セロトニンは海馬にも働き、記憶をコントロールしています。セロトニンが減ると細かいことまで記憶に残り、気になってしまいます。心が恐怖や不安でいっぱいになってパニック状態に陥るパニック症候群に SSRI の投与が有効なことから、セロトニンは脳が不安で暴走するのを防ぎ、生きがいを感じたり自信をもつのに必要な神経伝達物質だと考えられています。わかりやすく言うと、セロトニンは「幸福感」や「満足感」をもたらす癒し系神経伝達物質なのです。

認知症の人にうつ症状が見られるときは、第一に身体活動を勧めます。律動的な運動が脳内セロトニン神経細胞を活性化します。SSRI のような抗うつ薬は、シナプスでのセロトニンの放出不足を再吸収抑制で補う姑息的な治療法ですが、律動的な運動を続けるとシナプスでのセロトニン放出の絶対量が増えるので、根本的な治療法となります。座禅の丹田呼吸法（腹筋を意識的に収縮させる呼気と力を抜いた自然な吸気）、歩行、水泳、チューインガムを噛むなどの律動的運動を毎日 30 分くらい続けると、徐々にシナプスが強化され、3か月くらいでセロトニン放出量が安定的に増大し、心が平安になるとされています[37]。さらに、運動は脳由来神経栄養因子（BDNF）を介して海馬神経細胞の新生を増加させることで、記憶力向上に加えて抗うつ効果を発揮します[38]。

薬剤ではSSRIを少量投与して効果の有無を見ることが有用です。SSRI投与でうつ症状が軽減するばかりでなく、不安が背景因子となって生じている徘徊などの症状も軽減する可能性があります。認知障害に対して直接的には無効ですが、笑顔の出る明るい気持ちで過ごすことは神経ネットワークの可塑性を高めることにも有効であり、またSSRIが海馬の神経細胞新生に有効に働くとの報告もあるので、少量のSSRIで不安を取り除くことは、初期のアルツハイマー型認知症の治療として一考の価値があります。ただし、SSRIの副作用でせん妄を生じる可能性もあることを心に留めておきましょう。また、投与開始時に嘔気を訴えて食欲が低下する例を時々経験します。

なお、SSRIの中でも、認知機能を低下させる抗コリン作用のあるものとないもの、眠気の弱いものと強いものがあるので、目的に応じて使い分けます。

抗うつ効果のみを期待する場合は、セルトラリン（ジェイゾロフト®）25 mg（朝）が第一選択です。抗コリン作用や鎮静作用（眠気）がほとんどないので安心です。一方、不穏・焦燥には、ミルタザピン（リフレックス®、レメロン®）7.5 mg（15 mg錠の半分、夕）が有効です。ミルタザピンは半減期が長く（昼にも沈静効果が残る）、眠気が出ます（よく寝てもらえる）。

また、SSRIが行動障害型前頭側頭型認知症（330ページを参照）の行動・心理症状（脱抑制など）に有効だと報告されています。

アパシーの薬物治療は、アセチルコリンを増やす薬剤やドパミン作動薬が有効です。後者については、別項（365ページの「12-4　血管性認知症に有効な薬剤」）で触れます。

認知症にうつ状態を合併していると、進行が速まり、ADLやQOLの低下が進み、在宅ケアも困難になるリスクが高まります。認知症に伴ううつ症状に対しては、不安にさせない、不安を取り除くケア（105ページの「Let's try! 見当識障害による不安へのケア―対応の基本―」を参照）やセロトニンを増やす運動が基本です。

10 認知症とせん妄

10-1　せん妄とは

せん妄（delirium）は、単純な意識障害ではなく、**意識混濁**（軽度意識障害）に、過活動型の場合は**幻覚**や興奮状態といった精神症状を伴っています。会話が混乱し、時間や場所、人物の見当識障害といった軽度の意識障害の症状に加えて、幻視（何もないのに人や動物が見える）や錯視（例えば、植木鉢が子どもに見えるように別物に見える）が出現し、妄想に結びつくこともあります。引き出しから物を出したり入れたりなどの無意味な反復行為も見られます（**図4-33**）。呼びかけると一時的に意識が戻りますが、すぐに混濁した状態に逆戻りしてしまいます。精神活動が活発になり、わめいたり徘徊したりと興奮気味になるのが過活動型せん妄です。幻視を伴うことがあります。一方、目がうつろで、眠りがちになり、また注意が散漫で、無関心・無感動な状態となり、発語や動作が緩慢になるなどが低活動型せん妄の特徴です。低活動型は、見落とされていたり、うつやアパシーと誤診されていることが多いです。昼間はボーッとしていて低活動で夜間は過活動になる混合型は、**昼夜逆転**となり、せん妄の約半数を占めます。

夜間に活動過剰になる**夜間せん妄**は、血管性認知症に多く見られます。夜間、いつもと行動が異なると感じたら、名前などを尋ね、普段の会話が成り立たない場合は、夜間せん妄を起こしていると考えます。原因となるのは、認知症、脳血管疾患、脳炎、脳腫瘍などの脳器質性疾患と、低酸素症、中毒、感染症、脱水や薬物などの身体要因（全身状態の変化）など多彩です。また、心理的ストレスや不眠、拘束などが誘因となります。高齢者では風邪（発熱）や下痢（脱水）、骨折（強い痛み）、不眠などで簡単に生じます。認知症自体がせん妄の原因となりますが、せん妄には適切な治療が必要なので、認知症とせん妄を

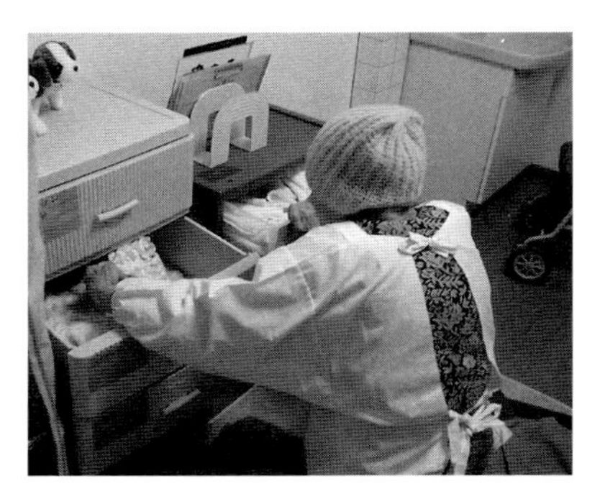

図4-33　夜間せん妄
夜中に引き出しを開けて衣類をひっくり返す動作を、無意味に繰り返す。

表 4-18　DSM-5 における、せん妄診断基準の基本項目（要約）

A. 注意障害（注意の指向・集中・維持・転導の困難）と意識障害（環境の見当識の低下）。
B. 短期間（数時間～数日）で出現し、注意や意識が以前の状態から変化していて、一日のうちでも重症度が変動する傾向がある。
C. 認知障害（記憶障害・見当識障害・言語障害・視空間認知障害・知覚障害）が加わっている。
D. 上記 A と C は、以前からある認知障害（認知症など）ではうまく説明できない。また昏睡のような重度の覚醒度低下で生じたものではない。
E. 病歴・診察・臨床検査所見から、他の身体疾患・中毒・薬剤中断・毒素・多因子によって上記障害が引き起こされているという証拠がある。

（American Psychiatric Association 2013[39] より、筆者訳）

表 4-19　せん妄と認知症の行動・心理症状（BPSD）の区別

	せん妄	BPSD（認知症）
病態	意識障害	認知障害＋環境要因※1
関係	認知症に、しばしばせん妄が合併し、BPSD と判別困難	
誘因	あり（①薬剤、②脱水・炎症・疼痛などの身体要因、③拘束・入院などの物理的要因）	あり（①介護者の態度やケアなど人的要因、②入院・入所、③薬剤）
発症	急激	急～緩徐
変動	大きい	小さい※2
持続性	なし（原則）	あり
治療	①誘因除去、原因薬剤中止 ②治療薬投与	①ケアの改善 ②向精神薬、③環境調整

※ 1…環境には人的環境（介護者）を含む。
※ 2…レビー小体型認知症は変動が大きい。

区別して見極めることが必要です。診断基準を**表 4-18** に示します。

ただし、レビー小体型認知症では、この疾患の特徴である「認知機能の変動」が覚醒レベルの変動でもあり、症状が悪化した状態は意識レベルの低下したいわばせん妄状態でもあり、せん妄とレビー小体型認知症を明確には区別できません。レビー小体型認知症は、大脳基底核～脳幹の神経核に病変が強く、意識を保つ系が障害されるので、認知機能の変動は意識レベルの変動だと捉えることができます。

せん妄の症状は、認知症の行動・心理症状とよく似ていて、せん妄と行動・心理症状を明確に分けられない場合もありますが、対応が異なるので**表 4-19** を参照して区別しましょう。

10-2　アルツハイマー型認知症のせん妄

アルツハイマー型認知症では中期以降に、骨折、拘束、発熱、下痢や嘔吐による脱水、不適切な薬物投与、配偶者の死などのストレスが誘因となって出現します。例えば、アルツハイマー型認知症の人が、転居をきっかけとして不安状態となり、せん妄を発症します。せん妄は急激（数時間から数日）に発症し、症状が変動するのが特徴です。アルツハイマー型認知症は徐々に発症・進行し、せん妄のような大きな日内・日間変動はありません[40)]。したがって、症状が急に変動したり急速に進行する場合は、せん妄かどうかを見極めることが必要です。新たに生じた脳血管疾患や慢性硬膜下血腫が見つかる場合もあります。アルツハイマー型認知症が急速に悪化したので対処法はないと見誤らないで、せん妄を見落とさずに対処することが何よりも大切です。せん妄は夜間に生じやすいので、不眠症と誤って診断され、睡眠薬や精神安定剤が投与されることがあります。これらの薬剤は副作用としてせん妄を引き起こすこともあることを覚えておく必要があります。

10-3　血管性認知症のせん妄

血管性認知症ではせん妄の頻度が高く、夜間になると興奮して徘徊を始めるような**夜間せん妄**が多く見られます。夜間せん妄のある認知症の人でも、昼間は覚醒していてはっきりとした受け答えをします。しかし、夜間は厳しい顔つきに変わり、徘徊したり、無意味に引き出しの出し入れを繰り返したり（反復行為）と、不穏状態になります（**図 4-33**）。これを非難するような態度で注意すると、興奮して声を荒らげたり暴力をふるいます。一方、活動減少型のせん妄は、血管性認知症にしばしば伴う自発性低下やうつと区別がつきにくいので、「せん妄は症状が変動する」という特徴を見いだして診断します。

10-4　脳内病変

慢性硬膜下血腫（338 ページを参照）では、血腫の増大とともに、その半数でせん妄が見られると報告されています[41)]。徘徊しているアルツハイマー型認知症の人が急にせん妄状態になった場合、CT で慢性硬膜下血腫が発見されることをしばしば経験します。徘徊中に転倒したり、頭をぶつけるのでしょう。脳が萎縮している認知症の人では、わずかな打撲でも慢性硬膜下血腫を発症しやすいので、注意が必要です。動き回る認知症の人にしばしば併発する疾患であることを覚えておきましょう。また、脳腫瘍などでもせん妄が出現します。

10-5　薬剤誘発性せん妄

高齢者では種々の薬剤がせん妄を引き起こします。抗コリン作用をもつ過活動膀胱治療薬（頻尿の治療薬）、胃酸分泌を抑える抗潰瘍剤の H_2 ブロッカー（逆流性食道炎などの治療薬）、血液脳関門を通過する抗ヒスタミン薬（かゆみ止め）、高血圧の治療に用いられる β ブロッカーなどがせん妄を起こしやすい薬剤です。これらの薬剤を中止して症状が軽減・消失するかを見て、原因を突き止めます。なお、これらの種類の薬剤でも、血液脳関門を通過しにくい（脳には入らないのでせん妄を生じにくい）薬剤が開発されています。アマンタジン（シンメトレル®）などのパーキンソン病治療薬、抗不安薬、睡眠薬などの中枢神経系に働く薬剤もせん妄の原因となることがあります。薬剤はせん妄の主要な誘因です。

アルツハイマー型認知症に薬剤多用によるせん妄を併発した例を紹介します。食事は隣の長男宅でとっていましたが、一人暮らしの 80 歳代の女性です。夜になると腹痛を訴え、長男宅に夜間何度も電話して「医者に連れて行け」と訴えました。症状を訴えるたびに近医が薬を増やし、抗うつ剤や精神安定剤、H_2 ブロッカーなど、二つの医院からあわせて 14 剤を投与されていました。地域包括支援センターから紹介されて筆者の外来に来られたので、2 週間かけて降圧剤と眠剤と抗血小板剤の 3 剤のみに減薬したところ、訴えが激減して、穏やかな生活に戻りました。とはいっても、背景にある認知症は続いています。

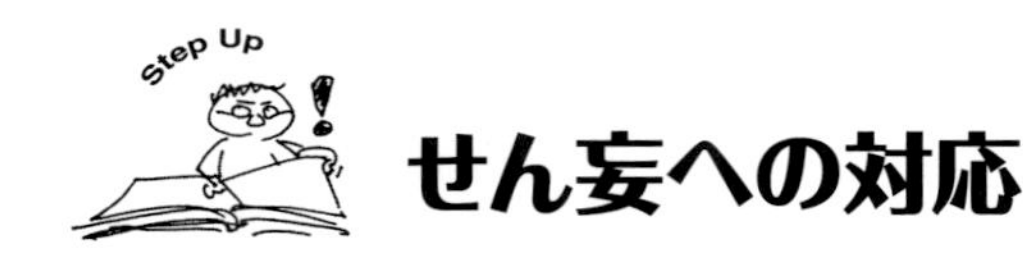

せん妄への対応

［1］誘因の除去

せん妄と診断されれば、誘因を調べ、その除去に努めることが第一です。不安や不眠などの心理的ストレスの状況と、それを生み出す住環境の変化の有無などを調べます。栄養状態や脱水、血圧、電解質バランスなど身体状況のチェックも必要です。薬剤投与を受けている場合は、必須の薬剤以外は中止します。この場合、精神機能に働く薬は急に中止しないで数日から数週間かけて漸減する必要があります。骨折など強い痛みを引き起こす疾患では、痛みの除去を心がけます。強い痛みは脳内で**エンドルフィン**（ドパミン濃度を上昇させる脳内麻薬）の分泌を促しますので、幻覚・妄想を引き起こします。**身体拘束**もストレスになってせん妄を引き起こします。「興奮気味になる→拘束する→せん妄状態となりさらに興奮」と、悪循環になってしまいます。物理的に拘束するのではなく、心に寄り添うように理解ある態度を示して、興奮を静めるケアを行うことが大切です。

[2] せん妄のケア

せん妄状態への対応は、興奮して辻褄のあわない話をしているときも、しばらくはじっと耳を傾けて話を聞いていると、少し落ち着いてきます。決して怒らず、笑顔で、じっくりと話を聞く**受容的な態度**で接すると、だんだんと興奮が鎮まります。言いたいことを理解してもらえれば落ち着くのです。逆に、理詰めで相手の言うことを否定するのは火に油を注ぐようなものです。逆らわずに（かといって肯定もせずに）聞くようにしてください。介護者は、それは幻覚だということをなんとかわからせてあげたいと、理詰めで相手の話を否定しますが、かえって逆効果だということをよく理解してもらうことが大切です。そもそも、せん妄では理解力が低下していますので、説得は無効です。過度に興奮しているときは、暴力による受傷を避ける意味でも、少し離れて見守る程度がよいでしょう。

[3] せん妄の薬物療法

投与されている薬剤を含めて誘因を検討して取り除くことと、正しいケアで対処することが一番大切ですが、せん妄の薬物治療の基本は「一度ぐっすり眠り、目覚めたときにはせん妄から離脱作戦」です。深い眠りによって脳がリセットされると、目覚めたときには覚醒度が上がり、せん妄から回復しています。一般的には、この目的で催眠作用のある非定型抗精神病薬のクエチアピン（セロクエル®）がよく使われます。クエチアピンは半減期が３～4時間と短いので、夜間使ってぐっすり眠れると、翌日の昼間には薬が抜けるので覚醒を保てます。昼夜逆転には有効な薬剤です。ただし、糖尿病があると禁忌の薬剤です。リスペリドン（リスパダール®）は鎮静・催眠作用が弱いことと、半減期が約一日と長いので、夜間使うと翌日の昼もボーッとしてしまうことから、推奨できません。せん妄への投与は１週間以内にとどめることが望ましいです。

漢方の抑肝散も有効です。抑肝散は抗精神病薬に比べて作用が弱いですが、パーキンソン症状などの副作用がなく、安心して使えます（連用では低カリウム血症に注意)。抗うつ剤のトラゾドン(デジレル®、レスリン®)はNon-REM睡眠を増やす作用があり、軽度〜中等度の夜間せん妄に有効です。半錠の12.5 mgでよく眠るようになり、介護者から喜ばれることがしばしばです。筆者は非定型抗精神病薬を使う前に、まずトラゾドン12.5 mgと抑肝散2.5 gの夕1回投与を試します。昼夜逆転には、メラトニン受容体に働くラメルテオン(ロゼレム®)も、効果が弱く効果発現に時間がかかりますが有効です。2014年に発売された、覚醒物質オレキシンの受容体を阻害するスボレキサント(ベルソムラ®)は、催眠作用が比較的強いので、昼夜逆転や夜間不眠によく使われるようになりました。2020年にはレンボレキサント(デエビゴ®)も加わりました。

せん妄は覚醒レベルが低下している状態なので、アセチルコリンを高める薬剤で覚醒レベルを上げてせん妄を治療しようという戦略があります。例えば、アセチルコリンの原料であるコリンを補給するシチコリン1,000 mgの静注は即効性があります。平川亘医師は、その著書『明日から役立つ 認知症のかんたん診断と治療』(日本医事新報社、2017年)の中で、アルツハイマー型認知症治療薬であるリバスチグミン(イクセロン®パッチ、リバスタッチ®パッチ)の少量貼付(2.25 mg〜4.5 mg)が覚醒レベルを上げ、せん妄の予防・治療に有効だと述べています。

11 行動・心理症状の薬物療法

行動・心理症状（BPSD）への対応の基本は非薬物療法（適切なケア）です[42]。しかし、適切なケアを行っても行動・心理症状が治まらず自傷他害の恐れがある場合は、薬物療法の出番となります。薬物療法では、まず抑肝散の投与がお勧めです（詳細は359ページを参照）。しかし、レビー小体型認知症以外では効果が弱いです。メマンチンも試します。それでも治らなければ、やむを得ず**抗精神病薬**（ドパミン受容体などを遮断する薬）が用いられます。暴力行為などで急を要する場合は、やむを得ず初めから抗精神病薬を用います。

また、行動・心理症状が強い場合、少量の薬物と適切なケアを組み合わせると相乗効果で、早く症状が落ち着きます。むやみに薬剤を怖がる必要はありませんが、過度に薬剤に頼ることは厳禁です。

脳が脆弱になっている認知症高齢者は少量の薬剤に対しても反応が大きい傾向があるので、行動・心理症状を抑制する薬剤を投与する場合は少量から試して、徐々に投与量を増やしながら効果を見ます。効果がなければ中止し、継続する場合も定期的に効果を判定して、できれば3～6か月以上漫然と投与を続けないようにします。また、高齢者では副作用が出やすいので、多剤を併用しないことも大切です。

薬物療法の前に、投与されている薬剤のチェックが大切です。アセチルコリン作動薬で認知機能を高めるドネペジル（アリセプト®）やガランタミン（レミニール®）、リバスチグミン（イクセロン®、リバスタッチ®）が、妄想や徘徊、暴力行為などを悪化させることもあります。常時徘徊や介護への抵抗などの介護困難事例で、ドネペジル（やガランタミン・リバスチグミン）を減量するとイライラが減って介護が楽になるケースをしばしば経験します。1週間やめて様子を見るといった対応が有効です。逆にアセチルコリン作動薬を未使用の場合は、ドネペジルなどの投与で行動・心理症状が落ち着く場合もあります。行動・心理症状の治療では、使ってみてよくなければ変えてみる、使っている薬は一時中止で改善するかどうか反応を見るといった試行錯誤で、その症例にあった適切な治療薬を

表 4-20　認知症医療に用いられる主な薬剤

系	分　類	成　分	薬品名	用量・用法（代表的使用例）	主なターゲット	出現しやすい副作用
元気系	コリンエステラーゼ阻害剤	ドネペジル	**アリセプト**	5～10 mg/朝 1 回 適宜減量	認知機能低下、無気力	易怒性など効きすぎ、徐脈、下痢
	コリンエステラーゼ阻害剤	ガランタミン	**レミニール**	16～24 mg/朝夕 2 回 適宜減量	認知機能低下、無気力	嘔気・嘔吐、下痢
	コリンエステラーゼ阻害剤	リバスチグミン	**イクセロン、リバスタッチ**	18 mg 毎日張り替え 適宜減量	認知機能低下、無気力	嘔気・嘔吐、下痢、掻痒
	パーキンソン病治療薬	アマンタジン	**シンメトレル**	50～100 mg/朝 1 回・朝昼 2 回	アパシー、嚥下障害	せん妄、興奮
	脳循環・代謝改善薬	ニセルゴリン	**サアミオン**	10～15 mg/2～3 回	アパシー、血管性認知症	ほとんどない
調整系	NMDA 受容体拮抗薬	メマンチン	**メマリー**	10～20 mg/夕 1 回	認知機能低下、興奮性の行動・心理症状	めまい、血圧上昇、活動性低下
	漢方（神経症、疳の虫）	生薬 7 種	**抑肝散**	2.5～7.5 g/1 回夕、2 回夕夜、3 回	幻視、妄想、昼夜逆転、易怒性	低カリウム血症、過鎮静
	抗うつ剤（SSRI）	セルトラリン	**ジェイゾロフト**	25～50 mg/朝 1 回・朝夕 2 回	うつ	嘔気、食欲低下
	抗うつ剤	トラゾドン	**デジレル**	12.5 mg/夜 1 回	うつ、不安、昼夜逆転	強い眠気、ふらつき
	抗うつ剤	ミルタザピン	**リフレックス、レメロン**	7.5 mg/夕または夜 1 回	不安・焦燥による多動、昼夜逆転	眠気、ふらつき
	抗不安薬	タンドスピロン	**セディール**	10～30 mg/1～3 回	不安、易怒性、焦燥	稀に眠気、ふらつき
抑制系	非定型抗精神病薬	クエチアピン	**セロクエル**	25～50 mg/夜 1 回・朝夕 2 回	妄想、徘徊、暴力などの BPSD	高血糖、パーキンソン症状
	非定型抗精神病薬	リスペリドン	**リスパダール**	0.5～1 mg/夜 1 回	妄想、徘徊、暴力などの BPSD	パーキンソン症状、ふらつき
	定型抗精神病薬	チアプリド	**グラマリール**	25～50 mg/1～2 回症状出現時に	暴言・暴力、せん妄	パーキンソン症状、ふらつき
	抗痙攣剤	バルプロ酸	**デパケン R**	100～200 mg/1 回夜	暴言・暴力などの興奮	眠気、ふらつき
	眠剤（超短時間作用型）	ゾルピデム	**マイスリー**	5～10 mg/夜 1 回	不眠、昼夜逆転	稀に日中の眠気、ふらつき
	眠剤（短時間作用型）	ブロチゾラム	**レンドルミン**	0.25 mg/夜 1 回	不眠、昼夜逆転	稀に日中の眠気、ふらつき
	眠剤（メラトニン系）	ラメルテオン	**ロゼレム**	8 mg/夜 1 回	昼夜逆転	眠気
	眠剤（オレキシン拮抗）	スボレキサント	**ベルソムラ**	10～15 mg/夜 1 回	不眠、昼夜逆転、夜間せん妄	日中の眠気

見つける作業を行うことが大切です。マニュアル通りの治療では、なかなかうまくいきません。

認知症医療に用いられる主な薬剤を**表 4-20** にまとめました。使用にあたっては、「かかりつけ医のための BPSD に対応する向精神薬使用ガイドライン（第２版）」[42] を参考にしてください。

11-1　行動・心理症状を抑制する抗精神病薬の使い方

抗精神病薬は、本来は統合失調症の治療薬で、認知症は適応外処方になりますが、一部の薬剤については 2011 年 10 月より器質性疾患による易怒性や精神運動興奮状態、夜間せん妄に対して保険給付が認められました。

抗精神病薬の主要な働きはドパミン D_2 受容体を阻害することで、多動や徘徊、幻覚・妄想などの認知症の行動・心理症状が抑制されますが、効きすぎるとアパシー・意欲低下となります。また、副作用として起立性低血圧、口喝、尿閉、死亡率上昇などを引き起こします。同時に、中脳黒質から線条体に向かうドパミン神経系も抑制されるので、投与期間が長引いたり、投与量が多いとパーキンソン症状が出現し、歩行障害、転倒、嚥下障害などを引き起こします。よって、副作用を抑えつつ、妄想や多動を落ち着かせる効果を引き出すための薬剤量・投与方法・期間の調整（さじ加減）が重要です。必要最低限の投与量とし、漫然と長期間投与しないよう定期的に投与量を見直し、減量に努めます。薬剤過敏性を示しやすい**レビー小体型認知症**の場合は、特に最小量の錠剤を 1/4～1/2 錠にして投与する程度に少量から開始します。

最近は、ドパミン受容体とともにセロトニン受容体も遮断する**非定型抗精神病薬**が使われます。リスペリドン（リスパダール®）やクエチアピン（セロクエル®）、オランザピン（ジプレキサ®）といった薬剤で、**妄想**や**焦燥性興奮**に対して高い有効率が期待されています。さらに、パーキンソン症状を生じにくいアリピプラゾール（エビリファイ®）も使われるようになっています。これらのうちリスペリドン以外は高血糖への注意が必要です。起立性低血圧が生じやすい特徴もあります。

クエチアピンは催眠作用が強く、半減期が３～4 時間と短いので、興奮症状が強いときや夜間の興奮時に頓用で使うのに優れています。半減期が短いので、夜間に用いても次の日は薬剤が抜けて活気が出ます。昼夜逆転には、糖尿病でなければクエチアピンを夕～夜に用います。一方、半減期が約一日と長いリスペリドンを夜間に使うと、翌日の日中もうとうとしてしまいます。

従来多用されていた、チアプリド（グラマリール®）やハロペリドール（セレネース®）、クロルプロマジン（コントミン®、ウインタミン®）といった定型抗精神病薬は副作用が強いので使われなくなる傾向ですが、これらの薬剤をごく少量使う投与法もあります。筆者は、ほかに手段がないときはウインタミン®を一日 4 mg〜20 mg 投与します。これは統合失調症で最大 450 mg 使う量と比べると 1/20 です。このようにごく少量使うことで、パーキンソン症状などの副作用を防ぎつつ、鎮静効果が期待されます。「ほんの数ミリグラムを投与するだけで著効することがある。効かないからと量をどんどん増やすと副作用を生じる」とエスポアール出雲クリニックの高橋幸男氏から教わりました。

スルピリド（ドグマチール®）は高齢者に使ってほしくない薬剤です（筆者は使いません）。食欲低下に短期間使うことがあっても、長期投与は禁忌です。

2005 年 4 月に米国 FDA より、①高齢の認知症患者で死亡率が高くなるリスクと、②認知症は適応外であることの 2 点を薬剤添付文書に記載するように警告が出されました。よって、歩行にふらつきがなく、嚥下障害がない、丈夫な身体の持ち主であることが抗精神病薬投与の前提条件です。これを守らないと、転倒や死亡が増えることが危惧されます。やむを得ず使う場合は、効果が出たら極力減量に努め長期間使わないことと、家族などに副作用の情報を伝えて了解を得て、また転倒や誤嚥などに注意するよう指導することが必要です。その人らしさや活動性を奪うデメリットと、混乱が減って本人が楽になるメリットやケアが楽になるメリットを秤にかけて使う薬剤であり、必要最小限の量を最短の期間使いましょう。3 週〜3 か月経過後は減量・中止を探りましょう。筆者らは、認知症グループホームの継続調査から、抗精神病薬を 1 年間使い続けた群では ADL がバーセルインデックスで 13.9 点低下と、未使用群の 6.7 点低下に比べて倍増することを示しました[43]。

認知症の終末期では、抗精神病薬と反対の作用をもつドパミン作動薬（パーキンソン病治療薬）が嚥下機能を高めて誤嚥を減らし、経管栄養になることを遅延します（詳細は 184 ページを参照）。認知症で嚥下機能が低下してきたら、抗精神病薬は使わないでください。

11-2　興奮・攻撃への薬剤

バルプロ酸（デパケン®）やカルバマゼピン（テグレトール®）といった**抗痙攣剤**が、興奮や暴行・暴言などの攻撃的な症状に対して、適応外処方されます。この場合も第一選択薬ではなく、適切なケアでも症状が治まらないときに、最小量（デパケン® 100 mg・テグレトール® 50 mg）から始め、1 週間ごとに増量して適切な量（最小量の 3〜4 倍程度）を決めます。食欲低下、眠気やふらつきといった副作用に注意が必要です。また、定期的な血液検査（血算や肝機能など）による副作用チェックが必要です。

暴言・暴行など攻撃的行動の頻度が高く、家族にとっては介護負担の大きな行動障害型前頭側頭型認知症（前頭型ピック病）では、前頭葉のセロトニン受容体が減少しており、SSRI（フルボキサミン　〜75 mg/日）の投与が行動・心理症状の緩和に有効とされています。やはり、適応外処方となります。

11-3　抑肝散

抑肝散は、古くから子どもの夜泣き・疳の虫など、神経興奮状態の諸症状に投与されてきた漢方製剤です。神経過敏で興奮しやすく、怒りやすい、イライラする、眠れないなどの神経症、不眠症を効能・効果とします。認知症は効能・効果に含まれていませんが、認知症の不安やイライラ、不眠といった症状に対しては、抑肝散の承認された効能・効果である「神経症」や「不眠症」として投与できる場合も多いです。有効例はアルツハイマー型認知症よりもレビー小体型認知症のほうが多いです。

抑肝散の作用メカニズムとしては、①セロトニン神経系を調節し、②グルタミン酸神経系を抑制して、神経細胞の過剰興奮を抑制する仕組みが推測されています。このほか、抑肝散に含まれる釣藤鈎（ちょうとうこう）がアルツハイマー病の原因蓄積物質であるβタンパクの重合・線維化を阻害する作用が報告されています。抑肝散には鎮静効果と睡眠改善効果があるので、夕方〜眠前の投与が有効です。

抑肝散は甘草（かんぞう）などを含むため、常用量である一日３包（7.5 g）を長期間投与すると低カリウム血症となる可能性が高まります。このため、症状が落ち着いてきたら２包以下に減らすことで、低カリウム血症のリスクが低減できます。カリウム製剤の併用が低カリウム血症の予防に有効です。筆者は夕１包が多いです。フロセミド（ラシックス®）などカリウムを低下させる利尿剤を内服している場合は、カリウムを上昇させるスピロノラクトン（アルダクトン® A）に替えるとよいでしょう。

また、レビー小体型認知症は、幻覚が強いのが特徴で、抑肝散と少量のドネペジル（1 mg〜3 mg）の併用が有効です。中には劇的に症状が回復する例があるのが、レビー小体型認知症の特徴です。もちろん無効な例もありますが。

11-4　認知症の行動・心理症状の背景となる不安と混乱への薬剤

行動・心理症状は、その背景となっている不安や混乱を鎮めることで、緩和されます。うつ症状に対しては、抗うつ薬であるフルボキサミン（デプロメール®）やセルトラリン（ジェイゾロフト®）といったSSRIが第一選択薬になります（詳しくは346ページの「9-3　うつ症状の治療とセロトニン」を参照）。SSRIには、海馬の神経細胞新生を促して記憶を高める働きがあります（詳しくは247ページの「14．各論：身体活動による認知症の発症予防・進行予防」を参照)。SSRIが前頭側頭型認知症の行動・心理症状を軽減することは、「11-2 興奮・攻撃への薬剤」に記載しました。抗うつ薬ではありませんが、セロトニン系に働くタンドスピロン(セディール®)が有効な場合もあります。

不安・焦燥が強い場合、柴胡桂枝乾姜湯2～3包を試してみます。それでも無効なら、強力な抗うつ剤のミルタザピン(リフレックス®15 mg)を、眠気が出るので半錠(7.5 mg)で夕方か眠前に使ってみます。

徘徊の背景となっている不安・焦燥にはγ-アミノ酪酸(γ-aminobutylic acid:GABA)の減少が関与しているので、GABAを賦活するベンゾジアゼピン系の薬剤(抗不安薬や睡眠薬)や抗痙攣剤も試みる価値がありますが、ベンゾジアゼピン系の薬剤は、これ自体が認知機能や覚醒レベルを低下させ、せん妄の誘因となることがありますので、できれば投与しません。長時間作用型のベンゾジアゼピン系抗不安薬で大腿骨頸部骨折が増えるという指摘もあります[44]。使う場合は不安時頓用がよいでしょう。

11-5 不眠への薬剤

認知症の不眠に対しては、いわゆる眠剤は不向きで、抗精神病薬や催眠作用の強い抗うつ剤が必要なことも多いです。

不眠に対しては、寝つきの障害と中途覚醒で薬剤を使い分けます。寝つきが悪い場合は、超短時間作用型の眠剤が第一選択薬になります。中でも非ベンゾジアゼピン系で、ω_1受容体に選択性が高いので脱力・転倒の危険性が低い薬剤として、半減期が2.3時間のゾルピデム(マイスリー® 5 mg)や半減期が4時間のゾピクロン(アモバン® 7.5 mg)、半減期が5時間のエスゾピクロン(ルネスタ® 1 mg)が比較的安全です。夜中に覚醒してしまう場合は、半減期が7時間と短時間作用型のブチゾラム(レンドルミン® 0.25 mg)が使われます。これらの眠剤でも効果が不十分で夜間の行動・心理症状が問題になる場合などは、眠気の強い抗うつ剤であるトラゾドン(デジレル® 25 mg半錠)やミアンセリン(テトラミド® 10 mg)を併用しますが、抗コリン作用をもつので注意が必要です。メラトニン製剤のラメルテオン(ロゼレム® 8 mg)は作用が弱いですが安心して使えます。オレキシン受容体拮抗薬のスボレキサント(ベルソムラ®10 mg～15 mg)とレンボレキサント(デエビゴ® 5 mg)は使う頻度が増えています。

昼夜逆転への対応は困難ですが、昼間の活動を増やして生活のリズムを正常化させることが大切です。抑肝散2.5 gを夜に投与するだけで落ち着く症例が稀にあります。

12 認知機能を高める薬物療法

ここでは認知機能を高める元気系（賦活系）薬剤などを解説します。

認知には種々の神経伝達物質が関与しています。行動・心理症状やせん妄の治療にはドパミン D_2 受容体を阻害する薬剤が用いられるのに対し、覚醒レベルを上げて意欲を向上させ、認知機能を高める薬剤はアセチルコリン系やドパミン系を賦活します。したがって、これらの元気系薬剤は認知機能を高めますが、妄想などの精神症状や徘徊、暴力行為などの行動・心理症状がかえって強くなることがあります。

12-1　アセチルコリンエステラーゼ阻害剤

前脳基底部に位置するマイネルト核（アセチルコリンの産生を担う小さな神経核／**図 1-7** を参照）の神経細胞は、アセチルコリンを神経伝達物質とし、大脳皮質に広く投射・放出して、認知機能の維持だけでなく覚醒レベルを上げて意識を保つことにも関係する大切なコリン作動性神経です。アルツハイマー病脳では、このマイネルト核の障害が強いことが病理組織学的に示されています。そこで、脳内のアセチルコリン系を賦活すれば認知機能が高まり、症状が軽減するという考えから、アセチルコリン系賦活療法が行われます。シナプスで放出されたアセチルコリンをアセチル基とコリンに分解する酵素**アセチルコリンエステラーゼ**（AChE）を阻害することで、アセチルコリンが分解されずに長くシナプスにとどまります（**図 4-34**）。産生工場のダメージで減った分を、分解を防いで取り戻す作戦です。こうした機序でアセチルコリンの脳内シナプス局所濃度を高めるアルツハイマー型認知症治療薬が日本で開発された**ドネペジル**（アリセプト®）です（**表 4-20** を参照）。主な副作用は嘔気・嘔吐、下痢などの消化器症状です。徐脈や心不全、喘息、頻尿にも注意します。βブロッカーとの併用では高度の徐脈に要注意です。これらは、脳の外（末梢神経系）でアセチルコリンが増えることで、副交感神経系の機能が高まったために生じる副作用です。急に血中濃度を上げないよう、ドネペジルは一日 3 mg で投与開始

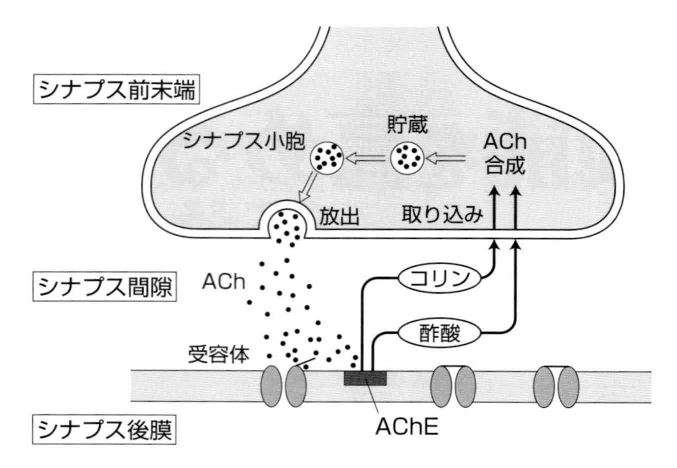

図 4-34　アセチルコリンエステラーゼ（AChE）
シナプスから分泌された ACh が受容体に結合して信号を伝えると、AChE でコリンと酢酸に分解される。この酵素を阻害する薬剤を投与すると、分解が抑制されて ACh がいつまでもシナプス間隙にとどまり、ACh 作動性ニューロンの信号伝達が増強される。
（大地　1992[45] より、一部改変）

し、1〜2 週間後に副作用が見られなければ 5 mg に増量します。昨日飲み忘れたから今日は 2 錠飲む、胃腸薬と同様に一日に 3 回服用してしまうといったことがないように、しっかりとした管理が必要です。また、この薬剤の半減期は約 80 時間と長いので、血中濃度が定常状態に達するまでに 1〜2 週間を要します。覚醒度が上がり、記憶・学習・注意などの認知機能が改善しますが、意欲が高まる効果とともに、徘徊や暴言などの行動・心理症状が強くなることがあります（効きすぎ）。そのようなときは服薬量を減らして様子を見ます。「認知症ならドネペジル」と短絡的に投与される傾向がありますが、この薬剤の効果は個人差が大きく、一例ごとに異なるので、個々に効果を見ながら適量を投与すべきです。

重症例（FAST 6 以上／**表 2-8**（83 ページ））では 10 mg までの投与ができますが、5 mg からいきなり 10 mg に上げないで、徐々に増量すると副作用が出にくく脱落を防げます。5 mg を 4 週間以上続けてから 10 mg に増量することになっていますが、できれば 5 mg を数か月以上続けてから増量すると副作用が出にくいといわれています。なお、重度といっても歩ける人が適応です。寝たきりになったらやめましょう。ドネペジルでアセチルコリンが増えると、相対的にドパミン不足となり、パーキンソン症状を発症し、歩行障害が出現し、寝たきり化を加速します（**図 4-35**）。また、85 歳以上の高齢者では、食欲不振などの副作用が 85 歳未満に比べて倍増し、デメリットがメリットを上回る可能性がメタ分析で示されています[46]。平均寿命を上回る高齢者や、重度になったら投与を差し控える・中止するという選択肢もありです。

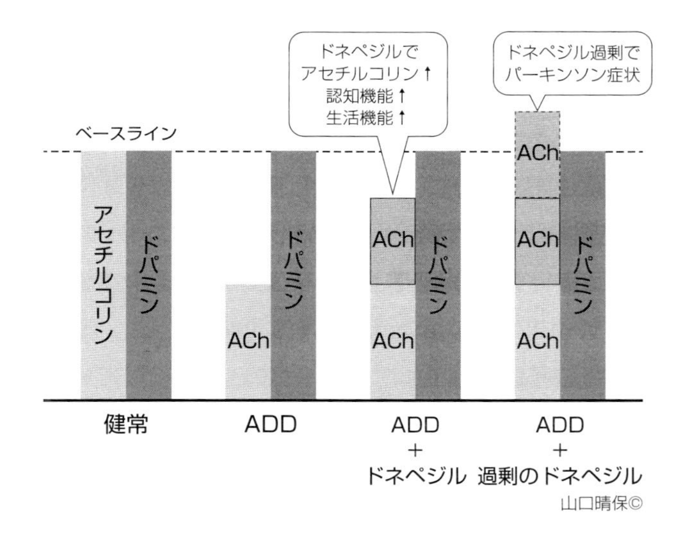

図 4-35　アセチルコリンとドパミンの均衡（概念図）
健常者では均衡がとれている。アルツハイマー型認知症（ADD）に対して過剰のドネペジルが投与されると、アセチルコリン（ACh）が優位になりパーキンソン症状が出現・悪化する

レビー小体型認知症にも本剤は有効ですが、症例によって適量が 1 mg～10 mg と幅広いことと、薬剤過敏性が危惧されることから、1 mg～1.5 mg 程度の少量から始め、時間をかけて増量して適量を見つけます。マニュアル的・画一的な投与法ではいけません。10 mg ではパーキンソン症状の悪化に注意します。

抗血小板薬のシロスタゾール（プレタール® 100 mg/日）とドネペジルの併用が強化療法[47]として注目されていますが、併用で心房細動から心不全となった症例を複数経験したので、筆者はシロスタゾールの併用時は脈拍チェックを怠りません。

2011 年３月には、軽度～中等度のアルツハイマー型認知症に適応をもつ**ガランタミン**（レミニール®）が発売になりました（**表 4-20** を参照）。ガランタミンは、AChE 阻害作用に加えて、脳内のニコチン性アセチルコリン受容体に直接作用してアセチルコリンの作用を増強する効果（APL 作用）や、ドパミンなど他の神経伝達物質の放出を促進する作用ももっている点がドネペジルと異なりますので、ドネペジルが効かないケースで試してみることができます。ドネペジルよりも易怒性の副作用が少ない傾向があります。副作用は嘔気・嘔吐・食思不振など胃腸系が主で、ドネペジルよりも多い印象です。一日 8 mg から始め、維持量は 16 mg～24 mg/日です。半減期が約９時間なので、一日２回内服します。

また、2011 年７月に発売された**リバスチグミン**（イクセロン®パッチ、リバスタッチ®パッチ）も AChE 阻害薬です（**表 4-20** を参照）。消化器系の副作用を抑えることと、作用時間を長くとるために、剤形が貼付剤（パッチ）です。4.5 mg で開始し、4 週ごとに

4.5 mg 増量し、18 mg が維持量というのが基本です。9 mg で開始し、4 週後に 18 mg という使い方もできますが、年余にわたって治療を続ける緩徐進行性の病気なので、適量を探りながらゆっくりと増量したほうが、副作用が出にくいと思います。使い始めると 4.5 mg から記憶改善などの効果を示す症例もあり、9 mg や 13.5 mg などが適量で継続している例もあります。必ずしも 18 mg まで増量する必要はありません。小柄な女性だと 9 mg でもよいでしょう。筆者は投与開始から半年後に認知機能（MMSE）が 2 点程度向上することを報告しています[48]。AChE 阻害薬 3 剤の中では、意欲や生活機能の向上が最も期待できる（著効例の頻度が他剤よりも高い）ことを経験しています[48]。本剤は AChE だけでなく、ブチリルコリンエステラーゼも阻害するので、進行したアルツハイマー型認知症でも効果が期待されます。米国では重度にも保険適用になりました。貼っているので使用状況が介護者に一目瞭然というメリットがあります。かゆみや皮膚発赤の副作用がしばしばあり、これが原因で脱落します。保湿クリーム（ヒルドイド®）などのスキンケアが必須です。かゆみには副腎皮質ホルモンの塗布剤が有効です。胃腸系の副作用は高容量で出現しやすいので、その場合は減量投与で落ち着きます。

12-2　神経細胞保護剤

メマンチン（メマリー®）は、グルタミン酸受容体の一つである NMDA 受容体（N-methyl-D-aspartate receptor）に拮抗して、神経細胞を保護する薬剤です（**表 4-20** を参照）。NMDA 受容体はシナプスでの情報伝達効率を調節し、記憶や学習に関与しています。興奮性の情報伝達物質であるグルタミン酸が過剰に働いて神経細胞が興奮しすぎると**神経細胞死**につながるため、メマンチンで NMDA 受容体の働きを弱めると、神経細胞保護作用が発揮されます。2011 年 4 月に中等度～重度のアルツハイマー型認知症を対象に発売となりました。穏やかにする作用があるので、興奮性の行動・心理症状をもつアルツハイマー型認知症に有効です。5 mg から始め、1 週ごとに 5 mg 増量し、20 mg が維持量ですが、鎮静系の作用で活動性や認知機能が低下して 10 mg が適量の症例がしばしばあります。過剰投与による過鎮静に注意が必要な薬剤です。胃腸障害に加えて、眠気、血圧上昇、浮動性めまい、頭痛も見られ、転倒に注意が必要です。歩行がふらつく例には投与を控えたほうが無難です。一日 1 回、朝でなく夕に内服したほうが、副作用が出にくくなります。進行例ではメマンチンと上記 AChE 阻害剤との併用が可能です。筆者の経験では、メマンチンで認知機能向上はあまり期待できませんが、興奮性の行動・心理症状に対して有効なことが多く、介護負担が有意に低減しました[32]。メマンチンによって抗精神病薬の出番が減りました。なお、レビー小体型認知症では少量から慎重にゆっくり増量して適量を探ります（適応外処方）。あくまでも試して有効なら使うというスタンスです。

行動障害型前頭側頭型認知症でも穏やかになり介護負担が減ることが期待されます（適応外処方）[32]。昼夜逆転にも夕方 10 mg 投与が有効です。

12-3　サプリメント

健康食品として販売されている**フェルガード®**は、米糠から抽出した抗酸化物質のフェルラ酸とガーデンアンゼリカ（セイヨウトウキ）の抽出物を含みます。このセイヨウトウキにはドネペジルと同様にアセチルコリン分解酵素を阻害して脳内アセチルコリン濃度を上昇させる作用があります。対照群にプラセボを使っていないので信頼性が低いですが、アルツハイマー型認知症で認知機能低下抑制効果や、レビー小体型認知症と前頭側頭型認知症の行動・心理症状に有効という国内からの報告があります[49,50]。アルツハイマー型認知症では、大脳白質で神経線維を覆う髄鞘（ミエリン）のダメージが認知機能低下を引き起こしているという仮説から、ミエリンを守る健康食品のＭガード®が販売されています。

12-4　血管性認知症に有効な薬剤

血管性認知症には、脳循環・代謝改善剤のニセルゴリン（サアミオン®）が意欲・自発性の向上などに有効です。また、ドパミン作動薬（パーキンソン病治療薬で、抗精神病薬と反対の作用）のアマンタジン（シンメトレル®）が意欲向上に有効です。少量（50 mg を朝１回投与）で生活力や活動性が増す有効例が多く、このような少量であれば、幻覚・妄想の副作用もあまり見られません（稀でも、せん妄の原因となりうるので注意が必要）。筆者は、血管性認知症で意欲・自発性が著しく低下したアパシーの人に対してこの２種類の薬剤を併用し、有効例をしばしば経験しています。

また、アマンタジンは他のドパミン製剤（ネオドパストン®など）とともに、血管性認知症に伴いやすい偽性球麻痺による嚥下障害や、パーキンソン症状を伴っているようなアルツハイマー型認知症終末期の嚥下障害にも有効で、**誤嚥性肺炎の予防**に役立ちます。著効例では、口に入った食事をいつまでも飲み込もうとしない人が、経口摂取できるようになり、３年以上経管栄養を遅らせることができました[51]。ドパミン作動薬がサブスタンスＰ神経系を興奮させ、咳反射を亢進するからです。このほかにも、降圧剤の ACE 阻害薬や漢方の半夏厚朴湯に、サブスタンスＰ濃度を高めて誤嚥性肺炎を防ぐ効果が報告されています。抗血小板剤のシロスタゾール（プレタール®）も有効です。

認知機能を直接高める薬剤ではありませんが、血管性認知症では、脳病変を増やさないことで認知機能の回復をめざす治療が大切です。多発性ラクナ梗塞型であれば、アスピリン（バファリン®）やクロピドグレル（プラビックス®）、シロスタゾール（プレタール®）といった**抗血小板剤**が、脳血栓の再発予防のために用いられます。中でもシロスタゾールは大脳深部白質の病変進行を防ぐ効果が明確に示されており、予防・治療効果が期待されますが、高齢者では頻脈や不整脈の副作用が多発しますので、注意（少量投与）が必要です。

基礎疾患として高血圧があればその管理が必要ですが、投薬にあたっては、血圧を下げすぎて脳血流を低下させないような配慮が必要です。急激な降圧は、脳梗塞、特に分水嶺梗塞（境界領域梗塞）の誘因になります（325 ページの「3）皮質梗塞型血管性認知症」を参照）。高血圧症が長く続くと、血圧が高い状態で脳血流が保たれるようになっています。このため、強力な降圧剤が投与されると、血圧が正常レベルに低下しても脳血流が減って脳梗塞の誘因となるのです。糖尿病を合併している場合は、治療薬による低血糖への注意が大切です。糖尿病や高脂血症では、身体活動や食事の指導が大切です。体脂肪、特に内臓脂肪が増えると、動脈硬化を促進する物質が増え、動脈硬化を抑制するアディポネクチンなどが減少します。まめに体を動かして、基礎代謝率を上げて脂肪を減らすことが、動脈硬化の予防という観点からとても重要です。体重が減るとそれだけで血圧が下がり、降圧剤が不要になる人もいます。脂質異常症（高コレステロール血症）の場合、コレステロールの約 8 割は体内で作られますので、食事制限だけではうまくコントロールできない場合が多く、体内でのコレステロール産生を抑制するスタチン薬の内服が必要になります。ただし、副作用を勘案すると、スタチン薬のような予防薬は 85 歳以上の高齢者では不要という考え方もあります（米国の Choosing Wisely／https://www.choosingwisely.org/）。

12-5 アルツハイマー病の疾患修飾薬の開発

疾患修飾薬は、疾患の原因物質を標的に開発された薬剤で、病態を修飾して発症や進行を遅延（悪化を抑制）します。アルツハイマー病の場合は、βタンパクを標的にした薬剤です。βタンパク蓄積（脳βアミロイド沈着）を阻止できれば、アルツハイマー病の進行過程（無症状→MCI→軽度認知症）を遅らせることができると考えられています。進行を止めるほどに効果が強ければ根本的治療薬といえますが、現状で実用化が近づいているアルツハイマー病の薬剤（後述のレカネマブ）は「悪化を抑制する」程度の効果なので、疾患修飾薬とされます。

アルツハイマー病の疾患修飾薬は、認知症が進行したあとでは手遅れです。MCI 期〜認知症発症早期が治療対象となります。進行後のワクチン療法でβアミロイドが取り除かれても、病気がさらに進行することが示されています[52]。βアミロイド産生と除去の間にはダイナミックバランスがあるので（**図 4-36A**）、原因を取り除き、「沈着＜除去」にバ

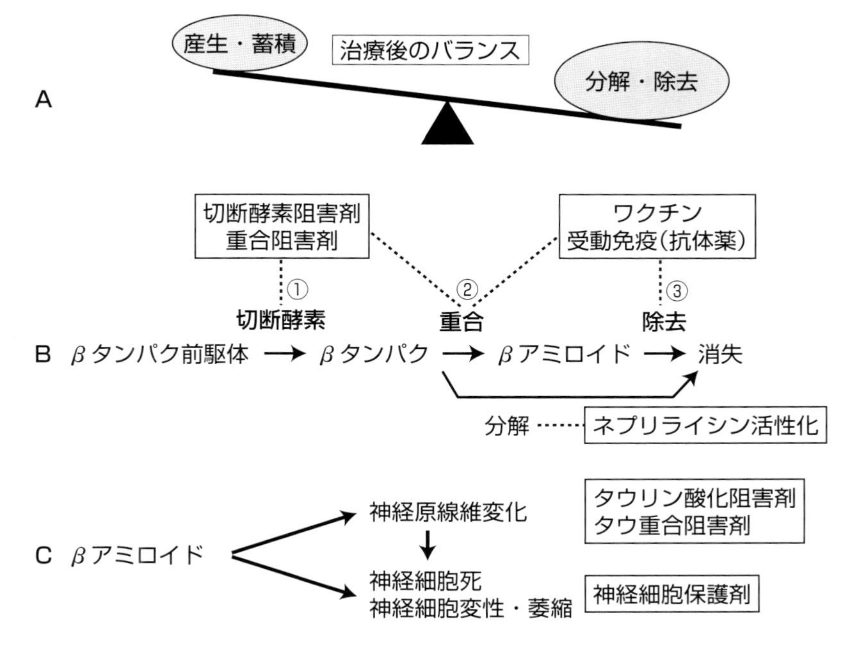

図 4-36　アルツハイマー型認知症の根本的治療法
A：βタンパクの産生・消去にはダイナミックバランスがある。
B：産生・蓄積に傾いているバランスを、①産生を低下させる、②重合・沈着を防ぐ、③分解・除去を高めることにより、アミロイド沈着減少へ傾けることで、アルツハイマー型認知症の進行防止や快復が期待できる。
C：また、βアミロイド沈着に引き続く、神経原線維変化形成を防ぐ薬剤や神経細胞を保護する薬剤も開発されている。

ランスを転換する治療を行うことによって、老人斑は減少することが期待されます。すると、脳には回復力があるので、ごく初期であれば認知症の改善も見込めます。この脳βアミロイド沈着を、①産生阻害、②重合・線維化阻害、③除去亢進（ワクチンや受動免疫）と、各段階で阻止する薬剤が開発されつつあります（**図 4-36B**）。

ワクチンでβタンパクの沈着を防ごう・除去しようという戦略は少し期待できます。免疫系がβタンパクを異物として認識するよう、βタンパクで免疫するのですが、注射での投与は脳の炎症を引き起こしてうまくいかなかったので、経口ワクチンが開発されています。大豆の遺伝子にβタンパクの遺伝子を組み込み、この大豆を食べるワクチンが開発途上で、動物実験では成功しています[53)]。また、βタンパクの遺伝子を組み込んだウイルスベクターの経口ワクチンを投与して、腸内でβタンパク産生を引き起こす方法も動物実験で成功しています[54)]。ヒトを対象にした臨床研究はこれからで、成果が待たれます。これらのワクチンが実用化されれば、アルツハイマー型認知症の発症前の投与で発症を防げる・遅らせるようになるでしょう。ワクチンは安価なのが利点です。

このほか、**能動免疫**（βタンパクを抗原として投与）を行わずとも、βタンパクに対す

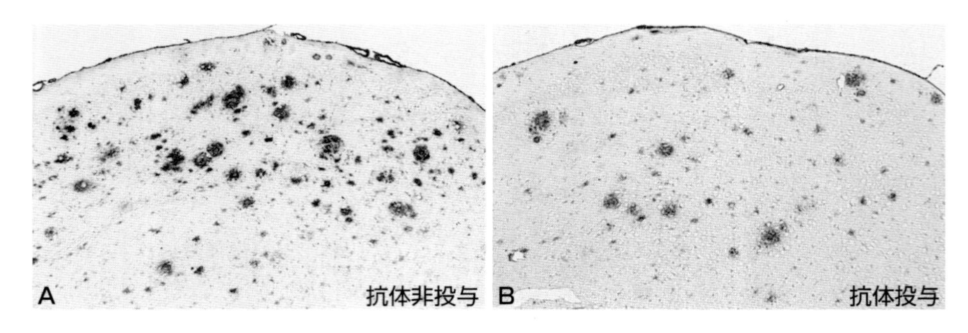

図 4-37　βタンパク抗体投与の効果（筆者らの検討結果）
A：ヒト家族性アルツハイマー病遺伝子を導入したトランスジェニックマウスは、脳にβアミロイド沈着をきたす。
B：βタンパク抗体を毎週 3 か月間腹腔内投与したマウス脳では、βアミロイド沈着が減少していた。

るマウスモノクローナル抗体を毎週 1 回腹腔内に投与する**受動免疫**でも、モデル動物脳の老人斑が減少することを、筆者の研究グループ[55]も確認しました（**図 4-37**）。

冒頭で紹介した実用化が近づいている疾患修飾薬についてです。ヒト化モノクローナル抗体による受動免疫製剤で、アルツハイマー病の疾患修飾薬として世界初で認可されたのがアデュカヌマブ（Aducanumab）です。日本のエーザイと米国のバイオジェンが開発し、米国で 2021 年 6 月に認可されました。日本でも承認申請されましたが、効果が明確でないことから、2021 年 12 月に承認延期となりました。しかし、別のヒト化モノクローナル抗体レカネマブ（Lecanemab）の 2022 年度の米国・日本での承認申請に向けた臨床試験では、アルツハイマー病の MCI 期～認知症初期の対象者で、18 か月間の投与期間中、進行が約 3 割遅くなりました[56]。進行を止めるほどの効果ではありません。米国では 2023 年 1 月に迅速承認され、日本でも迅速承認の審査中です（2023 年 2 月）。本剤が承認されると、アルツハイマー病の脳病変を検出する正確な診断（アミロイドイメージングなど）が必要になります。よって、承認後は限られた医療施設で、限られた対象者に対して治療が始まると想定されます。そして、認知症診療が大きく変わっていくでしょう。

βアミロイド沈着ではなく、タウタンパク異常蓄積をターゲットにした疾患修飾薬も開発途上です。タウのリン酸化に関与する酵素の阻害剤やタウの重合を阻害する薬剤の開発が進められています（**図 4-36C** を参照）。

また、多くの認知症が加齢を背景にしているので（24 ページの［Step Up! 認知症と脳老化］を参照）、加齢に伴うリスクを防ぐ抗酸化物質の有効性も検討されていますが、これは次の「13．認知症リスクを低減するライフスタイル」で述べます。

13 認知症リスクを低減するライフスタイル

第３部（248 ページ）で触れた WHO の「認知機能低下および認知症のリスク低減」ガイドライン[57]では、身体活動や禁煙、節酒、高血圧症や糖尿病の管理、社会的交流などが推奨されています。アルツハイマー型認知症の発症に影響を与える因子を危険因子と保護因子に分け、ライフステージに沿って**図 4–38** に示しました。危険因子を減らし、保護因子を増やすライフスタイルが、認知症予防に有効です。ただし、認知症予防とは「発症の先送り」です。予防法はすべて健康によいことで寿命を延ばすので、予防で先送りをすることはできますが、いずれはなる可能性が高いのです。これは、**図 1–2** に示したように、認知症の最大のリスク要因が「長寿」だからです。

食事で認知症を防ぐことはできませんが、認知症になるリスクを減らす食事はあります。リスク低減とは、発症を遅らせるという意味です。アルツハイマー型認知症については、疫学研究や動物実験から、発症リスクを低減する（発症を遅らせる）食生活や身体活動（運動）が明らかになってきています（**図 4–38**）。それがアルツハイマー型認知症の予防法です。詳細は、山口晴保・著『認知症予防―読めば納得！脳を守るライフスタイルの秘訣―：第３版』（協同医書出版社、2020 年）をお読みください。

血管性認知症は**生活習慣病**の要素が大きく、食事や運動により発症を少なくすることが期待されます。脳動脈硬化を防ぐことと、脳血栓の予防をめざします。大脳へ血液を供給する脳血管の老化に伴う硬化性病変が原因ですので、高血圧症や糖尿病、脂質異常症など動脈硬化を促進する疾患の治療が必要です。

認知症のリスクを低減するには、以下に示すように魚をとり、緑黄色野菜を多くした食事が好ましいと思われます。ブドウやウコンのポリフェノールも有効です。運動や趣味活動、他者との交流に関しては、第３部に記載しましたので、本項では食事と嗜好品を中心に解説します。

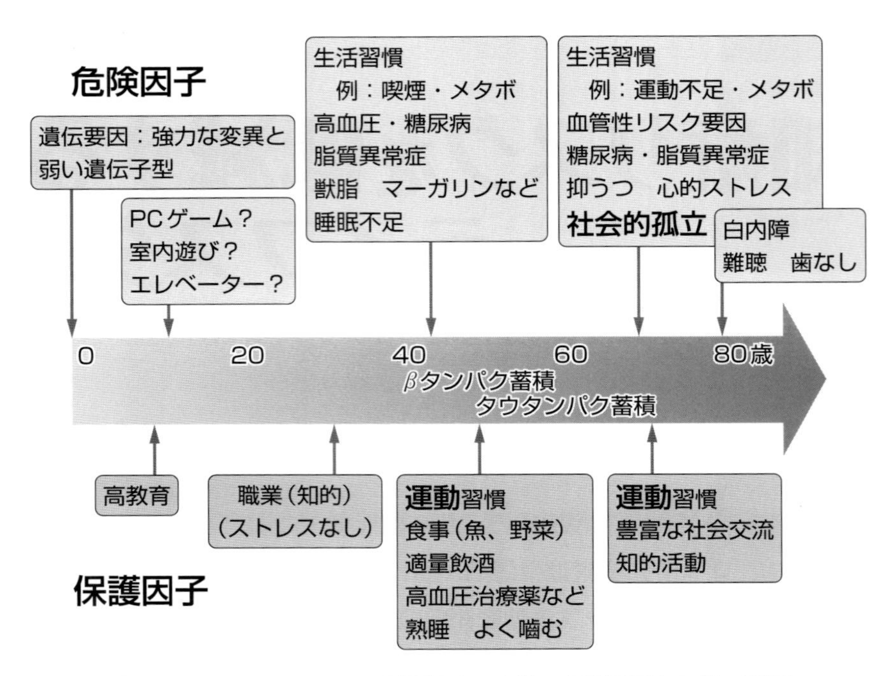

図 4-38　アルツハイマー型認知症の危険・保護因子と年齢の関係

13-1　血管性認知症を防ぐ食事

食事では、カロリー制限により老化のスピードが遅れることが動物実験で示されています。サルの実験では、小食群のほうが毛並みがよく、身体は小柄ですがキビキビと動き、寿命も長いことが示されています[58]。また、体重が減ると血圧も下がります。カロリー制限では、摂取カロリーを減らすとともに身体活動（運動）を行うことで、体脂肪を減らしつつ筋肉量を減らさないようにすることが大切です。食物繊維は腸内でコレステロールをキャッチしてコレステロールの吸収を抑制しますので、野菜を多くとるよう心がけましょう。野菜のビタミン B_6、B_{12}、葉酸は、血中ホモシステインを減らして動脈硬化を防ぎます。また、ブドウなどの苦み成分である**ポリフェノール**のもつ**抗酸化作用**も動脈硬化の防止に有効です（次項を参照）。ビタミンCやビタミンEなどにも抗酸化作用（24ページの［Step Up 認知症と脳老化］を参照）があります。

認知症の原因となる脳血管疾患は、脳出血よりも脳梗塞が圧倒的に多いので、血液粘度を下げ、血小板凝集を抑えて血栓ができにくくすることが有効です。血液の中の水分が減ると、血球の割合が増えて血球同士が張りついて塊となり（個々に分かれた団子が合体して串団子になる図をイメージしてください）、血液が流れにくくなる、すなわち血液粘度が上昇します。これを防ぐには以下のような方法があります。

＊水筒持ち歩き——下痢や多量の発汗で脱水状態になると血液の粘度が上昇します。高

齢者は調整能力が低下しているので、身近に水を置いて、こまめな水分摂取を心がけるよう指導しましょう。

どろどろ血をさらさら血に！

＊就寝前の一杯の水──血液粘度は夜中、特に明け方に上昇する傾向があります。これは脳梗塞が生じやすい時間帯と一致しています。高齢者は夜間の排尿を減らそうと就眠前の飲水を控える傾向がありますが、寝る前または夜中に一杯の水を飲むと夜間の血液粘度上昇が防げます。

＊緑黄色野菜──いろいろな緑黄色野菜に血液粘度を低下させる物質や動脈硬化を防ぐビタミン類が含まれています。

＊青魚──鰯や鯖などの「青魚」には、エイコサペンタエン酸（EPA）という血液凝固を抑制する不飽和脂肪酸や、ドコサヘキサエン酸（DHA）という神経細胞の膜に必須の不飽和脂肪酸が多く含まれています。青魚をたくさん摂取すると、脳梗塞ばかりでなく心筋梗塞やうつの予防にもなります。

13-2　アルツハイマー型認知症を防ぐ食事

血管性認知症の場合と同様な食事が基本です。ポリフェノールや不飽和脂肪酸などがアルツハイマー型認知症予防で注目されています。また、カロリー制限実験でトランスジェニックマウスの脳βアミロイド沈着が減少することが報告され[59]、カロリー制限も脳老化防止に有効と思われます。

食事のときはよく噛むことが脳への刺激になります。臼歯を削ったり、柔らかい餌で飼育したマウスでは、海馬の神経細胞数が減少して記憶学習能力が低下することが示されています。疫学研究でも、歯を失うと認知症のリスクが高まるという研究があります。歯を大切にし、食物繊維をたくさん含む硬いものをよく噛んで食べることが脳（特に海馬）へのよい刺激になり、認知症予防にも有効だと考えられます。

1）DHA とオリーブオイル

多価不飽和脂肪酸には、魚油に多く含まれる EPA や DHA などの n−3 系と、獣肉や植物油に多く含まれるアラキドン酸やリノール酸などの n−6 系があります。魚油を代表とする n−3 系は、がんや脳卒中などの生活習慣病のリスクを下げます（**図 4−39**）。オランダでの疫学調査では、魚の摂取量が増えるとアルツハイマー型認知症の発症リスクが減ることが示されました。本邦のアルツハイマー型認知症の人では魚類と緑黄色野菜の摂取が少ないという疫学データが報告されています[60]。n−3 系で血液脳関門を通る DHA は脳の中

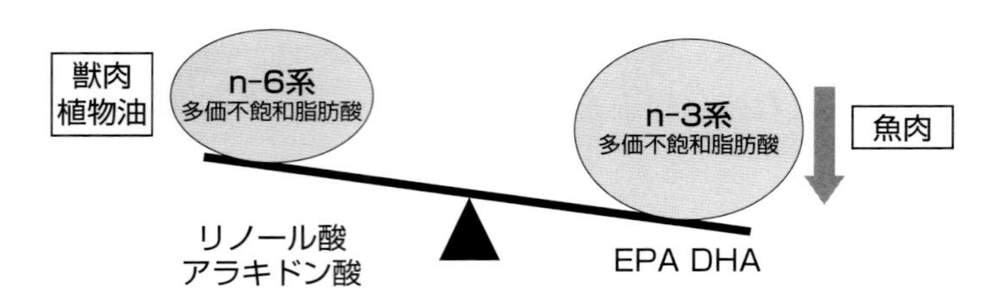

図 4-39　多価不飽和脂肪酸の摂取バランスを変えて認知症予防
獣油や植物油に多い n-6 系を減らし、魚油に多い n-3 系（EPA や DHA など）を増やすと、脳血栓や脳の炎症の予防になる。

で神経細胞の細胞膜の重要な構成成分ですが、体内ではほとんど合成されないので、食事での摂取が必要です。DHA は記憶力を向上させるなど認知症に有効という報告[61)]があります。

一価の不飽和脂肪酸であるオレイン酸を大量に含むのがオリーブオイルです。オリーブオイル・魚・野菜・豆・ワイン摂取の多い「地中海食」によって認知症のリスクが減少することが示されています。

一方、肉類に多い飽和脂肪酸の摂取は認知症のリスクを高めることが知られています。室温で固形となる豚脂や牛脂は飽和脂肪酸を多く含みます。トランスジェニックマウスを用いた動物実験では、餌に脂質やコレステロールを多く含ませると、脳のβタンパク異常蓄積が増えることが示されています。

全体のカロリーを控えめにして、肉類、特に肉の脂質を控えめにし、魚を摂取し、食物繊維やポリフェノールを含む野菜を多めに摂取することがポイントです。ただし、高齢者ではカロリーが少なすぎるという指摘もありますので、過度の節食は慎みましょう。

2）ポリフェノール

ポリフェノールは複数のフェノール環をもつ化合物の総称で、肉や魚には含まれず、野菜などに多く含まれます。ブドウの渋みやお茶の苦みなどが身近なものです。ポリフェノールは、動脈硬化を防ぐ抗酸化作用や抗がん作用をもつことが明らかにされています。

ここではアルツハイマー型認知症との関係で、脳βアミロイド形成抑制効果のあるポリフェノールを紹介します。

カレースパイスの**ウコン**に含まれる**クルクミン**が、実験動物の脳βアミロイド沈着を抑制します。試験管の中では、クルクミンがβタンパク重合を強く抑制するばかりでなく、重合してできたアミロイド線維を分解する効果も認められています。

ワインに含まれるポリフェノール類、特に**ミリセチン**やモリンに、クルクミンと同様のβアミロイド抑制効果があることが試験管内実験で示されています[62)]。赤ワインやブドウの種抽出ポリフェノールに脳βアミロイド沈着抑制効果があることも動物実験で示されています。ミリセチンにはタウタンパクの重合阻害効果もあり、アルツハイマー型認知症に有効と思われます。少量のワイン摂取はアルツハイマー型認知症の発症を防ぐことが、フランスとデンマークでの疫学調査で示されています。さらに、トランスジェニックマウスに赤ワイン（Cabernet Sauvignon）を飲用させると脳βアミロイド沈着が低減しましたが、同濃度のエタノールは無効でした[63]。グラス 1/2～1 杯程度のワインを時々飲むのは脳の健康によいようです。

石川県七尾市中島町の高齢者 490 名のコホート調査（なかしまプロジェクト）では、緑茶を毎日飲む群では 5 年間の認知症発症リスクが対照群の半分以下でした[64]。お茶に含まれるポリフェノールのエピガロカテキンがよいようです。

13-3　その他のライフスタイル

夜間の良質な睡眠は神経細胞の休息に不可欠で、神経細胞を一生の間使うためにも大切です。睡眠中には星形グリアが縮んで隙間ができ、その隙間をリンパ液が流れてβタンパクなどの不要な物質を除去します。このグリンパティックシステム（25 ページ）という脳のお掃除機能は夜間に発揮されます[65]。ですから、5 時間以上の睡眠が望まれます。また、記憶は夜間の睡眠時に定着すると考えられています。深酒は眠りを浅くするので、酒は適量にとどめ、静かで暗い環境の中でぐっすりと眠ることが望まれます。昼寝に関しては、1 時間以上の昼寝が認知症のリスクを高めると報告されています。昼食後に 15 分程度脳を休め、30 分以上は昼寝しないのがよいでしょう。

喫煙は、メタ解析でアルツハイマー型認知症と血管性認知症のリスクがともに 1.8 倍高いという報告があり、リスクであることが確実です。ただし、チェーンスモーカーでは、認知症を発症する前に呼吸器疾患か肺がんなどで死亡するので、認知症になるまで長生きできません。

魚と野菜主体の食事を腹 7 分目くらい食べ、ポリフェノールをたくさん含む緑茶やワインを飲み、毎日 30 分以上運動し、楽しく頭を使い、高血圧症や高脂血症をきちんと治療し、さらにこれから発見される予防策を組み合わせていけば、アルツハイマー型認知症の発症を 5～10 年遅らせることが可能な時代を迎えられるでしょう。高齢になると脳βアミロイド沈着はあって当たり前になります。このような生活でアルツハイマー型認知症の発症を遅らせて、健やかに人生を全うしたいですね。

第４部の引用文献

1）加藤伸司，下垣 光，小野寺敦志，他：改訂長谷川式簡易知能評価スケール（HDS-R）の作成．老年精神医学雑誌２：1339-1347，1991．
2）Folstein MF, Folstein SE, McHugh PR："Mini-Mental State"；a practical method for grading the cognitive state of patients for the clinician. J Psychiat Res 12（3）：189-198, 1975.
3）O'Bryant SE, Humphreys JD, Smith GE, et al：Detecting dementia with the Mini-mental state examination in highly educated individuals. Arch Neurol 65（7）：963-967, 2008.
4）Dubois B, Slachevsky A, Litvan I, et al：The FAB；a Frontal Assessment Battery at bedside. Neurology 55（11）：1621-1626, 2000.
5）山口智晴，牧 陽子，海保 歩，他：高齢者の遂行機能評価尺度としての山口符号テストの開発―地域での認知症予防介入に向けて―．老年精神医学雑誌 22：587-594，2011．
6）Yamaguchi H, Maki Y, Yamagami T：Yamaguchi fox-pigeon imitation test；a rapid test for dementia. Dement Geriatr Cogn Disord 29（3）：254-258, 2010.
7）Yamaguchi H, Takahashi S, Kosaka K, et al：Yamaguchi fox-pigeon imitation test（YFPIT）for dementia in clinical practice. Psychogeriatrics 11（4）：221-226, 2011.
8）Yamaguchi H, Maki Y, Yamaguchi T：A figurative proverb test for dementia；rapid detection of disinhibition, excuse and confabulation, causing discommunication. Psychogeriatrics 11（4）：205-211, 2011.
9）粟田主一：認知症初期集中支援チーム実践テキストブック― DASC による認知症アセスメントと初期支援―．中央法規出版，東京，2015．
10）山口智晴，堀口布美子，狩野寛子，他：地域包括ケアシステムにおける認知症アセスメント（DASC-21）の認知症初期集中支援チームにおける有用性．認知症ケア研究誌２：58-65，2018．
11）溝口 環，飯島 節，江藤文夫，他：DBD スケール（Demetia Behavior Disturbance Scale）による老年期痴呆患者の行動異常評価に関する研究．日老医誌 30（10）：835-840，1993．
12）内藤典子，藤生大我，滝口優子，他：BPSD の新規評価尺度―認知症困りごと質問票 BPSD ＋ Q の開発と信頼性・妥当性の検討―．認知症ケア研究誌２：133-145，2018．
13）Fuju T, Yamagami T, Ito M, et al：Development and evaluation of the Behavioral and Psychological Symptoms of Dementia Questionnaire 13-item version（BPSD13Q）. Dement Geriatr Cogn Disord Extra 11（3）：222-226, 2021（doi:10.1159/000518973）.
14）Maki Y, Yamaguchi T, Yamaguchi H：Symptoms of Early Dementia-11 Questionnaire（SED-11Q）；a brief informant-operated screening for dementia. Dement Geriatr Cogn Dis Extra 3（1）：131-142, 2013.
15）山口晴保，中島智子，内田成香，他：認知症病型分類質問票 41 項目版（Dementia differentiation questionnaire-41 items；DDQ41）の試み．日本プライマリ・ケア連合学会誌 39（1）：29-36，2016．
16）藤澤 豊，米澤久司，鈴木真紗子，他：アルツハイマー病早期抽出のためのワンフレーズスクリーニング法の開発と妥当性の検討．日老医誌 50（3）：392-399，2013．
17）Alzheimer's Disease International：Importance of a timely diagnosis（https://www.alz.co.uk/info/importance-of-early-diagnosis）.
18）Petersen RC, Smith GE, Warning SC, et al：Mild cognitive impairment；clinical characterization and outcome. Arch Neurol 56（3）：303-308, 1999.
19）Winblad B, Palmer K, Kivipelto M, et al：Mild cognitive impairment―beyond controversies, towards a consensus；report of the International Working Group on Mild Cognitive Impairment. J Intern Med 256（3）：240-246, 2004.
20）American Psychiatric Association：Diagnostic and statistical manual of mental disorders, 5th edition（DSM-5）. American Psychiatric Publishing, Arlington, VA, 2013, pp.602-606.
21）目黒謙一：認知症早期発見のための CDR 判定ハンドブック．医学書院，東京，2008，p.9.
22）Maruyama M, Matsui T, Tanji H, et al：Cerebrospinal fluid tau protein and periventricular white matter lesions in patients with mild cognitive impairment；implications for 2 major pathways. Arch Neurol 61（5）：716-720, 2004.

23） Shimada H, Makizako H, Doi T, et al：Conversion and reversion rates in Japanese older people with mild cognitive impairment. J Am Med Dir Assoc 18（9）：808.e1-808.e6, 2017.
24） American Psychiatric Association：Diagnostic and statistical manual of mental disorders, 5th edition（DSM-5）. American Psychiatric Publishing, Arlington, VA, 2013, pp.611-614.
25） 松田博史・総監修：早期AD診断支援システム―VSRAD―．エーザイ・ファイザー，東京，2006，p.14.
26） Pike KE, Savage G, Villemagne VL, et al：Beta-amyloid imaging and memory in non-demented individuals；evidence for preclinical Alzheimer's disease. Brain 130（Pt 11）：2837-2844, 2007.
27） Okello A, Koivunen J, Edison P, et al：Conversion of amyloid positive and negative MCI to AD over 3 years；an ^{11}C-PIB PET study. Neurology 73（10）：754-760, 2009.
28） Ishiguro K, Ohno H, Yamaguchi H, et al：Phosphorylated tau in human cerebrospinal fluid is a diagnostic marker for Alzheimer's disease. Neurosci Lett 270（2）：91-94, 1999.
29） World Health Organization：The top 10 causes of death（2020.12.9）（https://www.who.int/news-room/fact-sheets/detail/the-top-10-causes-of-death）.
30） Todd S, Barr S, Roberts M, et al：Survival in dementia and predictors of mortality；a review. Int J Geriatr Psychiatry 28（11）：1109-1124, 2013.
31） McKeith IG, Boeve BF, Dickson DW, et al：Diagnosis and management of dementia with Lewy bodies；Fourth consensus report of the DLB Consortium. Neurology 89（1）：88-100, 2017.
32） 山口晴保，牧 陽子，山口智晴，他：認知症へのmemantine実践的投与―鎮静効果による介護負担軽減と活動性低下などの副作用を減らす減量投与について―．臨床精神薬理 15（9）：1517-1524，2012.
33） Hachinski VC, Iliff LD, Zilhka E, et al：Cerebral blood flow in dementia. Arch Neurol 32（9）：632-637, 1975.
34） 伊井裕一郎，冨本秀和：血管性認知症における脳アミロイド血管症の位置づけ（脳小血管病と血管性認知症―その予防と治療戦略―）．Dementia Japan 29（1）：51-61，2015.
35） 齋藤祐子，足立 正，村山繁雄：嗜銀顆粒性認知症．Clin Neurosci 27（3）：325-327，2009.
36） 笠原洋勇，加田博秀，大渕敬太：痴呆におけるうつ．老年精神医学雑誌 9：1025-1030，1998.
37） 有田秀穂：セロトニン欠乏脳―キレる脳・鬱の脳をきたえ直す―．生活人新書 093，日本放送出版協会，東京，2003.
38） Shirayama Y, Chen AC, Nakagawa S, et al：Brain-derived neurotrophic factor produces antidepressant effects in behavioral models of depression. J Neurosci 22（8）：3251-3261, 2002.
39） American Psychiatric Association：Diagnostic and statistical manual of mental disorders, 5th edition（DSM-5）. American Psychiatric Publishing, Arlington, VA, 2013, pp.596-601.
40） 三好功峰：せん妄の症候論と概念の変遷．老年精神医学雑誌 9：1283-1287，1998.
41） 山田了士，黒田重利：器質性疾患におけるせん妄．老年精神医学雑誌 9：1304-1309，1998.
42） 厚生労働省：「かかりつけ医のためのBPSDに対応する向精神薬使用ガイドライン（第２版）」（https://www.mhlw.go.jp/file/06-Seisakujouhou-12300000-Roukenkyoku/0000140619.pdf）.
43） 藤生大我，山口晴保，宮崎直人，他：ADL低下と抗精神病薬投与の関連―認知症グループホーム継続調査から―．Dementia Japan 35（2）：241-250，2021.
44） Schwab W, Messinger-Rapport B, Franco K：Psychiatric symptoms of dementia；treatable, but no silver bullet. Cleve Clin J Med 76（3）：167-174, 2009.
45） 大地陸男：生理学テキスト．文光堂，東京，1992，p.52.
46） Buckley JS, Salpeter SR：A risk-benefit assessment of dementia medications；systematic review of the evidence. Drugs Aging 32（6）：453-467, 2015.
47） Arai H, Takahashi T：A combination therapy of donepezil and cilostazol for patients with moderate Alzheimer disease；pilot follow-up study. Am J Geriatr Psychiatry 17（4）：353-354, 2009.
48） 山口晴保，牧 陽子，山口智晴，他：リバスチグミン貼付薬（イクセロン®パッチ）の実践的投与経験．Dementia Japan 28（1）：108-115，2014.
49） 中村重信，佐々木健，伊藤達彦，他：Ferulic acidとgarden angelica根抽出物製剤ANM176™がアルツハイマー病患者の認知機能に及ぼす影響．Geriat Med 46（12）：1511-1519，2008.
50） Kimura T, Hayashida H, Murata M, et al：Effect of ferulic acid and Angelica archangelica extract

on behavioral and psychological symptoms of dementia in frontotemporal lobar degeneration and dementia with Lewy bodies. Geriatr Gerontol Int 11 (3) : 309-314, 2011.

51) Yamaguchi H, Maki Y : Tube feeding can be discontinued by taking dopamine agonists and angiotensin-converting enzyme inhibitors in the advanced stages of dementia. J Am Geriatr Soc 58 (10) : 2035-2036, 2010.

52) Holmes C, Boche D, Wilkinson D, et al : Long-term effects of Abeta42 immunisation in Alzheimer's disease ; follow-up of a randomised, placebo-controlled phase I trial. Lancet 372 (9634) : 216-223, 2008.

53) Kawarabayashi T, Terakawa T, Takahashi A, et al : Oral immunization with soybean storage protein containing amyloid-β 4-10 prevents spatial learning decline. J Alzheimer Dis 70 (2) : 487-503, 2019.

54) Hara H, Mouri A, Yonemitsu Y, et al : Mucosal immunotherapy in an Alzheimer mouse model by recombinant Sendai virus vector carrying Aβ1-43/IL-10 cDNA. Vaccine 29 (43) : 7474-7482, 2011.

55) Horikoshi Y, Mori T, Maeda M, et al : Aβ N-terminalend specific antibody reduced β-amyloid in Alzheimer-model mice. Biochem Biophys Res Commun 325 : 384-387, 2004.

56) van Dyke CH, Swanson CJ, Aisen P, et al : Lecanemab in early Alzheimer's disease. N Engl J Med 388 (1) : 9-21, 2023.

57) World Health Organization : Risk reduction of cognitive decline and dementia ; WHO guidelines. World Health Organization, Geneva, 2019 (https://apps.who.int/iris/bitstream/handle/10665/312180/9789241550543-eng.pdf?ua=1).

58) Roth GS, Lane MA, Ingram DK, et al : Biomarkers of caloric restriction may predict longevity in humans. Science 297 (5582) : 811, 2002.

59) Patel NV, Gordon MN, Conor KE, et al : Caloric restriction attenuates Aβ-deposition in Alzheimer transgenic models. Neurobiol Aging 26 (7) : 995-1000, 2005.

60) 植木 彰：アルツハイマー病の危険因子としての食事栄養素—脂肪酸摂取バランスの重要性—. Dementia Japan 13：69-77, 1999.

61) 矢澤一良：DHA. Geriat Med 42 (8)：1003-1008, 2004.

62) Ono K, Yoshiike Y, Takashima A, et al : Potent anti-amyloidogenic and fibril-destabilizing effects of polyphenols in vitro ; implications for the prevention and therapeutics of Alzheimer's disease. J Neurochem 87 (1) : 172-181, 2003.

63) Wang J, Ho L, Zhao Z, et al : Moderate consumption of Cabernet Sauvignon attenuates Aβ neuropathology in a mouse model of Alzheimer's disease. FASEB J 20 (13) : 2313-2320, 2006.

64) Noguchi-Shinohara M, Yuki S, Dohmoto C, et al : Consumption of green tea, but not black tea or coffee, is associated with reduced risk of cognitive decline. PLoS One 9 (5) : e96013, 2014.

65) Rasmussen MK, Mestre H, Nedergaard M : The glymphatic pathway in neurological disorders. Lancet Neurol 17 (11) : 1016-1024, 2018.

まとめ

認知症の病態を正しく理解して包括的に対応することがとても重要との思いから、認知症の医療・リハ・ケア全般にわたって多面的に書いた本として2005年に世に出しました。それから版を重ね、第4版では「本人視点」を重視して、さらに包括的・全人的に進化しました。

第1部は総論です。認知症の人の脳ではどのようなことが起きているのか（どんな病変？）、それはどのような要因やメカニズムで生じるのか（どんな病態？）、老化との関係は、などを、アップデートしつつ、わかりやすく解説しました。

第2部は認知症の人の示す症状とサイン、そして生活の困難について、それらのケアを対応させながら、パーソンセンタードケアを基本理念に解説しました。第4版では、認知症の人が表出する言動を、医学的な視点では“症状”、ケアの視点では“サイン”として受け取ろうと提案しました。加えて、生活の視点では生活の困難（生活障害）として理解し、全身状態や服薬状況、環境要因を含めて全人的に認知症の人を捉えてケアすることの大切さを強調しました。一人の人間として認知症の人の尊厳が守られるケア、その人らしさを大切にするケア、本人が「自分は大切にされている」と感じているケア、そして、ケアする側も一人の人間としてケアされる側とよい関係性を築いているケア、これらがパーソンセンタードケアだと解説しています。また、本人の感じている世界を示したいと思い、本人視点で見た症状や生活障害を加えました。認知症の人の抱える不安や混乱をよく理解して対応するのが正しいケアです。本人の声に耳を傾け、相手の立場に立って、相手の心を理解して、相手の人格を尊重して、自立に基づいた援助を提供するのが基本です（真の自立支援）。残存能力を見極め、能力を高めるポジティブケアをめざします。できることを援助して能力を奪うネガティブケアではいけません。第4版では、ポジティブ心理学の知見を取り入れ、ポジティブケアを提唱しています。

第3部は脳活性化リハです。脳活性化とは、脳に快刺激を与え、他者とのコミュニケーションを通じて役割をもってもらい、ほめて、前向きに生きる活力を引き出すことです。脳を使わなければ機能が低下します。その反面、学習すればいろいろな能力を得ることができます。アルツハイマー型認知症では、神経ネットワークが徐々に崩壊していきます。しかし、脳には可塑性があるので、脳活性化リハで機能を代償する能力を高めるアプローチにより、進行を遅らせたり、また初期であれば、進行を止めたり回復することすら期待できるのです。第4版では、脳活性化リハのエビデンスを示す新知見を盛り込み、さらにポジティブ心理学の知見を加えてバージョンアップしています。

第4部は認知症の理解を深めるセクションです。主要な認知症疾患の診断や治療、その他の認知症疾患の医療、うつ病やせん妄、治療薬などについて、第1部〜第3部を補足しています。第4版では診断・治療の進歩を盛り込みました。さらに、ICD-11に準拠しました。

認知症は多職種協働で関わる時代です。医療職もリハ職も介護職も、認知症の病態〜症状〜生活障害〜本人のニーズ/サイン〜治療薬〜地域資源まで幅広く理解し、職域を超えて連携することが望まれます。認知症の人が、認知症という生活の困難を抱えながらも、地域の中でよりよく(well-being)暮らせる社会になるよう、各職が力を発揮できると嬉しいです。

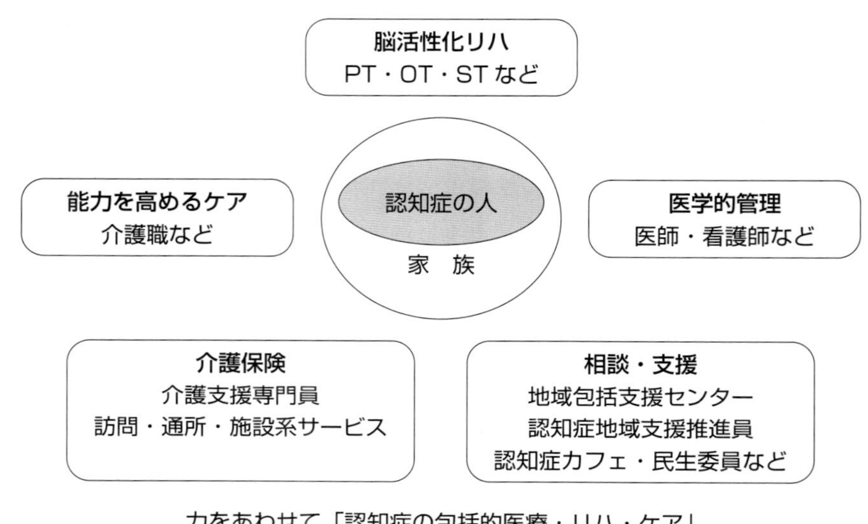

力をあわせて「認知症の包括的医療・リハ・ケア」
快一徹！ その人らしく豊かに過ごせるように

最後に、お気に入りの言葉を記しておきたいと思います。

We are here to add life to years, but not years to life.

———私たちは長生きさせる(add years to life)ために働いているのではなく、余命(years)に豊かな生活(life)を与えるために働いている、という意味です。私たち医療・ケア関係者は、いつも相手の立場に立って、相手の望むものを提供するという謙虚な姿勢を忘れてはいけないのです。それと同時に、専門職として、疾患についての正しい知識を身につけ、能力を見極める目を育て、適切なリハやケアを提供できるよう、自分自身の脳を学習により活性化しなければなりません。

認知症の人と家族が、穏やかに在宅生活を続けられるよう支援することに本書が活用されることを願っています。

謝 辞

共著者の協力を得て、私がこれまで20年以上にわたって認知症研究に携わってきた中で蓄積した知識を本書にまとめました。20年前のまだ認知症が脚光を浴びる前の時代に、恩師・平井俊策先生（群馬大学名誉教授、東京都立神経病院元院長）が認知症研究に導いてくださりました。また当時、群馬大学神経内科で森松光紀先生（山口大学名誉教授）より神経学の手ほどきを受けました。そして、これまで研究を続けてこられたのは、研究者としての生き方について川村明義先生（東京大学名誉教授）より薫陶を受けたおかげです。アルツハイマー病の研究は、井原康夫先生（東京大学教授、日本痴呆学会理事長）の指導を受け、群馬大学病態病理学の中里洋一教授、佐々木惇先生、および杉原志朗先生（現群馬県健康づくり財団）、国立長寿医療センター研究所の柳澤勝彦先生など多くの方々の協力を得て進めてこられました。また職場では、土屋純先生（群馬大学名誉教授）、中澤次夫先生（同）と佐藤久美子先生（同）に、そして公私にわたって矢野享先生（希望の家理事長）に多大なるご支援を賜りました。この場を借りて厚く御礼申し上げます。

本書の執筆にあたって、群馬大学神経内科の田中真先生にはレビー小体型認知症の先進的な画像情報の提供を、音楽療法士の石原理恵氏からは音楽療法の原稿執筆を、臨床美術士の高野理子氏（内田病院）にはアートセラピーの執筆に関するご指導をいただきました。生野唯氏には、限られた時間の中で、かわいいイラストを精いっぱい描いていただきました。また、北斗病院鎌田一理事長のご好意により、病院主催「健やか講座」の講演録で作成した図を何点か使わせていただいております。1年間かけて何度も原稿を読み返しながら編集作業を進める中で、心理学が専門の根本樹宏氏（株式会社ネモト）と作業療法士の佐貫恵氏（藤枝市立総合病院）、認知症介護研究・研修東京センターの永田久美子室長には貴重なご意見を頂戴し、編集内容に反映させることができました。浜松市の金子クリニックの金子満雄院長と富塚パークタウンデイサービスセンターの奥山惠理子施設長には、施設見学の折りに貴重なお話を聞かせていただきました。そして、症例紹介や写真の中で登場していただきました認知症の皆様にも深謝いたします。

最後に、本書執筆のきっかけをつくってくださいました言語聴覚士の大澤富美子氏（横浜市総合リハビリテーションセンター）と、企画から出版まで2年間近くにわたり適切なアドバイスをいただいた担当の戸高英明氏に感謝します。

2005年4月

筆者を代表して　山口晴保

索引

ⓢし

す

そ

執筆者紹介

山口 晴保（群馬大学名誉教授、認知症介護研究・研修東京センター・センター長／医師）
1976年に群馬大学医学部を卒業後、群馬大学大学院博士課程修了（医学博士）。2016年9月まで群馬大学大学院保健学研究科教授を務めた（現 群馬大学名誉教授）。専門は認知症の医療（日本認知症学会専門医）やリハビリテーション医学（日本リハビリテーション医学会専門医）。脳βアミロイド沈着機序をテーマに30年にわたって病理研究を続けてきたが、その後、臨床研究に転向し、認知症の実践医療、認知症の脳活性化リハビリテーション、認知症ケアなどにも取り組んでいる。群馬県地域リハビリテーション協議会委員長として、2006年から2018年まで「介護予防サポーター」の育成を進めてきた。また、2005年より2021年まで、ぐんま認知症アカデミーの代表幹事として、群馬県内における認知症ケア研究の向上に尽力した。日本認知症学会名誉会員。

佐土根 朗（十勝リハビリテーションセンター／医師）
1985年に札幌医科大学医学部を卒業後、中村記念病院脳神経外科へ就職（1985年から1992年）。1993年から社会医療法人北斗で勤務（北斗病院脳神経外科、十勝リハビリテーションセンター）。

松沼 記代（高崎健康福祉大学健康福祉学部社会福祉学科・特任教授／社会福祉士）
2005年に群馬大学大学院医学系研究科保健学専攻博士（前期）課程修了（保健学修士）。2011年に日本社会事業大学大学院社会福祉学博士（後期）課程修了（社会福祉学博士）。現職以前に通所介護、グループホームにて勤務。専門は認知症ケア、人材育成、福祉レクリエーション。

山上 徹也（群馬大学大学院保健学研究科リハビリテーション学講座・教授／理学療法士）
2001年に群馬大学医学部保健学科理学療法学専攻を卒業後、群馬大学大学院医学系研究科保健学専攻博士課程修了（保健学博士）。脳血管障害、骨関節疾患などの理学療法を専門とする一方で、認知症の発症・進行予防のための脳活性化リハビリテーションを実践・研究している。

認知症の正しい理解と包括的医療・ケアのポイント　第4版
快一徹！ 脳活性化リハビリテーションで進行を防ごう

ISBN 978-4-7639-6040-5

2005年 5月30日 初版 第1刷 発行
2009年 2月20日 初版 第7刷 発行
2010年 4月 6日 第2版 第1刷 発行
2015年 4月30日 第2版 第7刷 発行
2016年 9月30日 第3版 第1刷 発行
2020年 3月13日 第3版 第3刷 発行
2023年 5月25日 第4版 第1刷 発行 ©
定価はカバーに表示

編 著 者　山口 晴保
著　　者　佐土根 朗 ＋ 松沼 記代 ＋ 山上 徹也
発 行 者　中村 三夫
発 行 所　株式会社 協同医書出版社
〒113-0033　東京都文京区本郷3-21-10 浅沼第2ビル4階
phone：03-3818-2361　／　fax：03-3818-2368
URL：http://www.kyodo-isho.co.jp/
郵便振替　00160-1-148631
印刷・製本　株式会社 三秀舎